Ainda sou *eu*

Ainda sou *eu*

JOJO MOYES

Tradução de
Ana Rodrigues,
Cássia Zanon,
Julia Sobral Campos e
Maria Carmelita Dias

Copyright © Jojo's Mojo Ltd, 2018

TÍTULO ORIGINAL
Still Me

PREPARAÇÃO
Marina Góes
Nina Lua

REVISÃO
Tamara Sender

DIAGRAMAÇÃO
Kátia Regina Silva

ILUSTRAÇÃO E DESIGN DE CAPA
Aline Ribeiro | linesribeiro.com

CIP-BRASIL. CATALOGAÇÃO-NA-FONTE
SINDICATO NACIONAL DOS EDITORES DE LIVROS, RJ

M899a

Moyes, Jojo, 1969-
    Ainda sou eu / Jojo Moyes ; tradução Ana Rodrigues, Cássia Zanon, Julia Sobral Campos, Maria Carmelita Dias. – 1. ed. – Rio de Janeiro : Intrínseca, 2018.

    400p.; 23cm
    Tradução de: Still me
    ISBN 978-85-510-0281-0

    1. Romance inglês. I. Rodrigues, Ana. II. Zanon, Cássia. III. Campos, Julia Sobral. IV. Dias, Maria Carmelita. V. Título.

17-45840   CDD: 823
                              CDU: 821.111-3

[2018]

Todos os direitos desta edição reservados à
Editora Intrínseca Ltda.
Av. das Américas, 500, bloco 12, sala 303
22640-904 – Barra da Tijuca
Rio de Janeiro – RJ
Tel./Fax: (21) 3206-7400
www.intrinseca.com.br

Para a querida Saskia:
use sua meia listrada com orgulho.

Sabe, primeiro, quem és; e então te adorna de acordo.
EPITETO

1

Foi o bigode que me lembrou de que eu não estava mais na Inglaterra: uma centopeia sólida e cinzenta escondendo bem o lábio superior do homem; um bigode à la Village People, de caubói, uma miniatura de vassoura que passava muita seriedade. Na Inglaterra não se vê esse tipo de bigode. Eu simplesmente não conseguia tirar os olhos dele.

— Senhora?

A única pessoa que eu já tinha visto com um bigode daqueles na Inglaterra foi o Sr. Naylor, nosso professor de matemática, que colecionava migalhas de biscoito nele — a gente costumava contá-las durante a aula de álgebra.

— Senhora?

— Ah. Desculpe.

O homem de uniforme fez um gesto com o dedo atarracado para que eu me aproximasse. Não tirou os olhos da tela. Aguardei no guichê, o suor da espera secando lentamente no meu vestido. Ele estendeu a mão, flexionando quatro dedos gordos. Depois de vários segundos, percebi que estava pedindo meu passaporte.

— Nome.

— Está aí — retruquei.

— Seu nome, senhora.

— Louisa Elizabeth Clark.

Espiei por cima do balcão.

— Mas eu nunca uso o Elizabeth. Porque minha mãe percebeu depois de me registrarem que meu apelido ficaria Lou Lizzy. E, se você disser isso rápido, soa como tolice. Embora meu pai diga que é meio apropriado. Não que eu seja tola. Quer dizer, você não iria querer pessoas tolas no seu país. Ha!

Minha voz reverberou nervosamente no painel de acrílico.

O homem olhou para mim pela primeira vez. Tinha ombros firmes e um olhar capaz de imobilizar você feito uma arma de eletrochoque. Não sorriu. Ele esperou até que o meu sorriso se esvaísse.

— Desculpe — falei. — Pessoas de uniforme me deixam nervosa.

Olhei para o saguão da imigração, atrás de mim, para a fila que serpenteava com tantas voltas que se tornara um mar agitado e impenetrável de pessoas.

— Acho que estou me sentindo meio estranha por ter passado tanto tempo na fila. Sinceramente, foi a fila mais demorada que já encarei. Já estava me perguntando se deveria começar a fazer minha lista de compras de Natal.

— Coloque a mão no escâner.

— É sempre desse tamanho?

— O escâner?

Ele franziu o cenho.

— A fila.

Mas, ele não estava mais prestando atenção. Observava algo na tela. Coloquei os dedos no aparelho e então meu celular apitou.

Mãe: *Já pousou?*

Comecei a digitar uma resposta com a mão livre, mas ele se virou abruptamente para mim.

— Senhora, o uso de aparelhos celulares não é permitido nesta área.

— É só a minha mãe. Ela quer saber se cheguei.

Discretamente mandei o emoji do polegar erguido enquanto escondia o telefone dele.

— Motivo da viagem?

O que é isso? A resposta de minha mãe chegou na mesma hora. Ela tinha se adaptado incrivelmente bem ao universo das mensagens de texto e agora digitava mais depressa do que falava — ou seja, fazia isso na velocidade da luz. *Você sabe que meu celular não mostra as imagenzinhas. É um SOS? Louisa, me diga que você está bem.*

— Motivo da viagem, senhora? — O bigode se remexeu com irritação e ele acrescentou lentamente: — O que você veio fazer nos Estados Unidos?

— Tenho um emprego novo.

— Que é…?

— Vou trabalhar para uma família em Nova York. No Central Park.

As sobrancelhas do homem talvez tenham brevemente se erguido um milímetro. Ele olhou o endereço no meu formulário, confirmando a informação.

— Que tipo de emprego?

— É um pouco complicado. Eu sou uma espécie de acompanhante remunerada.

— Uma *acompanhante remunerada*.

— É assim: eu costumava trabalhar para um homem. Era a acompanhante dele, mas também dava remédios e comida para ele, além de levá-lo para passear. Aliás, não é tão estranho quanto parece: ele não mexia as mãos. Não era algo pervertido. Na verdade, acabou virando mais do que isso, porque é difícil não se aproximar das pessoas de quem você cuida, e o Will, o homem, era maravilhoso e a gente... Bem, a gente se apaixonou.

Tarde demais, tive a sensação familiar dos olhos se enchendo de lágrimas. Limpei-os rapidamente.

— Então acho que vai ser mais ou menos igual. Menos a parte de se apaixonar. E de dar comida.

O funcionário da imigração estava me encarando. Tentei sorrir.

— Na verdade, eu não costumo chorar quando falo de trabalho. Não sou uma tola de verdade, apesar do meu nome. Ha! Mas eu o amava. E ele me amava. Aí ele... Bem, ele escolheu dar fim à própria vida. Então isto é meio que minha tentativa de recomeço.

As lágrimas agora escorriam implacável e vergonhosamente dos cantos dos meus olhos. Não conseguia contê-las. Não conseguia conter nada.

— Desculpe. Deve ser o *jet lag*. São tipo duas da manhã no horário normal, certo? Além disso, eu não falo mais sobre ele. Quer dizer, estou namorando. E meu namorado é ótimo! É paramédico! E um gato! É como ganhar na loteria dos namorados, não é? Um paramédico gato!

Vasculhei minha bolsa em busca de um lenço. Quando levantei a cabeça, o homem estava estendendo uma caixa para mim.

— Obrigada. Enfim, de qualquer forma, meu amigo Nathan, que é da Nova Zelândia, trabalha aqui e me ajudou a arranjar esse emprego, e não sei bem do que se trata ainda, além de cuidar da esposa de um homem rico que fica deprimida. Mas decidi que desta vez vou fazer o que Will queria que eu fizesse, porque antes eu não fiz direito. Acabei indo trabalhar em um aeroporto.

Congelei na hora.

— Não... hum... que haja algo de errado em trabalhar em um aeroporto! Com certeza atuar na imigração é um trabalho muito importante. *Muito* importante. Mas eu tenho um plano: vou fazer algo novo a cada semana que passar aqui e vou dizer sim.

— Dizer sim?

— Para coisas novas. Will sempre dizia que eu me fecho para novas experiências. Então esse é meu plano.

O funcionário examinou a minha papelada.

— A senhora não preencheu direito a parte do endereço. Preciso do código postal.

Ele empurrou o formulário na minha direção. Olhei o número no papel que havia imprimido e o escrevi com dedos trêmulos. Olhei para minha esquerda, onde as pessoas da fila para o meu guichê estavam ficando impacientes.

À frente da fila ao lado, uma família chinesa era questionada por dois funcionários. Quando a mulher protestou, foram todos levados para uma sala. De repente, eu me senti muito sozinha.

O funcionário da imigração deu uma olhada nas pessoas que aguardavam na fila. Então do nada carimbou meu passaporte.

— Boa sorte, Louisa Clark — disse.

Eu o encarei.

— É só isso?

— É só isso.

Sorri.

— Ah, obrigada! É muita gentileza sua. Quer dizer, é bem estranho estar do outro lado do mundo sozinha pela primeira vez, e agora sinto que conheci a primeira pessoa legal e...

— A senhora precisa prosseguir.

— Ah, sim. Desculpe.

Reuni meus pertences e afastei do rosto uma mecha suada de cabelo.

— E, senhora...

— Sim?

Fiquei me perguntando o que havia feito de errado desta vez. Ele não tirou os olhos da tela.

— Tenha cuidado para o que diz sim.

Nathan estava esperando no setor de desembarque do aeroporto, como havia prometido. Varri a multidão com os olhos, me sentindo estranhamente constrangida, certa de que ninguém viria, mas lá estava ele, com a mão imensa acenando acima dos corpos que se moviam ao seu redor. Ele ergueu o outro braço, com um sorriso largo no rosto, e abriu caminho até mim, me levantando do chão com um abraço apertadíssimo.

— Lou!

Ao vê-lo, algo dentro de mim se contraiu de forma inesperada — algo ligado a Will, à perda e à emoção crua que vêm de ficar sentada em um voo um pouco turbulento demais por sete horas — e fiquei feliz por ele estar me abraçando com força, dando-me um instante para me recompor.

— Bem-vinda a Nova York, baixinha! Pelo visto você não perdeu sua noção de estilo.

Nathan me afastou de si, sorrindo. Ajeitei o vestido dos anos setenta com estampa de tigre. Achei que ele me deixaria parecida com Jackie Kennedy, nos Anos Onassis. Isto é, se Jackie Kennedy tivesse derramado no colo metade do café servido no avião.

— É tão bom ver você.
Ele pegou as minhas malas de chumbo como se estivessem repletas de plumas.
— Vamos embora. Vamos para a casa. O Prius está no conserto, então o Sr. G me emprestou o carro dele. O trânsito está horrível, mas você vai chegar lá com classe.

O carro do Sr. Gopnik era preto e lustroso, do tamanho de um ônibus, e as portas se fecharam com aquele *tum* enfático e discreto que indicava um preço de seis dígitos. Nathan colocou a bagagem no porta-malas e eu me instalei no banco do passageiro com um suspiro. Olhei o celular, respondi as quatorze mensagens da minha mãe com uma, dizendo simplesmente que estava no carro e ligaria para ela no dia seguinte, depois respondi à de Sam, na qual ele dizia que estava com saudades, com *Pousei. Bjs*.
— Como vai o cara? — perguntou Nathan, olhando para mim.
— Ele está bem, obrigada.
Acrescentei mais alguns *bjs*, só para garantir.
— Ele não ficou muito chateado por você ter vindo para cá?
Dei de ombros.
— Ele achou que eu precisava vir.
— Todos nós achamos. Você só demorou um pouco para encontrar seu caminho, só isso.
Guardei o celular, recostei-me no assento e olhei os nomes desconhecidos que surgiam ao longo da estrada: Loja de Pneus Milo, Academia Richie, as ambulâncias e os caminhões de mudança, as casas maltratadas com a tinta descascando e os degraus instáveis, as quadras de basquete, os motoristas com copos de plástico gigantescos. Nathan ligou o rádio e ouvi alguém chamado Lorenzo falar sobre um jogo de beisebol, então tive a breve impressão de estar em uma espécie de realidade suspensa.
— Então, você tem o dia de amanhã para se organizar. Quer fazer alguma coisa? Acho que seria bom deixar você dormir, depois arrastá-la para um *brunch*. Você tem que ter a experiência completa de uma lanchonete em Nova York no primeiro fim de semana aqui.
— Acho ótimo.
— Eles só vão voltar do clube amanhã à noite. Houve um pouco de conflito esta semana. Contarei os detalhes depois que você tiver dormido.
Eu o encarei.
— Sem segredos, ok? Isso não vai ser...
— Eles não são como os Traynor. São só uma família multimilionária e disfuncional comum.

— Ela é legal?
— É ótima. Ela... dá trabalho. Mas é ótima. Ele também.

Era o máximo de informação sobre o caráter de alguém que eu poderia arrancar de Nathan. Ele ficou em silêncio — não era muito de fofoca — e eu fiquei sentada no ar condicionado do Mercedes GLS macio, lutando contra as ondas de sono que ameaçavam tomar conta de mim. Pensei em Sam, que àquela altura devia estar no décimo sono, a vários quilômetros, no vagão de trem. Pensei em Treena e Thom, acomodados no meu pequeno apartamento de Londres. Então a voz de Nathan interrompeu meus devaneios:

— Aí está.

Ergui os olhos com determinação e lá estava, do outro lado da Brooklyn Bridge: Manhattan, brilhando feito um milhão de cacos de luz, estonteante, atraente, impossivelmente compacta e linda, uma visão tão familiar por causa da televisão e dos filmes que meio que não consegui assimilar que via a versão real. Eu me endireitei no assento, abismada, enquanto nos aproximávamos dela, a metrópole mais famosa do planeta.

— Essa vista nunca cansa, não é? É um pouco mais grandiosa do que Stortfold.

Acho que eu não tinha me dado conta de fato até aquele instante. *Meu novo lar.*

— Oi, Ashok. Como vai?

Nathan arrastou minhas malas pelo saguão de mármore enquanto eu analisava os azulejos pretos e brancos, os corrimões de bronze, tentando não tropeçar, com os passos ecoando no espaço cavernoso. Parecia a entrada de um grandioso hotel um tantinho antiquado: o elevador de cobre envelhecido, o chão coberto de carpete estampado nos tons vermelho e dourado, a recepção um pouco mais escura do que seria confortável. Tinha cheiro de cera de abelha, de sapatos engraxados e de dinheiro.

— Eu estou bem, cara. Quem é essa?
— Esta é Louisa. Ela vai trabalhar para a Sra. G.

O porteiro uniformizado saiu de trás da mesa e estendeu a mão para que eu a apertasse. Tinha um sorriso amplo e olhos que pareciam já ter visto de tudo.

— É um prazer, Ashok.
— Uma inglesa! Um primo meu está em Londres. Em Croydon. Você conhece Croydon? Mora perto de lá? Ele é um sujeito grande, se é que me entende.
— Não conheço Croydon muito bem — respondi.

Quando a expressão dele murchou, acrescentei:

— Mas vou ficar de olho na próxima vez que estiver lá.

— Bem-vinda ao Lavery, Louisa. Se precisar de algo, ou quiser saber alguma coisa, é só me falar. Estou aqui vinte e quatro horas por dia, todos os dias.

— Ele não está brincando — observou Nathan. — Às vezes acho que ele dorme embaixo dessa mesa.

Ashok indicou o elevador de serviço, as portas de um cinza fosco, localizado perto dos fundos do saguão.

— Três filhos com menos de cinco anos, cara — disse ele. — Acredite em mim, ficar aqui é o que me mantém são. Já não posso dizer o mesmo sobre a minha mulher.

Ele sorriu.

— Sério, Srta. Louisa. Qualquer coisa de que precisar, estou ao seu dispor.

— Ele está falando de drogas, prostitutas, bordéis? — sussurrei para Nathan quando as portas do elevador de serviço se fecharam à nossa frente.

— Não. Está falando de ingressos para o teatro, mesas em restaurantes, os melhores lugares para mandar lavar suas roupas a seco. Estamos na Quinta Avenida. Meu Deus. O que você andou fazendo em Londres?

A residência dos Gopnik ocupava seiscentos e cinquenta metros quadrados no segundo e terceiro andares de um prédio gótico de tijolos vermelhos, um raro duplex naquela área de Nova York, resultado do empenho das gerações ricas da família Gopnik. Segundo Nathan, aquilo, o Lavery, era uma imitação em escala reduzida do famoso edifício Dakota, e era um dos edifícios administrados por cooperativas mais antigos do Upper East Side. Ninguém podia comprar ou vender um apartamento ali sem a aprovação de um conselho de moradores muito avesso a mudanças. Enquanto os condomínios chiques do parque abrigavam os novos-ricos — oligarcas russos, estrelas do pop, magnatas do aço chineses e bilionários do mundo tecnológico —, com restaurantes comunitários, academias, creches e piscinas de borda infinita, os moradores do Lavery gostavam das coisas à moda antiga.

Os apartamentos eram passados de geração em geração; seus ocupantes aprendiam a tolerar o sistema de encanamento dos anos trinta, travavam batalhas demoradas e labirínticas em busca de permissão para alterar qualquer coisa maior do que um interruptor e olhavam para o outro lado educadamente enquanto a cidade mudava em torno deles, da mesma forma como se ignora um pedinte com um cartaz de papelão.

Eu mal prestei atenção na grandiosidade do duplex em si, com seu piso parquê, seu pé-direito alto e suas cortinas de damasco até o chão, enquanto nos encaminhamos para os aposentos dos funcionários, escondidos na extremidade do segundo andar, ao final de um longo corredor estreito que partia da cozinha — uma anomalia de uma época longínqua. Os edifícios mais novos ou reformados não dispunham de aposentos para funcionários: empregadas domésticas e babás saíam do Queens ou de Nova Jersey no trem da madrugada e voltavam para casa após o anoitecer. Mas a família Gopnik tinha aqueles quartos minúsculos desde que o prédio fora construído. Não podiam ser modificados nem vendidos, porém estavam ligados à residência principal e eram cobiçados como despensas. Não era difícil entender por que podiam ser considerados despensas com tanta naturalidade.

— Pronto.

Nathan abriu uma porta e largou as minhas malas.

Meu quarto tinha uns treze metros quadrados. Possuía uma cama de casal, uma televisão, uma cômoda e um armário. No canto, havia uma pequena poltrona com forro bege, o assento murcho como prova de exaustos ocupantes anteriores. Uma janelinha dava para o sul, acho. Ou o norte. Ou o leste. Era difícil saber, já que o cômodo ficava a dois metros de distância da parte traseira de um edifício de tijolos tão alto que só era possível ver o céu pressionando o rosto contra o vidro e virando o pescoço.

Havia uma cozinha comunitária ali perto, no corredor, a ser compartilhada entre Nathan, eu e a empregada doméstica, cujo quarto ficava bem em frente ao meu.

Na cama havia uma pilha perfeita de camisas polo verde-escuras e o que pareciam ser calças pretas com o brilho barato de Teflon.

— Não avisaram sobre o uniforme?

Peguei uma das camisas polo.

— São só uma camisa e uma calça. Os Gopnik acham que uniformes facilitam as coisas. Assim cada um sabe qual é o seu lugar.

— Se você quer ficar igual a um jogador de golfe profissional.

Espiei o pequeno banheiro anexo ao quarto, o piso de azulejos de mármore marrom cravejado de calcário. Dispunha de privada, uma pia pequena que parecia remontar aos anos quarenta e chuveiro. No canto, um sabão embalado e uma lata de inseticida.

— Na verdade, é bem generoso pelos padrões de Manhattan — explicou Nathan. — Sei que parece um pouco caído, mas a Sra. G disse que podemos dar uma demão de tinta. Mais alguns abajures e uma passada na loja Crate and Barrel e vai...

— Eu adorei.

Virei-me para ele e disse com um tremor súbito na voz:

— Estou em Nova York, Nathan. Estou aqui de verdade.

Ele segurou meu ombro.

— É. Está mesmo.

* * *

Consegui ficar acordada por tempo suficiente para desfazer as malas, comprar comida com Nathan, zapear por alguns dos 859 canais da minha televisãozinha — a grande maioria parecia passar uma sequência ininterrupta de jogos de futebol americano, comerciais sobre problemas digestivos ou séries mal-iluminadas sobre crimes das quais eu nunca tinha ouvido falar. Então apaguei. Acordei com um susto às 4h45. Por alguns minutos atordoantes, fiquei confusa com o ruído distante de uma sirene desconhecida, o gemido grave de um caminhão dando ré, então acendi a luz, me lembrei de onde estava e senti uma onda de empolgação.

Peguei o laptop na bolsa e digitei uma mensagem para Sam. *Está aí? Bjs.*

Esperei, mas não obtive resposta. Ele tinha dito que estaria trabalhando, e estava atordoada demais para calcular a diferença de fuso horário. Deixei o laptop de lado e tentei voltar a dormir (Treena dizia que quando eu não dormia o bastante ficava parecendo um cavalo triste). No entanto, os ruídos estranhos da cidade eram como um canto de sereia, e às seis da manhã levantei da cama e tomei banho, tentando ignorar a ferrugem na água barulhenta que explodia da ducha. Eu coloquei uma roupa (um vestido jeans salopete e uma blusa azul-turquesa vintage de manga curta com uma foto da Estátua da Liberdade) e saí em busca de café.

Avancei pelo corredor tentando lembrar onde ficava a cozinha dos funcionários que Nathan mostrara na noite anterior. Abri uma porta e uma mulher se virou, me encarando. Era atarracada, de meia-idade, com o cabelo arrumado em perfeitas ondas escuras, feito uma estrela de cinema dos anos trinta. Os olhos eram lindos e escuros, porém a boca era caída nos cantos, como se estivesse em permanente desaprovação.

— Hum... bom dia!

Ela continuou me encarando.

— Eu... sou a Louisa. A nova funcionária. A... assistente da Sra. Gopnik.

— Ela não é a Sra. Gopnik.

A mulher deixou que a declaração pairasse no ar.

— Você deve ser...

Vasculhei meu cérebro cansado, mas nenhum nome veio à tona. *Ah, vamos lá*, implorei a mim mesma.

— Sinto muito. Meu cérebro está que nem mingau esta manhã. *Jet lag.*

— Meu nome é Ilaria.

— Ilaria. É claro, é isso. Desculpe.

Estendi a mão. Ela não a apertou.

— Sei quem você é.

— Hum... você poderia me mostrar onde Nathan guarda o leite dele? Só queria um café.
— Nathan não bebe leite.
— É mesmo? Ele costumava beber.
— Você acha que estou mentindo?
— Não. Não foi isso que eu di...

Ela deu um passo para a esquerda e indicou um armário na parede que tinha a metade do tamanho dos outros e ficava um pouco fora de alcance.
— Esse é seu.

Então abriu a geladeira para guardar o suco e eu vi a garrafa de leite de dois litros, cheia, na prateleira dela. Ilaria fechou a porta e me olhou, implacável.
— O Sr. Gopnik estará em casa às seis e meia hoje à noite. Vista o uniforme para recebê-lo.

E saiu pelo corredor, com os chinelos batendo na sola dos pés.
— Foi um prazer conhecê-la! Tenho certeza de que vamos nos ver muitas vezes! — gritei atrás dela.

Olhei para a geladeira por um instante, então concluí que provavelmente não estava cedo demais para comprar leite. Afinal, estava na cidade que nunca dorme.

Nova York talvez estivesse acordada, mas o Lavery estava mergulhado em um silêncio tão denso que sugeria doses cavalares de sedativo. Atravessei o corredor, fechando a porta com cuidado atrás de mim, e verifiquei oito vezes se tinha pegado a bolsa e as chaves. Como era muito cedo e os moradores estavam dormindo, achei que podia dar uma olhada melhor no lugar onde eu tinha ido parar.

Enquanto eu seguia na ponta dos pés, com o carpete aveludado abafando meus passos, um cachorro começou a latir do outro lado de uma das portas — um protesto estridente e indignado — e uma voz idosa gritou algo que não compreendi. Saí correndo, para não acordar os outros moradores, e, em vez de pegar a escadaria principal, desci pelo elevador de serviço.

Não havia ninguém no saguão, então abri a porta e fui para a rua, deparando com uma explosão de barulhos e luzes tão intensa que tive de ficar parada um instante, só para não cair. Diante de mim, o oásis verde do Central Park se estendia pelo que me pareciam quilômetros. À minha esquerda, as ruas secundárias já estavam movimentadas — homens enormes de macacão tiravam caixas de uma van aberta na lateral, sendo observados por um policial com braços que pareciam pernis de porco cruzados diante do peito. Um gari atarefado cantarolava. Um taxista conversava com um homem pela janela aberta do carro. Enumerei de cabeça as atrações da Big Apple. Carruagens a cavalo! Táxis amarelos! Prédios incrivelmente altos! Enquanto eu observava, dois turistas cansados com crianças em carrinhos passaram por mim segurando copos de isopor com café, talvez ainda operando em um fuso horário distante. Manhattan se estendia em todas as direções, fervilhante, enorme, ensolarada e brilhante.

Os efeitos do *jet lag* sumiram quando o sol despontou por completo. Respirei fundo e saí andando, consciente do meu sorriso, porém incapaz de contê-lo. Percorri oito quarteirões sem encontrar uma única loja de conveniência. Virei na Avenida Madison, passando por lojas de luxo com vitrines de vidro enormes e portas trancadas e, de vez em quando entre elas, um restaurante, com as janelas escurecidas como olhos fechados, ou um hotel luxuoso cujo porteiro uniformizado não olhava para mim quando eu passava.

Percorri mais cinco quarteirões, aos poucos me dando conta de que aquele não era o tipo de região em que se podia dar um pulo no mercadinho. Eu havia imaginado Nova York com lanchonetes em cada esquina, servidas por garçonetes ousadas e homens com chapéus-panamá brancos, porém tudo era imenso e luxuoso e não dava a mais remota impressão de que poderia haver uma omelete de queijo ou uma xícara de chá atrás das portas. A maioria das pessoas por quem passei eram turistas ou então atletas determinados correndo vestidos de lycra, alheios ao entorno com seus fones de ouvido, desviando com destreza dos moradores de rua que espiavam com o rosto enrugado cor de chumbo. Finalmente dei de cara com um grande café, que pertencia a uma rede, dentro do qual metade dos madrugadores de Nova York parecia se reunir, debruçados sobre os celulares em mesas isoladas ou alimentando crianças pequenas extraordinariamente animadas enquanto uma música ambiente genérica saía dos alto-falantes na parede.

Pedi um cappuccino e um muffin, que, antes que eu pudesse dizer qualquer coisa, o barista partiu ao meio, esquentou e cobriu com manteiga, tudo isso sem interromper a conversa sobre beisebol com o colega.

Paguei, sentei-me com o muffin embrulhado em papel-alumínio e dei uma mordida. Mesmo descontando a fome voraz causada pelo *jet lag*, foi a coisa mais deliciosa que eu já tinha comido na vida.

Eu me acomodei perto da janela e fiquei observando a rua de Manhattan de manhã cedo por cerca de meia hora, com a boca ora cheia de muffin amanteigado macio, ora escaldada pelo café quente e forte, deixando correr solto o meu constante monólogo interior (*Estou bebendo café nova-iorquino em um café de Nova York! Estou andando por uma rua de Nova York! Como Meg Ryan! Ou Diane Keaton! Estou em Nova York de verdade!*), e, por um instante, entendi exatamente o que Will tinha tentado me explicar dois anos antes: durante aqueles poucos minutos, com a boca cheia de comida estrangeira, os olhos repletos de visões desconhecidas, eu existi apenas naquele momento. Fiquei totalmente presente, com os sentidos em alerta, todo o meu ser receptivo às novas experiências ao meu redor. Eu estava no único lugar do mundo onde poderia estar.

Então, do nada, duas mulheres na mesa ao lado começaram a trocar socos, lançando café e pedaços de doces por cima das mesas, e os baristas correram para apartar a briga. Tirei as migalhas do meu vestido, fechei a bolsa e concluí que talvez já fosse hora de voltar à paz do Lavery.

2

Ashok estava organizando grandes fardos de jornal em pilhas numeradas quando eu entrei. Ele se empertigou com um sorriso.

— Bem, bom dia, Srta. Louisa. Como foi a sua primeira manhã em Nova York?

— Foi incrível. Obrigada.

— Você cantarolou "Let The River Run" enquanto caminhava pela rua?

Eu parei de repente.

— Como você sabe?

— Todo mundo faz isso logo que chega a Manhattan. Poxa, até eu faço de vez em quando e não pareço *nada* com Melanie Griffith.

— Não há mercadinhos por aqui? Tive que andar um milhão de quilômetros para conseguir um café. E não faço ideia de onde comprar leite.

— Srta. Louisa, você deveria ter me falado. Venha cá.

Ele fez um gesto atrás de sua mesa e abriu uma porta, me convidando para entrar em uma sala escura cujas bagunça e decoração confusa destoavam do bronze e do mármore do lado de fora. Havia várias telas com imagens de câmeras de segurança em uma mesa e, entre elas, uma velha televisão e um grande livro-razão, junto com uma caneca, alguns livros de bolso e uma coleção de fotos de crianças exibindo sorrisos desdentados. Atrás da porta havia uma geladeira caquética.

— Aqui. Tome isto. Mais tarde você me dá outra.

— Todos os porteiros fazem isso?

— Nenhum porteiro faz isso. Mas o Lavery é diferente.

— Então onde as pessoas compram mantimentos?

Ele fez uma careta.

— As pessoas neste prédio não compram mantimentos, Srta. Louisa. Elas nem sequer *pensam* em mantimentos. Posso jurar que metade acha que a comida surge em um passe de mágica, já preparada, em suas mesas.

Ele olhou para trás, baixando a voz.

— Aposto que oitenta por cento das mulheres neste prédio não preparam uma refeição há uns cinco anos. Se bem que metade das mulheres deste prédio não come, e ponto final.

Eu o encarei, então Ashok deu de ombros.

— Os ricos não vivem como você e eu, Srta. Louisa. E os ricos de Nova York... bem, eles não vivem como *ninguém*.

Peguei a caixa de leite.

— Tudo o que você quiser é entregue aqui. Você vai se acostumar.

Eu queria lhe fazer perguntas sobre Ilaria e a Sra. Gopnik, que aparentemente não era a Sra. Gopnik, e sobre a família que eu estava prestes a conhecer. Mas ele não estava mais olhando para mim, mas para o corredor.

— Bom dia, Sra. De Witt!

— O que esses jornais estão fazendo no *chão*? Aqui está parecendo uma banca fuleira.

Uma velhinha minúscula estalou a língua com irritação, observando as pilhas de exemplares do The New York Times e do The Wall Street Journal que Ashok ainda estava desembrulhando. Apesar da hora, ela estava vestida como que para um casamento, com um casaco longo cor de framboesa, um chapéu vermelho oval à la Jackie Kennedy e imensos óculos de sol com armação de tartaruga que escondiam o pequeno rosto enrugado. Na ponta de uma coleira, um pug arfante, com olhos esbugalhados, me encarava de forma belicosa (pelo menos achei que me encarava: era difícil ter certeza já que seus olhos apontavam em direções diferentes). Abaixei-me para ajudar Ashok a tirar os jornais do caminho, mas então o cachorro avançou em mim, rosnando, e me levantei depressa, quase caindo em cima do The New York Times.

— Ah, pelo amor de Deus! — disse a voz tremida e imperiosa. — E agora você está aborrecendo o cachorro!

Minha perna sentiu o calor dos dentes do pug, e minha pele se arrepiou com o contato.

— Por favor, se certifique de que esse... esse *lixo* não esteja mais aí quando voltarmos. Eu já disse ao Sr. Ovitz várias vezes que o prédio está indo ladeira abaixo. E, Ashok, deixei uma sacola de coisas para jogar fora na minha porta. Por favor, tire-a de lá imediatamente, senão o corredor inteiro vai feder a lírio podre. Só Deus sabe quem manda lírios de presente. Flores fúnebres. Dean Martin!

Ashok tocou o chapéu.

— Pode deixar, Sra. De Witt.

Ele esperou que ela fosse embora, então se virou e olhou minha perna.

— Aquele cachorro tentou me morder!

— É. Esse é Dean Martin. Melhor ficar longe dele. É o morador mais mal--humorado do prédio, o que quer dizer muito.

Ashok se abaixou outra vez, colocou o fardo de jornais pesado na mesa e então parou para me despachar.

— Não se preocupe com isto, Srta. Louisa. Esses fardos são pesados e você já tem problemas o bastante com eles lá em cima. Tenha um bom dia.

Ele se afastou antes que eu pudesse perguntar o que tinha querido dizer com aquilo.

O dia passou voando. Gastei o restante da manhã arrumando o meu quartinho, lavando o banheiro, colocando fotos de Sam, meus pais, Treena e Thom na parede para deixá-lo mais aconchegante. Nathan me levou a uma lanchonete perto de Columbus Circle onde comi em um prato do tamanho de um pneu e bebi tanto café forte que minhas mãos ficaram tremendo no caminho de volta. Nathan indicou os lugares que poderiam ser úteis para mim — tal bar ficava aberto até mais tarde, o falafel de tal food truck era muito bom, era seguro sacar dinheiro em tal caixa eletrônico... Meu cérebro rodopiava em um turbilhão de novas imagens e informações. Em determinado momento no meio da tarde, me senti zonza, com as pernas pesadas, então Nathan e eu caminhamos de braço dado até o apartamento. Fiquei grata pelo silêncio, pelo interior escuro do edifício, pelo elevador de serviço que me salvou de ter que subir a escada.

— Tire um cochilo — aconselhou ele, enquanto eu tirava os sapatos. — Mas, se eu fosse você, não dormiria mais do que uma hora, senão seu relógio biológico vai ficar ainda mais confuso.

— A que horas você disse que os Gopnik estarão de volta? — perguntei com a voz arrastada.

— Eles costumam voltar lá pelas seis. São três agora, então você tem tempo. Vamos lá, descanse um pouco. Você vai se sentir humana outra vez.

Ele fechou a porta e eu afundei feliz na cama. Estava quase caindo no sono quando me dei conta de que, se deixasse para depois, não conseguiria falar com Sam, então peguei o laptop, por um momento livre do torpor. *Está aí?*, digitei.

Alguns minutos depois, com um ruído borbulhante, a foto se ampliou e lá estava ele, de volta ao vagão de trem, o corpo enorme debruçado em direção à tela. Sam. Paramédico. Homem-montanha. Namorado-novinho-em-folha. Sorrimos um para o outro como dois malucos.

— Oi, linda! Como estão as coisas aí?

— Bem! — respondi. — Eu mostraria meu quarto para você, se não fosse bater nas paredes ao virar a tela.

Girei o laptop para que ele visse a glória total do meu quartinho.
— Para mim parece bom. Você está dentro dele.
Olhei a janela cinzenta atrás de Sam. Podia imaginar à perfeição a chuva tamborilando no telhado do vagão, o vidro confortavelmente embaçado, a madeira, a umidade e as galinhas lá fora se abrigando debaixo de um carrinho de mão encharcado. Sam estava olhando para mim e eu esfreguei os olhos, de repente desejando ter passado um pouco de maquiagem.
— Você foi lá no trabalho?
— Fui. Eles acham que poderei recomeçar daqui a uma semana. Tenho que estar bem o bastante para carregar um corpo sem romper os pontos.
Ele levou a mão instintivamente à barriga, onde o tiro o atingira semanas antes — em uma chamada de rotina que quase o matara e consolidara nossa relação — e eu senti algo perturbador e visceral.
— Queria que você estivesse aqui — disse, sem conseguir me conter.
— Eu também. Mas este é o primeiro dia da sua aventura e será ótimo. E daqui a um ano, você estará sentada aqui...
— Aí, não — interrompi. — Estarei na sua casa nova.
— Na minha casa nova — corrigiu ele. — E vamos olhar as fotos no seu celular e eu vou pensar comigo mesmo: Caramba, lá vai ela tagarelar sobre o tempo que passou em Nova York outra vez.
— Então você vai escrever para mim? Uma carta cheia de amor e desejo, salpicada de lágrimas de solidão?
— Ah, Lou. Você sabe que não sou muito de escrever. Mas vou telefonar. E vou estar aí com você daqui a quatro semanas.
— Certo — retruquei, com um nó na garganta. — Ok. É melhor eu tirar um cochilo.
— Eu também — disse ele. — Vou pensar em você.
— De um jeito pornográfico nojento? Ou de um jeito romântico, estilo filme açucarado?
— Qual dos dois não vai me causar problemas?
Ele sorriu.
— Você está com uma carinha boa, Lou — falou, depois de um minuto. — Você parece... animada.
— Eu estou animada. Me sinto como alguém muito, muito cansado que também lá no fundo quer explodir. É um pouco confuso.
Levei a mão à tela, e logo depois ele a cobriu com a sua. Imaginei a sensação do toque.
— Amo você.
Eu ainda me sentia um pouco sem jeito ao dizer aquilo.

— Também amo você. Eu beijaria a tela, mas acho que você só veria os pelos do meu nariz.

Fechei o laptop, sorrindo, e adormeci logo depois.

Alguém estava gritando no corredor. Acordei atordoada, suada, achando que talvez estivesse sonhando, e me sentei na cama. De fato havia uma mulher gritando do lado de fora do meu quarto. Um milhão de pensamentos passaram zunindo pelo meu cérebro sonado, manchetes sobre assassinatos, Nova York e como denunciar um crime. Para que número eu deveria ligar? Não era o 999, como na Inglaterra. Vasculhei meu cérebro, mas não veio nada.

— Por que eu deveria fazer isso? Por que deveria ficar sentada lá sorrindo enquanto aquelas megeras me insultam? Você não escuta nem a metade do que elas dizem! Você é homem! É como se usasse antolhos!

— Querida, por favor se acalme. Por favor. Agora não é hora nem lugar para isso.

— Nunca há uma hora ou um lugar! Porque sempre tem alguém aqui! Preciso comprar um apartamento só para ter onde discutir com você!

— Não entendo por que você fica tão chateada com a coisa toda. Você precisa dar...

— Não!

Algo se chocou contra o piso de madeira. Eu já estava totalmente desperta, com o coração a mil.

Pairou um silêncio pesado.

— Agora vai me dizer que era uma herança de família.

Pausa.

— Bem, era, era sim.

Um soluço abafado.

— Não estou nem aí! Não estou nem aí! Estou morrendo sufocada na história da sua família. Está me ouvindo? Sufocada!

— Agnes, querida. No corredor, não. Por favor. Podemos conversar sobre isso mais tarde.

Fiquei sentada, imóvel, na beirada da cama.

Houve mais alguns soluços abafados, então silêncio. Esperei, me levantei e fui até a porta na ponta dos pés, colando a orelha nela. Nada. Olhei para o relógio: eram 16h46.

Então lavei o rosto e vesti depressa o uniforme. Penteei o cabelo e saí silenciosamente do quarto, caminhando até a quina do corredor.

Então, parei.

Mais além, no corredor, ao lado da cozinha, uma moça estava encolhida em posição fetal. Um homem mais velho a envolvia nos braços, encostado nos painéis de madeira. Estava quase sentado, com um joelho dobrado e o outro estendido, como se a tivesse segurado e sido derrubado pelo peso. Não dava para ver o rosto da mulher, mas uma perna magra e comprida se estendia de forma nada elegante de um vestido azul-marinho e uma mecha de cabelo louro escondia seu rosto. Os nós de seus dedos estavam brancos onde ela se agarrava a ele.

Observei a cena fixamente e engoli em seco, então o homem levantou a cabeça e me viu. Reconheci o Sr. Gopnik.

— Agora não. Obrigado — disse ele, baixinho.

Com a voz presa na garganta, voltei depressa para o meu quarto e fechei a porta; o sangue pulsava com tanta força nos ouvidos que tive certeza de que dava para ouvir.

Fiquei olhando para a televisão sem prestar atenção durante a hora seguinte, com a imagem do homem e da mulher entrelaçados gravada na mente. Pensei em mandar uma mensagem para Nathan, mas não soube bem o que escrever. Em vez disso, às 17h55 saí do quarto, rumando hesitante para o apartamento principal pela porta de conexão. Passei por uma ampla sala de jantar vazia, o que me pareceu um quarto de hóspedes e por duas portas fechadas, seguindo o burburinho distante de uma conversa, com os pés leves no piso parquê. Enfim cheguei à sala de estar e parei na soleira da porta aberta.

O Sr. Gopnik estava sentado perto da janela, ao telefone, com as mangas da camisa azul-clara arregaçadas e a mão na parte de trás da cabeça. Ele gesticulou para que eu entrasse, ainda falando ao telefone. À minha esquerda, uma loura — a Sra. Gopnik? — estava sentada em um sofá antigo, cor-de-rosa, digitando freneticamente em um iPhone. Parecia ter trocado de roupa, e por um instante fiquei confusa. Aguardei, constrangida, até que ele terminou a ligação e se levantou com uma leve careta — que percebi — devido ao esforço. Dei outro passo em sua direção para que ele não precisasse avançar mais e apertei sua mão. Estava morna e seu cumprimento era delicado e firme. A jovem continuava digitando no celular.

— Louisa. Que bom que chegou bem. Imagino que tenha tudo de que precisa.

Ele afirmou aquilo com o tom que as pessoas usam quando não esperam que lhes peçam nada.

— Está tudo ótimo. Obrigada.

— Esta é a minha filha, Tabitha. Tab?

A garota ergueu a mão com um esboço de sorriso, antes de voltar para o celular.

— Por favor, desculpe a ausência de Agnes. Ela foi se deitar por uma hora. Está com uma enxaqueca muito forte. Foi um fim de semana difícil.

Um cansaço vago nublou seu rosto, porém logo desapareceu. Nada em seu comportamento revelava o que eu tinha visto menos de duas horas antes. Ele sorriu.

— Então... Hoje à noite você pode fazer o que quiser, e a partir de amanhã de manhã vai acompanhar Agnes aonde ela quiser ir. Seu título oficial é "assistente" e você sempre estará presente para ajudá-la com o que ela precisar ao longo do dia. Ela tem muitos compromissos... Pedi ao meu assistente que lhe passasse a agenda da família, você receberá e-mails com as atualizações. É melhor checar por volta das dez da noite... Em geral é nesse horário que fazemos mudanças de última hora. Você vai conhecer o restante do time amanhã.

— Ótimo. Obrigada.

Reparei no uso das palavras "do time" e tive um vislumbre de jogadores de futebol americano percorrendo o apartamento.

— O que tem para jantar, pai?

Tabitha falou como se eu não estivesse ali.

— Não sei, querida. Achei que você fosse sair.

— Não sei se vou ter coragem de atravessar a cidade de novo hoje à noite. Talvez fique em casa.

— Faça como quiser, só avise a Ilaria. Louisa, você tem alguma pergunta?

Tentei pensar em algo útil para dizer.

— Ah, e mamãe me pediu para perguntar se você encontrou a gravura. O Miró.

— Querida, não vou discutir isso de novo. A gravura pertence a esta casa.

— Mas mamãe disse que foi ela quem escolheu. Ela está sentindo falta. Você nunca gostou do desenho.

— A questão não é essa.

Transferi o peso do corpo para a outra perna, sem saber se tinha sido dispensada.

— Mas a questão é exatamente essa, pai. Mamãe está sentindo muito a falta da gravura e você nem liga para ela.

— Ela vale oitenta mil dólares.

— Mamãe não liga para o dinheiro.

— Podemos conversar sobre isso mais tarde?

— Mais tarde você vai estar ocupado. Prometi para mamãe que ia resolver isso.

Discretamente, dei um passo para trás.

— Não há nada que resolver. O acordo foi finalizado há dezoito meses. Tudo foi resolvido na época. Ah, querida, aí está você. Está melhor?

Olhei ao redor. A mulher que havia acabado de entrar na sala tinha uma beleza impressionante, com o rosto sem maquiagem e o cabelo louro-claro preso em um coque frouxo. As maçãs do rosto, altas, tinham sardas discretas, e o formato dos olhos indicava a ascendência eslava. Supus que devia ter mais ou menos a minha idade. A mulher avançou, descalça, até o Sr. Gopnik e o beijou, acariciando sua nuca.

— Muito melhor, obrigada.

— Esta é Louisa — apresentou ele.

Ela se virou para mim.

— Minha nova aliada — disse.

— Sua nova assistente — corrigiu o Sr. Gopnik.

— Olá, Louisa.

Ela estendeu a mão fina e apertou a minha. Senti seus olhos me avaliando, como se tentasse entender algo, então ela sorriu e eu não consegui refrear um sorriso.

— Ilaria deixou o seu quarto em bom estado?

Sua voz era suave e tinha uma leve cadência do Leste Europeu.

— Está perfeito. Obrigada.

— Perfeito? Nossa, você é fácil de agradar. Aquele quarto parece um armário de vassouras. Se não gostar de algo é só nos dizer que damos um jeito. Não é, querido?

— Você não morava em um quarto ainda menor, Agnes? — provocou Tabitha, sem tirar os olhos do iPhone. — Lembro que papai me contou que você dividia o quarto com uns quinze outros imigrantes.

— Tab — repreendeu o Sr. Gopnik com um tom de alerta delicado na voz.

Agnes respirou fundo e ergueu o queixo.

— Na verdade, meu quarto era menor. Mas as meninas com quem eu dividia eram muito gentis. Então não havia qualquer problema. Quando as pessoas são gentis e educadas, dá para suportar qualquer coisa, não acha, Louisa?

Engoli em seco.

— Sim.

Ilaria entrou na sala, pigarreando. Estava vestida com a mesma camisa polo e calça escura, com um avental branco por cima. Não olhou para mim.

— O jantar está pronto, Sr. Gopnik — anunciou.

— Tem comida para mim, Ilaria querida? — perguntou Tabitha, com a mão apoiada no encosto do sofá. — Acho que vou ficar por aqui.

A expressão de Ilaria instantaneamente se tornou calorosa. Foi como se outra pessoa tivesse surgido diante de mim.

— É claro, Srta. Tabitha. Sempre faço comida a mais aos domingos para o caso de você decidir ficar.

Agnes ficou parada no meio do cômodo. Vi um lampejo de pânico cruzar seu rosto. Ela tensionou a mandíbula e depois disse:

— Então gostaria que Louisa jantasse conosco também.

Pairou um breve silêncio.

— Louisa? — questionou Tabitha.

— Sim. Seria bom conhecê-la melhor. Você tem algum compromisso para hoje à noite, Louisa?

— Hum... não — gaguejei.

— Então você vai jantar conosco. Ilaria, você disse que fez comida a mais, não é?

Ilaria olhou diretamente para o Sr. Gopnik, que parecia absorto com algo no celular.

— Agnes — disse Tabitha, após um instante. — Você entende que nós não comemos com os funcionários?

— Quem é esse "nós"? Eu não sabia que havia um livro de regras.

Agnes estendeu a mão e observou a aliança com uma calma calculada.

— Querido? Você se esqueceu de me dar o livro de regras?

— Com todo o respeito, e por mais que eu tenha certeza de que Louisa é muito gentil, existem limites — argumentou Tabitha. — E eles existem para o bem de todos.

— Fico feliz em fazer o que for... — comecei. — Não quero causar nenhum...

— Bem, *com todo o respeito*, Tabitha, eu gostaria que Louisa jantasse comigo. Ela é a minha nova assistente e vamos passar todos os dias juntas. Portanto, não vejo problema em querer conhecê-la melhor.

— Não há problema — disse o Sr. Gopnik.

— Pai...

— Não há problema, Tab. Ilaria, por favor, pode pôr a mesa para quatro? Obrigado.

Os olhos de Ilaria se arregalaram. Ela me encarou, a boca transformada em uma linha fina de fúria reprimida, como se eu tivesse planejado aquela subversão da hierarquia doméstica, então desapareceu na sala de jantar, de onde dava para ouvir o tinido enfático de talheres e copos. Agnes suspirou e soltou um pouco o cabelo. Então me lançou um leve sorriso conspiratório.

— Vamos lá — disse o Sr. Gopnik, após um minuto. — Louisa, você gostaria de uma bebida?

* * *

O jantar foi um evento doloroso e taciturno. Eu fiquei totalmente inibida pela grandiosa mesa de mogno, os pesados talheres de prata e as taças de cristal, além de deslocada por causa do uniforme. O Sr. Gopnik ficou calado a maior parte do tempo e deixou a mesa duas vezes para atender a telefonemas no escritório. Tabitha continuou no celular, deliberadamente recusando-se a interagir com os outros, enquanto Ilaria servia frango com molho de vinho tinto e todas as guarnições, recolhendo os pratos em seguida com uma cara de bunda, como diria a minha mãe. Talvez só eu tenha notado o ruído brusco com que meu prato foi colocado diante de mim e a bufada audível que ela soltava sempre que passava pela minha cadeira.

Agnes mal tocou na comida. Sentou-se de frente para mim e se esforçou para conversar comigo como se eu fosse sua nova melhor amiga, de vez em quando desviando o olhar para o marido.

— Então esta é sua primeira vez em Nova York — comentou. — Em que outros lugares já esteve?

— Hum... não muitos. Comecei a viajar muito tarde. Fiz um mochilão pela Europa há um tempo e antes disso... Ilhas Maurício. E Suíça.

— Os Estados Unidos são muito diferentes. Cada estado tem um ambiente único, eu acho, para nós europeus. Só estive em alguns lugares com Leonard, mas foi como visitar países totalmente diferentes. Está empolgada por estar aqui?

— Muitíssimo — respondi. — Estou decidida a tirar vantagem de tudo o que Nova York tem a oferecer.

— Parece você, Agnes — disse Tabitha melodiosamente.

Agnes a ignorou, mantendo contato visual comigo. Seus olhos eram hipnoticamente lindos, mais estreitos nas pontas levantadas nos cantos. Em duas ocasiões, tive que lembrar a mim mesma de fechar a boca enquanto a observava.

— E me conte sobre a sua família. Você tem irmãos? Irmãs?

Falei sobre minha família da melhor forma que pude, tentando fazê-la parecer-se mais com uma família normal do que com a Addams.

— Então sua irmã está morando no seu apartamento em Londres? Com o filho? Ela virá visitar você? E os seus pais? Sentirão sua falta?

Pensei no que papai disse ao se despedir de mim: "Não se apresse em voltar, Lou! Vamos transformar seu antigo quarto em uma Jacuzzi!"

— Ah, sim. Sentem muito.

— Minha mãe chorou por duas semanas quando deixei a Cracóvia. E você tem namorado?

— Tenho. O nome dele é Sam. Ele é paramédico.
— Paramédico! Tipo um médico? Que legal. Por favor, mostre uma foto. Adoro ver fotos.

Peguei o celular no bolso e passei as fotos de Sam até encontrar a minha preferida: ele sentado no terraço do meu prédio com seu uniforme verde-escuro. Tinha acabado de sair do trabalho e estava bebendo uma xícara de chá, sorrindo para mim. O sol estava baixo atrás dele, e, ao ver essa foto, me vinha à lembrança a sensação exata de estar lá em cima, meu chá esfriando no parapeito atrás de mim, Sam parado pacientemente enquanto eu tirava uma foto atrás da outra.

— Que lindo! E ele também vem para Nova York?
— Hum, não. Ele está construindo uma casa, então agora seria um pouco complicado ele vir para cá. E ele tem um emprego.

Os olhos de Agnes se arregalaram.

— Mas ele tem que vir! Vocês não podem morar em países diferentes! Como você vai amar o seu homem se ele não está aqui com você? Eu não conseguiria ficar longe de Leonard. Não gosto nem de quando ele fica dois dias fora por causa do trabalho.

— Sim, acho que você ia querer *mesmo* garantir que ele nunca fosse muito longe — alfinetou Tabitha.

O Sr. Gopnik tirou os olhos do prato, focando-os ora na esposa, ora na filha, porém permaneceu calado.

— Mesmo assim — retrucou Agnes, endireitando o guardanapo no colo —, Londres não é tão longe. E amor é amor. Não é verdade, Leonard?

— Com certeza — respondeu o Sr. Gopnik, e diante do sorriso dela, sua expressão se suavizou por um instante.

Agnes estendeu a mão e acariciou a dele, então desviei o olhar depressa para o meu prato.

Por um momento, a sala ficou em silêncio.

— Na verdade, acho que vou para casa. Estou ficando meio enjoada.

Arrastando a cadeira ruidosamente, Tabitha se afastou da mesa e largou o guardanapo no prato, onde o linho branco logo absorveu o molho de vinho tinto. Tive que me conter para não resgatá-lo. Ela se levantou e deu um beijo na bochecha do pai, que com a mão livre tocou seu braço carinhosamente.

— A gente se fala durante a semana, papai.

Ela se virou.

— Louisa... Agnes.

Com uma leve inclinação da cabeça, Tabitha saiu da sala.

Agnes a observou partir. É possível que tenha murmurado algo baixinho, mas na hora Ilaria estava recolhendo meu prato e meus talheres com um tinido tão violento que não deu para ouvir direito.

Depois que Tabitha foi embora, Agnes pareceu perder toda a motivação. Deu a impressão de murchar no assento, os ombros de repente ficando curvados, o buraco entre as clavículas tornando-se visível quando baixou a cabeça. Eu me levantei.

— Acho que vou voltar para o meu quarto agora. Muito obrigada pelo jantar. Estava uma delícia.

Ninguém insistiu para que eu ficasse. O braço do Sr. Gopnik agora estava apoiado na mesa de mogno, os dedos acariciando a mão da esposa.

— Nos vemos amanhã de manhã, Louisa — disse ele sem olhar para mim.

Agnes olhava para ele com uma expressão sombria. Saí da sala de jantar e passei correndo pela porta da cozinha até o meu quarto, para fugir das adagas virtuais que Ilaria com certeza lançava em minha direção.

Uma hora depois, Nathan me enviou uma mensagem — ele estava bebendo com alguns amigos no Brooklyn. *Soube que já passou pelo batismo de sangue. Está tudo bem?*

Não tive forças para elaborar uma resposta engraçada, nem para perguntar como diabo ele ficou sabendo.

Vai ficar mais fácil quando você conhecê-los melhor. Prometo.

Nos vemos amanhã de manhã, respondi. Tive um breve momento de apreensão — no que eu tinha me metido? —, então me repreendi severamente e caí em um sono profundo.

Naquela noite, sonhei com Will. Raramente eu sonhava com ele — e isso tinha sido uma fonte de tristeza no início, quando eu sentia tanto a falta dele que parecia que alguém tinha aberto um buraco dentro de mim. Os sonhos haviam parado quando conheci Sam. Mas lá estava ele outra vez, de madrugada, tão vívido quanto se estivesse bem na minha frente. Eu estava no banco de trás de um carro, uma limusine preta luxuosa, como a do Sr. Gopnik, e o vi do outro lado da rua. Fiquei imediatamente aliviada ao perceber que afinal não estava morto e soube, por instinto, que ele não podia ir aonde quer que fosse o seu destino. Era meu dever detê-lo, mas, toda vez que eu tentava atravessar a rua movimentada, uma pista adicional de carros passando a toda velocidade surgia do nada à minha frente, assim eu não conseguia alcançá-lo e o ruído dos motores abafava a minha voz, que gritava seu nome. Lá estava

Will, fora do alcance, porém muito próximo, a pele com aquela cor suave de caramelo, o sorriso discreto brincando nos cantos dos lábios, dizendo para o motorista algo que não consegui ouvir. No último minuto, seu olhar encontrou o meu — seus olhos se arregalaram de leve — e eu acordei, suando, o edredom embolado em volta das minhas pernas.

3

Para: Samfielding1@gmail.com
De: AbelhaAtarefada@gmail.com

Estou escrevendo com pressa — a Sra. G está na aula de piano —, mas vou tentar mandar um e-mail todos os dias, para pelo menos ter a sensação de que estamos conversando. Estou com saudade. Por favor, responda. Sei que você detesta e-mails, mas faça isso por mim. Por favooooor. (Imagine a minha cara implorando.) Ou então, sabe como é, CARTAS! Amo você, L. Bjs, bjs, bjs.

— Olá, bom dia!
Um homem negro enorme usando uma calça de lycra vermelha muito justa estava de pé à minha frente com as mãos na cintura. Vestida com short e camiseta, congelei na porta da cozinha, piscando os olhos, perguntando-me se estava sonhando e se, caso fechasse a porta e a abrisse outra vez, ele ainda estaria ali.
— Você deve ser a Srta. Louisa, certo?
A mão gigantesca avançou e apertou a minha, balançando-a com tanto entusiasmo que eu quiquei para cima e para baixo involuntariamente. Olhei o relógio. Realmente eram seis e quinze.
— Eu sou o George. O treinador da Sra. Gopnik. Ouvi dizer que você vai correr com a gente. Estou ansioso!
Eu tinha acordado após poucas horas de sono agitado, lutando para não pensar nos sonhos confusos que tivera e que haviam se emaranhado uns nos outros enquanto eu dormia. Então saíra cambaleando pelo corredor no piloto automático, um zumbi em busca de cafeína.
— Ok, Louisa! Precisamos ficar hidratados!
Ele pegou duas garrafas de água ao seu lado e saiu correndo de leve pelo corredor.

Servi café para mim mesma e, enquanto o bebia ali de pé, Nathan entrou, arrumado e cheirando a loção pós-barba. Olhou para minhas pernas nuas.

— Acabei de conhecer o George — disse eu.

— Não existe nada que ele não possa lhe ensinar sobre glúteos. Você está com seus tênis de corrida, não está?

— Hah!

Bebi um gole do meu café, mas Nathan me olhava ansioso.

— Nathan, ninguém falou nada sobre correr. Não sei correr. Quer dizer, sou a antítese do esporte, a moradora do sofá. Você sabe disso.

Nathan serviu-se de café preto e pôs o bule de volta na máquina.

— Além disso, caí de um prédio este ano. Lembra? Vários pedaços de mim se quebraram — argumentei.

Eu já era capaz de fazer piadas sobre aquela noite em que, ainda sofrendo pela perda de Will, escorreguei, grogue, do parapeito da minha casa em Londres. Mas as pontadas no meu quadril eram um lembrete constante.

— Você está bem. E é a assistente da Sra. G. Seu trabalho é estar ao lado dela em todos os momentos, colega. Se ela quer que você corra, então vai correr.

Ele tomou um gole de café.

— Ah, não faça essa cara de pânico. Você vai adorar. Em poucas semanas vai estar tão em forma quanto uma atleta. Todo mundo aqui faz isso.

— São seis e quinze da manhã.

— O Sr. Gopnik começa às cinco. Acabamos de terminar a fisioterapia dele. A Sra. G gosta de dormir um pouco mais.

— Então a que horas saímos para correr?

— Vinte para as sete. Encontre com eles no corredor principal. Vejo você mais tarde!

Ele ergueu uma das mãos e saiu.

Agnes, é claro, era uma daquelas mulheres que ficavam ainda mais bonitas de manhã: a cara limpa, um pouco embaçada, mas como que alterada por um filtro sensual. Seu cabelo estava preso em um rabo de cavalo frouxo, e sua blusa justa com a calça de corrida lhe dava um ar descontraído digno de uma supermodelo em dia de folga. Ela trotou pelo corredor feito um cavalo Palomino de óculos escuros e me cumprimentou erguendo a mão elegante, como se fosse simplesmente cedo demais para falar. Eu só tinha um short e uma camiseta regata comigo, figurino que, eu suspeitava, me dava o ar de uma operária cheinha. Estava ligeiramente nervosa por não ter raspado as axilas, então grudei os cotovelos às laterais do corpo.

— Bom dia, Sra. G! — disse George, surgindo ao nosso lado e entregando uma garrafa de água a Agnes. — Está pronta?

Ela fez que sim.

— Preparada, Srta. Louisa? Vamos fazer só seis quilômetros e meio hoje. A Sra. G quer focar nos abdominais. Você se alongou, certo?

— Hum, eu...

Não tinha água nem garrafa. Mas lá fomos nós.

Eu já tinha ouvido a expressão "correr atrás do prejuízo", mas nunca entendera seu real significado antes de conhecer George. Ele saiu pelo corredor aparentemente a sessenta quilômetros por hora e, bem quando achei que íamos desacelerar ao menos para pegar o elevador, segurou as portas duplas de acesso à escada para que pudéssemos descer os degraus que nos levaram ao térreo. Saímos no saguão e passamos voando por Ashok, cuja saudação abafada eu mal consegui ouvir.

Minha nossa, estava muito cedo para aquilo. Segui os dois, que corriam sem esforço como um par de cavalos puxando uma carruagem, enquanto eu me apressava lá atrás, meu passo mais curto incapaz de se igualar ao deles. Meus ossos reclamando com o impacto cada vez que meus pés tocavam o chão, e eu murmurava desculpas ao desviar dos pedestres kamikazes que cruzavam meu caminho. Correr era coisa do meu ex-namorado Patrick. Era que nem couve: uma dessas coisas que você sabe que existem e que podem até fazer bem para a saúde, mas, francamente, a vida é curta demais para se dedicar a elas.

Ah, vamos lá, você consegue, eu disse a mim mesma. Este é o seu primeiro momento *diga sim!. Você está correndo em Nova York! É uma versão sua completamente nova!* Por alguns passos gloriosos, quase acreditei. O trânsito parou, o sinal de pedestres ficou vermelho e nós paramos na calçada, George e Agnes quicando levemente, eu invisível atrás deles. Então atravessamos a rua e entramos no Central Park, o asfalto desaparecendo sob nossos pés, os sons dos carros sumindo à medida que adentrávamos aquele oásis verde no coração da cidade.

Havíamos corrido menos de um quilômetro e meio quando percebi que aquilo não tinha sido uma boa ideia. Mesmo que eu tivesse praticamente parado de correr e estivesse, na verdade, andando, minha respiração já estava arfante e meu quadril protestava por causa da lesão recente. A distância máxima que havia corrido em anos era de uns quinze metros, atrás de um ônibus quase parando — e que eu acabara perdendo. Ergui os olhos e vi que George e Agnes estavam conversando enquanto corriam. Eu com falta de ar e os dois batendo um papo.

Pensei em um amigo do meu pai que infartou enquanto corria. Papai sempre usara esse episódio como um exemplo óbvio do motivo pelo qual esportes não

faziam bem. Por que eu não explicara minhas lesões? Ia tossir até cuspir um pulmão ali, bem no meio do parque?
— Tudo certo aí atrás, Srta. Louisa? — perguntou George virando-se para mim, de forma que agora corria de costas.
— Tudo!
Ergui um polegar animadamente.
Eu sempre quis conhecer o Central Park, mas não daquele jeito. Perguntei a mim mesma o que aconteceria se eu caísse e morresse no meu primeiro dia de trabalho. Como fariam para levar meu corpo de volta à Inglaterra? Desviei para não bater em uma mulher com três criancinhas idênticas que andavam a esmo. *Por favor, meu Deus*, pedi mentalmente às duas pessoas que corriam sem esforço à minha frente. *Será que um de vocês dois poderia cair no chão? Não a ponto de quebrar uma perna, só torcer de leve. Um daqueles machucados que duram vinte e quatro horas e exigem que a pessoa fique no sofá com a perna para cima vendo TV o dia todo.*
Eles estavam se afastando de mim e não havia nada que eu pudesse fazer. Que tipo de parque tinha colinas? O Sr. Gopnik ficaria furioso comigo por eu não ter acompanhado sua esposa. Agnes perceberia que eu era uma inglesa boba e atarracada, e não uma aliada. Eles contratariam uma mulher magra e linda com roupas de corrida melhores.
Foi nesse momento que o velho passou correndo por mim. Virou a cabeça para me olhar, então consultou seu monitor de corrida e seguiu em frente, os pés hábeis, os fones enfiados nas orelhas. Devia ter uns setenta e cinco anos.
— Ah, *espera lá*.
Eu o observei afastar-se de mim. Então avistei o cavalo e a carruagem. Continuei correndo até ficar ao lado do cocheiro.
— Ei! Ei! Será que pode me levar até onde aquelas duas pessoas estão correndo?
— Que pessoas?
Apontei para os minúsculos pontos ao longe. Ele espiou na direção deles, então deu de ombros. Subi na carruagem e me escondi atrás do cocheiro enquanto ele sacudia as rédeas para fazer o cavalo avançar. Mais uma experiência em Nova York que não acontecia exatamente como eu havia planejado, pensei, agachada atrás dele. Nós nos aproximamos e eu toquei seu ombro para que ele me deixasse sair. Tínhamos percorrido menos de quinhentos metros, mas pelo menos eu me aproximara dos dois. Fiz menção de saltar da carruagem.
— Quarenta dólares — disse o cocheiro.
— O quê?
— Quarenta dólares.

— Foram só quinhentos metros!
— O preço é esse, moça.
Os dois ainda estavam absortos na conversa. Peguei duas notas de vinte dólares no bolso e as joguei na direção do sujeito, então me abaixei atrás da carruagem e comecei a correr, bem no instante em que George olhou para trás e me viu. Ergui o polegar alegremente outra vez, como se não tivesse saído dali.

George finalmente teve pena de mim. Viu que eu estava mancando e trotou na minha direção enquanto Agnes se alongava, suas pernas compridas se estendendo como as de um flamingo flexível.
— Srta. Louisa! Tudo certo aí?
Pelo menos achei que era George. Não conseguia mais enxergar por causa do suor que escorria para dentro dos meus olhos. Parei e pus as mãos nos joelhos, o peito arfante.
— Está com algum problema? Parece um pouco corada.
— Estou um pouco... enferrujada — falei, arquejando. — Problema... no quadril.
— Você tem uma lesão? Deveria ter avisado!
— Não quis... perder isso! — disse, limpando os olhos com as mãos, o que só fez com que ardessem mais.
— Onde é?
— Quadril esquerdo. Fratura. Há oito meses.
Ele levou as mãos ao meu quadril, então moveu minha perna esquerda para trás e para a frente para sentir a rotação. Tentei não fazer careta.
— Sabe, acho melhor você não correr mais hoje.
— Mas eu...
— Não, pode voltar para casa, Srta. Louisa.
— Ah, se você insiste. Que decepção.
— Encontramos com você no apartamento.
Ele me deu um tapa nas costas tão vigoroso que quase caí de cara no chão. Então, com um tchauzinho animado, os dois se foram.

— Foi divertido, Srta. Louisa? — perguntou Ashok quando cheguei ao prédio, cambaleante, quarenta e cinco minutos depois.
No fim das contas, descobri que é possível se perder no Central Park.
Parei para descolar das costas minha blusa encharcada de suor.
— Maravilhoso. Adorei.
Quando entrei no apartamento, descobri que George e Agnes haviam chegado lá vinte minutos antes de mim.

* * *

O Sr. Gopnik me avisara que Agnes tinha muitos compromissos. Levando em conta que a esposa dele não tinha nem emprego nem filhos, era de fato a pessoa mais ocupada que eu já conhecera. Tivemos meia hora para tomar café da manhã depois que George foi embora (a mesa estava posta para Agnes com uma omelete de clara de ovo, algumas frutas vermelhas e um bule prateado de café; eu engoli um muffin que Nathan havia deixado para mim na cozinha dos funcionários), e em seguida meia hora no escritório do Sr. Gopnik com o assistente dele, Michael, anotando os eventos a que Agnes compareceria durante a semana.

O escritório do Sr. Gopnik era uma demonstração de masculinidade calculada: todo recoberto de painéis de madeira escura e estantes abarrotadas de livros. Nós nos sentamos em poltronas com estofado espesso ao redor de uma mesa de centro. Atrás de nós, na imensa escrivaninha do Sr. Gopnik, uma série de telefones e cadernos de capa dura. Volta e meia Michael implorava a Ilaria que trouxesse mais um pouco de seu delicioso café, e ela obedecia, reservando seus sorrisos só para ele.

Revisamos os prováveis conteúdos de uma reunião sobre a fundação filantrópica dos Gopnik, um jantar beneficente na quarta-feira, um almoço comemorativo e um coquetel na quinta-feira, além de uma exposição de arte e um concerto na Metropolitan Opera do Lincoln Center na sexta-feira.

— Uma semana tranquila, então — disse Michael, olhando seu iPad.

A agenda de Agnes para aquele dia mostrava um horário no cabeleireiro às dez (o que ocorria três vezes por semana), uma consulta com o dentista (limpeza de rotina) e uma reunião com um decorador. Ela teria também uma aula de piano às quatro (duas vezes por semana), uma aula de spinning às cinco e meia e, então, sairia para jantar apenas com o Sr. Gopnik em um restaurante em Midtown. Eu encerraria o expediente às seis e meia.

A perspectiva do dia pareceu deixar Agnes satisfeita. Ou talvez fosse a corrida. Ela tinha se trocado — agora vestia uma calça jeans azul-violeta e uma blusa branca cuja gola revelava um grande pingente de diamante — e se movia em uma discreta nuvem de perfume.

— Tudo parece em ordem — disse ela. — Bem. Tenho que dar alguns telefonemas.

Ela pareceu considerar que eu saberia onde encontrá-la depois.

— Se estiver na dúvida, espere no corredor — sussurrou Michael quando Agnes saiu.

Ele sorriu, despindo-se da aparência profissional por um instante.

— Quando comecei a trabalhar aqui, nunca sabia onde encontrá-los. Nosso trabalho é aparecer no momento em que eles acham que precisam de nós. Mas também, você sabe, não podemos segui-los até o banheiro.

Ele não devia ser muito mais velho que eu, mas parecia uma daquelas pessoas que já saem do ventre da mãe lindas, sabendo combinar as roupas e com sapatos perfeitamente engraxados. Eu me perguntei se todas as pessoas em Nova York eram assim, menos eu.

— Há quanto tempo trabalha aqui?

— Pouco mais de um ano. Precisaram demitir a antiga assistente porque...

Ele se interrompeu, parecendo momentaneamente constrangido.

— Bem, para recomeçar do zero e tudo o mais. Então, depois de um tempo, viram que não dava certo ter um assistente só para os dois. É aí que você entra. Então, oi!

Ele estendeu a mão e eu a apertei.

— Você gosta de trabalhar aqui? — perguntei.

— Adoro. Nunca sei quem eu amo mais, ela ou ele — respondeu Michael, abrindo um sorriso. — Ele é muito inteligente. E tão bonito. E ela é uma boneca.

— Você corre com eles?

— Correr? Está de brincadeira? — Ele estremeceu. — Sou contra suor. A não ser o suor do Nathan. Minha nossa. Com ele, eu seria a favor de suar. Ele não é lindo? Ofereceu uma massagem no meu ombro e eu me apaixonei imediatamente. Como é possível você ter trabalhado com ele tanto tempo sem pular em cima daquele corpo delicioso tão másculo?

— Eu...

— Não me diga. Se já ficou com ele, não quero saber. Temos que continuar amigos. Certo. Preciso ir a Wall Street.

Ele me deu um cartão de crédito ("Para emergências — ela volta e meia esquece o dela. Todos os extratos vão direto para ele") e um tablet, então me mostrou a senha.

— Todos os contatos de que precisa estão aqui. E tudo o que tem a ver com a agenda está aqui — disse, arrastando o dedo na tela. — Cada pessoa corresponde a uma cor... O Sr. Gopnik é azul, a Sra. Gopnik é vermelha e Tabitha é amarela. Não administramos mais a agenda dela, já que não mora mais aqui, mas é útil saber quando é provável que ela apareça e se há compromissos com a família toda, como reuniões sobre o fundo de garantia ou a fundação. Criei um e-mail pessoal para você, e se houver alguma mudança nós dois vamos nos comunicar para confirmar qualquer modificação feita na tela. Você precisa verificar tudo duas vezes. Conflitos na agenda sempre deixam o Sr. Gopnik muito irritado.

— Ok.
— Então você vai olhar a correspondência dela todas as manhãs, descobrir o que ela quer fazer. E então vou confirmar a agenda com você, porque às vezes ela diz não para algum convite, mas ele passa por cima. Por isso, não jogue nada fora. Só faça duas pilhas.
— Quantos convites são?
— Ah, você não tem ideia. Os Gopnik são basicamente primeiro nível. Isso quer dizer que são convidados para tudo e não comparecem a quase nada. No segundo nível, você gostaria de ser convidado para a metade dos eventos e vai a todos os que pode.
— Terceiro nível?
— Penetras. Iriam à inauguração de um food truck de comida mexicana. Eles vão até mesmo a eventos de clubes. É muito constrangedor.
Ele suspirou.
Olhei a agenda, focando na semana atual, que me pareceu um arco-íris confuso e apavorante. Tentei não transparecer quão intimidada me sentia.
— O que é o marrom?
— São os compromissos do Felix. O gato.
— O gato tem a própria agenda?
— São só tosadores, consultas com o veterinário, o dentista, esse tipo de coisa. Ah, não, ele tem a especialista comportamental esta semana. Deve ter feito cocô no tapete Ziegler outra vez.
— E roxo?
Michael baixou a voz.
— Essa é a antiga Sra. Gopnik. Se você vir um quadrado roxo ao lado de um evento, é porque ela também estará presente.
Ele estava prestes a dizer mais alguma coisa, mas seu celular tocou.
— Sim, Sr. Gopnik... Sim. É claro... Sim, vou fazer isso. Estou a caminho.
Guardou o celular na bolsa.
— Certo. Tenho que ir. Seja bem-vinda à equipe!
— Quantos somos? — perguntei, mas ele já saía porta afora, com o casaco pendurado no braço.
— O primeiro Alerta Roxo é daqui a duas semanas. Certo? Vou enviar um e-mail para você. E vista roupas normais quando estiver na rua! Ou vai parecer que trabalha em uma loja de produtos naturais.

O dia passou voando. Vinte minutos depois, saímos do prédio e entramos em um carro que nos aguardava e nos levou a um salão de beleza chique a alguns quarteirões dali, enquanto eu tentava desesperadamente parecer o tipo de pessoa que tinha passado a vida toda entrando e saindo de carrões pretos com estofados de couro cor de creme. Sentei-me na extremidade do salão enquanto uma mulher cujo próprio cabelo parecia ter sido cortado com régua lavava e escovava o de Agnes. Então, uma hora depois, o carro nos levou ao consultório do dentista, onde, mais uma vez, fiquei sentada na sala de espera. Todos os lugares aonde íamos eram silenciosos, de bom gosto, a um mundo de distância da loucura da rua lá fora.

Eu estava usando um dos meus trajes mais sóbrios: uma blusa azul-marinho com estampa de âncoras e uma saia lápis listrada, mas não precisava ter me preocupado: em cada lugar que entrava eu me tornava instantaneamente invisível. Era como se eu tivesse a palavra "EQUIPE" tatuada na testa. Comecei a reparar nos outros assistentes pessoais, andando de lá para cá falando ao celular ou correndo com roupas lavadas a seco e cafés especiais em suportes de papelão. Perguntei a mim mesma se deveria oferecer café para Agnes ou ficar riscando oficiosamente tarefas de listas. Na maior parte do tempo, eu não sabia ao certo por que estava ali. A coisa toda parecia funcionar de modo impecável sem mim. Era como se eu fosse apenas uma couraça humana — uma barreira portátil entre Agnes e o resto do mundo.

De volta ao carro, Agnes estava distraída, falando polonês ao telefone ou me pedindo para fazer anotações no tablet.

— Precisamos ver com Michael se o terno cinza de Leonard foi lavado. E talvez ligar para a Sra. Levitsky para falar sobre o meu vestido Givenchy... Acho que emagreci um pouco desde que o usei da última vez. Ela talvez precise ajustar um pouco.

Espiou dentro de sua imensa bolsa Prada, pegando uma caixinha de plástico com comprimidos e jogando dois na boca.

— Água?

Olhei à minha volta e encontrei uma garrafa na porta do carro. Tirei a tampa e entreguei a ela. O carro parou.

— Obrigada.

O motorista, um homem de meia-idade com cabelo escuro e espesso e uma papada que sacudia quando ele se mexia, saiu para abrir a porta para Agnes. Quando ela entrou no restaurante, o porteiro cumprimentando-a como se fosse um velho amigo, eu fiz menção de segui-la, mas o motorista fechou a porta. Fui deixada no banco de trás. Fiquei sentada ali por um instante, perguntando-me o que deveria fazer.

Olhei meu celular. Espiei pela janela, tentando encontrar alguma lanchonete por perto. Bati o pé ritmicamente. Enfim, debrucei-me entre os dois bancos da frente.

— Meu pai costumava deixar minha irmã e eu no carro quando ia para o bar. Nos trazia uma Coca-Cola e um saco de salgadinhos sabor cebola, e isso resolvia a nossa situação por três horas.

Tamborilei os dedos no joelho.

— Hoje em dia, ele provavelmente seria acusado de maus-tratos. Mas o salgadinho sabor cebola era o nosso preferido. A melhor parte da semana.

O motorista ficou calado.

Inclinei-me um pouco mais a frente, de forma que meu rosto ficasse a poucos centímetros do dele.

— Então. Quanto tempo isso costuma demorar?

— O tempo que for.

Seus olhos se desviaram dos meus no retrovisor.

— E você fica aqui esperando?

— É o meu trabalho.

Fiquei parada por um instante, depois estendi a mão para a frente.

— Meu nome é Louisa. A nova assistente da Sra. Gopnik.

— Prazer.

Ele não se virou para mim. Aquelas foram as últimas palavras que me dirigiu. Enfiou um CD no aparelho de som.

— *Estoy perdido* — disse uma voz de mulher em espanhol. — *¿Dónde está el baño?*

— Es-TOY perr-DJI-do. DOUN-de es-TA el BÃ-nho — repetiu o motorista.

— *¿Cuánto cuesta?*

— QuAN-to QUEX-ta — respondeu ele.

Passei a hora seguinte sentada na parte de trás do carro olhando para o iPad, tentando não escutar os exercícios linguísticos do motorista e me perguntando se eu também deveria estar fazendo algo de útil. Enviei um e-mail para Michael com a pergunta, mas ele simplesmente respondeu: *Esse é seu horário de almoço, querida. Aproveite! Bjs*

Não quis lhe dizer que eu não tinha comida. No calor do carro parado, o cansaço começou a tomar conta de mim outra vez, como uma maré. Apoiei a cabeça na janela, dizendo a mim mesma que era normal eu me sentir deslocada, incompetente. *Durante algum tempo, você vai se sentir pouco à vontade em seu novo mundo. É sempre estranho ser arrancada de sua zona de conforto.* A última carta de Will ecoou na minha mente como que vinda de um lugar muito distante.

Então, nada.

* * *

Acordei com um susto quando a porta se abriu. Agnes entrou, o rosto pálido, o maxilar travado.

— Está tudo bem? — perguntei, tentando me endireitar, mas ela não respondeu.

O carro saiu em silêncio, o ar parado lá dentro adquirindo o peso súbito da tensão.

Ela se virou para mim. Procurei uma garrafa de água e a estendi na direção dela.

— Tem cigarros?
— Hum... não.
— Garry, você tem cigarros?
— Não, senhora. Mas podemos providenciar.

Percebi que a mão dela estava tremendo. Agnes enfiou-a na bolsa, pegou um pequeno frasco de comprimidos, e eu lhe entreguei a água. Ela tomou um gole, e vislumbrei lágrimas em seus olhos. Estacionamos ao lado de uma farmácia, e um instante se passou antes que me desse conta de que esperavam que eu saísse.

— Que tipo? Quero dizer, que marca?
— Marlboro Light — respondeu ela, secando os olhos.

Saí correndo (mancando, na verdade, já que estava com dor nas pernas por causa da corrida matinal) e comprei um maço, pensando como era estranho comprar cigarros em uma farmácia. Quando voltei para o carro, ela gritava em polonês com alguém ao telefone. Encerrou a ligação, então abriu a janela e acendeu um cigarro, tragando profundamente. Ela me ofereceu um. Fiz que não com a cabeça.

— Não conte a Leonard — disse, a expressão mais relaxada. — Ele odeia que eu fume.

Ficamos sentados por alguns minutos com o motor ligado enquanto ela fumava o cigarro com tragadas curtas e raivosas que me fizeram temer pelos seus pulmões. Então apagou a guimba, os lábios se retesando com alguma fúria interna, e fez um gesto para que Garry seguisse.

Fui liberada de minhas tarefas por alguns minutos enquanto Agnes fazia a aula de piano. Retirei-me para o meu quarto e pensei em me deitar, mas tive medo de que a dor nas pernas significasse que eu não conseguiria me levantar depois, então acabei me sentando à pequena mesa, escrevendo um e-mail breve para Sam e verificando os compromissos dos dias seguintes na agenda.

Enquanto isso, uma música começou a ecoar pelo apartamento, primeiro escalas, então algo melodioso e lindo. Parei para ouvir, maravilhada com o som, perguntando-me qual seria a sensação de ser capaz de criar algo tão belo. Fechei os olhos, deixando que o som percorresse meu corpo, recordando a noite em que Will me levara para ver meu primeiro concerto e começara a abrir o mundo à força para mim. Ouvir música ao vivo era tão mais tridimensional do que escutar uma gravação... Era como um curto-circuito no seu âmago. A música de Agnes parecia surgir de uma parte dela que permanecia fechada durante suas interações com o mundo; algo vulnerável, doce e delicado. Ele teria gostado disso, pensei, distraída. Teria adorado estar aqui. No exato instante em que a música evoluiu para algo verdadeiramente mágico, Ilaria ligou o aspirador de pó, engolindo o som com o rugido do aparelho, o ruído implacável da máquina se chocando contra os móveis pesados. A música parou.

Meu celular vibrou.

Por favor, mande ela desligar o aspirador!

Desci da cama e caminhei pelo apartamento até encontrar Ilaria, que empurrava furiosamente o aspirador bem diante da porta do estúdio de Agnes, a cabeça baixa enquanto fazia investidas com o aparelho. Engoli em seco. Havia algo em Ilaria que fazia você hesitar antes de confrontá-la, ainda que ela fosse uma das únicas pessoas mais baixas que eu naquela vizinhança.

— Ilaria — chamei.

Ela não parou.

— Ilaria!

Fiquei parada bem diante dela, até que fosse obrigada a me ver. Ela desligou o aspirador com o calcanhar e me fuzilou com os olhos.

— A Sra. Gopnik perguntou se você poderia passar o aspirador outra hora. Ela não está conseguindo ouvir a aula de música.

— Quando ela acha que devo limpar o apartamento? — indagou Ilaria, alto o bastante para que a ouvissem do outro lado da porta.

— Hum... Talvez em qualquer outro momento do dia a não ser nestes quarenta minutos específicos...?

Ela tirou o fio da tomada e arrastou o aspirador ruidosamente pelo cômodo. Olhou para mim com tamanho desprezo que quase dei um passo para trás. Houve um breve silêncio, então a música recomeçou.

Quando Agnes finalmente saiu, vinte minutos depois, olhou para mim de esguelha e sorriu.

A primeira semana avançou aos trancos e barrancos, exatamente como o primeiro dia: eu observava Agnes em busca de sinais da mesma forma como mamãe costumava ficar de olho em nossa velha cadela que teve incontinência urinária. Será que ela precisa sair? O que ela quer? Onde devo ficar? Corri com Agnes e George todas as manhãs. Depois de percorrer mais ou menos um quilômetro, apontava para meu quadril e sinalizava para eles irem em frente, então caminhava lentamente de volta até o prédio. Passei muito tempo sentada no corredor, estudando meu iPad com atenção sempre que alguém passava, de forma a dar a impressão de que sabia o que estava fazendo.

Michael ia até lá todos os dias e me atualizava com sussurros breves. Parecia passar a vida correndo entre o apartamento e o escritório do Sr. Gopnik em Wall Street, com um de seus dois celulares colado à orelha, um pacote da lavanderia apoiado no braço, um café na mão. Era muito charmoso e estava sempre sorrindo, e eu não tinha a menor ideia se gostava de mim ou não.

Mal vi Nathan. Ele parecia contratado para se adequar à agenda do Sr. Gopnik. Às vezes, trabalhava às cinco da manhã; outras, às sete da noite, desaparecendo no escritório para ajudá-lo lá caso fosse necessário.

— Não sou contratado pelo que faço — explicou Nathan. — Sou contratado pelo que *posso fazer*.

Volta e meia ele sumia, e eu descobria que ele e o Sr. Gopnik tinham pegado o jatinho durante a noite — rumo a São Francisco ou Chicago. O Sr. Gopnik sofria de um tipo de artrite que ele se esforçava para manter sob controle, de forma que Nathan e ele nadavam ou se exercitavam diversas vezes por dia para complementar o regime de anti-inflamatórios e analgésicos.

Além de Nathan e de George, o treinador, que também ia até lá todos os dias úteis de manhã, as outras pessoas que passaram pelo apartamento na primeira semana foram:

- *Os faxineiros*. Aparentemente, existia uma distinção entre o que Ilaria fazia (cuidar da casa) e a faxina propriamente dita. Duas vezes por semana, uma equipe uniformizada composta de três mulheres e um homem atacava o apartamento. Eles não falavam, a não ser brevemente, entre si. Elas traziam uma grande caixa de produtos de limpeza ecologicamente corretos e iam embora três horas depois, quando Ilaria passava a fungar para verificar o cheiro do apartamento e correr os dedos pelos rodapés com uma expressão reprovadora.
- *Os floristas*, que chegavam em uma van na segunda-feira de manhã, levando enormes vasos de arranjos a serem posicionados em intervalos estratégicos nas áreas comuns do apartamento. Diversos vasos eram tão grandes que precisavam ser carregados por duas pessoas. Eles tiravam os sapatos na porta.

- *O jardineiro*. Sim, de verdade. Em um primeiro momento, achei isso ligeiramente hilário ("Vocês se dão conta de que estamos no segundo andar?"), mas então descobri que as grandes varandas nos fundos do prédio eram repletas de vasos com árvores em miniatura e flores, que o jardineiro regava, podava e adubava antes de desaparecer tão subitamente quanto surgira. De fato, aquilo deixava a varanda linda, mas ninguém ia lá a não ser eu.
- A *especialista em comportamento animal*. Uma minúscula japonesa que lembrava um passarinho apareceu às dez da manhã na sexta-feira, observou Felix de longe por cerca de uma hora, em seguida examinou sua comida, a caixa de areia, os lugares onde dormia, interrogou Ilaria a respeito do comportamento do gato e recomendou os brinquedos de que ele precisava, além de verificar se o arranhador era alto e estável o bastante. Felix a ignorou do começo ao fim da visita, interrompendo-se apenas para limpar o traseiro com um entusiasmo que pareceu quase ofensivo.
- A *equipe de compras* ia ao apartamento duas vezes por semana levando grandes caixotes de comida fresca, e os descarregava sob a supervisão de Ilaria. Avistei a conta certo dia: o suficiente para alimentar minha família — e talvez metade dos moradores da minha rua — por diversos meses.

E isso sem contar a manicure, o dermatologista, o professor de piano, o homem que cuidava dos carros e os limpava, o faz-tudo que trabalhava para o prédio e resolvia questões de lâmpadas queimadas e ares-condicionados com defeito. Havia a ruiva magérrima que levava grandes sacolas de roupas da Bergdorf Goodman ou da Saks Fifth Avenue e observava tudo o que Agnes experimentava de maneira penetrante, declarando:

— Não. Não. Não. Ah, isso está perfeito, querida. Está uma graça. Combina com aquela bolsinha Prada que mostrei a você na semana passada. Agora, o que vamos fazer a respeito da festa de gala?

Havia também o vendedor de vinhos, o homem que pendurava os quadros, a mulher que limpava as cortinas e o homem que encerava o piso parquê do salão principal com algo que lembrava um aparador de grama, além de alguns outros. Simplesmente me acostumei a ver pessoas que não reconhecia circulando por lá. Não sei se houve um único dia nas primeiras duas semanas em que menos de cinco pessoas estivessem no apartamento ao mesmo tempo.

Era uma casa de família apenas no nome. Parecia um espaço de trabalho para mim, Nathan, Ilaria e uma equipe infinita de funcionários, prestadores de serviço ou puxa-sacos que entravam e saíam desde o amanhecer até tarde da noite. Às vezes, após o jantar, uma procissão de colegas do Sr. Gopnik, todos de terno, passava por lá, desaparecendo no escritório e saindo uma hora depois, murmurando coisas sobre telefonemas para Washington ou Tóquio. Ele parecia nunca parar de trabalhar, a não ser pelo tempo que passava com Nathan. Até mesmo durante o jantar, seus dois celulares ficavam em cima da mesa de mogno, vibrando discretamente, como vespas aprisionadas, enquanto as mensagens chegavam.

Algumas vezes, peguei-me observando Agnes fechar a porta de seu quarto de vestir no meio do dia — provavelmente o único lugar onde ela podia desaparecer — e me perguntando: Algum dia este lugar foi apenas um lar?

Era por isso, concluí, que eles desapareciam nos fins de semana. A menos que a casa de campo também contasse com uma equipe.

— Não. Foi a única coisa que ela decidiu — explicou Nathan quando perguntei. — Agnes disse para ele deixar a casa de fim de semana para a ex-mulher. Em troca, conseguiu que ele se contentasse com uma casa modesta na praia. Três camas. Um banheiro. Nenhum funcionário.

Ele balançou a cabeça.

— Portanto, nada de Tab. Ela não é boba.

— Oi!

Sam estava de uniforme. Fiz alguns cálculos mentais e concluí que ele acabara de encerrar o turno. Correu a mão pelo cabelo, então debruçou-se para a frente como que para me ver melhor na imagem pixelada. Uma vozinha disse em minha mente, como todas as vezes que eu falara com ele desde que tinha ido embora: *Como assim você se mudou para um continente onde esse homem não está?*

— Foi trabalhar, então?

— Fui — respondeu ele, dando um suspiro. — Não foi o melhor primeiro dia de volta ao trabalho.

— Por quê?

— Donna pediu demissão.

Não consegui esconder minha surpresa. Donna — sincera, engraçada, calma — era o yin do yang dele, sua âncora, sua voz sensata no trabalho. Era impossível tentar imaginar um sem o outro.

— O quê? Por quê?

— O pai dela está com câncer. Agressivo. Incurável. Ela quer ficar com ele.

— Ah, meu Deus. Coitada da Donna. Coitado do pai dela.

— É. É difícil. E agora tenho que esperar para ver quem vão colocar para trabalhar comigo. Acho que não vai ser um novato, por conta de todas as questões de disciplina. Então imagino que vá ser alguém de outro distrito.

Sam comparecera diante da comissão disciplinar duas vezes desde que estávamos juntos. Eu tinha sido responsável por pelo menos uma delas, e senti aquela costumeira pontada de culpa por reflexo.
— Você vai sentir falta dela.
— É.
Ele parecia um pouco cansado. Tive vontade de atravessar a tela e abraçá-lo.
— Ela me salvou — disse.
Sam não era de fazer declarações dramáticas, o que, de alguma forma, tornou essas três palavras ainda mais fortes. Eu ainda me lembrava daquela noite em imagens bruscas de uma clareza apavorante: o sangue de Sam jorrando no lugar onde a bala o atingira e escorrendo pelo chão da ambulância, Donna calma, competente, latindo instruções para mim, mantendo aquela linha frágil ininterrupta até que os outros médicos finalmente chegassem. Ainda podia sentir o gosto do medo na boca, visceral e metálico, o calor do sangue de Sam em minhas mãos. Estremeci, afastando a imagem da mente. Não queria Sam sob a proteção de ninguém mais. Ele e Donna eram um time. Duas pessoas que nunca se deixariam na mão. E que provavelmente zombariam uma da outra sem dó depois.
— Quando ela vai embora?
— Semana que vem. Conseguiu uma dispensa especial, por causa das circunstâncias familiares.
Ele suspirou.
— Enfim. O lado bom é que sua mãe me convidou para almoçar na casa dela no domingo. Parece que vamos comer rosbife com todas as guarnições. Ah, e sua irmã me chamou para ir até o apartamento. Não me olhe assim... Ela perguntou se posso ajudar a drenar o aquecedor.
— Então é isso. Você foi incorporado. Minha família prendeu você como uma planta carnívora.
— Vai ser estranho sem você.
— Talvez eu devesse simplesmente voltar para casa.
Ele tentou abrir um sorriso, mas não conseguiu.
— O quê?
— Nada.
— Diga.
— Não sei... Tenho a impressão de que acabei de perder minhas duas mulheres preferidas.
Um nó se formou em minha garganta. O fantasma da terceira mulher que ele havia perdido — a irmã, que morrera de câncer dois anos antes — pairou entre nós.
— Sam, você não per...
— Ignore o que eu disse. Foi injusto da minha parte.

— Eu ainda sou sua. Só que de longe por um tempo.
Ele encheu as bochechas de ar.
— Não achei que isso fosse me afetar tanto.
— Agora não sei se devo ficar lisonjeada ou triste.
— Vou ficar bem. Só tive um dia difícil.
Fiquei parada por um instante, observando-o.
— Certo. Então este é o plano: primeiro, vá alimentar as galinhas. Porque você sempre acha tranquilizante ficar olhando para elas. E a natureza faz bem para dar perspectiva e tudo o mais.
Ele se empertigou um pouco.
— E depois?
— Prepare um daqueles molhos à bolonhesa deliciosos. Aqueles que demoram uma eternidade para ficar pronto, com vinho, bacon e tal. Porque é quase impossível se sentir mal depois de comer um ótimo espaguete à bolonhesa.
— Galinhas. Molho. Certo.
— Aí ligue a televisão e encontre um filme muito bom. Algo em que você possa se perder. Nada de reality shows. Nada com comerciais.
— Curas Noturnas de Louisa Clark. Estou gostando disso.
— E então...
Refleti por um instante.
— Pense no fato de que faltam pouco mais de três semanas para nos vermos. O que quer dizer isso! Ta-nããã!
Puxei minha blusa até o pescoço.
Foi uma pena que Ilaria tenha escolhido esse exato momento para abrir a porta de meu quarto ao entrar com roupas lavadas. Ficou parada com uma pilha de toalhas debaixo de um braço e congelou enquanto assimilava meus seios expostos, o rosto do homem na tela. Então fechou a porta rapidamente, murmurando algo baixinho. Baixei a blusa rapidamente, atrapalhada.
— O que foi?
Sam estava sorrindo, tentando espiar à direita da tela.
— O que está havendo?
— A empregada — respondi, ajeitando a blusa. — Ai, meu Deus.
Sam jogou o corpo para trás na cadeira. Estava gargalhando de verdade agora, com uma das mãos na barriga, ainda um pouco protetor em relação à cicatriz.
— Você não entende. Ela me odeia.
— E agora você é a Madame Webcam.
Ele ainda gargalhava.
— Vou ficar com péssima reputação na comunidade das empregadas domésticas daqui até Palm Springs.

Eu me lamentei mais um pouco, então comecei a rir. Era difícil me conter ao ver Sam gargalhando tanto.

Ele sorriu para mim.

— Bem, Lou, você conseguiu. Melhorou meu humor.

— O lado negativo para você é que esta foi a primeira e última vez que mostro minhas partes íntimas pela internet.

Sam se inclinou para a frente e me jogou um beijo.

— É, bem... — disse. — Acho que deveríamos ficar gratos por não ter sido o contrário.

Ilaria não falou comigo por dois dias após o incidente. Virava-se sempre que eu entrava em algum cômodo, encontrando algo com que se ocupar imediatamente, como se o simples fato de cruzar o olhar com o meu pudesse contaminá-la com minha propensão devassa a expor os seios.

Nathan perguntou o que tinha acontecido entre nós depois que ela empurrou meu café na minha direção com uma espátula, mas eu não conseguiria explicar sem fazer com que a situação soasse muito pior do que era, então murmurei algo a respeito de roupas limpas e como seria bom termos trancas nas portas, torcendo para que ele deixasse o assunto de lado.

4

Para: KatClark1@yahoo.com
De: AbelhaAtarefada@gmail.com

Oi, Bandida Fedida É Você!

(É assim que uma contadora respeitável deve se dirigir à irmã viajante do mundo?)

Estou bem, obrigada. Minha patroa — Agnes — tem a minha idade e é muito legal. Então isso tem sido um bônus. Você não imagina os lugares aonde tenho ido... Ontem à noite fui a um baile usando um vestido que valia mais do que eu ganho em um mês. Me senti a própria Cinderela. Só que com uma irmã linda (é, isso é uma novidade para mim. Ha-ha-ha-ha!).

Que bom que o Thom está gostando da escola nova. Não se preocupe com a questão da caneta — podemos sempre pintar a parede. Mamãe disse que é um sinal da expressão criativa dele. Sabia que ela está tentando convencer o papai a fazer aulas à noite para aprender a se expressar melhor? Ele enfiou na cabeça que isso significa que ela vai obrigá-lo a fazer sexo tântrico. Só Deus sabe onde ele leu sobre isso. Fingi que ela tinha me dito que esse era exatamente o objetivo quando ele me ligou, mas agora estou um pouco culpada porque ele está morrendo de medo de ter que tirar o "amigo" de dentro da calça na frente de um monte de desconhecidos.

Dê mais notícias. Em especial sobre o encontro!!!
Saudades,
Lou

P.S.: Se o papai tirar mesmo o "amigo" de dentro da calça na frente de um monte de desconhecidos, eu não quero saber de NADA.

De acordo com a agenda de Agnes, diversos eventos eram destaques do calendário social de Nova York, mas o jantar beneficente da Fundação de Caridade Neil e Florence Strager equilibrava-se em algum ponto perto do topo da escala de importância. Os convidados se vestiam de amarelo — para os homens, isso significava gravatas amarelas, a menos que eles fossem particularmente exibicionistas —, e as fotografias resultantes eram distribuídas em publicações que iam do *New York Post* à *Harper's Bazaar*. O traje era formal, as roupas amarelas, deslumbrantes, e os ingressos custavam a mixaria de uns trinta mil dólares por mesa. Isso para ficar na periferia do salão. Eu descobrira essa informação porque passei a pesquisar cada evento a que Agnes compareceria, e sabia que aquele era importante não apenas pela quantidade de preparativos (manicure, cabeleireiro, massagista, sessões extras com George pelas manhãs), mas também pelo nível de estresse de Agnes. Ela passou o dia inteiro vibrando fisicamente, gritando com George porque não conseguia fazer os exercícios que ele havia passado, não conseguia correr aquela distância. Tudo era impossível. George, que era quase tão calmo quanto um budista, disse que não havia problema algum, que podiam caminhar de volta e que a endorfina da caminhada faria bem. Quando foi embora, ele me lançou uma piscadela, como se tudo aquilo fosse de se esperar.

O Sr. Gopnik, talvez em resposta a algum telefonema angustiado, voltou para casa na hora do almoço e encontrou Agnes trancada no quarto de vestir. Peguei com Ashok algumas roupas que tinham chegado da lavanderia e cancelei a consulta de clareamento dental, então fiquei sentada no corredor, sem saber ao certo o que deveria estar fazendo. Ouvi a voz dela abafada quando ele abriu a porta:

— Não quero ir.

O que quer que Agnes tenha dito depois fez com que o Sr. Gopnik ficasse em casa durante muito mais tempo do que eu havia previsto. Nathan tinha saído, de forma que eu não podia falar com ele. Michael passou por lá, espiando pela porta.

— Ele ainda está aqui? — perguntou. — Meu rastreador parou de funcionar.

— Rastreador?

— No celular dele. Muitas vezes, é o único jeito de eu saber onde ele está.

— Ele está no quarto de vestir da Agnes.

Eu não sabia mais o que dizer, se podia ou não confiar em Michael. Mas era difícil ignorar as vozes em tom elevado.

— Acho que a Sra. Gopnik não está com muita vontade de sair hoje à noite — completei.

— Alerta Roxo. Eu avisei.

Então me lembrei.

— A antiga Sra. Gopnik. Esta era a noite dela, e Agnes sabe disso. Ainda é. Todas as megeras dela vão estar lá. Não são muito amigáveis — explicou Michael.

— Bem, isso explica muita coisa.

— Ele é um patrocinador importante, então não pode deixar de ir. Além disso, é amigo dos Strager há muito tempo. Mas é uma das noites mais difíceis da agenda deles. O encontro do ano passado foi um fracasso total.

— Por quê?

— Ah. Ela entrou feito uma ovelha no abatedouro.

Michael fez uma careta.

— Achou que aquelas mulheres seriam suas novas melhores amigas. Pelo que ouvi depois, elas arrasaram com ela.

Eu estremeci.

— Ele não pode ir sozinho?

— Ah, querida, você não tem ideia de como as coisas funcionam por aqui. Não, não, não. Ela tem que ir. Tem que colocar um sorriso no rosto e aparecer nas fotos. Essa é a função de Agnes agora. E ela sabe disso. Mas não vai ser agradável de ver.

As vozes estavam mais altas. Ouvimos Agnes protestar, e, em seguida, a voz do Sr. Gopnik, mais baixa, suplicante, sensata.

Michael olhou para o relógio.

— Vou voltar para o escritório. Pode me fazer um favor? Mande uma mensagem de texto quando ele sair. Tenho cinquenta e oito coisas para ele assinar antes das três da tarde. Amo você!

Ele me jogou um beijo e saiu.

Fiquei sentada durante mais algum tempo, tentando não escutar a discussão no fim do corredor. Percorri a agenda, perguntando-me se havia algo que pudesse fazer para ser útil. Felix passou por mim, o rabo erguido como um ponto de interrogação, alheio às ações dos humanos ao redor.

Então a porta se abriu. O Sr. Gopnik me avistou.

— Ah, Louisa. Pode vir aqui um instante?

Fiquei de pé e dei alguns passos apressados até onde ele estava. Foi difícil, já que correr vinha me causando câimbras.

— Queria saber se você está livre esta noite.

— Livre?

— Para ir a um evento. De caridade.

— Hum... Claro.

Eu sabia desde o começo que meu horário de trabalho não seria regular. Pelo menos aquilo significava que eu provavelmente não veria Ilaria. Faria o download de um filme em um dos iPads e assistiria no carro.

— Pronto. O que acha, querida?

Agnes parecia ter chorado.

— Ela pode sentar do meu lado? — perguntou.

— Vou dar um jeito.

Ela respirou fundo, de um modo entrecortado.

— Então está bem, eu acho.

— Sentar ao lado...

— Que bom. Que bom!

O Sr. Gopnik checou o celular.

— Certo. Preciso mesmo ir. Vejo você no salão principal às sete e meia. Aviso se conseguir encerrar a teleconferência antes.

Ele deu um passo à frente e pegou o rosto de Agnes entre as mãos, beijando-a.

— Você está bem?

— Estou.

— Amo você. Muito.

Mais um beijo, então ele se foi.

Agnes respirou fundo mais uma vez. Levou as mãos aos joelhos, então olhou para mim.

— Tem um vestido de festa amarelo?

Eu a encarei.

— Hum. Não. Não tenho muitos vestidos de festa, na verdade.

Ela me olhou de cima a baixo, como que tentando avaliar se alguma roupa dela caberia em mim. Acho que nós duas sabíamos a resposta. Então ela se empertigou.

— Ligue para o Garry. Precisamos ir até a Saks.

Meia hora depois, eu estava de pé em um provador enquanto duas funcionárias da loja tentavam espremer meus seios dentro de um vestido tomara que caia cor de manteiga sem sal. Brinquei com elas que na última vez que haviam me tocado com tanta intimidade, eu tinha sugerido que ficássemos noivos logo depois. Ninguém riu.

Agnes franziu o cenho.

— Muito nupcial. E dá a impressão de que ela é larga na região da cintura.

— É porque sou larga na região da cintura.

— Fazemos cintas ótimas, Sra. Gopnik.

— Ah, não sei se...

— Vocês têm algo mais estilo anos cinquenta? — perguntou Agnes, olhando para o celular. — Porque isso vai diminuir a cintura dela e resolver a questão da altura. Não temos tempo para ajustar nada.

— Quando é o evento, senhora?

— Temos que estar lá às sete e meia.

— Podemos ajustar o vestido para a senhora a tempo, Sra. Gopnik. Peço a Terri que entregue na sua casa às seis.

— Então vamos tentar aquele modelo cor de girassol ali... e aquele com as lantejoulas.

Se soubesse que aquela tarde seria a única vez na vida em que experimentaria vestidos de três mil dólares, eu talvez tivesse me assegurado de não usar uma calcinha cômica com estampa de cachorro salsichinha e um sutiã preso com um alfinete. Perguntei-me quantas vezes em uma semana era possível mostrar os seios a estranhos. Perguntei-me também se aquelas funcionárias já tinham visto um corpo como o meu, com gorduras localizadas reais. As vendedoras da loja eram educadas demais para comentar sobre isso, a não ser pelas repetidas sugestões de cintas "corretivas". Em vez disso, simplesmente traziam um vestido atrás do outro, espremendo-me e me arrancando de cada um, como quem lida com gado, até que Agnes, sentada em uma poltrona estofada, anunciou:

— Isso! É esse. O que acha, Louisa? Até o comprimento é perfeito para você, com essa anágua de tule.

Olhei fixamente para meu reflexo. Não reconheci a mulher no espelho. Minha cintura estava comprimida por um corpete embutido, meus seios, erguidos formando um volume perfeito. A cor fazia minha pele brilhar e a saia longa me deixava trinta centímetros mais alta e totalmente diferente. O fato de eu não conseguir respirar era irrelevante.

— Vamos prender seu cabelo e arrumar uns brincos. Perfeito.

— E esse vestido está com vinte por cento de desconto — disse uma das vendedoras. — Não vendemos muitas peças amarelas depois do evento dos Strager...

Quase murchei de alívio. Então olhei a etiqueta. O preço do vestido, com a promoção, era de 2.575 dólares. Meu salário. Acho que Agnes deve ter visto meu rosto pálido, pois acenou para uma das mulheres.

— Louisa, troque de roupa. Você tem sapatos que combinem? Podemos ir ao departamento de sapatos.

— Tenho sapatos. Muitos sapatos.

Eu tinha um par de sapatos de dança dourados com saltos de cetim que funcionaria bem. Não queria que aquela conta ficasse ainda mais cara.

Voltei para o cubículo do provador e tirei o vestido com cuidado, sentindo o peso daquele valor cair ao meu redor. Enquanto me vestia, ouvi Agnes falando com as vendedoras. Ela pediu uma bolsa e brincos, deu uma olhada superficial e pareceu satisfeita.
— Coloquem na minha conta.
— É para já, Sra. Gopnik.
Encontrei-a diante do caixa. Enquanto nos afastávamos da loja, eu carregando as sacolas, falei baixinho:
— Então, quer que eu tome bastante cuidado?
Ela me olhou, sem entender.
— Com o vestido.
Agnes ainda parecia confusa.
Baixei a voz.
— Lá em casa, a gente enfia a etiqueta para dentro, assim dá para devolver a roupa no dia seguinte. Sabe, contanto que não haja nenhuma mancha de vinho acidental nem esteja com muito cheiro de cigarro. Talvez valha a pena borrifar um perfume.
— Devolver?
— Para a loja.
— Por que faríamos isso? — indagou ela enquanto entrávamos no carro e Garry guardava as sacolas na mala. — Não faça essa cara nervosa, Louisa. Acha que eu não sei como se sente? Eu não tinha nada quando cheguei aqui. Eu e minhas amigas dividíamos até as roupas. Mas você tem que usar um vestido bonito quando sentar do meu lado esta noite. Não pode ir com o uniforme. Hoje à noite você não é uma funcionária. E fico feliz de pagar por isso.
— Certo.
— Você entende? Esta noite, você não pode ser uma funcionária. É muito importante.
Pensei na imensa sacola no porta-malas atrás de mim enquanto o carro navegava lentamente em meio ao trânsito de Manhattan, um pouco perplexa com o rumo que o dia estava tomando.
— Leonard disse que você cuidou de um homem que morreu.
— Cuidei. O nome dele era Will.
— Ele disse que você tem... discrição.
— Eu tento.
— E também que não conhece ninguém aqui.
— Só o Nathan.
Ela refletiu sobre aquilo.
— Nathan. Acho que ele é uma boa pessoa.

— É mesmo.
Ela examinou as próprias unhas.
— Você fala polonês?
— Não. Mas talvez possa aprender, se você... — acrescentei rapidamente.
— Sabe o que é difícil para mim, Louisa?
Fiz que não com a cabeça.
— Não sei em quem posso...
Ela hesitou, então pareceu mudar de ideia a respeito do que ia dizer.
— Preciso que seja minha amiga esta noite. Está bem? Leonard... vai ter que fazer o trabalho dele. Sempre falando com os homens. Mas você vai ficar comigo, certo? Bem do meu lado.
— Como quiser.
— E se alguém perguntar, você é uma velha amiga minha. De quando eu morava na Inglaterra. Nós... nós nos conhecemos na escola. Você não é minha assistente, ok?
— Entendi. Escola.
Isso pareceu satisfazê-la. Ela assentiu e se recostou. Não disse mais nada durante todo o percurso até o apartamento.

O New York Palace Hotel, onde acontecia o baile de gala da Fundação Strager, era tão grandioso que chegava a ser quase cômico: uma fortaleza de contos de fada, com um pátio e janelas arqueadas, repleto de lacaios uniformizados com calças de seda amarelas como narcisos. Era como se houvessem examinado todos os grandes hotéis europeus, feito anotações sobre cornijas requintadas, saguões de mármore e detalhes dourados e tivessem decidido juntar tudo, salpicar um pouco de pó mágico da Disney na coisa toda e alçar o conjunto a um nível máximo. Eu tive a impressão de que a qualquer momento veria uma carruagem de abóbora e um sapatinho de cristal na escada com tapete vermelho. Quando estacionamos, espiei o interior luminoso, as luzes que piscavam e o mar de vestidos amarelos e quase tive vontade de rir, mas Agnes estava tão tensa que não ousei fazer isso. Além do mais, meu corpete estava tão justo que a costura provavelmente teria estourado.

Garry nos deixou diante da entrada principal, manobrando o carro até uma área abarrotada de limusines pretas. Depois de passar por uma multidão de espectadores na calçada, entramos. Um homem pegou nossos casacos e pela primeira vez o vestido de Agnes ficou totalmente visível.

Estava deslumbrante. Seu vestido não era convencional como o meu, ou como o de qualquer uma das outras mulheres ali, mas de um tom néon de amarelo. Um modelo estruturado, um tubo até o chão com um adereço em um dos ombros que ia até a cabeça. O cabelo estava puxado para trás sem piedade, apertado e lustroso, e dois enormes brincos de ouro com diamante amarelo pendiam de suas orelhas. O traje todo deveria parecer extraordinário. Mas ali, percebi com uma leve dor no estômago, era de alguma forma exagerado — deslocado em meio à grandiosidade antiquada do hotel. Enquanto ela estava parada, as cabeças ao redor se viraram, sobrancelhas se erguendo à medida que as matronas com seus vestidos de seda amarelos e corpetes rígidos a observavam com o canto dos olhos cuidadosamente maquiados.

Agnes pareceu não notar. Olhou ao redor distraidamente, tentando localizar o marido. Só iria relaxar quando segurasse o braço dele. Às vezes, eu os observava juntos e tinha uma sensação quase palpável do alívio que a tomava quando sentia a presença dele ao seu lado.

— Seu vestido é incrível — falei.

Ela baixou os olhos na minha direção, como se só nesse momento tivesse se lembrado da minha presença. Um flash foi disparado e vi que fotógrafos circulavam entre nós. Afastei-me um pouco para dar espaço a Agnes, mas o homem fez um gesto na minha direção.

— Você também, senhora. Isso. E sorria.

Ela sorriu, olhando brevemente para mim como que para se assegurar de que eu ainda estava por perto.

E então o Sr. Gopnik apareceu. Caminhou até nós com alguma dificuldade — Nathan dissera que ele estava tendo uma semana difícil — e beijou a bochecha da esposa. Ouvi-o murmurar algo ao seu ouvido e ela sorriu, um sorriso sincero e sem defesas. Suas mãos se encontraram brevemente, e, nesse instante, percebi que duas pessoas podiam se encaixar em todos os estereótipos possíveis e, ainda assim, terem algo completamente genuíno e sentirem um prazer absoluto com a presença do outro. Então fiquei com saudade de Sam. Mas, ao mesmo tempo, eu não conseguia imaginá-lo em um lugar como aquele, preso em um paletó com gravata-borboleta. Ele teria odiado aquilo, pensei, distraída.

— Nome, por favor?

O fotógrafo surgira ao meu lado.

Talvez o fato de estar pensando em Sam tenha feito com que eu respondesse assim:

— Hum. Louisa Clark-Fielding — disse, com minha melhor imitação de um sotaque de alta classe. — Da Inglaterra.

— Sr. Gopnik! Aqui, Sr. Gopnik!

Eu entrei na multidão enquanto os fotógrafos faziam cliques dos dois juntos, a mão dele pousada delicadamente nas costas de Agnes, os ombros dela retos e o queixo erguido, como se pudesse comandar o evento todo. Então, vi o Sr. Gopnik examinar o cômodo inteiro me procurando, seus olhos se encontrando com os meus do outro lado do saguão.

Ele acompanhou Agnes até onde eu estava.

— Querida, preciso falar com algumas pessoas. Vocês duas vão ficar bem sozinhas?

— É claro, Sr. Gopnik — respondi, como se fizesse aquele tipo de coisa todos os dias.

— Vai voltar logo? — perguntou Agnes, ainda segurando a mão dele.

— Tenho que falar com Wainwright e Miller. Prometi que daria dez minutos a eles para ver essa questão dos títulos.

Agnes fez que sim, mas a expressão dela revelava sua relutância em deixá-lo ir. Enquanto ela caminhava pelo saguão, o Sr. Gopnik se inclinou na minha direção.

— Não deixe que ela beba demais. Está nervosa.

— Sim, Sr. Gopnik.

Ele assentiu e olhou ao redor como que absorto em pensamentos. Então voltou-se para mim outra vez e sorriu.

— Você está muito bonita.

E foi embora.

O salão estava lotado, um mar amarelo e preto. Eu estava usando a pulseira amarela e preta que a filha de Will, Lily, tinha me dado antes que eu deixasse a Inglaterra — e pensei comigo mesma como teria adorado vestir minha meia-calça de abelha também. Aquelas mulheres pareciam jamais ter se divertido com suas roupas.

A primeira coisa que chamou minha atenção foi a magreza da maioria das mulheres ali presentes, comprimidas em vestidos minúsculos, as clavículas protuberantes feito grades de segurança. Após certa idade, as mulheres de Stortfold tendiam a aumentar para os lados, escondendo os centímetros extras com cardigãs ou casacos compridos ("Está cobrindo meu bumbum?") e fingindo se importar com a própria aparência ao comprar um rímel novo ou cortar o cabelo a cada seis semanas. Na minha cidade natal, prestar muita atenção a si mesma era algo quase suspeito ou indicava um autointeresse nada saudável.

Mas as mulheres naquele salão pareciam ter transformado a própria aparência em um trabalho em tempo integral. Não havia um fio de cabelo que não estivesse perfeitamente moldado, um braço que não tivesse sido obedientemente tonificado por rigorosos exercícios diários. Até mesmo as mulheres de idade incerta (era difícil saber, devido à quantidade de Botox e preenchimentos) pareciam nunca ter ouvido falar em braços flácidos que balançam quando se dá tchau. Lembrei de Agnes com seu personal trainer e com seu dermatologista, seus horários no cabeleireiro e na manicure e pensei: este é o trabalho dela agora. Ela precisa se dedicar a toda essa manutenção para poder aparecer aqui e não fazer feio diante dessa multidão.

Agnes se movia lentamente entre os convidados, a cabeça erguida, sorrindo para os amigos do marido, que iam cumprimentá-la e trocar algumas palavras com ela enquanto eu pairava, pouco à vontade, no segundo plano. Os amigos eram sempre homens. Apenas os homens sorriam para ela. As mulheres, embora não fossem grosseiras a ponto de se afastarem, tendiam a virar o rosto com discrição, como que subitamente distraídas por algo ao longe, de forma a não precisarem falar com ela. Diversas vezes, à medida que caminhávamos em meio à multidão, eu atrás dela, vi a expressão de alguma esposa se enrijecer, como se a presença de Agnes fosse alguma forma de transgressão.

— Boa noite — disse uma voz ao meu ouvido.

Ergui os olhos e cambaleei para trás. Will Traynor estava de pé ao meu lado.

5

Mais tarde, fiquei feliz que o salão estivesse tão lotado, porque, quando cambaleei e esbarrei no homem, ele estendeu a mão instintivamente. Em um segundo, diversos braços vestindo ternos elegantes me endireitaram, um mar de rostos sorridentes e preocupados. Enquanto eu agradecia, pedindo desculpas, percebi meu erro. Não, não era Will — o cabelo tinha a mesma cor e o mesmo corte, a pele era do mesmo tom de caramelo. Mas eu devo ter engasgado de modo audível, porque o homem que não era Will falou:

— Desculpe, assustei você?
— Eu... não. Não.

Levei a mão à bochecha, meus olhos nos dele.

— Você... você só se parece com alguém que eu conheço. Conhecia.

Senti meu rosto corar, o tipo de mancha que começa no peito e sobe até o couro cabeludo.

— Você está bem?
— Ah, nossa. Ótima. Estou ótima.

Eu me sentia uma idiota. Meu rosto brilhava de idiotice.

— É da Inglaterra.
— Você não é.
— Não sou nem de Nova York. Sou de Boston. Joshua William Ryan Terceiro.

Ele estendeu a mão.

— Você tem o nome dele...
— Como?

Apertei sua mão. De perto, ele era bem diferente de Will. Os olhos eram castanho-escuros, as sobrancelhas eram mais baixas. Mas as semelhanças tinham me deixado completamente perturbada. Afastei o olhar, consciente de que ainda segurava seus dedos.

— Desculpe. Estou um pouco...
— Deixe-me eu pegar uma bebida para você.

— Não posso. Estou aqui com a minha... Minha amiga está logo ali.
Ele olhou para Agnes.
— Então pego uma bebida para as duas. Vai ser... hum... fácil achar vocês.
Ele sorriu e tocou meu cotovelo. Tentei não olhar fixamente para ele enquanto se afastava.

Quando me aproximei de Agnes, o homem que estava falando com ela foi puxado para longe pela esposa. Agnes ergueu a mão como se estivesse prestes a responder a algo que ele dissera, mas se viu falando com um monte de costas de paletós. Ela se virou, o rosto tenso.
— Desculpe. Fiquei presa na multidão.
— Meu vestido está errado, não está? — sussurrou ela para mim. — Cometi um erro terrível.

Agnes tinha percebido. No mar de corpos, seu vestido parecia vivo demais, mais vulgar que *avant-garde*.
— O que faço agora? É um desastre. Preciso trocar de roupa.

Tentei calcular se era possível ela ir para casa e retornar. Mesmo sem trânsito, demoraria uma hora. E havia sempre o risco de ela não voltar...
— Não! Não é um desastre. Nem um pouco. É só que...
Fiz uma pausa.
— Sabe, com um vestido desses, você precisa ter confiança.
— O quê?
— Tem que assumi-lo. Manter a cabeça erguida. Fingir que não liga a mínima.
Ela me encarou.
— Um amigo me disse isso uma vez. O homem para quem eu costumava trabalhar. Ele me disse para vestir minhas pernas listradas com orgulho.
— Suas o quê?
— Ele... Bem, ele estava me dizendo que ser diferente de todo mundo não é um problema. Agnes, você é cerca de cem vezes mais bonita que qualquer outra mulher aqui. É linda. E o vestido é incrível. Então seja um grande dane-se para os outros. Entende? *Eu visto o que quiser.*

Ela me olhava com atenção.
— Você acha isso mesmo?
— Acho, sim.
Agnes respirou fundo.
— Tem razão. Vou ser um *grande dane-se*.
Ela endireitou os ombros.
— De qualquer forma, nenhum homem liga para qual vestido a gente usa, não é mesmo?

— Nenhum.
Ela sorriu, lançando-me um olhar cúmplice.
— Só ligam para o que está por baixo.
— É um vestido e tanto, senhora — disse Joshua, surgindo ao meu lado.
Ele trazia uma taça para cada uma.
— Champanhe. A única bebida amarela era Chartreuse, e fiquei meio enjoado só de olhar.
— Obrigada.
Peguei uma das taças.
Ele estendeu a mão para Agnes.
— Joshua William Ryan Terceiro.
— Você *só pode* ter inventado esse nome.
Os dois se viraram para mim.
— Ninguém que não seja um personagem de novela pode ter um nome desses — falei, percebendo que minha intenção fora pensar aquilo, não dizê-lo em voz alta.
— Certo. Bem, pode me chamar de Josh — disse ele, sereno.
— Louisa Clark — falei, acrescentando logo em seguida: — Primeira.
Seus olhos se estreitaram um pouco.
— Sra. Leonard Gopnik. Segunda — disse Agnes. — Mas você já deve saber disso.
— Sei, sim. Só se fala em você por aqui.
Essas palavras poderiam ter tido um impacto negativo, mas ele as disse com delicadeza. Vi os ombros de Agnes relaxarem um pouco. Josh nos contou que estava lá com a tia porque o marido dela viajara e ela não quis ir ao evento sozinha. Ele trabalhava para uma empresa de valores mobiliários, falando com gerentes financeiros e fundos de cobertura sobre a melhor maneira de administrar riscos. Contou que era especializado em investimentos e empréstimos corporativos.
— Não faço ideia do que nada disso significa — comentei.
— Na maior parte dos dias, eu também não.
Ele estava só sendo charmoso, é claro. Mas de repente o salão me pareceu um pouco menos frio. Josh era de Back Bay, em Boston, tinha acabado de se mudar para o que descreveu como uma toca de coelho no SoHo e engordara dois quilos desde que chegara porque os restaurantes de Manhattan eram bons demais. Falou muitas outras coisas, mas eu não saberia dizer o quê, porque não conseguia parar de olhar para ele.
— E quanto a você, Srta. Louisa Clark Primeira? O que faz?
— Eu...

— Louisa é uma amiga minha. Está aqui de visita, da Inglaterra.
— E o que está achando de Nova York?
— Estou adorando — falei. — Acho que minha cabeça não para de girar desde que cheguei.
— E o Baile Amarelo é um de seus primeiros compromissos sociais. Bem, Sra. Leonard Gopnik Segunda, você não pensa pequeno mesmo.

A noite começou a passar voando, facilitada por uma segunda taça de champanhe. Durante o jantar, sentei-me entre Agnes e um homem que não se apresentou e só falou comigo uma vez, perguntando a meus seios quem eles conheciam, depois virando as costas quando ficou claro que a resposta era quase ninguém. Fiquei de olho no que Agnes bebia, seguindo as ordens do Sr. Gopnik, e, quando o vi olhando para mim, troquei a taça cheia dela pela minha, quase vazia, sentindo alívio quando o sorriso discreto dele mostrou aprovação. Agnes estava falando alto demais com o homem à sua direita, a risada um pouco aguda demais, os gestos irregulares e nervosos. Observei as outras mulheres à mesa, todas com mais de quarenta anos, e vi a forma como olhavam para ela, seus olhares deslizando pesadamente entre si, como que para confirmar alguma opinião sombria expressada em particular. Era horrível.

O Sr. Gopnik não conseguia alcançar Agnes da posição em que estava, do outro lado da mesa, mas vi que a observava, mesmo enquanto ele sorria e cumprimentava pessoas e parecia, na superfície, o homem mais relaxado do mundo.

— Onde ela está?
Eu me inclinei para ouvir melhor o que Agnes dizia.
— A ex-mulher de Leonard. Onde está? Você precisa descobrir, Louisa. Só vou relaxar quando souber. Posso *sentir* a presença dela.

Alerta Roxo.
— Vou olhar o mapa de assentos — falei e pedi licença para me levantar.
Fiquei de pé diante do imenso painel na entrada da sala de jantar. Havia cerca de oitocentos nomes impressos lado a lado, e eu não sabia se a primeira Sra. Gopnik, Kathryn, ainda usava o sobrenome do marido. Soltei um palavrão baixinho bem no instante em que Josh surgiu atrás de mim.

— Perdeu alguém?
Baixei a voz.
— Preciso descobrir onde a primeira Sra. Gopnik está sentada. Você por acaso sabe se ela ainda usa o sobrenome do ex-marido? Agnes gostaria de... ter uma ideia de onde ela está.

Ele franziu o cenho.
— Ela está um pouco estressada — acrescentei.

— Sinto muito, não faço ideia. Mas minha tia talvez saiba. Ela conhece todo mundo. Fique aqui.

Ele encostou de leve em meu ombro descoberto e entrou na sala de jantar enquanto eu tentava reorganizar minha expressão, fingindo ser apenas uma garota olhando o mapa para confirmar a presença de meia dúzia de amigos, e não alguém cuja pele acabava de adquirir um tom inesperado de cor-de-rosa.

Ele voltou em um minuto.

— Ela ainda usa o sobrenome Gopnik — disse. — Tia Nancy comentou que acha que a viu perto da mesa de leilão.

Ele correu um dedo bem-cuidado pela lista de nomes.

— Aqui. Mesa 144. Passei por lá para olhar e tem uma mulher que se encaixa na descrição. Cinquenta e poucos anos, cabelo escuro, lançando dardos envenenados de dentro de uma bolsinha Chanel? Parece que escolheram para ela o lugar mais distante possível de Agnes.

— Ai, graças a Deus — falei. — Agnes vai ficar muito aliviada.

— Essas matronas nova-iorquinas podem ser bem assustadoras — disse ele. — Não culpo Agnes por querer se proteger. A alta sociedade inglesa é tão cruel assim?

— Alta sociedade inglesa? Ah, eu não... não sou muito de eventos sociais — respondi.

— Também não. Para falar a verdade, na maioria dos dias fico tão cansado depois do trabalho que só consigo pedir comida de algum restaurante. No que você trabalha mesmo, Louisa?

— Hum...

Olhei abruptamente para meu celular.

— Minha nossa! Preciso voltar para perto de Agnes.

— Vejo você antes de ir? Em que mesa está sentada?

— Trinta e dois — respondi antes de pensar em todos os motivos pelos quais não deveria ter feito isso.

— Então vejo você mais tarde.

Fiquei momentaneamente hipnotizada pelo sorriso de Josh.

— Aliás, eu queria dizer que você está linda.

Ele se inclinou para a frente e baixou a voz, fazendo-a ecoar de leve perto do meu ouvido.

— Na verdade, prefiro seu vestido ao da sua amiga. Já tirou uma foto?

— Uma foto?

— Aqui.

Ele ergueu a mão e, antes que eu tivesse a chance de entender o que estava fazendo, tirou uma foto de nós dois, nossas cabeças a centímetros de distância.

— Pronto. É só me dar seu telefone que eu envio para você.
— Você quer me mandar uma foto de nós dois juntos.
— Está percebendo minhas segundas intenções? — indagou ele, sorrindo.
— Está bem, então. Guardo a foto para mim. Uma lembrança da garota mais bonita do baile. A menos que você queira deletar. Aí está. Pode deletar.

Ele estendeu o celular em minha direção.

Olhei para o aparelho, meu dedo pairando acima do botão, mas desisti.

— Parece uma grosseria deletar alguém que você acaba de conhecer. Mas, hum... obrigada... e por toda a operação secreta de busca das mesas. Foi muito gentil da sua parte.

— Foi um prazer.

Sorrimos um para o outro. Antes que eu pudesse dizer qualquer outra coisa, voltei correndo para a mesa.

Dei a boa notícia a Agnes (que soltou um suspiro audível), então me sentei e comi um pouco do meu peixe já frio enquanto esperava que minha cabeça parasse de girar. *Ele não é o Will*, disse a mim mesma. A voz era diferente. As sobrancelhas eram diferentes. Ele era americano. Ainda assim, havia algo em seu jeito — a segurança combinada à inteligência sagaz, o ar de quem poderia lidar com qualquer coisa que o destino reservasse, uma forma de olhar para mim que me deixava oca. Olhei para trás, lembrando que não tinha perguntado a Josh em que mesa ele estava.

— Louisa?

Virei-me para meu lado direito. Agnes me lançava um olhar penetrante.

— Preciso ir ao banheiro.

Demorei um minuto para entender que aquilo queria dizer que eu também devia ir.

Caminhamos lentamente em meio às mesas, eu tentando não varrer o salão com o olhar em busca de Josh. Todos se voltavam para Agnes enquanto ela passava, não apenas devido à cor viva de seu vestido, mas porque ela possuía um magnetismo, uma maneira inconsciente de chamar atenção. Caminhava com o queixo erguido, os ombros para trás, uma rainha.

E no instante em que entramos no banheiro, ela se deitou na espreguiçadeira que havia no canto e fez um gesto para que eu lhe desse um cigarro.

— Meu Deus. Esta noite. Acho que vou morrer se não formos embora logo.

A funcionária que cuidava do banheiro, uma mulher de sessenta e poucos anos, ergueu uma sobrancelha ao avistar o cigarro, então desviou o olhar.

— Hum... Agnes, acho que não é permitido fumar aqui dentro.

Ela ia fumar mesmo assim. Talvez as pessoas ricas não ligassem para as regras dos outros. O que iriam fazer com ela, afinal? Expulsá-la?

Ela acendeu o cigarro, deu um trago e suspirou, aliviada.

— Ai. Este vestido é tão desconfortável... E a calcinha fio dental está me rasgando feito uma lâmina, sabe?

Ela se contorceu diante do espelho, levantando o vestido e mexendo lá dentro com sua mão de unhas feitas.

— Eu não deveria ter colocado calcinha.

— Mas você está bem? — perguntei.

Ela sorriu para mim.

— Estou. Algumas pessoas foram muito gentis esta noite. Aquele Josh é muito gentil, e o Sr. Peterson, que está sentado ao meu lado, é muito simpático. Não está sendo tão ruim. Talvez algumas pessoas tenham finalmente aceitado que Leonard tem uma nova esposa.

— Só precisam de tempo.

— Segure isso. Preciso fazer pipi.

Ela me entregou o cigarro pela metade e entrou correndo em uma cabine. Ergui-o entre dois dedos como se fosse uma vela. Eu e a camareira nos entreolhamos e ela deu de ombros, como quem diz *Fazer o quê?*.

— Ai, meu Deus — exclamou Agnes de dentro da cabine. — Vou precisar tirar o vestido todo. É impossível levantá-lo. Você vai ter que me ajudar com o zíper depois.

— Está bem — respondi.

A camareira ergueu as sobrancelhas. Tentamos não rir.

Duas mulheres de meia-idade entraram no banheiro. Olharam para meu cigarro com reprovação.

— A questão, Jane, é que é como se uma loucura se apossasse deles — disse uma delas, parando diante do espelho para observar o próprio cabelo.

Eu não entendi por que ela precisava fazer isso: estava tão cheio de laquê que acho que nem um furacão seria capaz de movê-lo.

— Eu sei. Já vimos isso um milhão de vezes.

— Mas pelo menos eles costumam ter a decência de lidar com a coisa com alguma discrição. Essa é a grande decepção de Kathryn. A falta de discrição.

— É. Seria muito mais fácil para ela se pelo menos fosse alguém com alguma classe.

— Exato. Foi um comportamento clichê.

Nesse instante, as duas mulheres se viraram para mim.

— Louisa? — chamou uma voz abafada dentro da cabine. — Pode entrar aqui?

Eu sabia de quem as duas estavam falando. Soube só de olhar para a cara delas.

Houve um breve momento de silêncio.
— Você sabe que é proibido fumar aqui, não sabe? — falou uma das mulheres severamente.
— Sério? Sinto muito.
Apaguei o cigarro na pia e joguei água na ponta.
— Pode me ajudar, Louisa? Meu zíper está emperrado.
Elas sabiam. Ligaram os pontos e chegaram à conclusão. Vi suas expressões se enrijecerem. Passei por elas e bati duas vezes na porta da cabine, então Agnes me deixou entrar.
Ela estava de pé, de sutiã, o vestido tubular amarelo parado ao redor da cintura.
— O que... — começou ela.
Levei um dedo aos lábios e apontei para fora. Ela olhou na direção de meu dedo como se pudesse ver através da porta e fez uma careta. Virei-a de costas para mim. O zíper, tendo percorrido dois terços do caminho, estava preso na altura da cintura. Tentei duas, três vezes, então peguei meu celular na bolsa e acendi a lanterna, tentando ver o que estava detendo o fecho.
— Pode consertar isso? — sussurrou ela.
— Estou tentando.
— Tem que conseguir. Não posso aparecer assim na frente daquelas mulheres.
Agnes estava a centímetros de mim com seu sutiã minúsculo, sua pele branca exalando ondas de algum perfume caro. Tentei me mover ao redor dela, estreitando os olhos para o zíper, mas não consegui fazer nada. Ela precisava de espaço para tirar o vestido todo para que eu pudesse mexer no fecho, senão seria impossível. Olhei para Agnes e dei de ombros. Ela pareceu angustiada por um momento.
— Acho que não consigo fazer isso aqui dentro. Não tem espaço. E não estou enxergando.
— Não posso sair assim. Vão dizer que sou uma piranha.
Ela levou as mãos ao rosto, desesperada.
O silêncio opressivo lá fora me informou que as mulheres aguardavam nosso próximo passo. Ninguém estava nem sequer fingindo usar o banheiro. Estávamos presas. Dei um passo para trás e balancei a cabeça, pensando. Então tive uma ideia.
— Um grande dane-se — sussurrei.
Os olhos de Agnes se arregalaram.
Olhei-a com firmeza e acenei com a cabeça discretamente. Ela franziu o cenho, então sua expressão se neutralizou.
Abri a porta da cabine e cheguei para trás. Agnes respirou fundo, endireitou a coluna e então saiu, passando pelas duas mulheres como uma supermodelo no camarim, a parte de cima do vestido em torno da cintura, o sutiã como dois

triângulos delicados que mal tapavam os seios pálidos. Ela parou no meio do banheiro e se inclinou para a frente, de forma que eu pudesse tirar seu vestido com cuidado pela cabeça. Então se endireitou, agora nua a não ser pela calcinha e pelo sutiã minúsculos, um verdadeiro exemplo de aparente despreocupação. Não ousei olhar para o rosto das mulheres, mas enquanto apoiava o vestido amarelo em meu braço ouvi uma inspiração dramática e senti as reverberações no ar.

— *Bem*, eu... — começou uma delas.

— Gostaria de um kit de costura, madame?

A camareira surgiu ao meu lado. Abriu o pequeno pacote enquanto Agnes esperava sentada, lânguida, na espreguiçadeira, as longas pernas pálidas estendidas para o lado de modo recatado.

Outras duas mulheres entraram e pararam de falar de imediato ao avistarem Agnes seminua. Uma delas tossiu e ambas desviaram os olhos em um movimento estudado, encontrando uma nova banalidade sobre a qual conversar. Agnes ficou parada na cadeira, a aparência alegremente inalterada.

A camareira me deu um alfinete e, com a ponta, consegui soltar o pequeno fiapo embolado, puxando-o delicadamente até que o zíper deslizasse de novo.

— Consegui!

Agnes se levantou, segurou a mão estendida da camareira e entrou com delicadeza no vestido amarelo, que nós duas erguemos em torno dela. Quando ele se encaixou perfeitamente, puxei o zíper de modo suave até que ela estivesse coberta, cada centímetro do vestido aderindo a sua pele. Ela o alisou ao redor das pernas infinitas.

A camareira pegou uma lata de laquê.

— Aqui — sussurrou. — Permita-me.

Inclinou-se para a frente e borrifou o spray no fecho do vestido.

— Isso vai ajudar a não abrir.

Sorri, radiante, para ela.

— Obrigada. É gentileza sua — disse Agnes.

Ela pegou uma nota de cinquenta dólares na bolsa e a entregou para a mulher. Então voltou-se para mim com um sorriso.

— Louisa, querida, vamos voltar para nossa mesa?

E, com um aceno de cabeça imperioso para as duas mulheres, ergueu o queixo e caminhou lentamente rumo à porta.

Fez-se silêncio. Então a camareira se voltou para mim e guardou o dinheiro no bolso com um grande sorriso.

— *Isso*, sim — disse ela, a voz subitamente audível —, é *classe*.

6

Na manhã seguinte, George não apareceu. Ninguém me avisou. Fiquei sentada no corredor, de short, os olhos ardendo de sono, e às sete e meia entendi que deviam ter cancelado a corrida do dia.

Agnes só acordou depois das nove, fazendo com que Ilaria olhando para o relógio, estalasse a língua em sinal de reprovação. Ela havia me enviado uma mensagem de texto pedindo que eu cancelasse os outros compromissos do dia. Em dado momento no meio da manhã, disse que gostaria de caminhar em torno do Reservoir. Ventava muito, e nós fomos com a echarpe enrolada até o queixo e as mãos enfiadas nos bolsos. Eu tinha passado a noite inteira pensando no rosto de Josh. Ainda me sentia perturbada, ficava me perguntando quantos sósias de Will estariam andando por aí em diferentes países naquele momento. As sobrancelhas de Josh eram mais pesadas, os olhos tinham uma cor diferente, e obviamente o sotaque não era o mesmo que o de Will. Mas ainda assim...

— Sabe o que eu costumava fazer com minhas amigas quando a gente estava de ressaca? — perguntou Agnes, interrompendo meus pensamentos. — A gente ia para um restaurante japonês perto do Gramercy Park, comia macarrão e falava, falava e falava sem parar.

— Vamos, então.

— Aonde?

— Ao restaurante. Podemos pegar suas amigas no caminho.

Ela pareceu esperançosa por um segundo, então chutou uma pedra.

— Não posso mais. É diferente.

— Você não tem que aparecer lá com o motorista. Podemos ir de táxi. Quer dizer, você pode usar uma roupa discreta e ir. Não teria problema.

— Eu já disse. É diferente.

Ela virou-se para mim.

— Tentei essas coisas, Louisa. Por um tempo. Mas minhas amigas são curiosas. Querem saber tudo sobre minha vida agora. E quando digo a verdade para elas, elas ficam... estranhas.

— Estranhas?

— Antes, todas nós éramos iguais, sabe? Agora elas dizem que nunca vou entender os problemas delas. Porque sou rica. De certa forma, não tenho mais o direito de ter problemas. Ou elas ficam estranhas comigo, como se eu fosse uma pessoa diferente. Como se as coisas boas da minha vida fossem um insulto. Acha que posso reclamar sobre empregada para alguém que não tem nem casa?

Ela parou.

— Logo que me casei com Leonard, ele me deu dinheiro. Um presente de casamento, para eu não ter que ficar pedindo dinheiro para ele o tempo todo. Dei uma parte para minha melhor amiga, Paula. Dei dez mil dólares para ela quitar dívidas, ter um recomeço. Primeiro, ela ficou muito feliz. Eu também fiquei! Fazer aquilo por uma amiga! Para ela também não precisar mais se preocupar, como eu!

Seu tom de voz tornou-se nostálgico. Ela prosseguiu:

— Então... então ela não quis mais me ver. Ficou diferente, sempre ocupada demais para me encontrar. E aos poucos eu vejo que ela se ressente por eu ter ajudado. Não de propósito, mas agora, quando ela me vê, só consegue pensar que me deve alguma coisa. E é orgulhosa, muito orgulhosa. Não quer viver com essa sensação. Então...

Ela deu de ombros.

— ...não almoça comigo nem atende meus telefonemas. Perdi minha amiga por causa de dinheiro.

— Problemas são problemas — retruquei, quando ficou claro que ela esperava por uma resposta. — Não importa de quem sejam.

Ela deu um passo para o lado para desviar de uma criança em um patinete. Ficou olhando para ele, reflexiva, então voltou-se para mim.

— Você tem cigarros?

Eu já tinha aprendido. Peguei o maço na mochila e entreguei a ela. Não sabia se devia incentivá-la a fumar, mas ela era minha patroa. Ela tragou e exalou uma longa pluma de fumaça.

— Problemas são problemas — repetiu lentamente. — Você tem problemas, Louisa Clark?

— Sinto saudades do meu namorado. — Algo que eu disse também para me tranquilizar. — Fora isso, não muitos. Está... ótimo. Estou feliz aqui.

Ela fez que sim.

— Eu também me sentia assim. Nova York! Sempre algo novo para ver. Sempre empolgante. Agora eu só... sinto falta...

Ela se interrompeu.

Por um instante, achei que seus olhos tinham se enchido de lágrimas. Mas então sua expressão ficou impassível.

— Sabia que ela me odeia?

— Quem?

— Ilaria. A bruxa. Era a empregada da outra e Leonard não quer mandá-la embora. Então estou presa com ela.

— Talvez ela passe a gostar de você.

— Talvez passe a colocar arsênico na minha comida. Vejo como ela olha para mim. Quer que eu morra. Sabe como é morar com alguém que quer que você morra?

Eu mesma tinha bastante medo de Ilaria. Mas não quis contar isso. Continuamos andando.

— Eu já trabalhei com alguém que eu tinha certeza de que me odiava, no início — falei. — Aos poucos, entendi que aquilo não tinha nada a ver comigo. Ele só odiava a vida dele. E quando nos conhecemos melhor, começamos a nos entender bastante bem.

— Alguma vez ele queimou sua melhor blusa "sem querer"? Ou passou um sabão na sua calcinha sabendo que ia fazer sua perereca coçar?

— Hum... não.

— Ou serviu uma comida que você disse cinquenta vezes que não gostava para dar a impressão de que você reclama o tempo todo? Ou contou histórias sobre você para fazê-la parecer uma prostituta?

Fiquei boquiaberta como um peixe. Fechei a boca e balancei a cabeça.

Ela afastou o cabelo do rosto.

— Eu amo ele, Louisa. Mas fazer parte da vida dele é impossível. Minha vida é impossível...

Ela se interrompeu mais uma vez.

Ficamos ali paradas, observando as pessoas passarem por nós: os patinadores e as crianças em seus patinetes vacilantes, os casais de braços dados e os policiais de óculos escuros. A temperatura havia caído e sem querer tremi dentro do meu casaco de corrida.

Ela suspirou.

— Está bem. Voltamos agora. Vamos ver qual das minhas roupas preferidas a bruxa estragou hoje.

— Não — falei. — Vamos comer seu macarrão. Podemos fazer isso, pelo menos.

Pegamos um táxi para o Gramercy Park, rumo a um restaurante em um edifício de arenito vermelho localizado em uma ruazinha lateral suspeita, que parecia sujo o bastante para abrigar alguma bactéria intestinal. Mas Agnes pareceu mais leve no instante em que chegamos. Enquanto eu pagava o táxi, ela subiu correndo pela escada, adentrando o interior sombrio, e, quando a jovem japonesa saiu da cozinha, abraçou Agnes, como se fossem amigas de longa data. Então, segurando-a pelo cotovelo, interrogou-a sobre onde havia estado nos últimos tempos. Agnes tirou o gorro e murmurou vagamente que tinha andado ocupada, tinha se casado, mudado de casa, sem dar qualquer indicação do nível verdadeiro de mudança e de suas circunstâncias. Percebi que usava sua aliança de casamento, mas não o anel de noivado com o diamante grande o bastante para assegurar um fortalecimento do tríceps.

Quando nos sentamos no banco alto de fórmica, foi como se outra mulher estivesse diante de mim. Agnes estava engraçada, vivaz e falava alto, com uma risada abrupta e histérica, e eu pude ver por quem o Sr. Gopnik tinha se apaixonado.

— Então, como vocês se conheceram? — perguntei enquanto comíamos tigelas de *ramen* escaldante.

— Leonard? Eu era massagista dele.

Agnes fez uma pausa, como que esperando minha reação escandalizada, e, como ela não veio, baixou a cabeça e prosseguiu:

— Eu trabalhava no St. Regis. E eles mandavam um massagista para a casa dele toda semana, geralmente o André. Ele era muito bom. Mas ficou doente um dia e eles me pediram para ir no lugar. Na hora pensei: ah, não, mais um desses caras de Wall Street. Tantos deles são uns bostas, sabe? Nem pensam em você como um ser humano. Não se dão ao trabalho de dizer olá, nem falam. Alguns pedem... — ela baixou a voz — ...final feliz. Sabe, "final feliz"? Como se você fosse prostituta. Nojentos. Mas Leonard, ele era gentil. Apertou minha mão, perguntou se queria chá assim que cheguei. Ficou tão feliz com a massagem. E eu percebi.

— Percebeu o quê?

— Que ela nunca o tocou. A esposa. Dá para perceber, tocando um corpo. Ela era uma mulher fria, muito fria.

Agnes baixou os olhos.

— E ele sente muita dor certos dias. As articulações doem. Isso foi antes de Nathan. Nathan foi ideia minha. Para deixar Leonard em forma e saudável... Mas enfim. Tentava muito fazer uma massagem que fosse boa para ele. Ficava mais de uma hora. Escutava o que o corpo dele está me dizendo. E ele ficava tão grato depois... E aí me pedia para voltar na outra semana. André não ficou muito feliz com isso, mas fazer o quê? Então eu ia duas vezes por semana ao apartamento dele. Algumas vezes ele me perguntava se queria chá depois, e nós conversávamos. Então... Bem, foi difícil. Porque sabia que estava me apaixonando por ele. E isso é algo que não podemos fazer.

— Como médicos e pacientes. Ou professores.
— Exatamente.

Agnes se interrompeu para colocar um pastel chinês na boca. Eu nunca a tinha visto comer tanto. Ela mastigou por um instante.

— Mas eu não conseguia parar de pensar naquele homem. Tão triste. E tão delicado. E tão sozinho! E no fim disse para André que ele tinha que ir no meu lugar. Não podia ir mais.
— E o que aconteceu?

Eu tinha parado de comer.

— Leonard veio até minha casa! No Queens! Conseguiu meu endereço não sei como e o carro grande dele apareceu na minha casa. Minhas amigas e eu estávamos sentadas na saída de incêndio fumando um cigarro quando eu o vi sair e ele dizer: "Quero falar com você."
— Que nem em *Uma Linda Mulher*.
— Isso! É mesmo! Quando desci até calçada ele estava muito bravo. Perguntou: "Ofendi você de algum jeito? Desrespeitei você?" E eu só balancei a cabeça. Então ele andou para lá e para cá e disse: "Por que você não vem mais? Não quero mais André. Quero você." Então, como uma idiota, eu comecei a chorar.

Enquanto eu observava, seus olhos se encheram de lágrimas.

— Chorei bem ali, em pleno dia, na rua, com as minhas amigas olhando. E falei: "Não posso dizer." Então ele ficou bravo. Queria saber se a esposa tinha sido grossa comigo. Ou se alguma coisa havia acontecido no trabalho. Então, finalmente, disse para ele: "Não posso ir porque gosto de você. Gosto muito de você. E isso não é nada profissional. Posso perder meu emprego." Aí ele olhou para mim por um tempo e não disse nada. Absolutamente nada. Entrou no carro e foi embora. E eu pensei: Ah, não. Agora nunca mais vou ver esse homem, e perdi meu emprego. Fui trabalhar no dia seguinte muito nervosa. Muito nervosa, Louisa. Com a barriga doendo!
— Porque você achou que ele ia contar para o seu chefe.
— Exatamente. Mas sabe o que aconteceu quando eu cheguei em casa?
— O quê?
— Um enorme buquê de rosas vermelhas esperava por mim. O maior que já vi, com rosas lindas, aveludadas e perfumadas. Tão macias que dava vontade de tocar. Nenhum nome. Mas eu sabia na mesma hora. Então um novo buquê de rosas vermelhas passou a chegar todos os dias. Nosso apartamento estava cheio de rosas. Minhas amigas diziam que estavam enjoadas com o cheiro.

Ela começou a rir.

— Então, no último dia ele veio para minha casa de novo e eu desci e ele me pediu para entrar no carro com ele. Sentamos no banco de trás e ele pediu que o motorista desse uma volta e me disse que estava muito infeliz, e que desde o momento em que havíamos nos conhecido ele não conseguia parar de pensar em mim e que eu só precisava dizer uma palavra e ele deixaria a esposa e a gente ficaria junto.

— E vocês não tinham nem se beijado?

— Nada. Eu fiz massagem no bumbum dele, claro, mas não é a mesma coisa. Ela suspirou, saboreando a lembrança.

— E eu sabia. Sabia que a gente tinha que ficar junto. E eu disse. Disse: "Sim".

Eu estava fascinada.

— Naquela noite ele foi para casa e disse à esposa que não queria mais estar casado. E ela ficou brava. *Muito* brava. Perguntou para ele o motivo e ele disse que não podia viver em um casamento sem amor. E naquela noite ele me ligou de um hotel e me pediu para encontrá-lo nessa suíte no Ritz Carlton. Já ficou hospedada no Ritz Carlton?

— Hum... não.

— Entrei e ele estava em pé do lado da porta, como se estivesse nervoso demais para sentar, e me disse que sabia que é um estereótipo e que é velho demais para mim e que o corpo dele está castigado pela artrite, mas se tivesse uma chance de eu realmente querer estar com ele, faria tudo o que pudesse para me deixar feliz. Porque ele tem essa intuição sobre nós dois, sabe? De que somos almas gêmeas. Então a gente se abraçou e finalmente se beijou, e ficamos acordados a noite toda, conversando, conversando sobre nossa infância, nossa vida, nossas esperanças e sonhos.

— É a história mais romântica que já ouvi.

— Então a gente trepou, claro, e, meu Deus, consegui sentir que aquele homem estava congelado havia anos, sabe?

Àquela altura, tossi, cuspindo um pedaço de macarrão na mesa. Quando ergui os olhos, as pessoas nos observavam.

A voz de Agnes se tornou mais alta. Ela gesticulou no ar.

— Você não acreditaria. É como se ele tivesse uma fome, como se fosse uma fome de anos e anos que estava *pulsando* nele. *Pulsando!* Naquela primeira noite ele estava *insaciável*.

— Sei — falei com a voz aguda, limpando a boca com um guardanapo.

— O encontro dos nossos corpos foi mágico. E depois ficamos abraçados durante horas e eu envolvi o corpo dele com o meu e ele apoiou a cabeça nos meus seios e prometeu que ele nunca mais ia ficar congelado. Você entende?

Fez-se silêncio no restaurante. Atrás de Agnes, um jovem com casaco de capuz olhava fixamente para sua nuca, a colher erguida no ar. Quando me viu olhando, largou o talher com um tinido.

— É... é uma história realmente adorável.
— E ele manteve a promessa. Tudo que disse é verdade. Somos felizes juntos. Muito felizes.

Sua expressão murchou um pouco.

— Mas a filha dele me odeia. A ex-mulher me odeia. Ela me culpa por tudo, mesmo que não o amasse. Diz a todos que sou uma pessoa má por roubar seu marido.

Fiquei sem saber o que dizer.

— E toda semana tenho que ir a eventos beneficentes e coquetéis e sorrir, fingir que não sei o que estão falando sobre mim. O jeito como aquelas mulheres olham para mim. Não sou o que elas dizem que sou. Falo quatro línguas. Toco piano. Tenho diploma especial em massagem terapêutica. Sabe que língua ela fala? *Hipocrisia*. Mas é difícil fingir que não estou sofrendo, sabe? Que não estou nem aí.

— As pessoas mudam — falei, esperançosa. — Com o tempo.

— Não. Não acho possível.

A expressão de Agnes tornou-se nostálgica por um instante. Então ela deu de ombros.

— Mas olhando pelo lado bom, elas são bastante velhas. Talvez algumas morram logo.

Naquela tarde, telefonei para Sam enquanto Agnes tirava um cochilo e Ilaria estava ocupada lá embaixo. Eu ainda me sentia zonza com os eventos da noite anterior e com as confidências de Agnes. Tinha a sensação de ter passado para um novo espaço, de alguma forma. *Sinto que você é mais minha amiga que minha assistente*, ela me dissera enquanto caminhávamos de volta ao apartamento. *É tão bom ter alguém em quem posso confiar.*

— Recebi suas fotos — disse ele.

Já era noite lá, e Jake, seu sobrinho, estava hospedado com ele. Eu podia ouvir a música dele tocando ao fundo. Sam aproximou a boca do telefone.

— Você estava linda.

— Nunca vou usar um vestido daqueles de novo em toda a minha vida. Mas a coisa toda foi incrível. A comida, a música, o salão... e o mais estranho é que aquelas pessoas nem percebem. Não veem o que está ao redor delas! Havia uma parede inteira feita de gardênias e luzinhas decorativas. Tipo, uma parede enorme! E tinha um pudim de chocolate maravilhoso: um quadrado de *fondant* com penas de chocolate branco e trufinhas em volta, e nenhuma das mulheres comeu. Nenhuma! Dei a volta em todas as mesas, contando, só para ter certeza. Fiquei tentada a colocar algumas trufas na bolsa de mão, mas achei que poderiam derreter. Aposto que acabaram jogando tudo fora. Ah, e cada mesa tinha uma decoração diferente... mas todas eram feitas de penas amarelas, com o formato de vários pássaros. A nossa era uma coruja.

— Parece ter sido uma noite e tanto.

— Tinha um barman que fazia drinques com base na personalidade da pessoa. Você dizia três coisas a seu respeito e aí ele criava um.

— E ele fez um para você?

— Não. O cara com quem eu estava falando ganhou um Marinheiro Experiente e eu fiquei com medo de ganhar um Ressuscitadora de Cadáveres, um Mamilo Escorregadio, ou alguma coisa assim. Então me contentei com champanhe. Me contentar com champanhe! Quem diria, eu dizendo isso.

— Então, com quem estava falando?

Houve uma pausa ínfima antes da pergunta. E, para minha irritação, outra pausa ínfima antes da minha resposta.

— Ah... só um cara... Josh. Um executivo. Ficou fazendo companhia para mim e Agnes enquanto a gente esperava o Sr. Gopnik voltar.

Outra pausa.

— Legal.

Comecei a tagarelar.

— E a melhor parte é que você não precisa se preocupar com a volta para casa, porque sempre tem um carro na porta. Mesmo quando eles só vão fazer compras. O motorista para na frente e fica esperando, ou dá a volta no quarteirão, e quando você sai, ta-nãã! Lá está seu grande carro preto reluzente. Entra. Coloca todas as sacolas no porta-malas. Só que eles chamam de bagageiro. Nada de ônibus noturno! Nada de metrô tarde da noite com pessoas vomitando no nosso sapato.

— Que vida boa, hein? Assim você não vai querer voltar para casa.

— Ah. Não. Não é como se fosse a *minha* vida. Sou só uma aproveitadora. Mas é bem impressionante ver isso de perto.

— Tenho que ir, Lou. Prometi ao Jake que o levaria para comer uma pizza.

— Mas... mas a gente quase não conversou. Como estão as coisas aí? Conte as suas novidades.

— Outra hora. Jake está com fome.

— Ok! — Minha voz saiu aguda demais. — Mande um oi para ele!

— Ok.

— Amo você — falei.

— Eu também.

— Só mais uma semana! Estou contando os dias.

— Tenho que ir.

Eu me senti estranhamente perturbada ao largar o telefone. Não entendi muito bem o que tinha acabado de acontecer. Fiquei sentada na cama, imóvel. Então olhei para o cartão de visita de Josh. Ele tinha me entregado aquilo enquanto íamos embora, colocando-o na palma da minha mão e fechando meus dedos.
Me ligue. Posso mostrar alguns lugares legais para você.
Eu aceitara o cartão e sorrira educadamente, o que, é claro, poderia significar qualquer coisa.

7

Chalé dos Fox
Terça-feira, 6 de outubro
Querida Louisa,

Espero que você esteja bem e aproveitando sua estada em Nova York. Creio que Lily esteja escrevendo para você, mas fiquei pensando na nossa última conversa e dei uma olhada no loft, onde peguei algumas cartas de Will, da temporada que ele passou aí, e achei que você poderia gostar. Você sabe como ele adorava viajar, e pensei que talvez você pudesse gostar de fazer os mesmos passeios.
Li algumas das cartas; foi uma experiência agridoce. Pode ficar com elas até o nosso próximo encontro.
Com todo o carinho,
Camilla Traynor

Nova York, 6 de dezembro de 2004.
Querida mãe,

Eu teria telefonado, mas a diferença de fuso horário não se encaixa na agenda daqui, então achei que devia chocá-la com uma carta. É a primeira desde aquele curto período na Priory Manor, eu acho. Eu não fui exatamente feito para um colégio interno, não é?
Nova York é incrível! É impossível não se sentir contagiado pela energia do lugar. Acordo e vou para a rua às cinco e meia da manhã todos os dias. Minha empresa fica na Stone Street, no Distrito Financeiro. Nigel arrumou uma sala para mim (não é de esquina, mas tem uma bela vista da água — aparentemente são por essas coisas que avaliam a gente aqui em

NY) e os caras do trabalho parecem ser legais. Diga a papai que fui à ópera no Met sábado com meu chefe e a esposa dele — (Der Rosenkavalier, um pouco exagerado) e você vai gostar de saber que fui assistir a uma apresentação de Les Liaisons Dangereuses. Temos muitos almoços com clientes, muitos jogos de softball da empresa. Poucos eventos noturnos: meus novos colegas são quase todos casados, com filhos pequenos, então sou só eu explorando os bares...

Saí com algumas garotas — nada sério (aqui, "encontros" parecem ser uma distração passageira) —, mas passo a maior parte do meu tempo livre na academia ou com velhos amigos. Tem muita gente da Shipmans aqui, e conheço alguns da escola. Parece que o mundo é bem pequeno, no fim das contas... Mas a maioria das pessoas mudou bastante desde que veio para cá. Estão mais duronas, mais ávidas do que na minha lembrança. Acho que a cidade desperta isso em você.

Enfim! Vou sair com a filha de Henry Farnsworth esta noite. Lembra dela? Destaque do Clube Stortfold Pony? Pois ela se reinventou como uma espécie de guru das compras. (Não crie expectativas, só estou fazendo isso como favor para Henry.) Vou levá-la à minha churrascaria preferida, no Upper East Side: pedaços de carne do tamanho de um sapato. Espero que ela não seja vegetariana. Todo mundo aqui parece ter aderido a alguma moda alimentícia.

Ah, e no domingo passado, peguei a linha F e saltei no fim da Brooklyn Bridge só para voltar andando por cima da água, como você sugeriu. Foi a melhor coisa que fiz até agora. Tive a impressão de ter entrado em um dos primeiros filmes de Woody Allen — sabe, aqueles em que a diferença de idade entre ele e as atrizes principais era só de dez anos...

Diga a papai que vou telefonar para ele semana que vem, e dê um abraço no cachorro por mim.

Com amor, W.

Desde aquela tigela de macarrão barato, algo mudara na minha relação com os Gopnik. Acho que entendi um pouco melhor que eu era capaz de ajudar Agnes em seu novo papel. Ela precisava de alguém em quem confiar e se apoiar. Aquilo, e a estranha energia osmótica de Nova York, significava que dali em diante eu pularia da cama de uma forma que não fazia desde que trabalhara para Will. Isso fazia com que Ilaria estalasse a língua e revirasse os olhos, e com que Nathan me olhasse de esguelha, como se eu tivesse começado a usar drogas.

Mas era simples. Eu queria fazer bem o meu trabalho. Queria aproveitar ao máximo meu tempo em Nova York, trabalhando para aquelas pessoas maravilhosas. Queria desfrutar intensamente cada dia, como Will teria feito. Reli aquela primeira carta inúmeras vezes, e quando me acostumei à estranheza de ouvir sua voz, senti uma identificação inesperada com ele, um recém-chegado à cidade.

Eu me empenhei mais. Corri com Agnes e George todas as manhãs, e certos dias até consegui ir até o final do percurso sem querer vomitar. Passei a conhecer os lugares a que Agnes mais ia, quais as coisas mais prováveis quisesse ter consigo, que quisesse vestir e levar para casa. Estava pronta no corredor antes que ela aparecesse, com água, cigarros e suco verde prontos quase antes de ela mesma saber que os queria. Quando Agnes precisava ir a um almoço onde talvez as Terríveis Matronas estivessem, eu fazia piadas antes para aliviar o nervosismo e enviava pelo celular uns GIFs de pandas soltando pum ou de pessoas caindo de trampolins, para que ela os visse durante a refeição. Eu estava esperando no carro quando acabava e a ouvia contar com lágrimas nos olhos o que haviam dito ou o que não haviam dito para ela, balançava a cabeça em solidariedade ou concordava que elas eram, sim, *criaturas cruéis e impossíveis. Secas feito palitos. Sem coração.*

Aprendi a manter a expressão neutra quando Agnes me dava informações demais sobre o lindo, belíssimo corpo de Leonard e suas muitas, muitas habilidades *incríííííííííveis* na cama, e tentava não rir quando ela falava palavras em polonês, como *cholernica*, com as quais insultava Ilaria sem que ela entendesse.

Logo descobri que Agnes não tinha filtro. Meu pai sempre dizia que eu costumava falar a primeira coisa que me ocorria, mas no meu caso não era *Puta velha amargurada!* em polonês, ou *Dá para imaginar aquela monstra da Susan Fitzwalter se depilando? Deve ser que nem arrancar a barba de um mexilhão fechado. Cruzes.*

Não que Agnes fosse malvada *per se*. Acho que se sentia tão pressionada para se comportar de determinada maneira, para ser vista e examinada e não decepcionar, que eu me tornei uma espécie de válvula de escape. No instante em que ela se afastava das companhias, falava palavrões e xingava, e quando Garry finalmente nos levava para casa, ela havia recuperado a equanimidade a tempo de ver o marido.

Desenvolvi estratégias para reintroduzir alguma diversão na vida de Agnes. Uma vez por semana, de surpresa, nós desaparecíamos no meio do dia para ir ao cinema na Lincoln Square e assistir a comédias bobas e nojentas, roncando de tanto gargalhar enquanto enfiávamos pipocas na boca. Desafiávamos uma a outra a entrar nas lojas da Avenida Madison e experimentar as piores roupas de grife que pudéssemos encontrar, nos admirando mutuamente, as expressões sérias, e perguntando, *Você tem isso em um verde mais chamativo?*, enquanto as vendedoras, com um olho na bolsa Hermès Birkin de Agnes, circulavam de lá para cá, forçando elogios. Certa vez, no horário de almoço, Agnes conseguiu convencer o Sr. Gopnik a ir conosco, e eu observei enquanto ela, posando feito uma modelo na passarela, exibia para ele uma série de terninhos dignos de palhaços, desafiando-o a rir, enquanto as extremidades da boca dele se contorciam de tanto reprimir as risadas. *Você apronta cada uma*, disse ele a Agnes depois, balançando a cabeça com carinho.

Mas não era só o meu trabalho que me deixava animada. Eu tinha começado a entender melhor a cidade, e, em troca, ela começava a me acolher. Não era difícil, em uma cidade de imigrantes — fora da estratosfera rarefeita da vida cotidiana de Agnes, eu era apenas mais uma pessoa vinda de muito longe, percorrendo a cidade, trabalhando, pedindo minha comida para viagem nos restaurantes ou aprendendo a especificar pelo menos três coisas que queria no meu café ou sanduíche, só para soar como uma nativa.

Eu observava e aprendia.

Eis o que aprendi sobre Nova York no primeiro mês:

1. Ninguém no meu prédio falava com ninguém, e os Gopnik só falavam com Ashok. A velha do segundo andar, a Sra. De Witt, não falava com o casal da Califórnia na cobertura, e o casal que estava sempre de terno do terceiro andar caminhava pelo corredor com o nariz colado no iPhone, latindo instruções para o microfone ou entre si. Até mesmo as crianças do primeiro andar — pequenas manequins lindamente vestidas, acompanhadas por uma jovem filipina afobada — não diziam olá e mantinham os olhos fixos no tapete felpudo quando eu passava. Na vez em que sorri para a menina, os olhos dela se arregalaram como se eu tivesse feito algo profundamente suspeito.

Os moradores do Lavery saíam do edifício e imediatamente entravam em carros pretos idênticos que aguardavam com paciência junto ao meio-fio. Sempre pareciam saber qual era o seu. A Sra. De Witt, até onde pude ver, era a única pessoa que falava com alguém. Falava com Dean Martin o tempo todo, ia mancando pelo quarteirão e resmungando baixinho sobre os "russos miseráveis, os chineses horríveis" do prédio atrás do nosso, que mantinham os próprios motoristas esperando lá fora vinte e quatro horas por dia, atravancando a rua. Ela reclamava ruidosamente com Ashok ou com a empresa que administrava o prédio sobre o fato de Agnes ficar tocando piano, e se passávamos por ela no corredor, apressava o passo, de vez em quando deixando escapar um chiado de reprovação vagamente audível.

2. Em contrapartida, nas lojas, todos falavam com você. As vendedoras a seguiam o tempo todo, a cabeça inclinada para a frente para escutar melhor,

sempre querendo saber como podiam ajudá-la ou se podiam levar ao provador para você experimentar. Eu não recebia tanta atenção desde que fora surpreendida com Treena roubando um chocolate da agência do correio aos oito anos, e a Sra. Barker nos acompanhara de perto, feito uma agente do serviço secreto, todas as vezes que entramos lá para tomar sorvete nos três anos seguintes.

E todos os vendedores de lojas em Nova York queriam que você tivesse um bom dia. Mesmo que você só estivesse comprando um suco de laranja ou o jornal. No início, encorajada pela simpatia, eu respondia "Ah! Bem, tenha um bom dia você também!" e eles sempre ficavam um pouco surpresos, como se eu simplesmente não entendesse as regras de conversação em Nova York.

Quanto a Ashok, ninguém passava pela entrada do prédio sem trocar algumas palavras com ele. Mas eram negócios. Ele sabia fazer seu trabalho. Estava sempre se assegurando de que você estava bem, que tinha tudo de que precisava.

— Não pode sair com sapatos arranhados, Srta. Louisa!

Era capaz de sacar um guarda-chuva de dentro da manga feito um mágico para a curta caminhada até o meio-fio, aceitando gorjetas com o gesto discreto de um gatuno. Conseguia tirar notas de dinheiro dos punhos, agradecendo discretamente ao guarda de trânsito que facilitava a passagem do entregador do mercado, ou da entrega de roupas da lavanderia, e assobiava, pedindo um táxi amarelo-vivo, fazendo-o surgir do nada com um som que só os cachorros eram capazes de ouvir. Ele não era apenas o porteiro do nosso prédio, era seu batimento cardíaco, garantindo a circulação das coisas, assegurando-se de que tudo corresse como planejado, fornecendo sangue.

3. Os nova-iorquinos — aqueles que não pegavam limusines diante do nosso edifício — caminhavam muito, muito rápido, dando passadas na calçada, entrando e saindo de multidões como se possuíssem aqueles sensores que impedem que você esbarre em outra pessoa. Seguravam celulares, copos de isopor, e, antes das sete da manhã, pelo menos a metade deles vestia roupas de ginástica. Toda vez que eu desacelerava, ouvia um xingamento resmungado ao meu ouvido, ou sentia a bolsa de alguém se chocar contra as minhas costas. Parei de usar meus sapatos mais chamativos — os que me faziam cambalear, meus chinelos de gueixa japonesa ou minhas botas de plataforma listradas dos anos setenta — e passei a usar tênis, para poder me mover com a corrente, em vez de ser um obstáculo que separava as águas. Gosto de pensar que se alguém me visse do alto nunca imaginaria que eu não era dali.

Durante aquelas primeiras semanas, eu também caminhei, horas a fio. No início, achei que passaria um tempo com Nathan, conhecendo lugares novos.

Mas ele parecia ter construído um círculo social de homens viris, do tipo que não tem qualquer interesse em companhias femininas a menos que tenha bebido várias cervejas primeiro. Passava horas na academia e fechava os finais de semana saindo com uma ou duas garotas. Quando eu sugeria que fôssemos ao museu, ou talvez passear pelo High Line, ele sorria, constrangido, e me dizia que já tinha planos. Portanto, eu caminhava sozinha, atravessando Midtown até o Meatpacking District, até o Greenwich Village, o SoHo, desviando de grandes avenidas, seguindo qualquer coisa que parecesse interessante, com meu mapa na mão, tentando lembrar qual era o sentido do tráfego. Vi que Manhattan tinha regiões diferentes, dos edifícios imponentes de Midtown às ruas de paralelepípedos dolorosamente descoladas em torno da rua Crosby, onde uma a cada duas pessoas parecia ser modelo, ou dona de uma conta no Instagram dedicada à alimentação saudável. Eu caminhava sem ter um destino exato, sem precisar estar em qualquer lugar. Comi uma salada em um bar de montar saladas, pedindo algo com coentro e feijão preto porque nunca tinha comido nenhum dos dois. Peguei o metrô, tentando não parecer uma turista enquanto me perguntava como comprar um bilhete e identificar os malucos, e esperei por dez minutos que meu batimento cardíaco voltasse ao normal depois de emergir de volta à luz do dia. Então atravessei a Brooklyn Bridge, como Will tinha feito, e percebi meu coração se encher de alegria quando avistei a água cintilante abaixo, sentindo a vibração do tráfego sob meus pés, ouvindo mais uma vez sua voz em minha mente. *Viva corajosamente, Clark.*

Parei no meio da ponte e fiquei imóvel, olhando o East River, me sentindo suspensa, quase zonza com a sensação de já não estar presa a qualquer lugar específico. E aos poucos parei de riscar itens na lista, porque era tudo praticamente novo e estranho.

Durante aquelas primeiras caminhadas, eu vi:

- Um homem vestido de mulher andando de bicicleta cantando canções de musicais em um microfone, com alto-falantes. Várias pessoas aplaudiram enquanto ele passava.
- Quatro garotas pulando corda entre dois hidrantes. Eram duas cordas girando ao mesmo tempo, e eu parei para aplaudir quando elas enfim terminaram de pular, e elas sorriram para mim timidamente.
- Um cachorro de skate. Quando mandei uma mensagem de texto para minha irmã contando isso, ela me disse que eu estava bêbada.
- Robert de Niro.

Pelo menos eu acho que era Robert de Niro. Foi no começo da noite e eu estava me sentindo nostálgica, com saudades de casa, quando ele passou por mim na esquina das ruas Spring e Broadway, então falei em voz alta, "Ai, meu Deus. Robert de Niro", antes que pudesse me conter, mas ele não se virou ao passar por mim, então eu não tive certeza, depois, se isso se devia ao fato de que ele era apenas um sujeito qualquer que achou que eu estava falando sozinha, ou se era exatamente o que você faria se fosse Robert de Niro e uma mulher na calçada começasse a gritar seu nome.

Decidi que era a última opção. Mais uma vez, minha irmã me acusou de estar bêbada. Enviei uma foto do meu iPhone para ela, mas ela respondeu: *Isso pode ser a cabeça de qualquer um, sua besta*, e acrescentou que eu não somente estava bêbada, mas era mesmo bastante burra. Foi então que minhas saudades de casa diminuíram um pouquinho.

Queria contar aquilo a Sam. Queria contar tudo para ele, em lindas cartas escritas à mão ou pelo menos em longos e-mails digressivos que depois nós salvaríamos e imprimiríamos, e que seriam encontrados no sótão da nossa casa quando já estivéssemos casados há cinquenta anos, para que nossos netos achassem fofo. Mas estava tão cansada naquelas primeiras semanas que só consegui enviar e-mails sobre como estava cansada.

Estou tão cansada. Estou com saudades.

Eu também.

Não, estou, tipo, muito cansada. Cansada do tipo chorando com comerciais na TV, dormindo enquanto escovo os dentes e acabando com pasta de dente no peito inteiro.

Está bem, você venceu.

Tentei não me importar com o fato de ele me escrever pouco. Tentei lembrar a mim mesma que ele estava fazendo um trabalho de verdade, difícil, salvando vidas e fazendo a diferença, enquanto eu ficava sentada em salões de manicures e corria pelo Central Park.

O supervisor dele mudara as tarefas. Ele estava trabalhando quatro noites seguidas e ainda aguardava que lhe dessem um novo parceiro permanente. Isso deveria tornar mais fácil nos falarmos, mas de alguma forma não era o caso. Eu checava o celular durante os minutos livres que tinha toda noite, mas costumava ser a hora em que ele estava saindo para começar o turno.

Às vezes eu me sentia curiosamente deslocada, como se tivesse inventado Sam em um sonho. Uma semana, ele me assegurou. Só mais uma semana.

Quão difícil podia ser?

* * *

Agnes estava tocando piano outra vez. Tocava quando estava feliz ou infeliz, com raiva ou frustrada, escolhia música agitadas, emotivas, fechava os olhos enquanto as mãos se moviam de um lado ao outro sobre as teclas, se balançando no banquinho. Na noite anterior ela tocara um noturno, e quando passei pela porta aberta da sala de estar, observei por um instante o Sr. Gopnik sentado ao lado dela no banco. Ainda que ela estivesse totalmente absorta na música, ficou claro que tocava para ele. Ao terminar, sorrira para o marido e ele baixara a cabeça para beijar sua mão. Passei da porta na ponta dos pés como se não tivesse visto.

Estava no escritório, revendo os eventos da semana, tendo chegado até a quinta-feira (Almoço Beneficente Da Associação Crianças com Câncer, *As Bodas de Fígaro*), quando ouvi alguém batendo na porta. Ilaria estava com a especialista em comportamento animal — Felix tinha outra vez feito algo indizível na sala do Sr. Gopnik —, então saí no corredor e abri.

A Sra. De Witt estava diante de mim, a bengala erguida como que pronta para dar um golpe. Eu me abaixei instintivamente, e, quando ela baixou a bengala, me endireitei, com as palmas das mãos erguidas. Demorei um instante para entender que ela simplesmente usara a bengala para bater na porta.

— Posso ajudar?

— Diga a ela para parar com esse barulho infernal!

Seu minúsculo rosto enrugado estava vermelho-escuro de fúria.

— Como?

— A massagista. A noiva encomendada pelo correio. Tanto faz. Posso ouvir do outro lado do corredor.

Ela usava um casaco estilo Pucci dos anos setenta com estampa verde e cor-de-rosa e um turbante verde-esmeralda. Mesmo enquanto eu me retesava ao ouvir seus insultos, estava fascinada.

— Hum, na verdade Agnes é fisioterapeuta treinada. E está tocando Mozart.

— Não ligo se for Champion, o Cavalo Fantástico tocando *kazoo* com o você-sabe-o-quê dele. Diga a ela para fazer silêncio. Ela mora em um prédio. Deveria ter alguma consideração pelos outros moradores!

Dean Martin rosnou para mim, como que concordando. Eu ia dizer mais alguma coisa, mas me distraí tentando entender qual dos olhos dele estava de fato olhando em minha direção.

— Vou dar o recado, Sra. De Witt — falei, com meu sorriso profissional.

— Como assim, "dar o recado"? Não "dê o recado" simplesmente. Faça ela *parar*. Está me deixando louca com esse teclado infeliz. Dia, noite, o tempo todo. Isto costumava ser um prédio tranquilo.

— Mas, para ser justa, seu cachorro está sempre lat...

— A outra era péssima também. Mulher miserável. Sempre com aquelas amigas tagarelas, *blá blá blá* no corredor, atravancando a rua com seus carros enormes. Ai. Não me surpreende que ele a tenha trocado.

— Não sei se o Sr. Gopnik...

— "Fisioterapeuta treinada". Meu Deus, é assim que chamamos agora? Então eu devo ser a negociadora-chefe da ONU.

Ela secou o rosto com um lenço.

— Até onde eu sei, a grande vantagem dos Estados Unidos é que aqui você pode ser quem bem entender.

Sorri.

Ela estreitou os olhos. Mantive meu sorriso.

— Você é inglesa?

— Sou. — Senti um possível abrandamento. — Por quê? Tem parentes lá, Sra. De Witt?

— Não seja ridícula. — Ela me olhou de cima a baixo. — Só pensei que moças inglesas tivessem estilo.

E, com isso, ela me dispensou com um aceno e voltou mancando pelo corredor enquanto Dean Martin lançava olhares amargurados atrás dela.

— Era a bruxa velha louca do outro lado do corredor? — perguntou Agnes, enquanto eu fechava a porta com cuidado. — Credo. Não me surpreende que ninguém venha vê-la nunca. É como um horrível pedaço ressecado de *suszony dorsz*.

Houve um breve silêncio. Ouvi páginas sendo viradas.

Então Agnes começou a tocar uma música estrondosa, gradativa, os dedos se derramando sobre as teclas, pisando o pedal com tanta força que senti o chão vibrar.

Fixei novamente meu sorriso no rosto enquanto atravessava o corredor e olhei meu relógio com um suspiro interno. Só mais duas horas.

8

Sam estava chegando naquele dia, e ficaria até segunda-feira. Ele havia reservado um quarto de hotel para nós a alguns quarteirões da Times Square. Levando em conta o que Agnes dissera sobre como não deveríamos ficar separados, perguntei se ela poderia me dar parte da tarde de folga. Ela respondera *talvez* com um tom de voz que me parecera positivo, embora eu tivesse a nítida sensação de que a vinda de Sam era um incômodo para ela. Ainda assim, caminhei até a Penn Station, os passos saltitantes, com uma mala de fim de semana às costas, e peguei o Air Train até o aeroporto. Quando cheguei lá, um pouco adiantada, estava vibrando de empolgação.

O painel de chegadas dizia que o avião de Sam tinha pousado e que ele aguardava as bagagens, então corri até o banheiro para conferir o cabelo e a maquiagem. Suando um pouco por causa da caminhada e do trem lotado, retoquei rímel e batom, e passei uma escova nos cabelos. Eu vestia pantalonas de seda azul-turquesa com uma blusa preta de gola alta e botas de cano curto pretas. Queria parecer eu mesma, mas também queria dar a impressão de que tinha mudado de uma maneira indefinível, talvez me tornado um pouco mais misteriosa. Desviei de uma mulher de aparência exausta que levava uma mala de rodinhas imensa, passei um pouco de perfume e então finalmente me considerei o tipo de mulher que recebe o namorado em aeroportos internacionais.

Mesmo assim, quando saí do banheiro, o coração a mil, e espiei o painel, me senti estranhamente nervosa. Estávamos separados havia apenas quatro semanas. Aquele homem havia me visto no fundo do poço, arruinada, em pânico, triste, contrariada, e ainda assim parecia gostar de mim. Ele ainda era Sam, disse a mim mesma. Meu Sam. Nada havia mudado desde a primeira vez que ele tocara minha campainha e me chamara desajeitadamente, pelo interfone, para sair.

O painel ainda dizia: AGUARDANDO BAGAGENS.

Situei-me diante da barreira, ajeitei meu cabelo mais uma vez e fixei os olhos nas portas duplas, sorrindo involuntariamente com os gritos de alegria sempre que casais havia muito separados se encontravam. Pensei: seremos nós daqui a pouco. Respirei fundo, percebendo que as palmas das minhas mãos tinham começado a suar. Uma fila de pessoas começou a sair, e meu rosto não parava de voltar ao que eu suspeitava ser um sorriso ligeiramente louco de empolgação, as sobrancelhas erguidas, maravilhada, como um político que finge avistar alguém na multidão.

Então, enquanto eu vasculhava minha bolsa em busca de um lenço, avistei algo e ergui a cabeça rapidamente. Ali, a alguns metros, no meio do grupo de pessoas reunidas, estava Sam, uma cabeça acima de todos ao redor, varrendo a multidão com os olhos, exatamente como eu. Murmurei "Com licença" para a pessoa à minha direita, passei por baixo da fita e corri na direção dele. Sam se virou bem no instante em que o alcancei e sua mala bateu com força na minha canela.

— Ai, droga. Você está bem? Lou?... Lou?

Segurei minha perna, tentando não soltar um palavrão. Tinha lágrimas nos olhos e quando falei foi com um gemido de dor.

— O painel informou que as bagagens ainda não tinham chegado! — disse, os dentes cerrados. — Não acredito que perdi nosso grande reencontro! Eu estava no banheiro!

— Só trouxe bagagem de mão.

Ele levou a mão ao meu ombro.

— Sua perna está bem?

— Mas eu tinha planejado tudo! Fiz até um cartaz!

Peguei o papel na minha jaqueta e me endireitei, tentando ignorar a dor na minha canela. "PARAMÉDICO MAIS GATO DO MUNDO".

— Este era para ser um dos momentos decisivos da nossa relação! Um daqueles momentos sobre os quais a gente pensa e diz: "Aah, lembra quando a gente se encontrou no aeroporto de Nova York?"

— Ainda é um ótimo momento — disse ele esperançosamente. — É bom ver você.

— *Bom me ver?*

— Ótimo. É ótimo ver você. Desculpe. Estou exausto. Não dormi.

Esfreguei minha canela. Nós nos encaramos por um instante.

— Não deu certo — falei. — Você tem que ir de novo.

— Ir de novo?

— Até a saída. Aí fazemos como eu planejei, ou seja, eu seguro meu cartaz, então corro na sua direção, a gente se beija e começa tudo do jeito certo.

Ele me olhou fixamente.

— É sério?

— Vai valer a pena. Vamos lá. Por favor.

Ele levou um instante até ter certeza de que eu não estava brincando, então pôs-se a andar contra a maré de pessoas que chegavam. Várias delas se viraram para olhá-lo, e alguém estalou a língua, repreendendo.

— Pode parar! — gritei no saguão barulhento. — Aí está bom!

Mas ele não me ouviu. Continuou andando até as portas duplas — tive um temor de que ele simplesmente voltasse para dentro do avião.

— Sam! — gritei. — PARE!

Todas as pessoas se viraram. Então ele deu meia-volta e me viu. Quando começou a vir na minha direção outra vez, passei por baixo da fita.

— Aqui! Sam! Sou eu!

Balancei meu cartaz e, enquanto caminhava para me encontrar, ele sorriu com o ridículo da coisa toda.

Larguei o cartaz e corri até ele, e, desta vez, Sam não bateu na minha canela, mas largou a mala no chão e me pegou no colo, então nos beijamos como atores de cinema, plenamente e com uma alegria absoluta, sem qualquer constrangimento ou medo a respeito do bafo de café. Ou talvez sim. Eu não saberia dizer, porque, no instante em que Sam me tirou do chão, deixei de notar todo o resto, as malas e as pessoas e os olhos da multidão. Ah, meu Deus, a sensação dos braços dele ao meu redor, a maciez daqueles lábios. Eu não queria largá-lo. Continuei abraçando Sam e sentindo sua força me envolver, sorvi o cheiro de sua pele, enfiei meu rosto no seu pescoço, nossa pele se tocando, a percepção de que cada célula do meu corpo tinha sentido falta dele.

— Melhor assim, sua insana? — disse ele quando finalmente se afastou para poder me ver direito.

Acho que meu batom cobria metade do meu rosto. Tinha quase certeza de que a barba dele me arranhara. Minhas costelas doíam onde ele me abraçava com força.

— Ah, sim — falei, sem conseguir parar de sorrir. — Muito melhor.

Decidimos deixar as malas no hotel primeiro, eu tentando não tagarelar por causa da empolgação. Falava coisas sem sentido — um fluxo de pensamentos e observações desconexas que saía da minha boca sem seleção prévia. Ele me olhava como alguém olharia para um cachorro que começasse a dançar do nada: achando levemente engraçado e reprimindo uma leve preocupação. Mas quando as portas do elevador se fecharam atrás de nós, Sam me puxou para si, segurou meu rosto entre as mãos e me beijou de novo.

— Isso foi para me fazer parar de falar? — perguntei quando ele me soltou.

— Não. Foi porque estou com vontade de fazer isso há quatro longas semanas, e planejo fazer o máximo de vezes possível até voltar para casa.

— Boa cantada.
— Pensei nela quase o voo inteiro.

Eu o observei enquanto ele colocava o cartão-chave na porta e, pela milésima vez, fiquei maravilhada com a minha sorte, por tê-lo encontrado quando achava que nunca mais poderia amar outra vez. Eu me sentia impulsiva, romântica, uma personagem em um filme de sessão da tarde.

— E... aqui estamos.

Paramos na soleira da porta. O quarto do hotel era menor do que o meu quarto na casa dos Gopnik, o carpete era marrom xadrez e a cama, em vez da vasta extensão de linho branco de qualidade que eu imaginara, era uma cama de casal afundada com um edredom xadrez cor de laranja e vinho. Tentei não pensar na última vez que fora lavado. Quando Sam fechou a porta atrás de nós, larguei minha mala e dei a volta na cama até conseguir espiar pela porta do banheiro. Havia um chuveiro sem banheira, e quando você acendia a luz, o exaustor gemia feito uma criança na fila do supermercado. O quarto tinha cheiro de nicotina velha misturada com aromatizador de ambiente.

— Você odiou.

Seus olhos examinaram meu rosto.

— Não! É perfeito!

— Não é perfeito. Desculpe. Fiz a reserva pelo site logo depois de terminar um plantão. Quer que eu vá lá embaixo e pergunte se eles têm outros quartos?

— Ouvi a moça dizer que estão lotados. De qualquer forma, isso está ótimo! Tem uma cama, um chuveiro e fica no centro de Nova York, e tem você dentro. Isso quer dizer que tudo está maravilhoso!

— Ah, droga. Eu deveria ter perguntado a você antes.

Eu nunca soube mentir muito bem. Ele pegou minha mão e eu apertei a dele.

— Está ótimo. De verdade.

Ficamos parados, olhando para a cama. Cobri a boca com a mão, até perceber que não iria conseguir não dizer o que estava tentando não dizer.

— Mas acho bom a gente verificar se não tem percevejos na cama.

— Sério?

— Eles estão por toda parte, segundo Ilaria.

Os ombros de Sam murcharam.

— Até os hotéis mais chiques têm.

Dei um passo à frente e puxei a coberta de uma vez, examinando o lençol branco antes de me abaixar para ver as bordas do colchão. Cheguei mais perto.

— Nada! — disse. — Isso é bom! Estamos em um hotel sem percevejos!

Ergui meu polegar.

— Oba!
Houve um longo silêncio.
— Vamos dar uma volta — sugeriu ele.
Saímos para dar uma volta. Pelo menos a localização era ótima. Passeamos por meia dúzia de quarteirões, descendo a Sexta Avenida, subindo a Quinta, ziguezagueando e seguindo nossos impulsos, eu tentando não falar sem parar sobre mim mesma ou Nova York, o que foi mais difícil do que eu havia imaginado, já que Sam quase não falava. Segurou minha mão e eu me apoiei no ombro dele, tentando não olhá-lo demais. Havia algo de inesperadamente estranho em tê-lo ali. Percebi que eu me concentrava nos pequenos detalhes, um arranhão em sua mão, uma pequena mudança no comprimento do cabelo, tentando recuperá-lo na minha memória.
— Você não está mais mancando — comentei quando paramos para olhar a vitrine do Museu de Arte Moderna.
Estava nervosa por ele estar tão calado, como se o hotel horrível tivesse estragado tudo.
— Você também não.
— Tenho corrido! — falei. — Já contei isso. Dou uma voltinha no Central Park todo dia de manhã com Agnes e George, o treinador dela. Olhe aqui... sinta minhas pernas!
Sam apertou a parte de cima da minha coxa quando a aproximei dele e fez uma expressão adequadamente impressionada.
— Pode soltar agora — pedi quando as pessoas começaram a olhar.
— Desculpe — disse ele. — Faz tempo.
Eu havia me esquecido de como ele preferia ouvir a falar. Demorou um tempo até ele dizer algo sobre si. Finalmente tinha uma parceira no trabalho. Depois de dois alarmes falsos — um rapaz que decidira que não queria ser paramédico e Tim, um representante sindical que aparentemente odiava a humanidade como um todo (uma atitude não exatamente ideal para o trabalho) —, haviam encontrado uma mulher lotada em North Kensington que se mudara recentemente e queria trabalhar mais perto de casa.
— Como ela é?
— Não é Donna, mas é ok. Pelo menos parece saber o que está fazendo.
Ele se encontrara com Donna para tomar um café na semana anterior. O pai dela não estava reagindo à quimioterapia, mas ela havia disfarçado a tristeza com sarcasmo e piadas, como sempre fazia.
— Eu quis dizer a ela que não precisava fazer aquilo — falou Sam. — Ela sabe tudo que passei com a minha irmã. Mas — ele me olhou de esguelha — cada um lida com essas coisas à própria maneira.

Sam também contou que Jake ia bem na faculdade. Tinha mandado um abraço. O pai dele, cunhado de Sam, havia largado a terapia para viúvos, dizendo que não estava funcionando para ele, embora tivesse dado fim ao sexo compulsivo com mulheres desconhecidas.

— Ele agora está comendo para lidar com os sentimentos. Engordou seis quilos desde que você foi embora.

— E você?

— Ah. Vou indo.

Falou aquilo com simplicidade, mas algo naquelas palavras fez com que meu coração se partisse de leve.

— Não é para sempre — falei quando paramos de andar.

— Eu sei.

— E vamos fazer muitas coisas divertidas enquanto você está aqui.

— O que você programou?

— Hum... basicamente Você Pelado. Seguido de um jantar. Seguido de mais Você Pelado. Talvez uma caminhada pelo Central Park, algumas coisas cafonas de turista, como a balsa até Staten Island e a Times Square, algumas compras no East Village e uma comida deliciosa, com mais Você Pelado.

Ele sorriu.

— E eu ganho Você Pelada também?

— Ah, sim, é tipo compre um, leve dois.

Apoiei minha cabeça nele.

— Mas, falando sério, adoraria que você conhecesse o lugar onde eu trabalho. Talvez conheça Nathan e Ashok, e todas as pessoas de quem eu vivo falando. O Sr. e a Sra. Gopnik estão viajando, então provavelmente não vai conhecê-los, mas pelo menos vai ter uma ideia da coisa toda na sua mente.

Ele parou e se virou de frente para mim.

— Lou. Realmente não ligo para o que vamos fazer, contanto que a gente fique junto.

Ele corou um pouco ao dizer aquilo, como se as palavras também o tivessem surpreendido.

— Bastante romântico, Sr. Fielding.

— Mas é o seguinte, se vou cumprir essa parte de ficar pelado, preciso comer alguma coisa muito em breve. Aonde podemos ir?

Estávamos passando pelo Radio City, cercado de imensos edifícios comerciais.

— Tem um café — sugeri.

— Ah, não — disse ele, batendo palmas. — Ali está. Um verdadeiro food truck nova-iorquino!

Apontou para um dos eternos food trucks, um que servia "burritos empilhados": *"Fazemos do jeito que você gosta."* Eu o segui e esperei enquanto ele pedia algo que parecia ter o tamanho do seu antebraço, com cheiro de queijo derretido e de uma carne gordurosa não identificada.

— A gente não tinha planos de jantar fora hoje, tinha?

Ele enfiou a extremidade do burrito na boca.

Não consegui conter uma risada.

— Qualquer coisa para manter você acordado. Mas suspeito que isso vá causar um coma.

— Nossa senhora, é muito gostoso. Quer um pouco?

Eu queria, na verdade. Mas estava usando uma calcinha linda e não queria que partes do meu corpo pulassem para fora dela. Então esperei que ele terminasse, lambendo os dedos ruidosamente, depois jogando o guardanapo no lixo. Ele suspirou com profunda satisfação.

— Certo — disse ele, pegando meu braço, e tudo pareceu perfeitamente normal de repente. — Sobre essa questão da nudez...

Voltamos a pé até o hotel, em silêncio. Eu já não me sentia constrangida, como se o tempo que havíamos passado separados tivesse criado uma distância inesperada entre nós. Não queria mais falar. Só queria sentir a pele dele na minha. Queria ser totalmente dele outra vez, me sentir envolta, possuída. Seguimos pela Sexta Avenida, passando pelo Rockefeller Center, e parei de notar os turistas no caminho. Tinha a sensação de estar presa em uma bolha invisível, todos os meus sentidos focados na mão morna que se fechara em torno da minha, no braço que tocava meus ombros. Cada movimento dele parecia carregado com o peso de um propósito. Eu estava quase sem fôlego. Podia viver com as ausências, pensei, se todas as vezes que nos encontrássemos fossem tão deliciosas assim.

Mal tínhamos entrado no elevador quando ele se virou e me puxou para si. Nós nos beijamos e eu derreti, me perdi na sensação do corpo dele contra o meu, o sangue pulsando tão alto nas minhas têmporas que mal ouvi as portas se abrindo. Saímos, cambaleantes.

— A coisa da porta — disse ele, tocando os bolsos com alguma urgência. — A coisa da porta! Onde coloquei?

— Está comigo — avisei logo de uma vez, tirando rapidamente o cartão do bolso da calça.

— Graças a Deus — disse ele, fechando a porta atrás de nós com um chute, a voz baixa em meu ouvido. — Você não imagina há quanto tempo eu venho pensando nisso.

* * *

Dois minutos depois, eu estava deitada no Edredom Vinho Infeliz, o suor esfriando na minha pele, me perguntando se seria muito errado pegar minha calcinha no chão. Apesar de já ter verificado a ausência de percevejos, ainda havia algo a respeito daquele edredom que me fazia querer criar uma barreira entre ele e qualquer parte do meu corpo nu.

A voz de Sam flutuou no ar ao meu lado.

— Desculpe — murmurou ele. — Eu sabia que estava feliz em ver você, só não sabia que estava tão feliz.

— Tudo bem — falei, me virando de frente para ele.

Sam tinha um jeito de me puxar para si como que me recolhendo, me deixando totalmente envolta. Eu nunca tinha entendido mulheres que dizem que certos homens as fazem se sentir seguras — mas era assim que me sentia com Sam. Seus olhos estavam caídos, lutando contra o sono. Calculei que eram cerca de três da manhã para ele agora. Ele deu um beijo no meu nariz.

— Me dê vinte minutos e vou estar pronto.

Corri um dedo delicadamente pelo seu rosto, acompanhando seus lábios, e mudei de posição para que ele pudesse nos cobrir com o edredom. Passei a perna por cima da dele, de forma que não havia quase nenhuma parte de mim que não estivesse encostada em seu corpo. Até mesmo esse movimento fez com que algo pegasse fogo dentro de mim. Não sabia o que havia a respeito de Sam que me fazia sentir diferente — sem inibição, voraz. Duvidava ser capaz de tocar a pele dele sem sentir aquele calor dentro de mim. Podia olhar seus ombros, o volume de seus antebraços, os pelos macios e escuros onde sua nuca encontrava o cabelo, e me sentia quase incandescente de desejo.

— Amo você, Louisa Clark — disse ele baixinho.

— Vinte minutos, é? — falei, sorrindo, e o abracei com mais força.

Mas ele caiu no sono como alguém que desaba de um precipício. Observei-o por um instante, me perguntando se seria possível acordá-lo, e de que maneira, mas então lembrei-me do quão desorientada e exausta eu me sentira ao chegar. Então pensei em como ele tinha acabado de sair de uma semana com turnos de doze horas. E que faltavam apenas algumas horas para os nossos três dias inteiros juntos. Com um suspiro, eu o soltei e virei de costas. Estava escuro lá fora, agora, e os ruídos distantes do tráfego chegavam até nós. Senti um milhão de coisas, e fiquei perturbada ao descobrir que uma delas era decepção.

Pare, disse a mim mesma firmemente. Minhas expectativas para o fim de semana tinham simplesmente subido como um suflê, alto demais para um contato duradouro com a atmosfera. Ele estava ali, nós estávamos juntos, e dali a poucas horas ele estaria acordado outra vez. Vá dormir, Clark, disse a mim mesma. Puxei o braço dele para cima de mim, sentindo o cheiro de sua pele morna, e fechei os olhos.

Uma hora e meia depois, eu estava deitada na extremidade da cama, olhando o Facebook pelo celular, impressionada com o apetite aparentemente infinito da minha mãe por citações inspiradoras e fotografias de Thom com o uniforme da escola. Eram dez e meia e o sono não queria chegar. Saí da cama e fui ao banheiro, deixando a luz apagada para que Sam não acordasse com o exaustor barulhento. Hesitei antes de voltar. O colchão fundo fazia com que Sam escorregasse para o meio da cama, deixando alguns centímetros da beirada para mim, a menos que eu me deitasse em cima dele, praticamente. Perguntei a mim mesma se uma hora e meia de sono seria o bastante. Então subi na cama, deslizei meu corpo contra o corpo quente dele, e, após um instante de hesitação, o beijei.

O corpo de Sam despertou antes dele. Seu braço me puxou para perto, sua mão grande deslizou pela minha pele, e ele me beijou, beijos lentos e sonolentos, delicados e leves que fizeram meu corpo se arquear contra o dele. Mudei de posição para que o peso dele ficasse em mim, minha mão buscando a dele, meus dedos se entrelaçando aos seus, deixando escapar um suspiro de prazer. Ele me queria. Abriu os olhos no escuro e eu olhei dentro deles, louca de desejo, percebendo para minha surpresa que ele já estava suando.

Ele me olhou por um instante.

— Oi, bonitão — sussurrei.

Sam fez menção de falar, mas nenhuma palavra saiu.

Olhou para o lado. Então, de repente, saiu de cima de mim.

— O que houve? — perguntei. — O que eu falei?

— Desculpe — disse ele. — Espere aí.

Ele correu para o banheiro, fechando a porta com força atrás de si. Ouvi um "Ai, meu Deus" e então ruídos que, desta vez, me deixaram grata pelo exaustor barulhento.

Fiquei sentada na cama, imóvel, então me levantei, vestindo uma camiseta.

— Sam?

Apoiei o corpo na porta, colando minha orelha a ela, depois me afastei. A intimidade, percebi, tinha limites no quesito efeitos sonoros.

— Sam? Você está bem?

— Sim — disse com a voz abafada.

Ele não estava bem.

— O que está havendo?

Um silêncio demorado. O som da descarga.

— Eu... hum... acho que estou com intoxicação alimentar.
— Sério? Posso fazer alguma coisa?
— Não. Só... só não entre aqui. Ok?

Aquilo foi seguido por mais um barulho de vômito e alguns palavrões baixinhos.

— Não entre.

Passamos quase duas horas assim: ele travando alguma batalha terrível contra seus órgãos de um lado da porta, eu sentada ansiosamente de camiseta do outro. Ele se recusou a me deixar entrar para ver se estava bem — seu orgulho, eu acho, o impedia.

O homem que finalmente saiu do banheiro pouco depois de uma da manhã tinha cor de massa de vidraceiro com um brilho de vaselina. Fiquei de pé quando a porta se abriu e ele cambaleou de leve, como que surpreso em ver que eu ainda estava ali. Estendi uma mão, como se eu tivesse alguma esperança de conseguir segurar alguém do tamanho dele.

— O que posso fazer? Você precisa de um médico?
— Não... Vou só... esperar deitado.

Ele caiu na cama, arfando e segurando a barriga. Tinha olheiras pretas e os olhos estavam fixos em um ponto aleatório à frente.

— Literalmente.
— Vou pegar um pouco de água para você.

Olhei para Sam.

— Na verdade, vou correr até uma farmácia e comprar Dioralyte, ou o que tiverem aqui.

Ele nem sequer falou, só virou de lado, olhando à frente, o corpo ainda úmido de suor.

Comprei o remédio apropriado, agradecendo silenciosamente à Cidade Que Não Apenas Não Dorme Mas Também Possui Reidratantes em Pó. Sam bebeu um, então, com um pedido de desculpas, voltou ao banheiro. Volta e meia eu passava uma garrafa de água por uma fresta na porta, e no fim, acabei ligando a televisão.

— Desculpe — murmurou ele quando saiu outra vez, pouco depois das quatro.

Então, desabou no Edredom Infeliz e caiu em um sono breve e agitado.

Dormi por cerca de duas horas, coberta com o roupão do hotel, e ao acordar vi que ele ainda dormia. Tomei banho e me vesti, saindo do quarto em silêncio para pegar um café na máquina do saguão. Pelo menos, eu disse a mim mesma, ainda tínhamos dois dias pela frente.

Mas, quando voltei para o quarto, Sam estava no banheiro de novo.
— Mil desculpas — disse ele mais uma vez ao sair.
Eu tinha aberto as cortinas e, na luz do dia, ele parecia ainda mais pálido contra os lençóis do hotel.
— Não sei se vou conseguir fazer grande coisa hoje.
— Tudo bem!
— Talvez eu esteja melhor de tarde — disse ele.
— Tudo bem!
— Mas acho que é melhor não fazer o passeio de balsa. Acho que não quero chegar nem perto de...
— ...banheiros públicos. Entendi.
Ele suspirou.
— Isso não é exatamente o dia que eu tinha imaginado.
— Tudo bem — retruquei, subindo na cama ao seu lado.
— Pode parar de falar *tudo bem*? — pediu ele com irritação.
Eu hesitei por um instante, ferida, depois falei friamente:
— Está bem.
Ele me olhou de esguelha.
— Desculpe.
— Pare de pedir desculpas.
Ficamos sentados no edredom, ambos olhando reto à frente. Então a mão dele alcançou a minha.
— Olha — disse ele por fim —, provavelmente eu vou ficar por aqui durante algumas horas. Vou tentar recuperar as forças. Não precisa ficar comigo. Vá fazer compras ou algo assim.
— Mas você só está aqui até segunda. Não quero fazer nada sem você.
— Não presto para nada no momento, Lou.
Ele parecia prestes a socar uma parede, se ao menos tivesse forças o bastante para erguer um punho.

Caminhei por dois quarteirões até uma banca e comprei uma montanha de jornais e revistas. Então comprei um café decente para mim, um muffin integral e um bagel branco simples para quando ele sentisse vontade de comer algo.
— Suprimentos — falei, derrubando tudo no meu lado da cama. — Vamos tirar proveito da situação.
E foi assim que passamos o dia. Li todas as seções do *The New York Times*, incluindo o caderno de esportes. Coloquei o sinal de "Não Perturbe" na porta, observei-o adormecer e esperei que as cores retornassem ao seu rosto.
Talvez ele se sinta melhor a tempo de passearmos à luz do dia.

Talvez possamos beber algo no bar do hotel.
Seria bom sentar um pouco.
Certo, talvez ele esteja melhor amanhã.

Às nove e quarenta e cinco, desliguei o programa de entrevistas na TV, empurrei os jornais para fora da cama e me enfiei debaixo do edredom, e a única parte do meu corpo que ainda tocava o dele eram meus dedos, as pontas entrelaçadas aos seus.

Ele acordou no domingo se sentindo um pouco melhor. Acho que àquela altura seu estômago estava tão vazio que não restava nada para colocar para fora. Comprei uma sopa rala que ele comeu com hesitação, depois declarou que estava bem o bastante para dar um passeio. Vinte minutos depois, voltamos correndo e ele se trancou no banheiro. Sam estava com muita raiva. Tentei dizer a ele que não tinha problema, mas isso só parecia deixá-lo ainda com mais raiva. Foi um tanto patético ver um homem de um metro e noventa tentando ficar furioso quando mal conseguia segurar na barriga um copo de água.

Deixei-o sozinho por um tempo, porque minha decepção começava a se tornar visível. Precisava caminhar pela rua e lembrar a mim mesma que aquilo não era um sinal, não queria dizer nada, e que era fácil perder a noção das coisas estando privado de sono e tendo passado quarenta e oito horas na companhia de um homem com problemas gastrointestinais, com um banheiro que não era nada à prova de som.

Mas o fato de já ser domingo me deixou arrasada. Eu voltaria a trabalhar no dia seguinte. E não tínhamos feito nada do que eu havia planejado. Não tínhamos ido a um jogo de beisebol nem pegado a balsa para Staten Island. Não tínhamos subido ao topo do Empire State nem caminhado de braços dados pelo High Line. Naquela noite, ficamos sentados na cama e ele comeu o arroz que eu comprara em um restaurante de sushi, enquanto eu comia um sanduíche de frango grelhado com gosto de nada.

— Estou no caminho certo agora — murmurou ele, e eu puxei a coberta por cima dele.

— Ótimo — falei.

Então Sam adormeceu.

Não podia passar mais uma noite olhando para o celular, então levantei silenciosamente, deixei um bilhete para ele e saí. Eu me sentia péssima e estranhamente brava. Por que ele comera algo que lhe dera intoxicação alimentar? Por que não podia fazer alguma coisa para melhorar mais rápido? Ele era paramédico, oras. Por que não podia ter escolhido um hotel melhor? Caminhei pela Sexta Avenida com as mãos bem no fundo dos bolsos, o tráfego barulhento ao meu redor, em pouco tempo percebi que estava no caminho da minha casa.

Casa.

Com um susto, entendi que era assim que via o apartamento agora.

Ashok estava debaixo do toldo, conversando com outro porteiro, que se afastou logo que me aproximei.

— Oi, Srta. Louisa. Não deveria estar com aquele seu namorado?

— Ele está doente — falei. — Intoxicação alimentar.

— Está brincando! Onde ele está agora?

— Dormindo. Eu só... não ia conseguir ficar naquele quarto por mais doze horas.

Eu senti que estava à beira das lágrimas. Acho que Ashok percebeu, porque fez um gesto para que eu entrasse. Dentro de seu quartinho de porteiro, esquentou água em uma chaleira e preparou um chá de menta para mim. Fiquei sentada à sua mesa bebericando meu chá enquanto ele espiava lá fora volta e meia para se assegurar de que a Sra. De Witt não estava ali para acusá-lo de não estar cumprindo sua função.

— Enfim — falei —, por que está trabalhando? Achei que era hora do porteiro da noite.

— Ele também está doente. Minha esposa ficou muito brava comigo. Tinha uma de suas reuniões na biblioteca hoje, mas não temos ninguém para cuidar das crianças. Ela disse que se eu passar mais um dos meus dias de folga aqui, ela mesma vai trocar uma palavrinha com o Sr. Ovitz. E ninguém quer isso.

Ele fez que não com a cabeça.

— Minha esposa é uma mulher temível, Srta. Louisa. Ninguém quer que ela fique brava.

— Eu adoraria ajudar, mas acho melhor voltar e ver como Sam está.

— Seja gentil — disse ele quando devolvi a xícara. — Ele veio de longe para vê-la. E posso garantir que está se sentindo muito pior do que você no momento.

Quando voltei para o quarto, Sam estava acordado, encostado nos travesseiros assistindo à televisão pixelada. Ergueu os olhos quando eu abri a porta.

— Fui só dar uma volta. Eu... eu...

— Não aguentou ficar mais um minuto presa aqui dentro comigo.

Fiquei parada na porta. A cabeça dele estava funda entre os ombros. Estava pálido e parecia totalmente deprimido.

— Lou... se você soubesse como estou com raiva de mim neste momento...

— Tudo be... — me interrompi a tempo. — Sério. Estamos bem.

Liguei o chuveiro para ele, ajudei-o a entrar e lavei seu cabelo, tirando o restinho de xampu do minúsculo frasco, então vi a espuma deslizar pelas imensas montanhas de seus ombros. Ele estendeu o braço, pegou minha mão em silêncio e beijou a parte interna do meu pulso, um pedido de desculpas. Coloquei a toalha sobre seus ombros e voltamos para o quarto. Ele se deitou na cama com um suspiro. Troquei de roupa e me deitei ao seu lado, desejando não me sentir tão apática.

— Me conte algo que não sei sobre você — disse ele.

Virei-me de frente para Sam.

— Ah, você sabe de tudo. Sou um livro aberto.

— Vamos lá, me ajude.

Sua voz estava baixa perto do meu ouvido. Não consegui pensar em nada. *Ainda estou estranhamente irritada com este fim de semana, mesmo sabendo que é injusto da minha parte.*

— Certo — disse ele quando ficou claro que eu não iria falar. — Eu começo, então. Só vou comer biscoito de água e sal a partir de agora.

— Engraçadinho.

Ele examinou meu rosto por um instante. Quando voltou a falar, sua voz soou atipicamente baixa.

— E as coisas lá em casa não têm sido fáceis.

— Como assim?

Ele demorou um minuto para voltar a falar, como se ainda não estivesse certo de que devia continuar.

— É o trabalho. Sabe, antes de levar o tiro, eu não tinha medo de nada. Podia dar conta de qualquer coisa. Acho que me via como um cara durão. Mas, agora, o que aconteceu está sempre na minha mente.

Tentei não parecer surpresa.

Ele passou a mão no rosto.

— Desde que voltei a trabalhar, percebo que analiso as situações antes de chegarmos... de um jeito diferente, tentando pensar em rotas de fuga, fontes potenciais de perigo. Mesmo quando não há motivo para isso.

— Está com medo?

— É. Eu.

Sam deu um riso seco e fez que não com a cabeça.

— Eles me ofereceram sessões de terapia. Eu sei como essas coisas funcionam, dos meus tempos no exército. Você conversa sobre o assunto, entende que é o jeito da sua mente assimilar o que aconteceu. Sei disso tudo. Mas é desconcertante.

Eu esperei.

— Por isso foi tão difícil quando Donna saiu... Porque eu sabia que ela sempre cuidaria de mim.

— Mas essa nova parceira vai cuidar de você, certamente. Qual é o nome dela?

— Katie.

— Katie vai cuidar de você. Quer dizer, ela é experiente e vocês são treinados para cuidar um do outro, certo?

Ele deslizou o olhar em minha direção.

— Você não vai levar outro tiro, Sam. *Sei* que não vai.

Depois, percebi que era uma coisa estúpida de se dizer. Falei aquilo porque não conseguia suportar a ideia de vê-lo infeliz. Falei porque queria que fosse verdade.

— Vou ficar bem — disse ele baixinho.

Tive a impressão de que eu o tinha decepcionado. Perguntei a mim mesma havia quanto tempo Sam queria me contar aquilo. Ficamos deitados por um tempo. Corri um dedo pelo seu braço, de leve, tentando pensar no que dizer.

— Você? — murmurou ele.

— Eu o quê?

— Me conte algo que não sei. Sobre você.

Eu ia dizer que ele já sabia todas as coisas importantes. Ia ser o meu "eu" nova-iorquino, cheio de vida, decidido, impenetrável. Ia dizer algo para fazê-lo rir. Mas ele me contara sua verdade.

Virei o corpo de frente para ele.

— Tem uma coisa. Mas não quero que isso mude o jeito como você me vê. Se eu contar.

Ele franziu a testa.

— Foi algo que aconteceu há muito tempo. Mas você me contou uma coisa. Então vou fazer o mesmo.

Respirei fundo e contei. Contei a história que só tinha contado para Will até então, um homem que ouvira e então me libertara do poder que aquilo tinha sobre mim. Contei para Sam a história de uma menina que, dez anos antes, tinha bebido e fumado demais, e descoberto na própria pele que só porque um grupo de garotos vinha de boas famílias não significava que eles eram bons. Contei aquilo com um tom de voz calmo, um pouco distante. Ultimamente, parecia que não tinha acontecido comigo de verdade. Sam ouviu na quase penumbra, os olhos fixos nos meus, em silêncio.

— É um dos motivos pelos quais vir para Nova York e fazer isso era tão importante para mim. Eu me fechei durante anos, Sam. Disse a mim mesma que era disso que precisava para me sentir segura. E agora... bem, agora acho que preciso me desafiar. Preciso saber do que sou capaz se parar de baixar a cabeça.

Quando terminei, ele ficou em silêncio por um longo tempo, longo o bastante para que eu me perguntasse se devia mesmo ter contado aquilo. Mas então Sam estendeu a mão e acariciou meu cabelo.

— Sinto muito — disse ele. — Gostaria de ter estado lá para proteger você. Gostaria...

— Tudo bem — eu disse. — Foi muito tempo atrás.
— Não está tudo bem.
Ele me puxou para junto de si. Apoiei a cabeça em seu peito, sentindo o batimento regular de seu coração.
— Só não quero que me veja com outros olhos — sussurrei.
— Não tenho como não ver.
Inclinei a cabeça para poder enxergá-lo.
— Acho você ainda mais incrível — disse ele, fechando os braços ao meu redor. — Além de todos os motivos pelos quais eu te amo, você é corajosa e forte, e acaba de me lembrar que... todos nós temos nossos obstáculos. Vou superar o meu. Mas prometo uma coisa a você, Louisa Clark.
Sua voz, quando veio, soou grave e carinhosa.
— Ninguém vai machucar você de novo.

9

Para: LilyBoba@gmail.com
De: AbelhaAtarefada@gmail.com

Oi, Lily!

 Correndo, porque estou digitando isso no metrô (estou sempre correndo nos últimos dias), mas feliz por saber de você. Feliz que tudo esteja indo tão bem na escola, embora você pareça ter tido muita sorte com a história do cigarro. A Sra. Traynor tem razão — seria uma vergonha se você fosse expulsa antes mesmo de fazer as provas.
 Mas não vou te dar um sermão. Nova York é incrível. Estou curtindo cada momento. E, sim, seria ótimo se você pudesse vir, mas acho que você teria que ficar em um hotel, então talvez seja melhor falar com seus pais primeiro. Além disso, eu ando muito ocupada porque meu horário com os Gopnik é bem estendido e eu não teria muito tempo para passear.
 Sam está bem, obrigada. Não, ele ainda não me deu o fora. Na verdade, ele está aqui bem agora. Vai voltar para casa hoje, mais tarde. Pode falar com ele sobre pegar a moto emprestada quando ele voltar. Acho que é algo para resolverem entre vocês.
 Ok... minha estação está chegando. Mande beijos para a Sra. T e diga que estou fazendo as mesmas coisas que seu pai fazia nas cartas (nem todas: não tive nenhum encontro com RPs louras de pernas compridas).

 Bjs, Lou

Meu alarme tocou às seis e meia da manhã, uma microssirene irritante rompendo o silêncio. Eu tinha que estar de volta na casa dos Gopnik às sete e meia. Emiti um gemido suave ao estender o braço sobre a mesa de cabeceira e tateei para desligar o alarme. Eu havia calculado levar quinze minutos para voltar caminhando até o Central Park. Repassei mentalmente uma rápida lista das tarefas à minha frente, pensando se haveria ainda algum resto de xampu no banheiro e se seria necessário passar minha blusa.

Sam estendeu o braço e me puxou na direção dele.

— Não vá embora — disse, sonolento.

— Tenho que ir.

O braço dele estava me prendendo no lugar.

— Atrase.

Ele abriu um dos olhos. Seu cheiro era doce e quente, e ele manteve o olhar fixo no meu enquanto deslizava lentamente uma perna musculosa e pesada para cima de mim.

Era impossível rejeitá-lo. Sam estava se sentindo melhor. Bem melhor, aparentemente.

— Preciso me vestir.

Ele estava beijando minha clavícula, beijos suaves que me faziam estremecer. Sua boca, suave e concentrada, começou a traçar um caminho descendente. Por baixo das cobertas, ele olhou para mim e levantou uma das sobrancelhas.

— Eu tinha me esquecido destas cicatrizes. Gosto muito delas.

Ele baixou a cabeça e, me fazendo contorcer, beijou as nervuras prateadas nos meus quadris, fruto da cirurgia, e depois desapareceu.

— Sam, eu preciso ir. Mesmo. — Meus dedos se fecharam em torno da colcha. — Sam... Sam... Eu... preciso mesmo... eu... aah.

Algum tempo depois, ofegante e com a pele pinicando à medida que o suor secava, eu estava deitada de bruços, exibindo um sorriso tolo, os músculos doloridos em locais inesperados. Meu cabelo estava espalhado sobre o rosto, mas eu não conseguia reunir energia suficiente para afastá-lo. Uma mecha subia e descia com minha respiração. Sam estava deitado do meu lado. Sua mão atravessou o lençol, procurando a minha.

— Senti saudade de você — disse ele, mudando de posição e rolando até ficar por cima de mim, me mantendo imóvel. — Louisa Clark — murmurou, e sua voz, inacreditavelmente profunda, ressoou em algum lugar dentro de mim. — Você mexe muito comigo.

— Acho que foi você que mexeu comigo, tecnicamente falando.

O rosto dele se encheu de ternura. Levantei o rosto para beijá-lo. Era como se as últimas quarenta e oito horas tivessem se dissolvido. Eu estava no lugar certo, com o homem certo, os braços dele em torno de mim, seu corpo tão bonito e familiar. Deslizei um dedo pela sua bochecha e depois me inclinei para beijá-lo novamente, devagar.

— Não faça isso de novo — disse ele, os olhos nos meus.
— Por quê?
— Porque aí eu não vou conseguir me controlar e você já está atrasada e não quero ser responsável por você perder o emprego.

Virei a cabeça para checar o alarme. Pisquei.
— Quinze para as oito? Tá de brincadeira. *Como é que já são quinze para as oito?*

Desvencilhei-me do abraço dele, sacudindo os braços, e fui pulando até o banheiro.
— Ai, meu Deus. Estou muito atrasada. *Putz. Putz, putz, putz, putz...*

Eu entrei e saí do chuveiro tão rápido que possivelmente as gotas nem sequer entraram em contato com o meu corpo. De volta ao quarto, Sam estava de pé e segurava minha roupa para que eu me enfiasse dentro delas.

— Sapatos. Cadê os meus sapatos?
Ele estendeu o par na minha direção.
— Cabelo — disse ele, apontando. — Precisa pentear o cabelo. Está todo... quer dizer...
— O quê?
— Emaranhado. Sensual. Cabelo de quem-acabou-de-transar. Vou juntar suas coisas — disse ele.

Quando corri para a porta, ele me agarrou pelo braço e me puxou.
— Ou então, sei lá, você poderia chegar um tiquinho mais atrasada.
— Eu estou atrasada. Muito atrasada.
— É só uma vez. Ela agora é sua nova melhor amiga. Dificilmente vão mandar você embora.

Ele colocou os braços em volta de mim, me beijou e passou os lábios pela lateral do meu pescoço, me fazendo estremecer.
— E esta é a minha última manhã aqui...
— Sam...
— Cinco minutos.
— Nunca são só cinco minutos. Ah, cara... não acredito que estou falando isso como se fosse uma coisa ruim.

Ele resmungou de frustração.
— Droga. Eu estou me sentindo bem hoje. Tipo bem *mesmo*.
— Estou percebendo, pode acreditar.
— Desculpe — disse ele, e emendou: — Não. Não estou nada bem.

Dei um sorriso torto para ele, fechei os olhos e retribuí o beijo, sentindo naquele momento como seria fácil simplesmente cair de novo na Colcha Bordô da Perdição e me perder novamente.

— Nem eu. Mas encontro você mais tarde.

Consegui me desvencilhar dos seus braços e saí correndo do quarto e pelo corredor, ouvindo Sam gritar "Amo você!". Pensei que, apesar dos carrapatos em potencial, dos lençóis insalubres e do banheiro com isolamento de som inadequado, na verdade o hotel era de fato muito simpático.

Sofrendo com uma dor aguda nas pernas, o Sr. Gopnik tinha passado metade da noite acordado, o que deixara Agnes ansiosa e mal-humorada. Ela havia enfrentado maus momentos no clube no fim de semana, levando um gelo das outras sócias, tinha ficado de fora das conversas e ouvido comentários a seu respeito no spa. A forma com que Nathan cochichou essas novidades quando passei por ele no saguão me fez sentir como se tivéssemos treze anos, fofocando em uma festa do pijama.

— Você está atrasada — resmungou Agnes, quando voltou da corrida com George, secando o rosto com uma toalha.

Da sala contígua, dava para ouvir a voz do Sr. Gopnik conversando alto ao telefone, o que não era comum. Ela não olhou para mim ao falar.

— Me desculpe. É porque meu... — comecei, mas ela já tinha se afastado.

— Ela está surtando por causa do evento de caridade hoje à noite — murmurou Michael, passando por mim com uma pilha de roupas vindas da lavanderia e uma prancheta.

Acessei meu arquivo mental.

— Hospital do Câncer Infantil?

— Exatamente — respondeu ele. — Ela tem que levar um rabisco.

— Um rabisco?

— Um desenhozinho. Em um papel especial. Para ser leiloado no jantar.

— E qual é o problema? Ela pode desenhar uma carinha sorridente, uma flor ou qualquer coisa. Posso fazer se ela quiser. Sei desenhar um ótimo cavalo sorridente. Posso colocar um chapéu nele também, com as orelhas para fora.

Eu ainda estava repleta de Sam e não conseguia ver problema em nada.

Ele me fitou.

— Meu bem. Você acha que "rabisco" significa mesmo um rabisco? Ah, não. Tem que ser arte de verdade.

— Eu tirei B em artes no ensino médio.

— Você é um amor. Não, Louisa, não são elas mesmas que fazem. Pelo visto, todos os artistas daqui até a Brooklyn Bridge passaram o fim de semana criando um lindo e breve estudo com caneta em troca de dinheiro vivo. Ela só descobriu isso ontem à noite. Porque ouviu por acaso duas das Bruxas comentando sobre o assunto antes de sair do clube e, quando Agnes perguntou, elas contaram a verdade. Então adivinha o que você vai fazer hoje? Tenha uma ótima manhã!

Ele me jogou um beijo e seguiu depressa pelo corredor.

Enquanto Agnes tomava uma chuveirada e depois o café da manhã, eu fazia uma busca on-line por "artistas de Nova York". Tinha quase o mesmo efeito de "cães com rabo". Os poucos que tinham site e se davam ao trabalho de atender ao telefone respondiam ao meu pedido como se eu tivesse sugerido que eles andassem pelados em volta do shopping mais próximo.

— Você quer que o Sr. Fischl faça um... *rabisco*? Para um *almoço de caridade*?

Dois bateram o telefone na minha cara. Os artistas, aparentemente, se levavam muito a sério.

Liguei para todo mundo que consegui encontrar. Liguei para galeristas de Chelsea. Liguei para a Academia de Arte de Nova York. O tempo todo eu tentava não pensar no que Sam estaria fazendo. Estaria tomando um delicioso café da manhã reforçado naquela lanchonete sobre a qual havíamos comentado. Estaria caminhando pela High Line, como tínhamos planejado. Eu precisava voltar a tempo de fazermos o passeio de barco antes que ele retornasse para a Inglaterra. Seria romântico ao entardecer. Imaginei o braço dele ao meu redor, nós dois apreciando a Estátua da Liberdade, ele dando um beijo no meu cabelo. Afastei esses pensamentos e pus meu cérebro para trabalhar. E depois pensei na única outra pessoa que eu conhecia em Nova York que talvez pudesse ajudar.

— Josh?
— Quem fala?

O som de um milhão de vozes masculinas atrás dele.

— Aqui quem fala é... Louisa Clark. A gente se conheceu no Baile Amarelo.
— Louisa! Que bom falar com você! Tudo bem? — Ele soava totalmente tranquilo, como se desconhecidas ligassem para ele todos os dias. Provavelmente ligavam. — Só um momento. Vou lá para fora... Então, como vão as coisas?

Josh tem o poder de deixar as pessoas imediatamente à vontade. Fiquei pensando se os americanos já nasciam com esse dom.

— Para falar a verdade, estou numa saia justa e não conheço muitas pessoas em Nova York. Então, pensei que talvez você pudesse me ajudar.

— Diga o que é.

Expliquei a situação, deixando de fora o mau humor de Agnes, sua paranoia e meu pavor absoluto diante do cenário artístico de Nova York.

— Não deve ser muito difícil. Para quando vocês precisam disso?

— Aí é que está o problema. Hoje à noite.

Josh respirou fundo.

— Tuuudo bem. É. Ficou um pouco mais difícil.

Passei a mão no cabelo.

— Eu sei. É loucura. Se eu tivesse ficado sabendo disso antes teria providenciado alguma coisa. Peço mil desculpas por incomodar você.

— Não, não. Vamos dar um jeito. Eu te ligo de volta.

Agnes estava do lado de fora, na sacada, fumando. Parece que, afinal de contas, eu não era a única usando o espaço. Fazia frio, e ela estava enrolada em um enorme xale de caxemira, os dedos que se viam por baixo do tecido suave estavam levemente rosados.

— Fiz várias ligações. Estou esperando que alguém me retorne.

— Sabe o que vão dizer, Louisa? Se eu levar um rabisco idiota?

Esperei.

— Vão dizer que não sou culta. O que se pode esperar de uma massagista polonesa idiota? Ou vão dizer que ninguém quis fazer para mim.

— Ainda é meio-dia e vinte. Temos tempo.

— Não sei por que me dou ao trabalho — disse ela com delicadeza.

Fiquei com vontade de dizer que, tecnicamente falando, não era ela que estava se dando ao trabalho. A única preocupação de Agnes no momento parecia ser Fumar E Ser Ranzinza. Mas eu sabia me colocar no meu lugar. Justo naquela hora meu celular tocou.

— Louisa?

— Josh?

— Acho que conheço alguém que pode ajudar. Pode ir até East Williamsburg?

Vinte minutos mais tarde, estávamos em um carro a caminho do Midtown Tunnel.

Enquanto ficávamos parados no trânsito, Garry impassível e silencioso no banco do motorista, Agnes telefonou para o Sr. Gopnik, preocupada com a saúde dele e suas dores.

— Nathan vai até o escritório? Você tomou um analgésico?... Tem certeza de que está bem, querido? Não quer que eu leve alguma coisa? ... Não... Estou no carro. Tenho que providenciar alguma coisa para hoje à noite. Sim, eu vou. Está tudo bem.

Dava para perceber o tom de voz dele no outro lado da linha. Baixo, tranquilizador.

Ela desligou, olhou pela janela e soltou um longo suspiro. Esperei um pouco e depois comecei a ler minhas anotações.

— Então, parece que esse Steven Lipkott está em ascensão no mundo das artes. Fez exposições em alguns lugares muito importantes. E ele é... — vasculhei as anotações — ...figurativo. Nada abstrato. Então, você só precisa dizer o que quer que ele desenhe, e ele vai fazer. Mas não sei quanto vai custar.

— Não importa — disse Agnes. — Vai ser um desastre.

Peguei o iPad e pesquisei sobre o artista. Aliviada, vi que os desenhos eram realmente lindos: imagens sinuosas do corpo. Passei o iPad para Agnes de modo que ela pudesse ver, e, em um minuto, o humor dela melhorou.

— Isso é bom.

Ela soou quase surpresa.

— Aham. Se você pensar no que quer, podemos pedir para ele desenhar e estaremos em casa por volta das... quatro, talvez?

E aí vou poder sair, acrescentei em silêncio. Enquanto ela passava as imagens na tela, mandei uma mensagem para Sam.

Como você está?

Nada mal. Fiz uma caminhada agradável. Comprei um boné em formato de caneca de cerveja para o Jake. Não ria.

Queria estar com você.

Pausa.

Então, a que horas você acha que vai ser liberada? Imagino que eu tenha que sair para o aeroporto lá pelas sete.

Espero estar livre às quatro. Vamos nos falando. Bjssss

Com o trânsito de Nova York, levamos uma hora para chegar ao endereço que Josh fornecera: um antigo prédio comercial sem graça nos fundos de um quarteirão industrial. Garry parou o carro e deu uma fungada cética.

— Tem certeza de que é o lugar certo? — perguntou, esforçando-se para olhar para trás.

Conferi a localização.

— É o endereço que me deram.

— Vou ficar no carro, Louisa. Vou ligar para o Leonard de novo.

O corredor superior tinha uma fileira de portas, algumas delas abertas, música nas alturas. Caminhei lentamente, verificando os números. Alguns tinham latas de tinta de emulsão branca no lado de fora, e passei por uma porta aberta que revelava uma mulher de calça jeans larga estendendo uma tela sobre uma enorme moldura de madeira.

— Oi! Sabe onde posso encontrar o Steven?

Com um imenso grampeador de metal, a mulher disparou vários grampos na tela.

— Quatorze. Mas acho que ele acabou de sair para comprar comida.

O quatorze ficava nos fundos. Bati, depois empurrei a porta com hesitação e entrei. O estúdio estava cheio de telas, duas mesas enormes cobertas com bandejas de tinta a óleo e lápis pastel usado. As paredes estavam repletas de pinturas belíssimas, de grande formato, retratando mulheres em vários estágios de desnudamento, algumas inacabadas. O ar tinha cheiro de tinta, terebintina e cigarro velho.

— Olá.

Ao me virar, vi um homem segurando uma sacola de plástico branca. Tinha por volta dos trinta anos, traços comuns, mas olhar intenso, barba por fazer no queixo, usando roupas práticas e amarrotadas como se mal tivesse notado o que tinha vestido. Parecia modelo de uma revista de moda particularmente esotérica.

— Oi. Louisa Clark. Falamos ao telefone mais cedo? Bem, nós não falamos... Seu amigo Josh me disse para vir.

— Ah, sim. Você quer comprar um desenho.

— Não exatamente. Precisamos que você faça um desenho. Um pequeno.

Ele se sentou em um tamborete baixo, abriu a embalagem de macarrão chinês e começou a comer, levando-o rapidamente à boca com os hashis.

— É para um evento de caridade. As pessoas fazem esses rab... desenhos pequenos — eu me corrigi. — Aparentemente vários artistas importantes de Nova York estão fazendo para outras pessoas, então...

— Artistas importantes — repetiu ele.

— Bom. É. Aparentemente não é uma coisa para a própria pessoa fazer, e Agnes, para quem eu trabalho, realmente precisa que alguém genial faça um desenho para ela. — Minha voz soava alta e ansiosa. — Quer dizer, não deve tomar muito do seu tempo. Nós... não queremos nada muito elaborado...

Ele estava me encarando e ouvi minha voz diminuir, fina e incerta.

— E nós... podemos pagar. Bastante bem — acrescentei. — E é para caridade.

Ele continuou comendo, os olhos fixos na embalagem de macarrão. Permaneci perto da janela, esperando.

— Entendo — disse ele, quando acabou de mastigar. — Não sou a pessoa certa.

— Mas Josh disse...

— Você quer que eu crie algo para satisfazer o ego de uma mulher que não sabe desenhar e que não quer aparecer na frente das senhoras do clube... — Ele balançou a cabeça. — Você quer que eu desenhe um cartão comemorativo.

— Sr. Lipkott. Por favor. Provavelmente não expliquei muito bem. Eu...
— Você explicou direitinho.
— Mas Josh disse...
— Josh não disse nada sobre cartões comemorativos. Odeio essa merda toda de eventos de caridade.
— Eu também.

Agnes estava na porta. Ela deu um passo à frente e entrou na sala, olhando para baixo para se certificar de que não estava pisando em um dos tubos de tinta ou nos papéis que estavam jogados pelo chão. Estendeu a mão comprida e pálida.

— Agnes Gopnik. Também odeio essas merdas de eventos de caridade.

Steven Lipkott se levantou devagar e então, como se por um impulso remanescente de uma época mais refinada e sobre o qual tivesse pouco controle, estendeu a mão para cumprimentá-la. Ele não conseguia desviar os olhos do rosto dela. Eu havia esquecido que Agnes provocava esse efeito em quem a via pela primeira vez.

— Sr. Lipkott... está correto? Lipkott? Sei que não se trata de uma coisa normal para o senhor. Mas tenho que enfrentar esse evento em uma sala cheia de bruxas. Sabe? Bruxas de verdade. E eu desenho como uma criança de três anos usando luvas. Se eu tiver que ir e mostrar um desenho meu, elas vão zombar de mim mais do que já fazem.

Agnes se sentou e tirou um cigarro da bolsa. Estendeu a mão, pegou um isqueiro que estava em uma das bancadas de pintura e acendeu o cigarro. Steven Lipkott ainda a examinava, os hashis quase caindo das mãos.

— Não sou daqui. Sou uma massagista polonesa. Nenhuma vergonha nisso. Mas não quero dar àquelas bruxas a chance de me esnobarem de novo. Sabe qual é a sensação de ser esnobada pelas pessoas?

Agnes soltou o ar, olhando para Steven, a cabeça inclinada, de modo que a fumaça foi flutuando na direção dele. Acho que ele deve ter inalado.

— Eu... ahn... sim.

— Então é só essa coisinha que estou pedindo. Para me ajudar. Sei que não é a sua, e que você é um artista sério, mas eu realmente preciso de ajuda. E vou pagar muito bem.

A sala ficou em silêncio. O celular vibrou no meu bolso de trás. Tentei ignorar. Eu sabia que não devia me mexer naquele momento. Nós três ficamos paralisados ali por uma eternidade.

— Tudo bem — disse ele finalmente. — Mas com uma condição.
— Pode dizer.
— Vou desenhar você.

Por um minuto ninguém abriu a boca. Agnes ergueu uma sobrancelha e depois deu um tragada lenta no cigarro, os olhos fixos nos dele.
— Eu.
— Não pode ser a primeira vez que pedem isso.
— Por que eu?
— Não banque a ingênua.

Ele então sorriu, e ela manteve a fisionomia séria, como se estivesse decidindo se fora insultada. Seus olhos baixaram para os pés e, quando levantou o rosto, lá estava, seu sorriso discreto, especulativo, um prêmio que ele achava ter conquistado.

Ela amassou o cigarro no chão.
— Quanto tempo vai demorar?

Ele colocou de lado a embalagem de comida e pegou um bloco de papel grosso branco. Talvez apenas eu tenha notado a maneira como a voz de Steven baixou de volume.
— Depende da habilidade da senhora em se manter imóvel.

Alguns minutos depois eu estava de volta no carro. Fechei a porta. Garry estava ouvindo suas fitas.
"Por favor, habla más despacio."
— Pohr fah-VOR, AH-bla má des-PAH-ci-u. — Ele bateu no painel com a palma da mão gorda. — Ah, droga. Vou tentar de novo. AHblamahsdehs PaHciu. — Praticou mais três frases e, então, se voltou para mim. — Ela vai demorar?

Olhei para fora, em direção às janelas opacas do segundo andar.
— Sinceramente, espero que não — respondi.

Agnes finalmente surgiu às 15h45, uma hora e quarenta e cinco minutos depois de Garry e eu termos esgotado nossa conversa, já tão limitada. Depois de assistir a um programa de comédia da TV a cabo baixado no iPad (que ele não ofereceu para compartilhar), Garry tinha cochilado, o queixo repousando no torso saliente enquanto ressonava de leve. Fiquei sentada no banco de trás do carro, me sentindo cada vez mais tensa à medida que os minutos passavam, de tempos em tempos mandando para Sam mensagens que eram variações do mesmo tema: *Ela ainda não voltou. Ainda não está de volta. Pelamordedeus, o que será que ela está fazendo lá?* Ele havia almoçado em uma delicatessenzinha do outro lado da cidade e disse que estava com tanta fome que era capaz de comer quinze cavalos. Parecia bem-humorado, relaxado, e cada palavra que trocávamos me dizia que eu estava no lugar errado, que eu devia estar ao lado dele, me recostando nele, sentindo sua voz ressoar no meu ouvido. Eu tinha começado a odiar Agnes.

E, de repente, lá estava ela, saindo a passos largos do prédio, com um grande sorriso e um pacote plano embaixo do braço.

— Ah, graças a Deus — falei.

Garry acordou com um sobressalto e correu para dar a volta no carro e abrir a porta para ela. Agnes entrou tranquilamente, como se tivesse ficado longe por dois minutos em vez de duas horas. Trouxe consigo os aromas tênues de cigarro e terebintina.

— Precisamos parar no McNally Jackson no caminho de volta. Comprar um papel de embrulho bonito.

— Temos papel de embrulho em...

— Steven me falou de um papel especial feito a mão. Quero embrulhar nesse papel especial. Garry, sabe que lugar é esse? Podemos dar uma passada no SoHo no caminho de volta, está bem?

Ela fez um gesto com a mão.

Afundei no banco, ligeiramente desesperada. Garry deu partida, fazendo a limusine chacoalhar com delicadeza no chão esburacado do estacionamento enquanto voltava para o que ele considerava civilização.

Eram 16h45 quando chegamos à Quinta Avenida. Assim que Agnes desceu do carro, corri para o lado dela, segurando o pacote com o papel especial.

— Agnes, eu... eu estava pensando... aquilo que você tinha dito sobre eu sair cedo hoje...

— Não sei se devo usar o Temperley ou o Badgley Mischka hoje à noite. O que você acha?

Tentei me lembrar dos dois vestidos. Não consegui. Eu estava tentando calcular quanto tempo levaria para chegar até a Times Square, onde Sam estava me esperando.

— O Temperley, acho. Sem dúvida. É perfeito. Agnes. Você se lembra de ter dito que eu poderia sair mais cedo hoje?

— Mas é um azul tão escuro. Não tenho certeza se esse tom de azul fica bem em mim. E os sapatos que combinam me machucam no calcanhar.

— Conversamos na semana passada. Tudo bem por você? Eu realmente gostaria de levar o Sam ao aeroporto para me despedir.

Eu me esforcei para não deixar transparecer a irritação em minha voz.

— Sam?

Ela cumprimentou Ashok com um gesto da cabeça.

— Meu namorado.

Ela refletiu um pouco.

— Humm. Tudo bem. Ah, elas vão ficar tão impressionadas com o desenho. O Steven é genial, sabe? Genial de verdade.

— Então, eu posso ir?

— Claro.

Relaxei os ombros, aliviada. Se eu saísse em dez minutos, podia pegar o metrô para o sul e me encontrar com ele lá pelas cinco e meia. Isso ainda nos daria uma hora e pouco juntos. Melhor do que nada.

As portas do elevador se fecharam atrás de nós. Agnes abriu o estojo de pó compacto e verificou o batom, fazendo beicinho para o espelho.

— Mas talvez você deva ficar só até eu me vestir. Preciso de uma segunda opinião a respeito do Temperley.

Agnes mudou de roupa quatro vezes. Já estava tarde demais para encontrar Sam em Midtown, Times Square ou qualquer outro lugar. Em vez disso, cheguei ao JFK quinze minutos antes que ele tivesse que passar pela segurança. Abri caminho aos empurrões no meio dos outros passageiros até que finalmente o avistei, parado na frente do balcão de embarque, e me atirei pelas portas do aeroporto, batendo nas costas dele.

— Me desculpe. Me desculpe muitíssimo.

Nós nos abraçamos por um minuto.

— O que aconteceu?

— Agnes aconteceu.

— Ela não ia deixar você sair mais cedo? Pensei que ela fosse sua amiga.

— Ela estava totalmente obcecada por esse negócio de obra de arte e foi ficando tudo... Meu Deus, foi enlouquecedor. — Joguei as mãos para o alto. — Afinal de contas, o que é que eu estou fazendo nesse emprego idiota, Sam? Ela me fez esperar porque não conseguia decidir que vestido usar. Pelo menos Will efetivamente precisava de mim.

Ele inclinou a cabeça e encostou a testa na minha.

— Tivemos a manhã de hoje.

Eu o beijei, segurando-o pelo pescoço para conseguir encostar meu corpo no dele. Ficamos ali, de olhos fechados, o aeroporto se mexendo e balançando ao nosso redor.

E então meu celular tocou.

— Estou ignorando — falei, a cabeça no peito dele.

Continuou tocando, insistentemente.

— Pode ser ela.

Ele me afastou com delicadeza.

Deixei escapar um grunhido baixo, depois peguei o celular do bolso de trás e levei ao ouvido.
— Agnes?
— Sou eu, Josh. Só estou ligando para saber como foi hoje.
— Josh! Humm. Ah. Sim, correu tudo bem. Obrigada!
Eu me virei ligeiramente, tapando o outro ouvido. Senti Sam se retesar ao meu lado.
— Então ele fez o desenho para vocês.
— Fez. Ela ficou superfeliz. Muito obrigada por providenciar tudo. Josh, eu estou no meio de uma coisa agora, mas obrigada. Foi mesmo incrivelmente gentil da sua parte.
— Fico contente de ter dado certo. Bem, me ligue, ok? Vamos tomar um café uma hora dessas.
— Claro!
Ao desligar, percebi Sam me observando.
— Josh — disse ele.
Coloquei o celular de volta no bolso.
— O cara que você conheceu no baile.
— É uma longa história.
— Certo.
— Ele me ajudou a arrumar esse desenho para a Agnes hoje. Eu estava desesperada.
— Então você tem o telefone dele.
— É Nova York. Todo mundo tem o telefone de todo mundo.
Ele passou a mão pelo topo da cabeça e se virou.
— Não é nada. De verdade.
Dei um passo na direção dele, puxei-o pela fivela do cinto. Eu sentia o fim de semana me escapando de novo.
— Sam... Sam...
Ele cedeu e colocou os braços em volta de mim. Apoiou o queixo no topo da minha cabeça e moveu a dele de um lado para outro.
— Isso é...
— Eu sei — concordei. — Eu sei que é. Mas amo você e você me ama, e pelo menos conseguimos fazer um pouco do lance de ficar pelados. E foi ótimo, não foi? Esse lance de ficar pelados?
— Por, digamos, cinco minutos.
— Os melhores cinco minutos das quatro últimas semanas. Cinco minutos que vão me manter pelas próximas quatro semanas.
— Só que vão ser sete.

Enfiei as mãos nos bolsos de trás dele.

— Não vamos deixar isso acabar mal. Por favor. Não quero que você vá embora com raiva por causa de um telefonema estúpido de alguém que não significa absolutamente nada para mim.

Como sempre, sua expressão ficou mais branda quando Sam manteve o olhar fixo no meu. Era uma das coisas de que eu gostava nele, o modo como seus traços, tão brutos ao relaxarem, se derretiam quando ele olhava para mim.

— Não estou com raiva de você. Estou com raiva de mim mesmo. E da comida do avião ou do burrito ou seja lá o que for. E dessa sua chefe que parece não conseguir sequer colocar um vestido sozinha.

— Vou voltar no Natal. Por uma semana inteirinha.

Sam franziu a testa. Pegou meu rosto entre as mãos, que eram quentes e ligeiramente ásperas. Ficamos assim por um minuto e depois nos beijamos, e algumas décadas depois ele se endireitou e olhou o painel de voos.

— E agora você tem que ir.

— E agora eu tenho que ir.

Engoli o nó que tinha se formado em minha garganta. Ele me beijou mais uma vez, depois jogou a mala sobre o ombro. Fiquei no saguão, observando por um minuto inteiro o espaço que ele tinha ocupado até ser engolido pela segurança.

Em geral, não sou uma pessoa temperamental. Não sou muito boa em bater portas, ficar de cara amarrada, revirar os olhos. Naquela noite, porém, me comportei como uma nativa mal-encarada e voltei para a cidade abrindo espaço no meio da multidão na plataforma do metrô, cotovelos para fora. Passei o trajeto inteiro conferindo a hora. *Ele está na sala de embarque. Está embarcando. E... foi embora.* No momento previsto para a decolagem do avião, senti alguma coisa afundar dentro de mim e fiquei ainda mais carrancuda. Comprei sushi no caminho para casa e fui andando da estação do metrô até o prédio dos Gopnik. Quando cheguei ao meu quartinho, fiquei sentada encarando o embrulho, depois a parede, e quando percebi que não conseguiria ficar ali sozinha com meus pensamentos, bati na porta de Nathan.

— Entre!

Nathan, de short de surfista e camiseta, assistia a uma partida de futebol americano, segurando uma cerveja. Ele me olhou e ficou aguardando, com um ligeiro atraso, o sinal que as pessoas dão quando estão realmente focadas em outra coisa.

— Posso jantar aqui com você?

Ele desviou o olhar da tela novamente.

— Dia difícil?

Assenti.

— Precisa de um abraço?

Neguei com a cabeça.

— Só um abraço virtual. Se você for bonzinho comigo, provavelmente vou cair no choro.

— Ah. Seu homem voltou para casa, não é?

— Foi um desastre, Nathan. Ele passou mal praticamente o tempo todo e Agnes não me deu a folga que tinha prometido para hoje. Eu mal consegui estar com ele, e, quando realmente consegui, as coisas foram ficando meio... esquisitas entre nós.

Suspirando, Nathan baixou o volume da televisão, então deu um tapinha no lado da cama. Subi nela e coloquei a comida no colo. Eu descobriria mais tarde que manchei a calça de trabalho com molho shoyu. Apoiei a cabeça no ombro dele.

— Relacionamentos à distância são difíceis — afirmou Nathan, como se ele fosse a primeira pessoa a proferir tal coisa. Depois, ainda acrescentou: — Tipo, realmente difíceis.

— Certo.

— Não é apenas o sexo, e o ciúme inevitável...

— Não somos ciumentos.

— Mas ele não é a primeira pessoa para quem você vai contar as coisas. As pequenas coisas do dia a dia. E isso é importante.

Nathan me ofereceu a cerveja. Tomei um grande gole e a devolvi.

— A gente sabia que ia ser difícil. Quer dizer, conversamos sobre tudo isso antes de eu vir. Mas sabe o que está me incomodando mais?

Ele desviou o olhar da tela.

— O quê?

— Agnes sabia o quanto eu queria passar um tempo com Sam. Nós tínhamos conversado sobre o assunto. Era ela que insistia que tínhamos que nos ver, que não podíamos ficar afastados, blá-blá-blá. E aí vai e me obriga a ficar com ela até o último minuto.

— Esse é o seu trabalho, Lou. Eles vêm em primeiro lugar.

— Mas ela sabia como era importante para mim.

— Talvez.

— Era para ela ser minha amiga.

Nathan ergueu uma sobrancelha.

— Lou. Os Traynor não eram patrões normais. Will não era um patrão normal. Nem os Gopnik. Essas pessoas podem agir com gentileza, mas no

final das contas você precisa se lembrar de que é uma relação de poder. Uma transação de negócios. — Ele tomou um grande gole de cerveja. — Sabe o que aconteceu com a última assistente pessoal dos Gopnik? Agnes contou para o Velho Gopnik que a mulher estava falando dela pelas costas, contando segredos. Então eles mandaram a assistente embora. Depois de vinte e dois anos. Demitiram.
— E ela estava?
— Ela estava o quê?
— Contando segredos?
— Não sei. Não é esse o ponto, não é?
Eu não queria contradizê-lo, mas explicar por que Agnes e eu éramos diferentes significaria traí-la. Então eu não disse nada.
Nathan pareceu prestes a dizer algo, mas depois mudou de ideia.
— O que foi?
— Olha... ninguém consegue ter tudo.
— Como assim?
— Este emprego é ótimo, não é? Quer dizer, você pode não achar isso hoje, mas está em uma situação privilegiada no coração de Nova York, com um bom salário e um patrão decente. Você tem oportunidade de ir para todo tipo de lugar fantástico e tem alguns bônus ocasionais. Eles compraram um vestido de baile de quase três mil dólares para você, não foi? Eu viajei até as Bahamas com o Sr. G uns meses atrás. Hotel cinco estrelas, quarto com vista para a praia, o pacote completo. E isso por apenas umas poucas horas de trabalho por dia. Então, temos sorte. Mas, a longo prazo, o preço a pagar por tudo isso pode acabar sendo um relacionamento com uma pessoa cuja vida é completamente diferente e que está a um milhão de quilômetros de distância. Essa é a opção que você faz quando segue em frente.
Eu o encarei.
— Eu só acho que você tem que ser realista sobre essas coisas.
— Não está ajudando, Nathan.
— Estou sendo sincero com você. E, ora, veja pelo lado bom. Soube que você fez uma coisa incrível hoje com a história do desenho. O Sr. G me disse que ficou realmente impressionado.
— Eles gostaram mesmo?
Tentei disfarçar minha satisfação.
— Nossa, cara. De verdade. Eles adoraram. Ela vai deixar aquelas mulheres da caridade de queixo caído.
Eu me inclinei na direção dele, que aumentou o volume da TV novamente.

— Obrigada, Nathan — falei e abri a embalagem de sushi. — Você é um ótimo amigo.

Ele fez uma leve careta.

— É. Esse troço aí de peixe. Alguma chance de você esperar até voltar para o seu quarto?

Fechei a embalagem. Ele estava certo. Ninguém consegue ter tudo.

10

Para: SreSraBernardClark@yahoo.com
De: AbelhaAtarefada@gmail.com

Oi, mãe

Desculpe por não ter respondido antes. Estou muito ocupada aqui! Nunca tenho um momento livre!
Fico feliz que tenha gostado das fotos. Sim, os carpetes são 100% lã, alguns tapetes são de seda, a madeira definitivamente não é compensado, e perguntei a Ilaria: eles mandam lavar as cortinas a seco uma vez por ano enquanto passam um mês nos Hamptons. Os faxineiros são muito competentes, mas Ilaria limpa o chão da cozinha todo dia, porque não confia neles.
Sim, a Sra. Gopnik realmente tem um chuveiro separado da banheira e um closet no quarto de vestir. Ela gosta muito do quarto de vestir e passa muito tempo lá dentro com o celular, falando com a mãe na Polônia. Não tive tempo de contar os sapatos, como você pediu, mas eu diria que são bem mais do que cem pares. Ela guarda todos empilhados em caixas com fotos coladas na frente para saber qual é qual. Quando ganha um sapato novo, faz parte do meu trabalho tirar a foto. Ela tem uma câmera só para isso!
Que bom que o curso de artes correu bem e as aulas de Melhor Comunicação para Casais parecem magníficas, mas diga ao papai que não tem nada a ver com o Negócio do Quarto. Ele me enviou três e-mails esta semana, perguntando se eu acho que ele devia fingir um sopro no coração. Que pena saber que o vovô tem andado doente. Ele continua escondendo os legumes embaixo da mesa? Tem certeza de que você precisa abrir mão do curso noturno? É uma pena.

Bom, tenho que ir. Agnes está me chamando. Vou mandar mais informações sobre o Natal, mas não se preocupe, estarei aí.
Amo você.
Bjs, Louisa

P.S.: Não, não vi o Robert de Niro de novo, mas, sim, se eu vir, sem dúvida vou falar que você gostou muito dele em A Missão.

P.P.S.: Não, juro que não passei tempo nenhum em Angola e não estou precisando urgentemente de uma transferência de dinheiro. Não responda a essas mensagens.

Não sou especialista em depressão. Eu não tinha nem mesmo entendido a minha própria depressão depois da morte de Will. Mas achei o humor de Agnes especialmente difícil de entender. As amigas da minha mãe que sofriam de depressão — e aparentemente havia uma assombrosa quantidade de casos — pareciam derrubadas pela vida, lutando no meio de uma névoa que descia até que não conseguissem ver nenhuma alegria, nenhuma perspectiva de prazer. A depressão obscurece o caminho adiante. Dava para ver na maneira como andavam, os ombros curvados, a boca estanque em estreitas rugas de comiseração. Era como se a tristeza emanasse delas.

Agnes era diferente. Podia ser barulhenta e tagarela um minuto e chorona e furiosa no seguinte. Haviam me contado que ela se sentia isolada, avaliada, carente de aliados. Mas essa situação nem sempre se encaixava. Porque, quanto mais tempo eu passava com ela, mais eu reparava que, na realidade, essas mulheres não a intimidavam: elas a deixavam furiosa. Ela morria de ódio com a injustiça dessa situação e gritava com o Sr. Gopnik; imitava-as com crueldade quando ele dava as costas, ou resmungava com raiva de Kathryn ou Ilaria e seus estratagemas. Era volúvel, uma chama humana de afronta, rosnando sobre *cipa* ou *debil* ou *dziwka* (eu dava um Google nessas palavras nas horas vagas até ficar constrangida).

E então, de repente, tornava-se alguém completamente diferente — uma mulher que desaparecia pelos quartos e chorava baixinho, um rosto tenso e paralisado após um longo telefonema em polonês. A tristeza de Agnes se manifestava em dores de cabeça, que eu nunca tinha certeza se eram reais.

Falei sobre isso com Treena no café com Wi-Fi liberado ao qual eu tinha ido na minha primeira manhã em Nova York. Estávamos usando o áudio do FaceTime, o que, em minha opinião, era melhor do que ficarmos olhando o rosto uma da outra enquanto conversávamos — eu me distraía com a maneira como o meu nariz parecia enorme, ou com o que alguém estava fazendo atrás de mim. Também não queria que ela visse o tamanho dos muffins amanteigados que eu estava comendo.

— Talvez ela seja bipolar — disse Treena.

— É. Eu pesquisei, mas não parece ser o caso. Ela não tem um comportamento maníaco, por assim dizer, só meio... acelerado.

— Não tenho certeza se a depressão é uma doença tamanho único, Lou — comentou minha irmã. — Além do mais, todo mundo nos Estados Unidos não tem alguma coisa de errado? As pessoas não tomam um monte de comprimidos?

— Ao contrário da Inglaterra, onde a mamãe levaria você para um agradável e revigorante passeio.

— Para levantar o ânimo.

Minha irmã deu um risinho.

— Ver as coisas por outro ângulo.

— Passe um pouquinho de batom. Para dar uma iluminada no rosto. Pronto. Quem precisa de todos esses remédios ridículos?

Alguma coisa tinha acontecido com Treena e nossa relação desde que eu me fora. Falávamos ao telefone um dia por semana e, pela primeira vez em nossa vida adulta, ela havia parado de reclamar comigo o tempo todo. Parecia genuinamente interessada em como estava a minha vida, perguntando sobre o trabalho, os lugares que eu tinha visitado e o que faziam as pessoas à minha volta durante o dia todo. Quando eu pedia algum conselho, geralmente ela me dava uma resposta ponderada, ao invés de me chamar de tapada ou de perguntar se eu entendia para que servia o Google.

Ela estava gostando de uma pessoa, segundo me confidenciara duas semanas antes. Haviam tomado uns drinques em um bar hipster em Shoreditch, depois ido a um cinema *pop-up* em Clapton, e Treena tinha ficado nas nuvens durante vários dias depois disso. Minha irmã nas nuvens era uma novidade.

— Como ele é? Já deve dar para você me contar alguma coisa *agora*.

— Ainda não vou contar nada. Toda vez que falo dessas coisas elas dão errado.

— Nem para mim?

— Por enquanto. É... bem. Seja como for. Estou feliz.

— Ah. Então é por isso que você está tão boazinha.

— Como assim?

— Você está *satisfeita*. Achei que era porque finalmente estava aprovando o meu rumo na vida.

Ela riu. Normalmente minha irmã não ria, a não ser que fosse de mim.

— Só acho legal que tudo esteja dando certo. Você está com um ótimo emprego aí nos Estados Unidos. Eu adoro o meu trabalho. Thom e eu estamos curtindo muito a cidade. Sinto como se os horizontes estivessem realmente se abrindo para todos nós.

Era uma afirmação tão improvável de ser feita por Treena que não tive coragem de contar sobre Sam. Conversamos um pouco mais, sobre a mamãe querer trabalhar meio período na escola local, mas não ter aceitado por causa do estado de saúde do vovô, que vinha piorando. Terminei de comer o bolinho e tomar o café e percebi que, embora estivesse interessada, não sentia nem um pouco de saudade de casa.

— Mas você não vai começar a falar com esse maldito e horroroso sotaque desse lado do Atlântico, certo?

— Sou eu, Treen. Isso dificilmente vai mudar — falei, em um maldito e horroroso sotaque deste lado do Atlântico.

— Você é tapada mesmo — disse ela.

— Ah, meu Deus. Você ainda está aqui.

Na hora em que cheguei em casa, a Sra. De Witt estava de saída do prédio, vestindo as luvas embaixo do toldo. Dei um passo para trás, cuidadosamente evitando que os dentes de Dean Martin beliscassem minha perna, e sorri para ela com educação.

— Bom dia, Sra. De Witt. E onde mais eu estaria?

— Achei que a dançarina erótica estoniana já tivesse dispensado você. Fico surpresa que ela não tenha sentido medo de que você fugisse com o velho, como ela fez.

— Não é exatamente o meu jeito de ser, Sra. De Witt — retruquei, em tom alegre.

— Ouvi quando ela ficou gritando no corredor uma noite dessas. Uma algazarra horrível. Pelo menos a outra passou as duas décadas de cara amarrada. Muito mais fácil para os vizinhos.

— Não vou comentar.

Ela balançou a cabeça e se preparou para sair, mas se deteve e olhou para a minha roupa. Eu usava uma saia dourada plissada, meu colete de pele falsa e uma boina vermelha, parecendo um morango gigantesco, que Thom tinha ganhado de presente de Natal dois anos antes e havia se recusado a usar porque era muito de "menininha". Nos meus pés, oxfords de um tom vermelho brilhante, de uma marca boa. Eu os havia comprado na liquidação de uma loja de calçados infantis e, na ocasião, ao perceber que cabiam, comemorei com socos no ar no meio de mães atordoadas e criancinhas aterrorizadas.

— A sua saia.

Olhei para baixo e me preparei para o comentário cruel que estivesse a caminho.

— Eu tinha uma igual, da Biba.

— Esta aqui é Biba! — falei, encantada. — Consegui em um leilão na internet há dois anos. Quatro libras e cinquenta! Só um buraquinho no cós.

— Tenho uma saia idêntica. Eu costumava viajar bastante na década de sessenta. Sempre que ia a Londres passava horas naquela loja. Costumava despachar malas inteiras só de vestidos da Biba para Manhattan. Não tínhamos nada parecido por aqui.

— Que sonho. Já vi em fotos — falei. — Que coisa incrível poder fazer isso. O que a senhora fazia? Quer dizer, por que viajava tanto?

— Eu trabalhava com moda. Para uma revista feminina. Era...

Balançou o corpo para a frente, acometida de um ataque de tosse, e eu esperei enquanto ela recuperava o fôlego.

— Bom. Deixa para lá. Você está com uma aparência bastante correta — disse ela, colocando a mão na parede.

Em seguida, virou-se e saiu mancando rua acima, Dean Martin lançando olhares malignos simultaneamente para mim e para o meio-fio atrás dele.

O restante da semana foi, como Michael descreveria, *interessante*. O apartamento de Tabitha no SoHo estava em obras e por isso, durante uma semana mais ou menos, o nosso se tornou um campo de batalha para uma série de episódios de disputa por território aparentemente invisíveis para o olhar masculino, mas óbvios demais para Agnes. Eu a via falando aos sussurros exaltados com o Sr. Gopnik quando pensava que Tabitha estava fora de alcance.

Ilaria aproveitava seu papel de soldado raso. Ela fez questão de servir os pratos prediletos de Tab — pratos apimentados e carne vermelha —, nada que Agnes comia, e, quando Agnes reclamava, ela alegava não saber de nada. Assegurou-se de lavar a roupa de Tab primeiro que tudo, deixando-a cuidadosamente dobrada em cima da cama, enquanto Agnes, de robe, corria pelo apartamento na tentativa de descobrir o que acontecera com a blusa que tinha planejado usar naquele dia.

À noite, Tab ficava na sala de estar enquanto Agnes estava ao telefone com a mãe, na Polônia. Ela cantarolava alto, rolando páginas no iPad, até que Agnes, em uma raiva silenciosa, se levantasse e batesse em retirada para seu quarto de vestir. De vez em quando, Tab convidava amigas e elas ocupavam a cozinha ou a sala de televisão, um bando de vozes barulhentas, fofocando, rindo, uma roda de cabeças louras que ficava em silêncio se por acaso Agnes passasse por perto.

— É a casa dela também, meu bem — dizia o Sr. Gopnik suavemente, quando Agnes protestava. — Ela cresceu aqui.
— Ela me trata como se eu fosse um acessório temporário.
— Com o tempo ela vai se acostumar com você. Ela ainda é uma criança em vários sentidos.
— Ela tem *vinte e quatro* anos.

Agnes emitia uma espécie de rosnado, um som que eu tinha certeza de que nenhuma mulher inglesa jamais saberia fazer (tentei algumas vezes), e jogava as mãos para o alto, exasperada. Michael passava por mim, o rosto impassível, os olhos encarando os meus para indicar uma solidariedade muda.

Agnes me pediu para enviar por FedEx um pacote para a Polônia. Ela queria pagar em dinheiro e ficar com o recibo. A caixa era grande, quadrada e não muito pesada, e falamos sobre isso no seu escritório, que ela passara a trancar, para desgosto de Ilaria.
— O que é?
— Só um presente para a minha mãe.

Fez um gesto com a mão.
— Mas Leonard acha que gasto demais com a minha família e por isso não quero que ele saiba tudo o que eu mando.

Carreguei o pacote até a agência da FedEx na West 57th e esperei na fila. Quando preenchi o formulário, o funcionário perguntou:
— Qual é o conteúdo? Para a Alfândega.

Percebi então que não sabia. Mandei uma mensagem para Agnes, que respondeu rápido: *Diga apenas que são presentes para a família.*
— Mas que tipo de presente, senhorita? — perguntou o homem, com ar cansado.

Mandei outra mensagem. Ouvi claramente alguém suspirar na fila, atrás de mim.

Tchotchkes.

Encarei a mensagem. Depois ergui o telefone.
— Desculpe. Não consigo pronunciar isso.

Ele olhou.
— É, senhorita. Isso não ajudou nada.

Falei de novo com Agnes, que respondeu:
Diga para ele se meter com a própria vida! Que intromissão dele querer saber o que estou mandando para a minha mãe!

Enfiei o celular no bolso.

— Ela disse que são cosméticos, um pulôver e alguns DVDs.
— Valor?
— Cento e oitenta e cinco dólares e cinquenta e dois centavos.
— Até que enfim — murmurou o funcionário do FedEx.

Entreguei o dinheiro e esperei que ninguém visse meus dedos cruzados na outra mão.

Na tarde de sexta-feira, quando começou a aula de piano de Agnes, fui para o meu quarto e liguei para Sam. Enquanto digitava os números, senti o familiar estremecimento de animação apenas com a perspectiva de ouvir a voz dele. Alguns dias eu sentia tanta saudade dele que chegava a doer. Sentei e fiquei esperando enquanto chamava.

E uma mulher atendeu.

— Alô?

Era articulada, a voz ligeiramente rouca no fim das sílabas, como se tivesse fumado vários cigarros.

— Ah, me desculpe. Devo ter ligado para o número errado.

Rapidamente tirei o fone do ouvido e encarei a tela.

— Com quem você quer falar?
— Sam? Sam Fielding?
— Ele está no banho. Só um segundo, vou chamar.

A mulher tapou o bocal com a mão e gritou o nome dele, a voz um pouco abafada. Fiquei completamente imóvel. Não havia mulheres jovens na família de Sam.

— Ele já vem — disse ela depois de um minuto. — Quem está falando?
— Louisa.
— Ah. Ok.

Telefonemas de longa distância podem deixar você estranhamente sintonizada com ligeiras variações no tom e na ênfase, e alguma coisa naquele "Ah" me deixou pouco à vontade. Eu estava prestes a perguntar com quem eu estava falando quando Sam atendeu.

— Oi!
— Oi!

O 'oi' saiu de uma forma esquisita, meio quebrada, já que minha boca tinha ficado seca de repente, e tive que repetir.

— O que aconteceu?
— Nada! Quer dizer, nada urgente. Eu... eu só, sabe, queria ouvir sua voz.
— Só um segundo, vou fechar a porta.

Eu podia visualizá-lo no pequeno vagão, fechando a porta do quarto. Quando voltou, sua voz soava alegre, bem diferente da última vez que nos falamos.

— Então, como vão as coisas? Tudo bem com você? Que horas são aí?
— Passa das duas. Huuum, quem era aquela?
— Ah. É a Katie.
— Katie.
— Katie Ingram. Minha nova parceira.
— Ah, sim, Katie! Sei! Então... Hum... o que ela está fazendo na sua casa?
— Ah, ela só está me dando uma carona para o bota-fora da Donna. A moto está na oficina. Problema com o escapamento.
— Então, ela está realmente cuidando de você!

Fiquei imaginando, distraída, se ele estaria enrolado em uma toalha.

— É. Ela mora logo aqui no final da rua, então faz todo o sentido.

Sam disse isso com a neutralidade casual de alguém que sabia que havia duas mulheres o escutando.

— Então, para onde vocês todos vão?
— Aquele lugar de tapas em Hackney. O que era uma igreja antigamente. Não tenho certeza se nós já fomos lá.
— Uma igreja! Ha-ha-ha! Então, vocês todos vão ter que se comportar muito bem!

Eu ri, alto demais.

— Um bando de paramédicos em noite de folga? Duvido muito.

Houve um breve silêncio. Tentei ignorar meu estômago revirando. A voz de Sam ficou mais suave:

— Tem certeza de que está bem? Você parece um pouco...
— Estou bem! Super! Já disse. Só queria ouvir a sua voz.
— Meu amor, é ótimo falar com você, mas preciso ir. Katie fez o maior favor me dando carona, e nós já estamos atrasados.
— Tudo bem! Bom, tenha uma ótima noite! Não faça nada que eu não faria! — Eu estava falando com pontos de exclamação. — E mande um beijo para Donna!
— Vou mandar. A gente se fala em breve.
— Amo você.

Soou mais lamentoso do que eu pretendia.

— Me escreva!
— Ah, Lou... — disse ele

E aí desligou. Fiquei encarando a tela do celular em um quarto para lá de silencioso.

* * *

Organizei uma sessão privada de um filme novo, em uma pequena sala de cinema, para as esposas dos sócios do Sr. Gopnik e providenciei os petiscos que seriam servidos. Questionei uma cobrança da floricultura por flores que não tinham sido entregues, depois corri até a Sephora e comprei dois frascos de esmalte que Agnes tinha visto na *Vogue* e queria levar para o campo.

Dois minutos depois de terminar meu horário e os Gopnik terem partido para a viagem de fim de semana, eu disse "não, obrigada" quando Ilaria me ofereceu as sobras de almôndega e corri para o quarto.

Então fiz uma coisa idiota. Procurei o nome dela no Facebook.

Não levou mais de quarenta minutos para filtrar a Katie Ingram certa das outras centenas de possibilidades. O perfil dela não estava bloqueado e tinha o logotipo do NHS, o serviço de saúde. A descrição profissional dizia: "Paramédica: Amo Meu Trabalho!!!" O cabelo podia ser ruivo ou louro-avermelhado, era difícil dizer pelas fotos, e tinha possivelmente vinte e tantos anos, era bonita com um nariz arrebitado. Nas primeiras trinta fotos que tinha postado, aparecia rindo com os amigos, congelada no meio da Good Times. Ficava irritantemente bem de biquíni (da Skiathos, de 2014!! Muito divertido!!!!), tinha um cachorrinho peludo, uma queda por sapatos de salto vertiginosamente alto e uma melhor amiga com cabelo comprido escuro que gostava de beijar a bochecha dela nas fotos (por um tempo alimentei a esperança de que ela fosse gay, mas ela fazia parte de um grupo do Facebook chamado *Levanta a mão quem secretamente está adorando ver o Brad Pitt solteiro de novo!!*).

Seu "estado civil" estava marcado como solteira.

Rolei pelas publicações, secretamente me odiando por fazer isso, mas incapaz de me controlar. Examinei as fotos, tentando encontrar alguma onde ela parecesse gorda ou carrancuda ou talvez vítima de alguma terrível doença de pele escamosa. Cliquei várias vezes. E, quando eu estava prestes a fechar o notebook, parei. Lá estava, postada três semanas antes. Katie Ingram em um dia claro de inverno, em seu uniforme verde-escuro, a mochila orgulhosamente aos pés, diante de um estacionamento de ambulância na parte leste de Londres. Dessa vez, seu braço estava em volta de Sam, também de uniforme, de pé, braços cruzados, sorrindo para a câmera.

"Melhor parceiro do MUNDO", era a legenda. "Amando meu novo emprego!"

Logo embaixo, sua amiga de cabelo escuro havia comentado: "Imagino por quê...?!" e acrescentou uma carinha dando uma piscadela.

* * *

Eis o que acontece com o ciúme. Não é bonito de ver. E a sua parte racional sabe o motivo. Você não é ciumenta! Esse tipo de mulher é horrível! E não faz sentido! Se alguém gostar de você, vai ficar com você; e se não gostar o suficiente para ficar com você, então não vale a pena ficar com ele. Você sabe disso, pois é uma mulher madura e sensata de vinte e oito anos. Já leu os artigos de autoajuda. Já assistiu ao *Dr. Phil.*

No entanto, quando você mora a mais de cinco mil quilômetros do seu namorado paramédico lindo, fofo e sexy, e ele tem uma parceira nova que soa e parece a Pussy Galore — uma mulher que passa pelo menos doze horas por dia intimamente próxima do homem que você ama, um homem que já confessou como tem achado difícil estar fisicamente longe —, então a sua parte racional é esmagada pelo monstro gigantesco e acachapante que é o seu lado irracional.

Independentemente do que eu fizesse, eu não conseguia esquecer a imagem dos dois. Como um negativo em preto e branco, ela ficou alojada em algum lugar atrás dos meus olhos, me assombrando: o braço dela, ligeiramente bronzeado, ao redor da cintura dele, seus dedos apoiados de leve no cós do uniforme dele. Será que os dois estavam lado a lado em um happy hour, ela o cutucando por causa de alguma piadinha interna? Seria Katie o tipo de mulher extremamente afetuosa que estende a mão e toca no braço do cara para enfatizar algo? Será que ela tem um perfume bom, de modo que todo dia, quando ele vai embora, fica com a sensação indefinível de que alguma coisa está faltando?

Eu sabia que esse era o caminho para a loucura, mas não consegui me conter. Pensei em ligar para ele, mas não tem nada mais típico de uma namorada insegura e perseguidora do que ligar às quatro da manhã. Meus pensamentos zumbiam e giravam, formando uma grande nuvem tóxica. E eu me odiava por causa deles. E eles zumbiam e pioravam ainda mais.

— Ah, seu parceiro não poderia ser um cara de meia-idade e simpático? — murmurei para o teto.

E, em algum momento da madrugada, finalmente adormeci.

Na segunda-feira, nós corremos (só parei uma vez), depois fomos até a Macy's e compramos um monte de roupas para a sobrinha pequena de Agnes. Desta vez, quando fui ao escritório da FedEx enviar o pacote para a Cracóvia, eu estava segura quanto ao conteúdo.

No almoço, Agnes me contou sobre a irmã: ela se casara jovem demais com o gerente de uma cervejaria local, que a tratava de modo pouco respeitoso, e ela agora se sentia tão oprimida e imprestável que Agnes não conseguia convencê-la a deixá-lo.

— Todo dia ela chora com a minha mãe por causa das coisas que ele diz. Que ela está gorda ou feia ou que ele podia ter conseguido coisa melhor. Aquele mau-caráter fedorento de merda. Um cachorro nem sequer ia mijar na perna dele, mesmo que tivesse bebido cem baldes de água.

Seu objetivo máximo, confidenciou, comendo a salada de acelga e beterraba, era trazer a irmã para Nova York, para longe daquele homem.

— Acho que consigo convencer o Leonard a dar um emprego a ela. Talvez como secretária no escritório dele. Ou, melhor, como empregada lá em casa! Então, podíamos nos livrar da Ilaria! Minha irmã é muito boa, sabe. Muito meticulosa. Mas ela não quer sair da Cracóvia.

— Talvez ela não queira interromper os estudos da filha. Minha irmã ficou muito nervosa quando levou Thom para Londres — falei.

— Humm — foi a resposta de Agnes.

Mas eu percebi que ela não considerava isso um obstáculo. Fiquei pensando se as pessoas ricas não veem obstáculos em nada.

Não fazia nem meia hora que tínhamos retornado quando ela olhou o telefone e anunciou que iríamos para East Williamsburg.

— O artista? Mas achei...

— Steven está me ensinando a desenhar. Aulas de desenho.

Pisquei.

— Tudo bem.

— É uma surpresa para o Leonard, então não fale nada.

Ela não olhou para mim durante todo o trajeto.

— Você está atrasada — disse Nathan quando cheguei em casa.

Ele estava saindo para jogar basquete com alguns amigos da academia, uma bolsa de apetrechos no ombro e o capuz do moletom na cabeça.

— Estou.

Deixei minha bolsa tombar e enchi uma chaleira. Tirei uma embalagem de macarrão japonês do saco plástico e o coloquei na bancada.

— Foi a algum lugar interessante?

Hesitei.

— Só... aqui e ali. Sabe como ela é.

Liguei a chaleira.

— Você está bem?

— Estou ótima.

Senti o olhar dele fixo em mim até eu me virar e forçar um sorriso. Então ele deu uns tapinhas nas minhas costas e se virou para sair.

— Um dia daqueles, não é?

Um dia daqueles mesmo. Fiquei encarando a bancada da cozinha. Não sabia o que dizer a ele. Não sabia como explicar as duas horas e meia que eu e Garry havíamos esperado por ela no carro, olhando várias vezes para a luz na janela escura e depois de volta para o celular. Após uma hora, Garry, cansado de suas fitas de aula de idiomas, mandou uma mensagem para Agnes dizendo que um funcionário do estacionamento avisou que ele precisava sair e que ela deveria mandar uma mensagem quando quisesse ir embora, mas ela não respondeu. Demos uma volta no quarteirão e ele abasteceu o carro; depois sugeriu que tomássemos um café.

— Ela não disse quanto tempo ia demorar. Isso em geral significa que vai demorar pelo menos duas horas.

— Isso já aconteceu antes?

— A Sra. G faz o que quer.

Ele comprou um café em uma lanchonete quase vazia, onde o cardápio laminado trazia fotos mal-iluminadas de cada prato, e ficamos sentados quase em silêncio, cada um monitorando o próprio celular à espera de um chamado dela, enquanto assistia ao entardecer de Williamsburg se tornar aos poucos uma noite iluminada por neon. Eu havia me mudado para a cidade mais emocionante do planeta; mas, alguns dias, sentia que minha vida tinha encolhido: da limusine para o apartamento; do apartamento de volta para a limusine.

— Você trabalha para os Gopnik há muito tempo?

Garry lentamente misturou dois pacotinhos de açúcar no café, apertando as embalagens com o punho gordo.

— Um ano e meio.

— Para quem você trabalhava antes?

— Outra pessoa.

Tomei um gole do café, que estava surpreendentemente bom.

— Você não se importa?

Ele me olhou por debaixo das sobrancelhas grossas.

— De passar o tempo assim? — esclareci. — Quer dizer... ela faz muito isso?

Ele continuou mexendo o café e voltou o olhar para a xícara.

— Garota — disse, depois de um minuto. — Não quero ser grosseiro. Mas dá para perceber que você não está há muito tempo nesse tipo de trabalho, e você vai durar muito mais se não fizer perguntas. — Ele se recostou na cadeira, sua barriga volumosa se espalhando devagar. — Sou o motorista. Estou aqui quando precisam de mim. Falo quando falam comigo. Não vejo nada, não ouço nada, esqueço tudo. É por isso que estou neste ramo há trinta e dois anos e foi por isso que mandei dois filhos ingratos para a universidade. Em dois anos e meio, me aposento e me mudo para minha casa de praia na Costa Rica. É assim que se faz.

Ele limpou o nariz com um guardanapo de papel, fazendo a papada vibrar.

— Entendeu?

— Não ver nada, não ouvir nada...

— ... esquecer tudo. Já entendeu. Quer um donut? Fazem uns donuts gostosos aqui. Saem fresquinhos o dia todo.

Ele se levantou e andou pesadamente até o balcão. Quando voltou, não me disse mais nada, apenas assentiu, satisfeito, quando eu falei que, sim, os donuts eram mesmo muito bons.

Agnes não disse nada quando se juntou a nós de novo. Após alguns minutos, perguntou:

— Leonard ligou? Sem querer desliguei meu telefone.

— Não.

— Ele deve estar no escritório. Vou ligar para ele. — Ela arrumou o cabelo e depois se recostou no assento. — Foi uma aula ótima. Sinto que estou aprendendo muitas coisas. Steven é um artista muito bom — comentou.

Só quando estávamos a meio caminho de casa percebi que ela não tinha trazido nenhum desenho.

11

Querido Thom,

Estou mandando um boné porque Nathan e eu fomos a um jogo de beisebol de verdade ontem, e todos os jogadores usavam boné (na realidade usavam capacetes, mas essa é a versão tradicional). Comprei um para você e outro para alguém que eu conheço. Peça para a sua mãe tirar uma foto de você com o boné para eu pendurar na minha parede!

Não, acho que não tem nenhum caubói nesta parte dos Estados Unidos, infelizmente. Mas hoje vou a um clube de campo e vou ficar de olho para o caso de aparecer algum caubói cavalgando. Obrigada pelo desenho muito bonito do meu popô e meu cachorro imaginário. Eu não tinha percebido que meu bumbum ficava com aquele tom de roxo embaixo da calça, mas vou levar isso em conta se algum dia for passear pelada pela Estátua da Liberdade, como está no desenho.

Talvez a sua versão de Nova York seja ainda mais emocionante do que a cidade de verdade.

Com amor.
Bjs, Tia Lou

O clube Grand Pines se estendia por quilômetros de uma área exuberante, com árvores e campos em ondulações tão perfeitas e em tonalidades tão vivas de verde que pareciam saídos da imaginação de um menino de sete anos pintando com giz de cera.

Em um dia fresco e de céu aberto, Garry nos levou devagar pelo longo caminho, e, quando o carro parou diante do extenso prédio branco, um jovem de uniforme azul-claro se adiantou e abriu a porta de Agnes.

— Bom dia, Sra. Gopnik. Como vai a senhora?
— Muito bem, obrigada, Randy. E você, como está?

— Não podia estar melhor, madame. Lá dentro já está enchendo. Grande dia!

Como o Sr. Gopnik tinha ficado preso no trabalho, coube a Agnes entregar a Mary, uma das funcionárias antigas do clube, um presente pela aposentadoria. Durante a maior parte da semana, Agnes deixara claro como se sentia por ter que fazer isso. Ela detestava o clube. Os amigos da ex-Sra. Gopnik estariam lá. E Agnes detestava falar em público. Ela não conseguiria fazer aquilo sem Leonard. No entanto, dessa vez ele foi irredutível. *Isso vai ajudá-la a tomar posse do seu espaço, querida. E Louisa estará lá com você.*

Ensaiamos o discurso dela e traçamos um plano. Chegaríamos ao Grande Salão o mais tarde possível, no último minuto antes de as entradas serem servidas para que pudéssemos nos sentar nos desculpando, culpando o trânsito de Manhattan. Às duas da tarde, depois do café, Mary Lander, a aposentada em questão, ficaria de pé, e algumas pessoas fariam comentários gentis sobre ela. Então Agnes se levantaria, pediria desculpas pela ausência inevitável do Sr. Gopnik e diria mais algumas palavras agradáveis sobre Mary antes de lhe entregar o presente de aposentadoria. Permaneceríamos por mais uma meia hora diplomática e depois iríamos embora, alegando assuntos importantes a resolver na cidade.

— Esse vestido está bom?

Ela estava com um conjunto inusitadamente conservador: um vestido reto fúcsia com um bolero mais claro de manga curta e colar de pérolas. Não era seu estilo habitual, porém compreendi que ela precisava se sentir dentro de uma armadura.

— Está perfeito.

Ela respirou fundo e eu sorri para lhe incentivar um pouco. Então Agnes agarrou a minha mão e a apertou.

— Vamos entrar lá e logo depois sair — falei. — Não tem nada de mais.

— Dois grandes dane-se — murmurou ela, dando um leve sorriso.

A construção em si era clara e espaçosa, pintada de creme, com imensos vasos de plantas e reproduções de móveis antigos por toda parte. Os corredores revestidos de carvalho, os retratos dos fundadores nas paredes e os funcionários silenciosos transitando de um cômodo para outro eram acompanhados pelo burburinho abafado de conversas em voz baixa e pelo tilintar ocasional de um copo ou uma xícara de café. Tudo era lindo de se ver e toda necessidade parecia ser prontamente atendida.

O Grande Salão estava cheio, com cerca de sessenta mesas redondas decoradas com elegância, repletas de mulheres bem-vestidas, conversando por cima de copos de água mineral sem gás ou ponche. Os cabelos seguiam o mesmo padrão — todas as mulheres tinham feito escova — e o traje adotado era dispendiosamente elegante — vestidos bem-cortados com jaquetas *bouclé* ou peças separadas combinadas com esmero. O ar estava pesado com a mistura inebriante de perfumes. Em algumas mesas, havia um homem solitário rodeado de mulheres, porém eles pareciam estranhamente assexuados em uma sala com uma presença feminina tão predominante.

Para um observador distraído — ou talvez um homem comum —, quase nada pareceria fora de lugar: movimentos suaves de cabeça, uma redução no barulho conforme passamos, um ligeiro franzir de lábios. Eu estava andando atrás de Agnes, que estancou de repente, fazendo com que eu quase batesse em suas costas. Então vi a disposição da mesa: Tabitha, um jovem, um homem mais velho, duas mulheres que não reconheci e, ao meu lado, uma mulher mais velha, que ergueu a cabeça e fuzilou Agnes com o olhar. Quando o garçom se adiantou e puxou a cadeira, Agnes se sentou de frente para o Alerta Roxo em pessoa, Kathryn Gopnik.

— Boa tarde — cumprimentou Agnes de forma abrangente, a todos na mesa, conseguindo não olhar para a primeira Sra. Gopnik.

— Boa tarde, Sra. Gopnik — respondeu o homem sentado ao meu lado.

— Sr. Henry — retribuiu Agnes, com um sorriso hesitante. — Tab. Você não contou que viria hoje.

— Não sabia que tínhamos que informar a você todos os nossos passos. Nós temos, Agnes? — provocou Tabitha.

— E você, quem é?

O cavalheiro mais velho à minha direita se virou para mim. Quase respondi que era uma amiga de Agnes de Londres, mas percebi que isso seria impossível.

— Sou Louisa — respondi. — Louisa Clark.

— Emmett Henry — disse ele, estendendo a mão enrugada. — Encantado em conhecê-la. Esse sotaque é inglês?

— É, sim.

Olhei para cima para agradecer ao garçom que me servia água.

— Que encantador. E você está aqui a passeio?

— Louisa trabalha como assistente de Agnes, Emmett.

A voz de Tabitha se elevou na mesa.

— Agnes criou o extraordinário hábito de trazer os funcionários para eventos sociais.

Minhas bochechas coraram. Senti o peso da análise minuciosa de Kathryn Gopnik, junto com os olhares do restante da mesa.

Emmett refletiu por um instante.

— Bem, sabe, minha Dora levava Libby, a enfermeira, a absolutamente todos os lugares nos seus dez últimos anos. A restaurantes, ao teatro, aonde quer que nós fôssemos. Ela dizia que a velha Libby era uma interlocutora melhor do que eu.

Ele deu um tapinha na minha mão e soltou um risinho, e várias pessoas na mesa amavelmente fizeram o mesmo.

— Ouso dizer que ela estava certa.

E assim fui salva da condenação social por um homem de oitenta e seis anos. Emmett Henry conversou comigo enquanto comíamos a entrada de camarão, contando-me sobre sua longa sociedade no clube, os anos em que atuou como advogado em Manhattan, a aposentadoria passada em uma instituição para idosos perto dali.

— Eu venho aqui todos os dias, sabe. Me mantém ativo, e sempre tem gente com quem conversar. É minha casa fora de casa.

— É lindo — elogiei, olhando para trás. Na mesma hora várias cabeças viraram para o outro lado. — Entendo por que o senhor gosta de vir aqui.

Por fora, Agnes parecia serena, porém percebi que suas mãos tremiam de leve.

— Ah, este é um prédio histórico, querida. — Emmett indicou o lado da sala onde havia uma placa. — Foi construído em... — disse, fazendo uma pausa para causar impacto; então pronunciou devagar: — 1937.

Não quis contar a ele que na nossa rua na Inglaterra havia uma habitação social ainda mais antiga. Acho que minha mãe até tinha um par de meias mais velhas do que isso. Assenti, sorri, comi meu frango com cogumelos selvagens e tentei pensar em alguma maneira de me aproximar de Agnes, que estava claramente infeliz.

A refeição se arrastou. Emmett me contou histórias intermináveis sobre o clube e coisas divertidas ditas e feitas por pessoas de quem eu nunca ouvira falar, e de vez em quando Agnes erguia o olhar e eu sorria para ela, mas era perceptível que ela estava mal. As pessoas espiavam a nossa mesa e cochichavam. *As duas Sras. Gopnik sentadas a centímetros de distância uma da outra! Dá para imaginar?!* Depois do prato principal, pedi licença e me levantei.

— Agnes, você se importaria de me mostrar onde fica o toalete? — perguntei.

Achei que mesmo dez minutos longe daquela sala já ajudariam.

Antes que ela pudesse responder, Kathryn Gopnik colocou o guardanapo na mesa e se virou para mim.

— Eu mostro, querida. Estou indo na mesma direção.

Ela pegou a bolsa e parou do meu lado, aguardando. Olhei para Agnes, mas ela não se mexeu. Depois fez que sim com a cabeça.

— Vá. Eu vou... terminar meu frango — disse ela.

Segui Kathryn entre as mesas do Grande Salão até o corredor, com os pensamentos frenéticos. Atravessamos o corredor acarpetado, eu alguns passos atrás dela, e paramos diante do toalete. Ela abriu a porta de mogno e recuou um passo, me dando passagem.

— Obrigada — murmurei, e entrei em uma cabine.

Eu nem estava com vontade de fazer xixi. Sentei no vaso: se eu ficasse lá um bom tempo, talvez ela fosse embora antes de eu sair da cabine, mas, quando saí, vi que estava em frente às pias, retocando o batom. Ela olhou para mim enquanto eu lavava as mãos.

— Então você mora na minha antiga casa — comentou.

— Moro.

Não havia muito sentido em mentir. Ela franziu os lábios e então, satisfeita, guardou o batom.

— Tudo isso deve ser muito constrangedor para você.

— Só estou fazendo o meu trabalho.

— Hum.

Ela pegou uma escova pequena na bolsa e a passou de leve no cabelo. Fiquei na dúvida se seria grosseiro sair do banheiro sozinha e se a etiqueta pregava que eu também deveria voltar para a mesa com ela. Enxuguei as mãos e me inclinei em direção ao espelho, vendo se o rímel tinha borrado para poder enrolar o máximo possível.

— Como está o meu marido?

Pisquei.

— Leonard. Como ele está? — insistiu ela. — Com certeza não será nenhuma grande traição você me contar como ele está.

O reflexo dela me encarava.

— Eu... eu não o vejo muito. Mas ele parece estar bem.

— Fiquei me perguntando por que ele não veio. Se a artrite piorou de novo.

— Ah. Não. Acho que ele tinha um compromisso de trabalho hoje.

— Um "compromisso de trabalho". Bem, acho que isso é uma boa notícia, afinal de contas.

Kathryn guardou a escova com cuidado na bolsa e tirou um pó compacto. Deu duas batidinhas em cada lado do nariz e o fechou. Eu estava ficando sem ter o que fazer. Vasculhei minha bolsa, tentando lembrar se tinha trazido pó compacto. E então Kathryn se virou para me encarar.

— Ele está feliz?

— Perdão?

— Eu fiz uma pergunta direta.

Meu coração disparou, golpeando freneticamente as minhas costelas.

Sua voz era suave, tranquila.

— Tab não conversa comigo sobre ele. Ela ainda está bem zangada com o pai, apesar de ser louca por ele. Sempre foi a princesinha do pai. Então acho que ela não conseguiria me falar o que realmente está acontecendo.

— Sra. Gopnik, com todo o respeito, não acho que seja meu papel...

Ela virou o rosto.

— Não. Acho que não é.

Kathryn guardou o pó compacto na bolsa.

— Sei bem o que devem ter falado de mim para você, Srta...

— Clark.

— Srta. Clark. Também sei que você tem consciência de que a vida raramente é preto no branco.

— Eu tenho. — Engoli em seco. — E também sei que Agnes é uma boa pessoa. Inteligente. Gentil. Culta. Ela não está dando o golpe do baú. Como a senhora disse, essas coisas raramente são preto no branco.

Seus olhos encontraram os meus pelo espelho. Ficamos imóveis por mais alguns segundos, depois ela fechou a bolsa e, após uma longa conferida no próprio reflexo, deu um sorriso forçado.

— Fico feliz que Leonard esteja bem.

Voltamos para a mesa quando os pratos tinham acabado de ser retirados. Ela não dirigiu mais a palavra a mim pelo restante da tarde.

As sobremesas foram servidas junto com o café, a conversa diminuiu e o almoço foi chegando ao fim. Várias idosas receberam ajuda para ir ao toalete, com os andadores abrindo caminho em meio aos delicados movimentos de pernas de cadeiras. O homem de terno subiu no pequeno palco, suando um pouco no colarinho, agradeceu a todos pela presença, depois disse algumas palavras sobre os próximos eventos no clube, incluindo uma noite de caridade dali a duas semanas, cujos lugares já estavam todos vendidos (uma salva de palmas celebrou essa notícia). Por fim, disse que eles tinham um anúncio a fazer e indicou a nossa mesa com a cabeça.

Agnes respirou fundo e se levantou, atraindo o olhar de todos. Foi até o palco e assumiu o lugar do gerente ao microfone. Agnes esperou ele trazer para a frente do salão uma afro-americana idosa vestindo um terno preto. A mulher balançava as mãos, como se todos estivessem fazendo um alarde desnecessário. Agnes sorriu para ela, respirou fundo, como eu havia pedido, depois colocou os dois cartões cuidadosamente no suporte e começou a falar, com a voz clara e determinada.

— Boa tarde a todos. Obrigada por virem hoje e obrigada a toda a equipe de funcionários por um almoço tão delicioso.

A voz dela estava perfeitamente modulada, as palavras polidas como joias após horas de ensaio na semana anterior. Houve um murmúrio de aprovação. Dei uma espiada em Kathryn, cuja expressão estava indistinguível.

— Como muitos de vocês sabem, hoje é o último dia de Mary Lander no clube. Gostaríamos de desejar a ela uma aposentadoria muito feliz. Leonard me pediu para lhe dizer, Mary, que ele sente demais não ter podido vir hoje. Ele é grato por tudo o que você fez pelo clube e sabe que todos aqui se sentem da mesma forma. — Ela fez uma pausa, como eu havia pedido. O salão estava em silêncio e o rosto das mulheres, atento. — Mary começou a trabalhar aqui no Grand Pines em 1967 como ajudante de cozinha e cresceu até se tornar assistente da gerência. Todos aqui apreciaram muito a sua companhia e seu trabalho árduo ao longo dos anos, Mary, e vamos sentir muito a sua falta. Nós, e os outros membros deste clube, gostaríamos de lhe oferecer um pequeno símbolo da nossa gratidão e sinceramente esperamos que a sua aposentadoria seja o mais prazerosa possível.

Houve uma educada salva de palmas e deram a Agnes uma escultura de vidro em formato de pergaminho com o nome de Mary gravado. Ela a entregou à mulher mais velha, sorrindo, e ficou imóvel enquanto tiravam fotos. Depois foi para a ponta da plataforma e voltou para a nossa mesa, com o rosto reluzindo de alívio por deixar os holofotes. Observei Mary sorrir para mais fotos, dessa vez com o gerente. Eu estava prestes a me inclinar na direção de Agnes para parabenizá-la quando Kathryn se levantou.

— Na verdade — começou ela, a voz interrompendo o burburinho —, eu gostaria de dizer algumas palavras.

Sob o olhar de todos, Kathryn foi ao palco, onde passou pelo suporte. Pegou o presente das mãos de Mary e o entregou ao gerente. Depois envolveu as mãos de Mary com as suas.

— Ah, Mary — disse, se virando para que as duas ficassem voltadas para a plateia. — Mary, Mary, Mary. Que *querida* você tem sido.

Houve uma espontânea explosão de aplausos no salão. Kathryn aquiesceu, aguardando o fim do barulho.

— Ao longo dos anos, minha filha cresceu com você tomando conta dela, e de nós, durante as centenas, não... as *milhares* de horas que passamos aqui. Tempos tão, tão felizes. Se tínhamos o menor dos problemas, você sempre estava lá, resolvendo as coisas, fazendo curativos em joelhos ralados ou colocando gelo em galos na cabeça. Acho que todos nos lembramos do incidente no ancoradouro! — Houve uma torrente de risadas. — Você amou principalmente nossos filhos, e este lugar sempre pareceu um santuário para Leonard e para mim porque era o único onde sabíamos que nossa família estaria segura e feliz.

Estes gramados belíssimos presenciaram muitos momentos maravilhosos e testemunharam muita risada. Enquanto estávamos fora jogando golfe ou participando de um delicioso coquetel com amigos, você cuidava de nossos filhos e oferecia aquele inigualável chá gelado. Todos nós amamos o chá gelado especial da Mary, não é, amigos?

Todos gritaram em concordância. Observei Agnes ficando rígida, batendo palmas roboticamente como se não tivesse muita certeza do que mais poderia fazer.

Emmett se inclinou para mim.

— O chá gelado de Mary é realmente sensacional. Não sei o que ela coloca nele, mas, meu Deus, é *mortal*.

Ele ergueu os olhos para o céu.

— Tabitha veio especialmente da cidade, assim como muitos de nós hoje, porque sei que ela considera você não apenas uma funcionária deste clube, mas parte da *família*. E todos nós sabemos que não há substitutos para a família!

Ousei não olhar para Agnes nessa hora, quando os aplausos explodiram novamente.

— Mary — continuou Kathryn, quando o salão voltou a ficar em silêncio —, você ajudou a perpetuar os verdadeiros valores deste lugar, valores que alguns podem achar antiquados, mas que sentimos que fazem deste clube o que ele é: solidez, excelência e *lealdade*. Você tem sido seu rosto sorridente, seu coração pulsante. Sei que falo por todos quando digo que simplesmente este lugar não será o mesmo sem você.

A idosa estava radiante, com os olhos brilhando por causa das lágrimas.

— Pessoal, encham suas taças e brindemos à nossa maravilhosa *Mary*.

O salão veio abaixo. Os que podiam se levantaram. Quando Emmett se pôs de pé com dificuldade, olhei em volta e então, me sentindo de certo modo desleal, me levantei também. Agnes foi a última a se levantar da cadeira, ainda batendo palmas e forçando um sorriso educado.

Há algo de reconfortante em um bar realmente apinhado, onde é preciso enfiar o braço por uma aglomeração de gente para conseguir a atenção do barman e onde é uma sorte dois terços de sua bebida permanecerem no copo ao voltar para a mesa. Segundo Nathan, o Balthazar era uma espécie de instituição do SoHo: sempre lotado, sempre divertido, um marco na cena dos bares de Nova York. E, naquela noite, mesmo em um domingo, estava abarrotado, cheio o suficiente para que o barulho, os barmen sempre em movimento, as luzes e o burburinho tirassem os eventos do dia da minha cabeça.

Cada um tomou duas cervejas, em pé no bar, e Nathan me apresentou aos caras que conhecia da academia, cujos nomes eu esqueci quase instantaneamente, mas que eram engraçados e legais e que precisavam apenas de uma mulher como pretexto para trocarem insultos divertidos. Lutamos para conseguir uma mesa, onde bebi mais e comi um cheeseburguer, e com isso me senti um pouco melhor. Por volta das dez, quando os caras estavam ocupados grunhindo e trocando impressões com outros frequentadores da academia, com caretas e veias saltando, eu me levantei para ir ao banheiro. Fiquei dez minutos lá, desfrutando do relativo silêncio enquanto retocava a maquiagem e ajeitava o cabelo. Tentei não pensar no que Sam estaria fazendo — isso havia deixado de ser um conforto para mim e passado a revirar meu estômago. Então saí para voltar para a mesa.

— Você está me stalkeando?

Girei no corredor. Lá estava Joshua Ryan vestindo camisa e calça jeans, com as sobrancelhas erguidas.

— O quê? Ah. Oi! — Instintivamente passei a mão no cabelo. — Não... não, eu só estou aqui com uns amigos.

— É brincadeira. Como você está, Louisa Clark? Aqui é bem longe do Central Park.

Ele se inclinou para beijar meu rosto. Seu cheiro era delicioso, de cítrico e algo suave e almiscarado.

— Uau. Isso foi quase poético — disse ele.

— Só estou conhecendo todos os bares de Manhattan. Sabe como é.

— Ah, sim. O "tente algo novo". Você está bonita. Gosto de todo esse... — disse, apontando para o meu vestido reto e o cardigã de manga curta — estilo engomadinho.

— Eu tive que ir a um clube hoje.

— Fica bem em você. Quer pegar uma cerveja?

— Eu... eu realmente não posso deixar os meus amigos.

Por um instante, ele pareceu decepcionado.

— Mas, ei, junte-se a nós! — acrescentei.

— Ótimo! Deixe só eu avisar ao pessoal que está comigo. Estou acompanhando um casal, eles vão gostar de não me ter por perto. Onde fica a sua mesa?

Abri caminho novamente através da multidão até Nathan, com o rosto corado e um zumbido baixo nos ouvidos. Não importava que o sotaque dele não fosse o mesmo, que as sobrancelhas fossem diferentes, que o cantinho dos olhos não tivesse o desenho correto — era impossível olhar para Josh e não se lembrar de Will. Me perguntei se isso nunca ia deixar de me abalar. Pensei no meu uso inconsciente da palavra "nunca".

— Encontrei um amigo! — falei bem na hora que Josh apareceu.

— Um amigo — repetiu Nathan.
— Nathan, Dean, Arun, este é Josh Ryan.
— Você esqueceu o "Terceiro". — Ele riu para mim, como se tivéssemos compartilhado uma piada interna. — Oi — cumprimentou Josh, estendendo a mão e se inclinando para apertar a de Nathan.

Vi os olhos de Nathan o examinarem de cima a baixo e piscarem para mim. Dei um sorriso neutro, alegre, como se eu fosse amiga de hordas de homens bonitos espalhados por toda Manhattan que queriam se juntar a nós nos bares.

— Alguém quer uma cerveja? — perguntou Josh. — A comida também é muito boa se alguém se interessar.
— Um "amigo"? — murmurou Nathan, quando Josh foi ao bar.
— Sim. Um amigo. Nós nos conhecemos no Baile Amarelo. Com Agnes.
— Ele parece o...
— Eu sei.

Nathan refletiu por um instante. Olhou para mim, depois para Josh.
— Todo esse lance de "dizer sim". Você não...
— Eu amo o Sam, Nathan.
— Claro que você o ama. Só estou falando.

Senti Nathan me observando pelo restante da noite. De alguma maneira, Josh e eu acabamos na ponta da mesa, distantes de todos os outros, onde conversamos sobre o trabalho dele e a mistura insana de opiáceos e antidepressivos com a qual seus colegas de trabalho se entupiam todos os dias para suportar as demandas do escritório, e como ele estava se esforçando para não ofender o chefe, que se ofendia fácil, e sempre falhava, e o apartamento que ele nunca teve tempo de decorar e o que tinha acontecido quando sua mãe com mania de limpeza, que morava em Boston, viera visitá-lo. Fiz que sim com a cabeça, sorri, escutei e tentei garantir que, ao observar seu rosto, fazia isso de uma maneira apropriada e interessada, e não um tanto obsessiva e melancólica do tipo ah-mas-você-se-parece-tanto-com-ele.

— E você, Louisa Clark? Você não disse quase nada sobre si mesma a noite toda. Como estão as férias? Quando vai voltar para o trabalho?

O trabalho. Percebi, com dificuldade, que na última vez que nos encontramos, eu mentira sobre quem era. E também que eu estava bêbada demais para sustentar qualquer mentira ou para me sentir envergonhada como provavelmente deveria ficar ao confessar tudo.

— Josh. Preciso contar uma coisa.

Ele se inclinou na minha direção.
— Ah. Você é casada.
— Não.

— Bem, isso já é alguma coisa. Tem uma doença incurável? Só lhe restam semanas de vida?

Fiz que não com a cabeça.

— Está entediada? Você está entediada. Prefere conversar com outra pessoa agora? Entendi. Eu falei sem parar.

Comecei a rir.

— Não. Não é isso. Você é uma ótima companhia.

Olhei para os meus pés.

— Eu... eu não sou quem disse que era. Não sou uma amiga de Agnes da Inglaterra. Só disse aquilo porque ela precisava de uma aliada no Baile Amarelo. Sou, bem, sou a assistente dela. Sou só uma assistente.

Quando ergui a cabeça, percebi que ele estava me observando.

— E?

Eu o encarei. Seus olhos tinham minúsculas manchas douradas.

— Louisa. Estamos em Nova York. Todo mundo aqui se coloca lá em cima. Todo caixa de banco é vice-presidente júnior. Todo barman tem uma empresa de produção. Achei que você trabalhasse para Agnes pela forma como corria atrás dela. Nenhuma amiga faz isso. A não ser que seja, tipo, realmente estúpida. O que você claramente não é.

— E você não se importa?

— Ei. Eu só estou feliz por você não ser casada. A não ser que você *seja* casada. Essa parte não era mentira também, era?

Ele estava segurando a minha mão. Senti uma leve falta de ar e tive que engolir em seco antes de responder:

— Não. Mas eu tenho namorado.

Ele manteve os olhos fixos nos meus, talvez analisando se eu diria uma frase impactante, depois soltou minha mão com relutância.

— Ah. Bem, isso é uma pena. — Ele se endireitou na cadeira e tomou um gole da bebida. — Então por que ele não está aqui?

— Porque ele está na Inglaterra.

— E ele vai se mudar para cá?

— Não.

Joshua fez uma careta, uma do tipo que as pessoas fazem quando acham que você está fazendo algo idiota, mas não querem dizer isso em voz alta. Ele deu de ombros.

— Então podemos ser amigos. Você sabe que todo mundo sai com alguém aqui, certo? Não precisa ser um problema. Eu serei seu acompanhante masculino incrivelmente bonito.

— Por sair você quer dizer "fazer sexo"?

— Uau. Vocês, garotas inglesas, são muito diretas.
— Só não quero lhe passar a impressão errada.
— Você está me dizendo que não vamos ter uma amizade colorida. Tudo bem, Louisa Clark. Entendi.
Tentei não sorrir, mas não aguentei.
— Você é muito bonita — disse ele. — E engraçada. E direta. E não é como nenhuma das garotas que já conheci.
— E você é muito encantador.
— É porque estou um pouco embevecido.
— E eu estou um pouco bêbada.
— Ah, agora fiquei ofendido. Ofendido de verdade — brincou Joshua, colocando a mão na altura do coração.
Foi nessa hora que virei a cabeça e vi Nathan nos observando. Ele ergueu de leve a sobrancelha e deu uma batidinha no pulso. Foi o suficiente para me trazer de volta à realidade.
— Sabe... tenho mesmo que ir embora. Eu acordo cedo.
— Fui longe demais. Assustei você.
— Ah, eu não me assusto assim tão fácil. Mas amanhã vai ser um dia complicado no trabalho. E minha corrida matutina não dá muito certo com vários copos de cerveja e uma dose de tequila na cabeça.
— Você vai me ligar? Para uma cerveja platônica? Para eu poder curtir você um pouco?
— Preciso avisá-lo: na Inglaterra "curtir" tem um significado bem diferente.
Contei o que era e ele deu uma grande gargalhada.
— Bem, prometo não fazer isso. A não ser, claro, que você queira.
— Essa é uma baita oferta.
— Estou falando sério. Me liga.
Fui embora do bar, sentindo o olhar dele em minhas costas ao longo de todo o trajeto até a porta. Enquanto Nathan chamava um táxi, me virei para a porta, que estava se fechando. Só deu para vê-lo através de uma frestinha antes que a porta batesse, mas foi suficiente para perceber que ele ainda me olhava. E sorria.

Liguei para o Sam.
— Oi — disse, quando ele atendeu o telefone.
— Lou? Por que eu ainda pergunto? Quem mais me ligaria às 4h45?
— E aí? O que você está fazendo?
Deitei de costas na cama e deixei os sapatos caírem no chão acarpetado.
— Acabei de chegar de um plantão. Estou lendo. Como você está? Parece alegre.

— Fui a um bar. Dia difícil. Mas estou bem melhor agora. E só queria ouvir a sua voz. Porque estou com saudade. E você é meu namorado.
— E você está bêbada.
Ele riu.
— Pode ser. Um pouco. Você disse que estava lendo?
— Isso. Um romance.
— Sério? Pensei que você não lesse ficção.
— Ah, Katie me deu. Insistiu que eu ia gostar. Não quero encarar um interrogatório por não estar lendo o livro.
— Ela está comprando livros para você?
Eu me endireitei, o bom humor de repente se dissipando.
— Por quê? O que significa ela ter comprado um livro para mim?
Sam parecia estar se divertindo.
— Significa que ela gosta de você.
— Não significa, não.
— Significa, sim, com certeza.
O álcool tinha eliminado minhas inibições. Senti as palavras saindo da boca antes que pudesse contê-las.
— Se uma mulher faz você ler é porque gosta de você. Ela quer entrar na sua cabeça. Quer fazer você pensar em coisas.
Eu o ouvi rir.
— E se for um manual de conserto de motocicletas?
— Não importa. Porque aí ela está tentando mostrar que é do tipo descolada, sexy e amante de motocicletas.
— Bem, este aqui não é sobre motocicletas. É uma coisa francesa.
— Francesa? Isso é ruim. Qual é o título?
— *Madame de*.
— *Madame de* quê?
— É só *Madame de*. É sobre um general e uns brincos e...
— E o quê?
— Ele tem um caso.
— Ela está fazendo você ler livros sobre franceses que têm casos? Ah, meu Deus. Então ela realmente gosta de você.
— Você está errada, Lou.
— Eu sei quando alguém gosta de alguém, Sam.
— Sério.
Ele começava a demonstrar cansaço.
— Então... um homem me paquerou hoje. Eu percebi que ele gostou de mim. Então eu disse logo que tinha alguém. Cortei na hora.

— Ah, foi? E quem é esse homem?
— O nome dele é Josh.
— *Josh*. É o mesmo Josh que ligou para você quando eu estava indo embora?

Mesmo através do meu leve bafo de bêbada comecei a perceber que aquela conversa não ia acabar bem.

— Sim, é.
— E você por acaso esbarrou com ele em um bar.
— Foi! Eu estava lá com o Nathan. E literalmente esbarrei nele perto do banheiro.
— E o que foi que ele disse?

A voz de Sam agora tinha um leve sinal de irritação.

— Ele... ele disse que era uma pena.
— E é?
— O quê?
— Uma pena?

Houve um breve silêncio. De repente eu me senti terrivelmente sóbria.

— Só estou contando o que ele disse. Estou com você, Sam. Estou literalmente usando isso como um exemplo de como percebi que alguém gosta de mim e dei um fora antes que ele pudesse ter a impressão errada. Esse é um conceito que você parece não querer entender.
— Não. Me parece que você está me ligando no meio da noite para pegar no meu pé por causa da minha colega de trabalho que me emprestou um livro, mas para você tudo bem sair e conversar bêbada sobre relacionamentos com esse Josh. Meu Deus. Você nem queria admitir que nós *tínhamos* um relacionamento até que eu pressionei. E agora você conversa alegremente sobre coisas íntimas com um cara que encontrou em um bar. Isso *se* você realmente só encontrou com ele em um bar.
— Eu precisei de um tempo, Sam! Pensei que você estava brincando comigo!
— Você precisou de um tempo porque ainda estava apaixonada pela lembrança de outro cara. Um cara morto. E agora você está em Nova York porque... bem, porque ele queria que você fosse para aí. Então não entendo por que você está toda estranha e ciumenta por causa da Katie. Você nunca se incomodou com quanto tempo que eu passava com Donna.
— É porque a Donna não gostava de você.
— Você nem conheceu Katie ainda! Como pode saber se ela gosta de mim ou não?
— Eu vi as fotos!
— *Que fotos?* — explodiu ele.

Eu era uma idiota.

— No Facebook dela. Lá tem fotos. De você e ela.
Engoli em seco.
— Uma foto.
Pairou um longo silêncio. Do tipo que diz: *Você está falando sério?* Do tipo ameaçador que surge quando alguém silenciosamente muda a opinião que tem de você. Quando Sam tornou a falar, sua voz estava baixa e controlada:
— Essa é uma discussão ridícula e eu preciso dormir.
— Sam, eu...
— Vá dormir, Lou. Nos falamos mais tarde.
Então desligou.

12

Quase não dormi, com todas as coisas que eu desejava ter e não ter dito rodando na minha cabeça feito um carrossel interminável, e acordei grogue com o barulho de batidas na porta. Saí cambaleando da cama e, ao abrir a porta, dei de cara com a Sra. De Witt de robe. Ela parecia pequena e frágil sem a maquiagem e o cabelo penteado, e seu rosto estava tenso de ansiedade.

— Ah, você está *aí* — disse ela, como se eu pudesse estar em outro lugar. — Venha. Venha. Preciso da sua ajuda.

— Q-Quê? Quem abriu a porta para você?

— O grandão. O australiano. Vamos. Não temos tempo a perder.

Esfreguei os olhos, me esforçando para ficar desperta.

— Ele já me ajudou antes, mas disse que não pode deixar o Sr. Gopnik agora. Ah, que importa? Abri a porta hoje de manhã para levar o lixo para fora, e o Dean Martin fugiu correndo e está em algum lugar do prédio. Não faço ideia de onde ele possa estar. E não consigo achá-lo sozinha.

Sua voz estava trêmula, porém autoritária, e suas mãos se agitavam em volta da cabeça.

— Depressa. Vamos agora. Tenho medo de alguém abrir a porta lá embaixo e ele ir para a calçada.

A Sra. De Witt torceu as mãos.

— Ele não sabe se virar bem sozinho lá fora. E alguém pode roubá-lo. Ele tem pedigree, sabe.

Peguei minha chave e a segui para o saguão, ainda de camiseta.

— Onde a senhora já procurou?

— Bem, em lugar nenhum, querida. Tenho problemas de locomoção. É por isso que preciso que você procure. Vou pegar a bengala.

Ela me olhou como se eu tivesse dito algo bem estúpido. Suspirei, tentando pensar no que faria se fosse um pequeno pug de olhos esbugalhados saboreando o gostinho inesperado da liberdade.

— Você precisa achar o Dean Martin. Ele é tudo que eu tenho.

Ela começou a tossir, como se os pulmões não suportassem a tensão.

— Vou olhar na entrada principal primeiro — avisei.

Corri escada abaixo, tendo em mente que Dean Martin não conseguiria chamar o elevador, e esquadrinhei o corredor procurando um cão pequeno e zangado. Vazio. Olhei para o relógio e descobri com um leve desalento que ainda não eram nem seis horas. Olhei embaixo e atrás da mesa de Ashok, depois corri para o escritório dele, que estava trancado. O tempo todo chamei baixinho por Dean Martin, sentindo-me um tanto estúpida ao fazer isso. Nenhum sinal. Subi a escada correndo e fiz a mesma coisa nos nossos andares, checando na cozinha e nos corredores nos fundos. Nada. Também vasculhei o quarto andar, antes de ponderar que, se eu tinha ficado sem fôlego, as chances de um pequeno pug gordo subir correndo tantos lances de escada com velocidade eram bem improváveis. E então ouvi lá fora o zumbido familiar do caminhão de lixo. Pensei no nosso velho cachorro, que tinha uma habilidade extraordinária de tolerar — e até de apreciar — os cheiros mais nojentos conhecidos pela humanidade.

Corri para a entrada de serviço. Lá, em transe, estava Dean Martin, babando, enquanto os homens rolavam as latas de lixo enormes e fedorentas para trás e para a frente, do nosso prédio até o caminhão. Eu me aproximei devagar dele, mas o barulho era tão alto e sua atenção estava tão fixa nos lixeiros que ele não me ouviu até o momento exato em que me abaixei e o peguei.

Você já segurou um pug raivoso? Eu nunca tinha sentido algo se contorcer com tanta força desde que tive que prender Thom, então com dois anos, no sofá enquanto minha irmã tirava uma maldita bola de gude da narina esquerda dele. À medida que eu me esforçava para mantê-lo preso embaixo do braço, o cão se jogava para a esquerda e para a direita, com os olhos se arregalando de fúria e seus ganidos revoltados inundando o prédio silencioso. Fui obrigada a envolvê-lo com os braços e posicionar a cabeça de modo a afastar a mandíbula dele, que não parava de tentar me morder. Lá de cima, ouvi a Sra. De Witt chamando:

— Dean Martin? É ele?

Usei toda a minha força para segurá-lo. Subi correndo o último lance da escada, desesperada para entregá-lo.

— Peguei! — falei, ofegante.

A Sra. De Witt deu um passo para a frente, com os braços estendidos. Ela estava com uma guia pronta e a prendeu na coleira dele, logo que o coloquei no chão. Nesse instante, com uma velocidade totalmente incompatível com seu tamanho e forma, ele girou e cravou os dentes na minha mão esquerda. Se houvesse alguém no prédio que não tivesse sido acordado pelos latidos, provavelmente acordou com meu grito. O berro no mínimo foi alto o suficiente para assustar Dean Martin e fazê-lo me soltar. Eu me curvei na direção da mão e xinguei, o sangue já escorrendo da ferida.

— Seu cachorro me mordeu! Droga, ele me mordeu!

A Sra. De Witt respirou fundo e endireitou o corpo.

— Bem, claro que mordeu, com você o segurando assim tão forte. Provavelmente ele estava sentindo um tremendo desconforto!

Ela enxotou o cão para dentro, de onde ele continuou rosnando para mim, mostrando os dentes.

— Olha lá — reclamou, gesticulando na direção dele. — Seus berros o assustaram. Ele está agitadíssimo agora. Você precisa aprender mais sobre cachorros se quiser lidar com eles do jeito certo.

Eu não consegui falar. Eu estava boquiaberta como nos desenhos animados. Foi nessa hora que o Sr. Gopnik, de camiseta e calça esportiva, abriu a porta da frente.

— Que gritaria toda é essa? — questionou, saindo no corredor.

Fiquei chocada pela ferocidade em sua voz. Ele analisou a cena à sua frente: eu de camiseta e calcinha, segurando a mão sangrando, e a idosa de robe, com o cão rosnando aos pés dela. Atrás do Sr. Gopnik, só deu para ver Nathan de uniforme, com uma toalha no rosto.

— Que diabo está acontecendo?

— Ah, pergunte à maldita garota. Ela que começou.

A Sra. De Witt pegou Dean Martin nos braços e depois sacudiu o dedo para o Sr. Gopnik.

— E não se atreva a *me* dar lição de moral sobre barulho neste prédio, meu jovem! Seu apartamento é um verdadeiro cassino de Las Vegas com tanto entra e sai. Acho incrível que ninguém tenha reclamado ainda com o Sr. Ovitz.

Com a cabeça erguida, ela deu meia-volta e fechou a porta.

O Sr. Gopnik piscou duas vezes, olhou para mim e depois de volta para a porta fechada. Houve um breve silêncio. E então, do nada, ele começou a rir.

— "Jovem!" — disse, balançando a cabeça. — Nossa, faz muito tempo que ninguém me chama *disso*.

Então se virou para Nathan, que estava atrás dele.

— Você deve estar acertando em alguma coisa.

De algum lugar no interior do apartamento, uma voz abafada se elevou em resposta:

— Não se gabe, Gopnik!

* * *

O Sr. Gopnik me mandou de carro com Garry até seu médico particular para tomar a antitetânica. Eu me sentei na sala de espera, que parecia até o saguão de um hotel luxuoso, e fui atendida por um médico iraniano de meia-idade, que talvez tenha sido a pessoa mais solícita que já conheci. Ao olhar a conta, que seria paga pela secretária do Sr. Gopnik, esqueci a mordida e achei que fosse desmaiar.

Quando voltei para casa, Agnes já tinha ficado sabendo da história. Aparentemente, eu era o assunto do prédio.

— Você tem que processar! — disse ela, achando graça. — Ela é uma velha horrível e encrenqueira. E aquele cachorro obviamente é perigoso. Não sei se é seguro para nós morarmos no mesmo prédio. Você precisa de uma folga? Se precisar, posso processar a Sra. De Witt por serviços perdidos.

Eu não disse nada, acalentando os meus sentimentos sombrios em relação à Sra. De Witt e a Dean Martin.

— Nenhuma boa ação sai impune, não é? — comentou Nathan, quando esbarrei com ele na cozinha.

Pegou minha mão e analisou o curativo.

— Nossa. Aquele cachorrinho é uma fera.

Mas, apesar de no fundo estar furiosa com ela, não saiu da minha cabeça o que a Sra. De Witt dissera logo que bateu na minha porta: *Ele é tudo que eu tenho*.

Embora Tabitha tivesse voltado para seu apartamento naquela semana, o clima no prédio permaneceu irritadiço, quieto e marcado por explosões esporádicas. O Sr. Gopnik continuava passando muitas horas no trabalho enquanto Agnes preenchia a maior parte do nosso tempo juntas ao telefone com a mãe na Polônia. Eu tinha a impressão de que estava havendo algum tipo de crise em família. Ilaria queimou uma das camisas preferidas de Agnes (acredito que realmente foi um acidente, pois já fazia semanas que ela vinha reclamando da regulagem de temperatura do ferro novo) e, quando Agnes gritou que ela era desleal, uma traidora, uma *suka* em sua casa e jogou a camisa nela, Ilaria enfim perdeu a cabeça e disse ao Sr. Gopnik que não podia mais trabalhar lá, que era impossível, que ninguém trabalharia tanto e por tão pouco reconhecimento ao longo de tantos anos. Ela não aguentava mais e estava pedindo demissão. O Sr. Gopnik, com palavras delicadas e uma empática inclinação de cabeça, convenceu-a a mudar de ideia (ele também deve ter lhe oferecido um bom dinheiro), e esse aparente ato de traição fez com que Agnes batesse a porta com tanta força que o segundo vasinho chinês da mesa do saguão se espatifou no chão com um barulho musical, e ela passou a noite inteira chorando no quarto de vestir.

Quando fui trabalhar na manhã seguinte, encontrei Agnes sentada ao lado do Sr. Gopnik à mesa de café da manhã, com a cabeça apoiada no ombro do marido, enquanto ele murmurava algo em seu ouvido, os dedos dos dois, entrelaçados. Ela se desculpou formalmente com Ilaria enquanto ele observava, sorrindo, e, quando ele foi trabalhar, xingou furiosamente, em polonês, durante todo o tempo que passamos correndo no Central Park.

Naquela noite, ela anunciou que passaria um fim de semana prolongado na Polônia, para visitar a família, e senti um leve alívio ao perceber que ela não queria que eu fosse junto. Às vezes estar naquele apartamento, por maior que fosse, com o humor instável de Agnes e as tensões oscilantes entre ela e o Sr. Gopnik, Ilaria e a família dele era insuportavelmente claustrofóbico. A ideia de ficar sozinha por alguns dias parecia um pequeno oásis.

— O que quer que eu faça enquanto você estiver fora? — perguntei.

— Tire uns dias de folga! — respondeu ela, sorrindo. — Você é minha amiga, Louisa! Acho que você tem que se divertir enquanto eu estiver fora. Ah, estou tão animada para ver a minha família. Tão animada — disse, batendo palmas. — Só a Polônia! Sem coisas estúpidas de caridade para ir! Estou tão feliz!

Eu me lembrei de que, quando cheguei a Nova York, Agnes relutava em se afastar do marido por uma noite que fosse. Mas achei melhor descartar o pensamento.

Quando voltei para a cozinha, ainda refletindo sobre essa mudança, Ilaria estava se benzendo.

— Você está bem, Ilaria?

— Estou rezando — respondeu ela, sem tirar os olhos da panela.

— Está tudo bem?

— Tudo ótimo. Estou rezando para aquela *puta* não voltar para cá.

Mandei um e-mail para Sam, empolgada com uma ideia que tive. Eu teria ligado, mas ele não tinha dado notícias desde o nosso último telefonema e fiquei com medo de ele ainda estar bravo comigo. Contei que eu havia ganhado uma folga de três dias no fim de semana, tinha olhado os voos e pensado em esbanjar em uma viagem inesperada para casa. O que ele achava? Para que mais os salários serviam? Encerrei a mensagem com uma carinha sorrindo, um emoji de avião, alguns corações e beijos.

A resposta chegou em uma hora.

> Desculpe. Vou trabalhar direto e prometi levar Jake sábado à noite ao O2 para ver uma banda qualquer. É uma boa ideia, mas este não é o fim de semana ideal. Bj S

Fiquei olhando para o e-mail e tentei não me assustar. É uma boa ideia. Foi como se eu tivesse sugerido um passeio inocente no parque.

— Será que ele está me dando um gelo?

Nathan leu a mensagem duas vezes.

— Não. Ele está dizendo que está ocupado e que não é uma boa hora para você ir para casa assim do nada.

— Ele está me dando um gelo. Não tem nada nesse e-mail. Nenhum amor, nenhum... *desejo*.

— Ou ele podia estar indo para o trabalho quando escreveu. Ou no banheiro. Ou falando com o chefe. Ele só está se comportando como um homem.

Não engoli essa desculpa. Eu conhecia Sam. Analisei aquelas duas linhas várias vezes, tentando extrair o tom, a intenção subliminar. Entrei no Facebook, me odiando por fazer isso, e fui ver se Katie Ingram havia anunciado algum plano especial para o fim de semana. (Para me irritar, ela não tinha postado nada. O que era *exatamente* o que alguém faria se estivesse planejando seduzir o namorado paramédico gostoso de outra garota.) E então respirei fundo e escrevi uma resposta — bem, escrevi várias respostas, mas essa foi a única que não apaguei.

Não tem problema. Foi uma boa tentativa! Espero que você se divirta muito com o Jake. Bj L

E então cliquei em ENVIAR, admirada com o quanto as palavras de um e-mail podiam estar tão distantes daquilo que o autor de fato estava sentindo.

Agnes pegou o avião na quinta à noite, carregada de presentes. Eu me despedi dela com um sorriso enorme e depois desabei na frente da televisão.

Na sexta de manhã, fui a uma exibição de figurinos de ópera chinesa no Instituto do Vestuário no Metropolitan Museum of Art e passei uma hora admirando os bordados complexos, os vestidos de cores vivas, o brilho refletido das sedas. Inspirada, de lá fui à West 37th para ver umas lojas de tecido e armarinhos que eu tinha procurado na semana anterior. Aquele dia de outubro estava frio e seco, anunciando o início do inverno. Peguei o metrô e apreciei seu calor abafado e sujo. Passei uma hora examinando as prateleiras, me perdendo entre os rolos de tecido estampado. Eu havia decidido montar meu próprio painel semântico para Agnes para quando ela voltasse, forrando o pequeno sofá e as almofadas com cores alegres e vivas — tons de verde-esmeralda e rosa, lindas estampas de papagaios e abacaxis, o oposto dos drapejados e adamascados sem graça que os decoradores caros sempre lhe ofereciam. Aquelas cores todas eram da Primeira Sra. Gopnik.

Agnes tinha que imprimir a própria marca ao apartamento — algo arrojado, vigoroso e lindo. Expliquei à mulher no balcão o que queria fazer, e ela me indicou outra loja, no East Village — um brechó de roupas onde tinham peças de tecido antigo nos fundos.

Era uma vitrine de loja nada convidativa — um exterior sujo da década de setenta que prometia "Vintage Clothes Emporium, de todas as décadas, de todos os estilos, a preços baixos". Mas entrei e me surpreendi: a loja era um armazém, organizado em carrosséis de roupas em seções identificadas com placas feitas à mão que diziam: "Anos quarenta", "Anos sessenta", "Roupas das quais os sonhos são feitos" e "Cantinho da pechincha: Costura desfeita não é vergonha". O cheiro no ambiente era almiscarado, de perfume de décadas atrás, pele devorada por traças e noitadas havia muito esquecidas. Sorvi o aroma como se fosse oxigênio, sentindo que de alguma maneira eu tinha recuperado uma parte de mim que mal sabia que estava me fazendo falta. Passeei pela loja, experimentando pilhas de roupas de estilistas de quem nunca tinha ouvido falar, seus nomes um eco sussurrado de uma época havia muito esquecida — Feito Sob Medida por Michel, Fonseca de Nova Jersey, Srta. Aramis —, passando os dedos pelas costuras invisíveis, roçando sedas chinesas e chifon na bochecha. Eu podia ter comprado uma dezena de peças, mas por fim escolhi um vestido de festa justo azul-real com imensos punhos de pele e gola redonda (eu disse a mim mesma que não tinha problema nenhum se a pele datasse de sessenta anos atrás), um macacão jeans vintage e uma camisa xadrez que me dava vontade de derrubar uma árvore ou talvez montar um cavalo com um rabo esvoaçante. Eu poderia ter passado o dia inteiro lá.

— Eu estava de olho nesse vestido há *taaaanto* tempo — comentou a garota do caixa, quando o coloquei no balcão. Ela era toda tatuada, o cabelo pintado de preto preso em um enorme coque baixo e os olhos delineados com lápis preto. — Mas não coube em mim. Ficou bonito em você.

A voz dela era rouca, endurecida por cigarros e incrivelmente descolada.

— Eu não tenho ideia de quando vou usá-lo, mas preciso ter esse vestido.

— É assim que eu me sinto com as roupas o tempo todo. Elas conversam com a gente, não é? Aquele vestido estava gritando para mim: *Me compre, sua idiota! E largue as batatas fritas!* — disparou ela. — Adeus, amiguinho azul. Sinto muito ter decepcionado você.

— Sua loja é incrível.

— Ah, estamos aguentando o tranco aqui. Esmagadas pelos ventos cruéis dos aumentos de aluguel e pelos cidadãos de Manhattan, que preferem ir à TJ Maxx a comprar algo lindo e original. Olhe a qualidade disto.

Ela segurou o forro do vestido, apontando para os pontos minúsculos de costura.

— Como você vai encontrar um trabalho como este vindo de algum galpão horrendo na Indonésia? Ninguém em todo o estado de Nova York tem um vestido assim. — Ela ergueu as sobrancelhas. — Exceto você, moça inglesa. De onde veio essa beleza?

Eu estava usando um sobretudo militar verde, que meu pai dizia de brincadeira que cheirava à Guerra da Crimeia, e um gorro vermelho para completar. Por baixo, eu estava de short de tweed, meia-calça e as botas Dr. Martens azul-turquesa.

— Amei esse look. Se um dia você quiser se desapegar desse casaco, eu consigo vendê-lo assim — disse ela, estalando os dedos tão alto que afastei a cabeça de leve. — Casacos militares. Nunca saem de moda. Tenho um casaco vermelho de infantaria que minha avó jura que roubou de um guarda do Palácio de Buckingham. Cortei as costas fora e transformei em uma jaqueta curta. Você sabe como é, não é? Quer ver uma foto?

Eu quis ver. Nós nos debruçamos sobre a jaqueta curta como as pessoas costumam se debruçar sobre fotos de bebês. A vendedora se chamava Lydia e morava no Brooklyn. Ela e a irmã, Angelica, haviam herdado a loja dos pais sete anos antes. Elas tinham uma clientela pequena, porém leal, e sobreviviam principalmente graças a visitas de figurinistas da televisão e de filmes, que compravam peças para desfazer e depois recosturar. Lydia me contou que conseguia a maioria das roupas em bazares e leilões promovidos por parentes de pessoas falecidas.

— A Flórida é o melhor lugar. Lá tem essas avós com closets gigantescos com ar-condicionado, entupidos de vestidos de festa dos anos cinquenta dos quais nunca se livraram. Nós vamos para lá a cada dois meses e praticamente renovamos o estoque com os parentes enlutados. Porém está ficando mais difícil. Hoje em dia tem muita competição.

Ela me deu um cartão com o e-mail e o site da loja.

— Se um dia quiser vender algo, me ligue.

— Lydia — retruquei, depois que ela já havia embrulhado minhas compras com papel de seda e colocado em uma sacola. — Acho que sou mais compradora do que vendedora. Mas obrigada. Sua loja é o máximo. Você é o máximo. Eu me sinto como... como se estivesse em casa.

— Você é um amor.

Ela disse isso sem alterar a expressão facial. Então levantou o dedo, pedindo que eu esperasse, e se agachou para baixo do balcão. Voltou com óculos escuros vintage, com armação de plástico azul-claro.

— Alguém deixou isto aqui meses atrás. Eu ia colocar em promoção, mas me dei conta de que ficaria fabuloso em você, ainda mais com aquele vestido.

— Eu não devo — comecei. — Já gastei tanto...

— Shh! É um presente. Então agora você está em dívida conosco e tem que voltar. Pronto. Você ficou linda com eles! — exclamou, segurando um espelho.

Tive que admitir, eu de fato estava bonita. Ajeitei os óculos no nariz.

— Bem, este é oficialmente meu melhor dia em Nova York. Lydia, vejo você na semana que vem. E vou gastar todo o meu dinheiro aqui de agora em diante.

— Legal! É assim que fazemos chantagem emocional com nossos clientes para continuarmos na ativa!

Ela acendeu um cigarro Sobranie e se despediu, acenando.

Passei a tarde montando o painel semântico e experimentando as roupas novas e, quando me dei conta, já eram seis da tarde e eu estava sentada na cama tamborilando os dedos nos joelhos. Eu havia ficado empolgada com a ideia de ter um tempo para mim mesma, porém agora a noite se arrastava diante de mim como uma paisagem sombria, indefinida. Mandei uma mensagem de texto para Nathan, que ainda estava com o Sr. Gopnik, para ver se queria sair para comer alguma coisa depois do trabalho, mas ele tinha um encontro, e disse isso com gentileza, mas do jeito que as pessoas fazem quando não querem ninguém segurando vela.

Pensei em ligar para Sam novamente, porém não tinha mais esperanças de que nossos telefonemas fossem se desenrolar na vida real da maneira que faziam na minha cabeça, e, embora eu ficasse olhando para o celular, meus dedos não chegaram a tocar nos dígitos. Pensei em Josh e me perguntei se o fato de eu ligar para ele e chamá-lo para beber o faria pensar que o convite significava algo mais. E então me perguntei se o fato de eu querer me encontrar com ele para tomar algo realmente significava algo mais. Fuxiquei o Facebook de Katie Ingram, mas ela ainda não tinha postado nada. E então fui à cozinha antes que fizesse algo estúpido e perguntei a Ilaria se ela queria ajuda com o jantar, o que fez com que ela girasse na sua rasteirinha preta e me encarasse com desconfiança por dez segundos inteiros.

— Você quer me ajudar com o jantar?

— Quero — respondi, e sorri.

— Não — retrucou ela, dando-me as costas.

* * *

Até aquela noite eu não tinha percebido como conhecia poucas pessoas em Nova York. Eu andara tão ocupada desde que cheguei e minha vida girara tão completamente em torno de Agnes, sua agenda e suas necessidades que não me ocorrera que eu não tinha feito nenhum amigo. E havia algo no fato de não ter nenhum programa em uma sexta à noite na cidade que me fazia sentir... bem... um pouco fracassada.

Fui a pé a um bom restaurante japonês e comprei sopa de missô e alguns sashimis que ainda não tinha experimentado, tentando não pensar *Enguia! Estou realmente comendo enguia!* Tomei uma cerveja, depois me deitei na cama, zapeei pelos canais da televisão e afastei pensamentos sobre outras coisas, tais como o que Sam estaria fazendo. Disse a mim mesma que eu estava em Nova York, o centro do universo. Qual o problema de ficar em casa em uma sexta à noite? Eu estava simplesmente descansando depois de uma semana do meu exigente trabalho em Nova York. Eu podia sair qualquer noite da semana se realmente quisesse. Disse isso a mim mesma várias vezes. E então meu celular apitou.

Você está na rua explorando os melhores bares de Nova York de novo?

Eu sabia quem era sem nem precisar olhar. Fiquei um pouco balançada. Hesitei por um instante antes de responder:

Estou em casa, na verdade.

Gostaria de tomar uma cerveja amiga com um escravo assalariado exausto? No mínimo, você poderia garantir que eu não vá para casa com alguma mulher inadequada.

Sorri e então digitei: *O que faz você pensar que sou uma protetora?*

Está dizendo que damos a impressão de que jamais seríamos um casal? Nossa, isso foi cruel.

Eu quis dizer: o que faz você pensar que eu o impediria de ir para casa com outra pessoa?

O fato de você estar respondendo às minhas mensagens? (Ele adicionou uma carinha sorrindo.)

Parei de digitar, de repente me sentindo desleal. Fiquei olhando a tela, o cursor piscando impacientemente. Por fim, ele escreveu: *Estraguei tudo? Acabei de estragar tudo, não foi? Droga, Louisa Clark. Eu só queria tomar uma cerveja com uma garota bonita em uma sexta à noite e estava preparado para ignorar a sensação de vaga tristeza que vem com o fato de saber que ela está apaixonada por outro. Gosto tanto assim da sua companhia. Vamos tomar uma cerveja? Umazinha só?*

Eu me recostei no travesseiro, refletindo. Fechei os olhos e suspirei. Depois me endireitei e digitei: *Sinto muito, Josh. Não posso. Bj*

Ele não respondeu. Eu o ofendi. Nunca mais teria notícias dele.

E então meu celular apitou. *Ok. Bem, se eu me meter em encrenca, mando uma mensagem para você logo de manhã cedo para vir me resgatar e fingir que é minha namorada ciumenta maluca. Esteja preparada para bater forte. Combinado?*

Acabei rindo.

É o mínimo que eu posso fazer. Tenha uma boa noite. Bj

Você também. Mas não tão boa. A única coisa que me impede de ir aí agora mesmo é imaginar você secretamente arrependida de não ter saído comigo. Bj

Na verdade, me arrependi um pouco mesmo. Claro que sim. Há uma quantidade limitada de episódios de *The Big Bang Theory* a que uma garota consegue assistir. Desliguei a televisão, fiquei olhando para o teto, pensei no meu namorado do outro lado do mundo e pensei em um americano que parecia Will Traynor e de fato queria passar um tempo comigo, não com uma garota de cabelo louro volumoso que parecia usar fio-dental de paetê por baixo do uniforme. Pensei em ligar para a minha irmã, mas eu não queria incomodar Thom.

Pela primeira vez desde que eu chegara, tive a sensação quase física de estar no lugar errado, como se eu estivesse sendo puxada por cordas invisíveis para outro local a quilômetros de distância. Em determinado momento, fiquei tão mal que, quando entrei no banheiro e vi uma barata enorme na pia, não gritei, como costumava fazer, mas por um breve instante considerei torná-la meu animal de estimação, como o personagem de um livro infantil. E então percebi que estava oficialmente pensando como uma louca e joguei inseticida nela.

Às dez horas, irritada e inquieta, fui à cozinha e roubei duas das cervejas de Nathan, enfiando um bilhete de desculpas por baixo da porta dele, e as bebi, uma depois da outra, dando goles tão rápidos que tive que refrear um baita arroto. Eu me sentia mal pela maldita barata. O que ela estava fazendo, afinal? Só sendo barata. Talvez estivesse se sentindo sozinha. Talvez quisesse fazer amizade *comigo*. Olhei embaixo da pia, para onde eu a havia chutado, mas ela estava morta. Isso me deixou irracionalmente zangada. Achei que não tivesse nascido para matar baratas. Eu tinha sido enganada sobre baratas. Acrescentei isso à minha lista de coisas com as quais ficar furiosa.

Coloquei os fones de ouvido e cantei bêbada algumas músicas da Beyoncé que eu sabia que me deixariam pior, mas de alguma forma eu não me importava. Dei uma olhada na galeria do celular, conferindo as poucas fotos que havia de mim e Sam juntos, tentando detectar a força dos sentimentos dele pela maneira como me envolvia com o braço ou o jeito como inclinava a cabeça em direção à minha. Olhei fixamente para as imagens e tentei me lembrar do que me fazia sentir tão confiante, tão segura nos braços dele. Então peguei o notebook, entrei no e-mail e escrevi para ele.

Você ainda sente saudade de mim?

Cliquei em ENVIAR, percebendo, enquanto a mensagem desaparecia no vazio com um chiado, que tinha me condenado a várias horas de ansiedade relativa ao e-mail, enquanto esperava Sam responder.

13

Acordei me sentindo enjoada, e não foi a cerveja. Levei menos de dez segundos para sentir a vaga sensação de náusea se infiltrar em uma sinapse e se conectar à memória do que eu tinha feito na noite anterior. Abri devagar o notebook e levei os punhos fechados até os olhos quando descobri que, sim, eu realmente tinha enviado aquilo e, não, ele não havia respondido. Mesmo quando pressionei "atualizar" quatorze vezes.

Fiquei deitada em posição fetal por um tempo, tentando desfazer o nó em meu estômago. E então pensei em ligar para ele e explicar em tom de brincadeira que *Hah! Fiquei um pouquinho alegre e com saudade de casa e só queria ouvir sua voz e sabe, desculpe...* mas ele tinha me dito que trabalharia o sábado todo, o que significava que naquele exato momento estaria em ação com Katie Ingram. E alguma coisa dentro de mim rejeitava ter aquela conversa com Katie por perto, podendo ouvir tudo.

Pela primeira vez desde que fora trabalhar para os Gopnik, o fim de semana se alongava à minha frente como uma viagem interminável em um terreno árido. Então, fiz o que qualquer garota faz quando está longe de casa e um pouco triste. Comi meio pacote de biscoitos de chocolate e liguei para minha mãe.

— Lou! É você? Espere aí, estou lavando umas roupas do vovô. Deixe eu desligar a água quente.

Ouvi minha mãe andar até o outro lado da cozinha e o rádio, que tocava indistinto ao fundo, foi silenciado de repente, e imediatamente me senti transportada para nossa casinha na Renfrew Road.

— Alô! Já voltei! Está tudo bem?

Ela parecia ofegante. Imaginei-a desamarrando o avental. Ela sempre tirava o avental durante telefonemas importantes.

— Estou ótima! Ainda não tivemos um minuto para conversar direito e aí pensei em dar uma ligada.

— Não é caro demais? Achei que você só queria mandar e-mails. Você não vai acabar recebendo uma dessas contas de mil libras, não é? Vi uma história na televisão sobre como as pessoas podem acabar se ferrando por usar o telefone nas férias. Elas tinham até que vender a casa na volta da viagem, só para se livrar da dívida.

— Eu verifiquei as tarifas. É bom ouvir sua voz, mãe.

O prazer de mamãe em falar comigo me fez sentir um pouco envergonhada por não ter telefonado antes. Ela continuou tagarelando, contando-me sobre como planejava fazer aulas noturnas de poesia quando o vovô estivesse se sentindo melhor, e sobre os refugiados sírios que tinham se mudado para o final da rua — ela estava ensinando inglês para eles.

— Obviamente na metade do tempo não consigo entender uma palavra do que eles dizem, mas fazemos uns desenhos, sabe? E Zeinah, a mãe da família, sempre prepara alguma comida para mim para agradecer. Você não ia acreditar no que ela consegue fazer com massa folhada. De verdade, eles são muito simpáticos, todos eles.

Ela contou que o médico novo disse que meu pai precisava perder peso; que a audição do vovô estava indo embora e a televisão ficava em um volume tão alto que toda vez que ela ligava quase fazia um tiquinho de xixi; e Dymphna, que morava em nossa rua, ia ter um bebê, e dava para ouvir os enjoos dela de manhã, de tarde e de noite. Fiquei sentada na cama escutando e me sentindo estranhamente reconfortada que a vida seguisse seu rumo normal em algum outro lugar do mundo.

— Tem falado com a sua irmã?

— Não nos últimos dias, por quê?

Ela baixou a voz, como se Treena estivesse no cômodo, e não a sessenta quilômetros de distância.

— Ela arrumou um homem.

— Ah, é, eu sei.

— Você sabe? Como ele é? Ela não conta absolutamente nada. Sai com ele duas ou três vezes por semana agora. E fica cantarolando e sorrindo quando eu falo sobre ele. É muito *esquisito*.

— Esquisito?

— Ver a sua irmã sorrir tanto. Eu fico bastante desconcertada. Quer dizer, é ótimo e tudo o mais, mas não parece ela. Lou, fui até Londres passar a noite com ela e o Thom para que ela pudesse sair, e, quando voltou, ela estava *cantando*.

— Uau.

— Pois é. Quase afinada até. Contei para o seu pai e ele me acusou de ser pouco romântica. Pouco romântica! Respondi que só alguém que realmente acredita em romance consegue ficar casada depois de lavar as cuecas dele por trinta anos.

— Mãe!
— Ah, meu Deus. Esqueci. Você ainda não deve ter tomado café da manhã. Bem. Seja como for. Se você falar com ela, tente arrancar alguma informação. Aliás, como vai seu namorado?
— Sam? Ah, ele está... bem.
— Que ótimo. Ele foi até o seu apartamento algumas vezes depois que você viajou. Acho que só queria se sentir perto de você, coitadinho. Treena disse que ele estava muito triste. Ficou procurando qualquer trabalho para fazer por perto. Também veio jantar conosco. Mas não tem aparecido faz um tempo.
— Ele está muito ocupado, mãe.
— Imagino. Ele tem um emprego e meio, não é? Bom, tenho que desligar antes que esta ligação leve nós duas à falência. Contei que vou me encontrar com a Maria esta semana? A atendente do banheiro daquele hotel lindo em que ficamos em agosto? Vou a Londres ver Treena e Thom na sexta, mas antes vou dar um pulo lá e almoçar com a Maria.
— No banheiro?
— Não seja ridícula. Tem uma promoção de massa do tipo coma-duas-pague-uma naquela rede de restaurantes italianos perto de Leicester Square. Não lembro o nome agora. Ela é muito exigente com os lugares aonde vai, diz que devemos avaliar a cozinha de um restaurante pela limpeza do banheiro feminino. E pelo visto o banheiro desse lugar tem uma manutenção muito boa. De hora em hora. Está tudo bem com você? Como vai a vida glamorosa da Quinta Rua?
— Avenida. Quinta Avenida, mãe. Está ótima. Está tudo... incrível.
— Não se esqueça de me mandar mais fotos. Mostrei para a Sra. Edwars aquela foto sua no Baile Amarelo, e ela disse que você parecia uma estrela de cinema. Não disse qual, mas eu sei que era um elogio. Eu estava comentando com seu pai que devíamos ir até aí fazer uma visita antes que você se torne importante demais para nos receber!
— Como se isso fosse acontecer.
— Estamos muito orgulhosos de você, querida. Nem acredito que tenho uma filha na alta sociedade de Nova York, andando em limusines e fazendo amizade com gente importante.
Olhei ao redor, para o meu quartinho, com o papel de parede da década de oitenta e a barata morta embaixo da pia.
— É — falei. — Tenho muita sorte mesmo.

Tentando não pensar no significado de Sam não passar mais no meu apartamento apenas para se sentir próximo de mim, eu me vesti, tomei um café e desci.

Resolvi voltar para o Vintage Clothes Emporium. Tinha a sensação de que Lydia não se importaria se eu simplesmente ficasse por lá.

Havia escolhido minhas roupas com cuidado: dessa vez vesti uma blusa turquesa estilo chinês com uma pantalona de lã preta e sapatilhas vermelhas. Só o ato de criar um look que não envolvesse camisa polo e calça de náilon fez com que me sentisse mais eu mesma. Prendi o cabelo em duas tranças, atadas nas costas com um lacinho vermelho, e depois acrescentei os óculos escuros que Lydia me dera e brincos em formato de Estátua da Liberdade que eram irresistíveis, apesar de terem vindo de um quiosque de bugigangas para turistas.

Ouvi a confusão assim que desci a escada. Fiquei pensando por um tempinho o que a Sra. De Witt estaria aprontando, mas, quando fiz a curva, vi que a voz alterada era de uma jovem asiática, que parecia estar empurrando uma criancinha para Ashok.

— Você disse que hoje era o meu dia. Você prometeu. Tenho que ir para a passeata!

— Não vou poder, querida. Vincent está de folga. Não conseguiram ninguém para ficar no saguão.

— Então os seus filhos podem ficar sentados aqui com você. Vou nessa passeata, Ashok. Precisam de mim.

— Não posso cuidar das crianças aqui!

— A biblioteca vai *fechar*, meu bem. Entende isso? Você sabe que é o único lugar com ar-condicionado aonde eu posso ir no verão! E é o único lugar em que não enlouqueço. Diga aonde mais nos Heights posso levar essas crianças quando passo dezoito horas por dia sozinha com elas.

Ashok ergueu o olhar enquanto eu permanecia parada ali.

— Ah, oi, Srta. Louisa.

Ela se virou. Não sei o que eu esperava da esposa de Ashok, mas não era essa mulher de aparência intensa, vestindo calça jeans e uma bandana, o cabelo encaracolado caindo pelas costas.

— Dia.

— Bom dia.

Ela se virou para o outro lado.

— Não vou mais discutir isso, meu bem. Você me disse que o sábado era meu. Vou à passeata para proteger um recurso público valioso. *Ponto final*.

— Vai ter outra manifestação na semana que vem.

— Temos que manter a pressão! Este é o momento em que os vereadores decidem o orçamento! Se não estivermos na luta agora, os jornais locais não vão noticiar, e então eles vão pensar que ninguém se importa. Você sabe como funcionam as relações públicas, meu bem? Sabe como o mundo funciona?

— Vou *perder meu emprego* se o patrão vier aqui e encontrar três crianças. Sim, amo você, Nadia. Amo mesmo. Não chore, querida.

Ele se virou para a menininha em seu colo e beijou sua bochecha molhada.

— O papai tem que trabalhar hoje.

— Já estou de saída, meu bem. Volto no início da tarde.

— Não vá. Você não tem a coragem de... ei!

Ela se afastou, a palma da mão para cima, como se para barrar mais protestos, e saiu do prédio, abaixando-se para pegar um cartaz que tinha deixado perto da porta. Como se estivessem perfeitamente coreografadas, todas as três crianças começaram a chorar. Ashok xingou baixinho.

— Como é que eu me viro com isso agora?

— Eu fico com elas — falei, antes de saber o que estava fazendo.

— O quê?

— Não tem ninguém em casa. Posso levar as crianças para cima.

— Está falando sério?

— Ilaria vai visitar a irmã nos sábados. O Sr. Gopnik está no clube. Vou deixar as crianças na frente da televisão. Não deve ser muito difícil, certo?

Ele me fitou.

— A senhorita não tem filhos, não é, Srta. Louisa? — Então, Ashok se recompôs. — Mas, nossa, isso salvaria a minha pele. Se o Sr. Ovitz passar por aqui e encontrar esses três, vou ser demitido antes que dê tempo de você dizer, ahn...

Ele pensou por um instante.

— Você está demitido?

— Exatamente. Tudo bem. Deixe que eu suba com a senhorita e explique quem é quem e quem gosta do quê. Ei, crianças, vocês vão para uma aventura lá em cima com a Srta. Louisa! Não é legal?

Três crianças me encararam com o rosto molhado e catarrento. Abri um enorme sorriso para elas. E, em uníssono, as três recomeçaram a chorar.

Se algum dia você estiver melancólica, separada da família e um pouco insegura a respeito da pessoa que ama, recomendo fortemente ficar encarregada de três pequenos estranhos, com pelo menos dois que ainda não sejam capazes de ir ao banheiro sem ajuda. A frase "viva o momento" só fez sentido de fato para mim quando saí perseguindo um bebê, a fralda obscenamente suja quase caindo, que atravessava engatinhando um caríssimo tapete Aubusson, ao mesmo tempo que tentava conter um fedelho de quatro anos perseguindo um gato traumatizado. O filho do meio, Abhik, podia ser acalmado com biscoitos, e eu o coloquei em frente a desenhos animados na sala de TV, jogando nacos de biscoito com as mãos gordas na boca cheia de baba, enquanto eu tentava manter os outros dois restritos a uma área de cerca de seis metros quadrados. Eles eram engraçados, fofos, volúveis e exaustivos, gritando, correndo e batendo sem parar nos móveis. Vasos oscilaram, livros foram jogados das estantes e rapidamente recolocados. O barulho — e alguns odores desagradáveis — enchia o ar. Em determinado momento, eu estava sentada no chão segurando dois deles pela cintura enquanto a mais velha, Rachana, cutucava meu olho com dedos grudentos e ria. Eu ria também. Era meio engraçado, de um jeito *graças a Deus isso vai terminar logo.*

Depois de duas horas, Ashok subiu, disse que a esposa estava presa no protesto e perguntou se eu podia ficar com as crianças por mais uma hora. Concordei. Ele estava com aquele olhar arregalado dos verdadeiramente desesperados e, no fim das contas, eu não tinha mais nada para fazer. No entanto, tomei a precaução de levar as crianças para o meu quarto, onde coloquei um desenho animado na televisão, tentei evitar que elas abrissem a porta e, no fundo, aceitei que o ar nessa área do edifício talvez nunca mais tivesse o mesmo cheiro. Eu tentava evitar que Abhik pusesse inseticida na boca quando alguém bateu na porta.

— *Espere um pouco, Ashok* — gritei, tentando arrancar a lata da mão da criança antes que o pai visse.

Porém, foi o rosto de Ilaria que apareceu diante de mim. Ela me encarou, depois olhou para as crianças e de novo para mim. Abhik parou de chorar por um instante, fitando Ilaria com seus enormes olhos castanhos.

— Hum. Oi, Ilaria!

Ela não falou nada.

— Eu... eu estou ajudando o Ashok por algumas horas. Sei que não é o ideal, mas, humm, por favor, não fale nada. As crianças vão ficar aqui só mais um pouquinho.

Ela espiou a cena, depois cheirou o ar.

— Vou borrifar o quarto depois. Por favor, não conte para o Sr. Gopnik. Prometo que não vai acontecer de novo. Sei que eu devia ter perguntado antes, mas não tinha ninguém em casa e o Ashok estava desesperado.

Enquanto eu falava, Rachana correu choramingando na direção da mulher mais velha e se jogou como uma bola de rúgbi em sua barriga. Pisquei quando Ilaria cambaleou para trás.

— Eles vão embora logo, logo. Posso pedir para o Ashok vir imediatamente. De verdade. Ninguém precisa saber...

Mas Ilaria apenas ajeitou a blusa e pegou a menininha no colo.

— Está com sede, *compañera*?

Sem olhar para trás, saiu arrastando os pés, segurando com força Rachana no colo, o pequeno polegar enfiado na boca.

Enquanto eu permanecia imóvel, a voz de Ilaria ecoou pelo corredor.
— Traga as crianças para a cozinha.

Ilaria fritou uma porção de bolinhos de banana, oferecendo pedacinhos de banana às crianças, para que se ocupassem enquanto ela cozinhava, e eu tornei a encher canecas de água e tentei evitar que as crianças menores caíssem das cadeiras da cozinha. Ela não falou comigo, mas ficou cantarolando baixinho, o rosto estampando uma meiguice inesperada, a voz baixa e musical enquanto conversava com as crianças. Estas, como cães reagindo a um treinador eficiente, ficaram quietas e passíveis de negociação no mesmo instante, estendendo as mãos para mais um pedaço de banana, lembrando-se de falar por favor e obrigado, de acordo com as instruções de Ilaria. Elas comeram bastante, ficando cada vez mais sorridentes e plácidas, a neném esfregando os olhos com os punhos fechados, como se estivesse pronta para dormir.
— Com fome — disse Ilaria, apontando os pratos vazios com a cabeça.
Tentei lembrar se Ashok dissera alguma coisa sobre comida na mochila da bebê, mas eu estivera distraída demais para olhar. Eu estava simplesmente agradecida por ter uma adulta no recinto.
— Você tem um jeito incrível com crianças — comentei, mastigando um pedaço de bolinho.
Ela deu de ombros, mas pareceu silenciosamente orgulhosa.
— Você devia trocar a pequena. Podemos improvisar uma cama para ela na última gaveta do seu armário.
Eu a encarei.
— Porque ela pode cair da sua cama.
Ela revirou os olhos, como se isso fosse óbvio.
— Ah. Claro.
Levei Nadia de volta para o meu quarto e a troquei, fazendo uma careta. Fechei as cortinas. Depois puxei a gaveta de baixo, ajeitei meus pulôveres para nivelá-los, e deitei Nadia ali, esperando que ela adormecesse. No início ela lutou contra o sono, os grandes olhos me fitando, as mãos gordas e cheias de covinhas esticadas procurando as minhas, mas dava para ver que aquela era uma batalha perdida. Tentei copiar Ilaria e cantei baixinho uma canção de ninar. Bem, estritamente falando, não era uma canção de ninar: a única música cuja letra eu conseguia lembrar era a *Canção Molahonkey*, que só a fez rir, além de outra sobre Hitler ter apenas um testículo, que meu pai cantava para mim quando eu era pequena. Mas a neném gostou. Seus olhos começaram a se fechar.
Ouvi os passos de Ashok no corredor e a porta se abrir atrás de mim.

— Não entre — sussurrei. — Ela está quase... *Himmler tinha algo parecido...* Ashok permaneceu onde estava.

— *Mas o pobre e velho Goebbels não tinha bola nenhuma.*

E assim ela adormeceu. Esperei um instante, coloquei meu suéter turquesa em cima dela para evitar que ficasse com frio, então me levantei.

— Pode deixá-la aqui, se quiser — sussurrei. — Ilaria está na cozinha com os outros dois. Acho que ela está...

Eu me virei e gritei. Sam estava de pé na porta, com os braços cruzados e um meio sorriso, uma sacola no chão entre seus pés. Abri e fechei os olhos, em dúvida se estava tendo uma alucinação. E então levei as mãos devagar até o rosto.

— Surpresa!

Ele moveu os lábios para pronunciar a palavra, mas não emitiu nenhum som, e eu atravessei o quarto tropeçando e o empurrei para o corredor, onde podia beijá-lo.

Sam revelou que tinha planejado tudo na noite em que eu contara sobre minha inesperada folga no fim de semana. Jake não fora problema — não faltaram amigos felizes em aceitar um ingresso grátis para o show —, e ele tinha reorganizado o trabalho, implorando favores e permutando turnos. Depois havia reservado um voo barato de última hora e embarcado para me surpreender.

— Você teve sorte que eu não resolvi fazer a mesma surpresa para você.

— Cheguei a pensar nisso, a nove mil metros de altura. Tive essa visão repentina de você voando na direção oposta.

— Quanto tempo temos?

— Só quarenta e oito horas, infelizmente. Tenho que ir embora segunda-feira de manhã cedo. Mas, Lou, eu... não queria esperar mais algumas semanas.

Ele não falou mais nada, mas eu sabia o que queria dizer.

— Estou tão feliz por você ter vindo. Obrigada. Obrigada. Então, quem deixou você entrar?

— O homem lá da recepção. Ele me avisou sobre as crianças. Depois me perguntou se eu já tinha me recuperado da minha intoxicação alimentar.

Sam ergueu uma sobrancelha.

— É. Não existem segredos neste prédio.

— Ele também me disse que você era um doce e a melhor pessoa daqui. O que eu já sabia, é claro. E então uma senhorinha idosa com um cachorro histérico veio pelo corredor e começou a gritar com ele sobre a coleta do lixo, mas deixei que ele resolvesse o assunto com ela.

Tomamos café até a esposa de Ashok chegar e assumir as crianças de novo. O nome dela era Meena e, cintilando com a energia residual de sua passeata comunitária, ela me agradeceu com sinceridade e nos contou sobre a biblioteca em Washington Heights que estavam tentando salvar. Ilaria parecia não querer entregar Abhik de volta para a mãe: estava ocupada gargalhando com ele, beliscando delicadamente as bochechas do garoto e fazendo-o rir. O tempo todo que ficamos lá com as duas mulheres, batendo papo, eu sentia a mão de Sam abaixo da minha cintura, sua enorme figura preenchendo a cozinha, sua mão livre ao redor de uma das xícaras de café, e de repente senti que aquele lugar estava alguns graus mais próximo de ser o meu lar, porque agora eu poderia visualizar Sam nele.

— Muito prazer em conhecê-la — dissera ele a Ilaria, estendendo a mão.

Em vez de lançar seu costumeiro olhar de absoluta desconfiança, ela dera um pequeno sorriso e apertara a mão dele. Percebi que poucas pessoas se davam ao trabalho de se apresentar a ela. Nós duas éramos invisíveis na maior parte do tempo, e Ilaria, talvez em virtude de sua idade ou nacionalidade, ainda mais que eu.

— Tome cuidado para o Sr. Gopnik não ver o rapaz aqui — murmurou ela quando Sam foi ao banheiro. — Namorados são proibidos no prédio. Usem a entrada de serviço.

Ela balançou a cabeça como se não acreditasse que estava concordando com algo tão imoral.

— Ilaria, não vou esquecer isso. Obrigada — falei.

Estendi os braços como se fosse abraçá-la, mas ela me lançou um olhar penetrante. Interrompi meu gesto no meio do caminho e o transformei em dois polegares para cima.

Comemos pizza — uma vegetariana inofensiva —, depois paramos em um bar escuro e imundo onde um jogo de beisebol bradava em uma pequena tela de TV. Sentamos a uma minúscula mesa com nossos joelhos se encostando. Metade do tempo eu não fazia ideia sobre o que estávamos conversando, porque não conseguia acreditar que Sam estava ali, na minha frente, inclinando-se em sua cadeira, rindo de coisas que eu dizia e passando a mão na cabeça. Como que por um acordo tácito, não mencionamos Katie Ingram e Josh. Em vez disso, conversamos sobre nossas famílias. Jake tinha uma namorada nova e raramente ficava na casa de Sam, como antes. Sam confessou que sentia falta dele, embora compreendesse que nenhum menino de dezessete anos realmente desejava passar o tempo com o tio.

— Ele está muito mais feliz, e o pai dele ainda não se resolveu, então eu devia ficar alegre por ele. Mas é estranho. Eu me acostumei a ter o Jake por perto.

— Você sempre pode ir ver minha família — falei.

— Eu sei.
— Posso só dizer pela quadragésima oitava vez como estou feliz de você estar aqui?
— Você pode me dizer o que quiser, Louisa Clark — disse ele suavemente, levando as juntas de meus dedos aos lábios.

Permanecemos no bar até as onze. Por mais estranho que pareça, apesar do tempo limitado de que dispúnhamos para ficar juntos, nenhum de nós sentia a urgência cheia de pânico que tivéramos da última vez, de aproveitar cada minuto. O fato de ele estar lá era um bônus tão inesperado que acho que nós dois concordamos silenciosamente em apenas aproveitar a companhia um do outro. Não havia necessidade de visitar pontos turísticos, marcar uma lista de tarefas a serem cumpridas ou correr para a cama. Estava, como os jovens dizem, tudo tranquilo, na boa.

Saímos do bar enroscados um no outro, como bêbados alegres fazem, e eu fui até o meio-fio, pus dois dedos na boca e assobiei, sem demonstrar perplexidade quando um táxi amarelo parou na minha frente cantando pneus. Eu me virei para fazer um sinal para Sam entrar, mas ele estava me encarando.

— Ah, é. Ashok me ensinou. Você precisa meio que colocar os dedos embaixo da língua. Olhe... desse jeito.

Sorri para ele, mas algo em sua expressão me incomodou. Achei que ele ia gostar de meu pequeno artifício para chamar um táxi, mas, em vez disso, foi como se de repente ele não me reconhecesse.

Voltamos para um prédio silencioso. O Lavery estava quieto e majestoso observando o parque, elevando-se acima do barulho e do caos da cidade, como se, de algum modo, fosse superior àquele tipo de coisa. Sam parou quando chegamos à calçada coberta em frente ao prédio e fitou a estrutura alta, sua monumental fachada de tijolos, as janelas estilo palladiano. Balançou a cabeça, quase para si mesmo, quando entramos. O saguão de mármore estava em silêncio, o porteiro da noite cochilava no escritório de Ashok. Ignoramos o elevador de serviço e subimos pela escada, nossos passos abafados pela longa extensão de carpete azul-royal, nossas mãos deslizando pelo corrimão de metal polido. Subimos mais um lance até chegarmos ao corredor dos Gopnik. Ao longe, Dean Martin começou a latir. Entramos no apartamento e fechei com cuidado a imensa porta atrás de nós.

A luz de Nathan estava apagada e, ao longo do corredor, a TV de Ilaria balbuciava indistintamente. Sam e eu atravessamos o enorme hall na ponta dos pés, passamos pela cozinha e chegamos a meu quarto. Troquei de roupa, colocando uma camiseta, mas pensando, subitamente, que gostaria de dormir com algo um pouco mais sofisticado; em seguida, entrei no banheiro e comecei a escovar os dentes. Perambulei para fora do banheiro, ainda escovando, e encontrei Sam sentado na cama, o olhar fixo na parede. Fitei-o com o ar mais inquisidor possível quando se está com a boca cheia de espuma sabor menta.

— O que foi?
— É... esquisito — respondeu ele.
— Minha camiseta?
— Não. Estar aqui. Neste lugar.

Voltei para o banheiro, cuspi e lavei a boca.

— Está tudo bem — comecei a falar, fechando a torneira. — Ilaria é tranquila, e o Sr. Gopnik só vai voltar domingo à noite. Se você se sentir mesmo pouco à vontade, eu reservo um quarto para nós em um hotelzinho que Nathan conhece a dois quarteirões e aí podemos...

Ele balançou a cabeça.

— Não *isso*. Você. Aqui. Quando ficamos no hotel, éramos apenas você e eu, como sempre. Só estávamos em um lugar diferente. Aqui, finalmente consigo ver como tudo mudou para você. Pelo amor de Deus, você está morando na Quinta Avenida. Um dos endereços mais caros do mundo. Está trabalhando neste edifício de doido. Tudo cheira a dinheiro. E tudo é absolutamente normal para você.

Por mais estranho que fosse, fiquei na defensiva.

— Ainda sou eu.
— Claro — disse ele. — Mas você está em um lugar diferente agora. Literalmente.

Ele falou em tom neutro, mas algo naquela conversa me deixou desconfortável. Descalça, andei até onde ele estava, coloquei as mãos em seus ombros e disse, com um pouco mais de ênfase do que pretendia:

— Ainda sou apenas a Louisa Clark, sua garota ligeiramente desajeitada de Stortfold. — Como ele não respondeu, acrescentei: — Sou apenas uma funcionária aqui, Sam.

Ele me olhou nos olhos, depois estendeu a mão e acariciou meu rosto.

— Você não entende. Não consegue ver como mudou. Você está diferente, Lou. Anda por essas ruas como se fossem suas. Chama um táxi assobiando e ele aparece. Até mesmo seu jeito de andar mudou. É como se... não sei. Você cresceu como pessoa. Ou talvez tenha crescido como outra pessoa.

— Está vendo, agora você está dizendo uma coisa boa, mas soa como uma coisa ruim.

— Não é ruim — corrigiu ele. — Apenas... diferente.

Eu me aproximei mais e montei em Sam, minhas pernas nuas pressionando sua calça jeans. Encostei o rosto no dele, nariz contra nariz, nossas bocas a centímetros de distância. Envolvi seu pescoço com meus braços para sentir a maciez de seu cabelo escuro na minha pele, sua respiração morna em meu peito. O quarto estava escuro, e uma luz fria de neon lançava um raio estreito na minha cama. Eu o beijei e, com aquele beijo, tentei transmitir algo do que ele representava para mim, o fato de que podia chamar um milhão de táxis com um assobio, mas ainda sabia que ele era a única pessoa com quem gostaria de compartilhar um táxi. Beijei-o, meus beijos se tornando cada vez mais profundos e intensos, pressionando-me nele, até que Sam cedeu, suas mãos se fecharam ao redor de minha cintura e deslizaram para cima, e senti o exato momento em que ele parou de pensar. Sam me puxou com força em sua direção, sua boca grudada na minha, e gemi enquanto ele se mexia, empurrando-me para baixo, todo o seu ser reduzido a uma única intenção.

Naquela noite ofereci algo para Sam. Estava desinibida, diferente do que costumo ser. Eu me tornei diferente porque estava desesperada para lhe mostrar como realmente precisava dele. Era uma luta, mesmo que ele não soubesse. Escondi meu próprio poder e o deixei cego com o dele. Não houve ternura, nem palavras suaves. Quando nossos olhos se encontravam, eu estava quase com raiva dele. *Ainda sou eu*, disse-lhe em silêncio. *Não se atreva a duvidar de mim. Não depois de tudo isso.* Ele tapou meus olhos, colocou a boca em meu cabelo e me possuiu. Eu deixei. Queria que ele ficasse meio louco com aquilo. Queria que ele sentisse que estava tomando tudo. Não faço ideia dos sons que emiti, mas, quando acabou, meus ouvidos estavam tinindo.

— Isso foi... diferente — disse ele quando voltamos a respirar normalmente.

Sua mão deslizou por cima de mim, suave agora, o polegar acariciando minha coxa.

— Você nunca esteve assim.

— Talvez eu nunca tivesse sentido tanto a sua falta.

Inclinei-me e beijei seu peito. Senti um sabor salgado nos lábios. Ficamos ali deitados no escuro, observando a faixa de neon que atravessava o teto.

— É o mesmo céu — disse ele na penumbra. — É isso que temos que manter na memória. Ainda estamos embaixo do mesmo céu.

Ao longe, soou uma sirene de polícia, seguida por outra em um contraponto desencontrado. Eu não registrava mais esses barulhos: os sons de Nova York tinham se tornado conhecidos, caindo na categoria de ruídos despercebidos. Sam se virou para mim, o rosto nas sombras.

— Comecei a esquecer as coisas, sabe. Todas as pequenas partes de você que amo. Eu não conseguia me lembrar do cheiro do seu cabelo.

Ele baixou a cabeça, aproximando-a da minha, e inspirou.

— Ou o formato do seu queixo. Ou o modo como a sua pele treme quando faço isso...

Deslizou o dedo de leve a partir da minha clavícula, e eu meio que sorri com a reação involuntária do meu corpo.

— Esse jeito maravilhosamente tonto com que você me olha logo depois... Eu tinha que vir aqui, para me lembrar dessas coisas.

— Ainda sou eu, Sam.

Ele me beijou, os lábios tocando suavemente quatro, cinco vezes os meus, um sussurro.

— Bem, qualquer que seja a versão de você, Louisa Clark, eu te amo — disse Sam, e rolou devagar, suspirando, para se deitar de costas.

Porém, nesse momento tive que reconhecer uma verdade desconfortável. Eu fora diferente com ele. E não tinha sido apenas porque eu queria mostrar como o desejava, como o adorava, apesar de isso fazer parte do motivo. Em algum nível mais sombrio, oculto, eu queria mostrar a ele que eu era melhor do que *ela*.

14

Dormimos até depois das dez, então fomos caminhando para a lanchonete perto de Columbus Circle. Comemos até nossa barriga doer, bebemos galões de café passado e ficamos sentados um em frente ao outro, os joelhos entrelaçados.

— E aí, está feliz de ter vindo? — perguntei, como se não soubesse a resposta.

Ele estendeu a mão e a colocou delicadamente atrás do meu pescoço, inclinando-se por cima da mesa até me beijar, sem reparar nas outras pessoas, e eu recebi a resposta de que precisava. Ao nosso redor, havia casais de meia-idade lendo o jornal do fim de semana, grupos de festeiros vestidos com roupas bizarras que ainda não tinham ido para casa dormir e conversavam entre si, além de casais exaustos com filhos mal-humorados.

Sam se recostou na cadeira e suspirou fundo.

— Minha irmã sempre quis vir aqui, sabe. Parece idiota que ela nunca tenha vindo.

— Sério?

Estendi a mão para pegar a dele, e Sam virou a palma para cima para segurar a minha, fechando os dedos sobre ela.

— É. Ela tinha uma lista inteira de coisas que queria fazer, como ir a um jogo de beisebol. Os Kicks? Os Knicks? Um time que ela queria ver. E comer em uma lanchonete de Nova York. E mais que tudo ela queria subir no topo do Rockefeller Center.

— Não o Empire State?

— Não. Ela dizia que o Rockefeller devia ser melhor, com uma espécie de observatório de vidro. Pelo visto, dá para ver a Estátua da Liberdade de lá. — Apertei a mão dele. — Podíamos ir lá hoje.

— Podíamos mesmo — concordou ele. — Faz a gente pensar, não é?

Sam pegou a xícara de café.

— Temos que agarrar as oportunidades quando podemos.

Uma vaga melancolia tomou conta dele. Eu não quis interromper. Sabia melhor que ninguém como, às vezes, é preciso se permitir ficar triste. Esperei um minuto e depois disse:

— Sinto isso todo dia.

Ele se virou para mim.

— Vou falar uma coisa tipo Will Traynor agora — avisei.

— Tudo bem.

— Não tem quase nenhum dia aqui em que eu não sinta que ele estaria orgulhoso de mim.

Senti um bocadinho de ansiedade, consciente de como havia testado Sam nos primeiros dias de nosso relacionamento por falar sem parar sobre Will, sobre como ele significara tanto para mim, sobre o vazio que ele deixara. Porém, Sam apenas aquiesceu.

— Também acho que ele estaria. — Ele acariciou meu dedo com o polegar. — Sei que eu estou. Orgulhoso de você. Quer dizer, sinto uma baita saudade. Mas, meu Deus, você é incrível, Lou. Chegou a uma cidade que não conhecia e fez esse emprego, no meio de milionários e bilionários, funcionar para você, e arranjou amigos, criou essa *coisa* toda para você. As pessoas passam a vida inteira sem fazer um décimo disso que você conseguiu.

Ele fez um gesto ao redor.

— Você também conseguiria — falei sem pensar. — Eu pesquisei. As autoridades de Nova York estão sempre precisando de bons paramédicos. Tenho certeza de que podíamos conseguir isso.

Falei em tom de brincadeira, mas, assim que as palavras saíram, percebi como desejava ardentemente que aquilo acontecesse. Inclinei-me sobre a mesa.

— Sam. Podíamos alugar um apartamento pequeno no Queens ou qualquer outro lugar e então podíamos ficar juntos toda noite, dependendo de quem estivesse trabalhando em que turno insano, e podíamos fazer isto aqui todo domingo de manhã. Podíamos ficar *juntos*. Não acha que seria maravilhoso?

Você só tem uma vida. Ouvi as palavras soando nos meus ouvidos. *Diga sim*, falei para ele em silêncio. *Simplesmente diga sim*.

Ele estendeu o braço por cima da mesa para pegar minha mão. Depois suspirou.

— Não posso, Lou. Minha casa não está pronta. Mesmo que eu decidisse alugá-la, precisaria terminar a obra. E não posso deixar o Jake por enquanto. Ele tem que saber que estou por perto. Só um pouco mais de tempo.

Forcei-me a dar o tipo de sorriso que indicava que eu não tinha levado aquilo a sério.

— Claro! Foi só uma ideia idiota.

Ele encostou os lábios na palma da minha mão.
— Não é idiota. Mas é impossível neste momento.

Decidimos, por um acordo tácito, não mencionar assuntos potencialmente difíceis de novo, e isso aniquilou uma quantidade surpreendente de temas — o trabalho dele, sua vida em casa, nosso futuro. Caminhamos pelo High Line, depois nos apressamos para ir até o Vintage Clothes Emporium, onde cumprimentei Lydia como uma velha amiga e me arrumei com um macacão cor-de-rosa com lantejoulas estilo anos setenta, um casaco de pele anos cinquenta e um boné de marinheiro, fazendo Sam rir.
— *Esta* — disse ele, quando saí do provador com um vestido psicodélico solto e curto de náilon cor-de-rosa e amarelo — é a Louisa Clark que eu conheço e amo.
— Ela já mostrou para você o vestido de festa azul? Aquele com mangas?
— Não consigo me decidir entre este e o casaco de pele.
— Meu bem — disse Lydia, acendendo um cigarro Sobranie —, você não pode usar pele na Quinta Avenida. As pessoas não vão perceber que está sendo irônica.
Quando finalmente saí do provador, Sam estava ao lado da caixa, segurando um pacote.
— É o vestido dos anos sessenta — disse Lydia, prestativa.
— Você comprou para mim?
Peguei o pacote dele.
— Sério? Não achou espalhafatoso demais?
— É totalmente louco — disse Sam, impassível. — Mas você parecia tão feliz com ele... tão...
— Ah, meu Deus, ele é um bom partido — sussurrou Lydia quando estávamos de saída, o cigarro pendendo do canto da boca. — Aliás, da próxima vez faça com que ele compre o macacão. Você ficou uma diva.

Voltamos para o apartamento por algumas horas e cochilamos, totalmente vestidos e enroscados de modo casto um no outro, saturados de carboidratos. Às quatro, despertamos zonzos e concordamos que devíamos sair e completar nosso último passeio, já que Sam tinha que pegar o voo às oito da manhã do dia seguinte no aeroporto JFK. Enquanto empacotávamos seus poucos pertences, fui fazer um chá na cozinha, onde encontrei Nathan misturando algum shake de proteína. Ele deu um sorriso malicioso.
— Soube que o seu namorado está aqui.
— Será que nada é inteiramente privado neste corredor?

Enchi a chaleira e apertei o botão.

— Não quando as paredes são tão finas assim, Louisa — disse ele. — Estou brincando! — completou, quando corei até a raiz do cabelo. — Não ouvi nada. Mas é bom saber, pela cor do seu rosto, que você teve uma noite boa!

Eu estava prestes a bater nele quando Sam apareceu na porta. Nathan parou na frente dele e estendeu a mão.

— Ah. O famoso Sam. Prazer em finalmente conhecê-lo, cara.

— O prazer é meu.

Esperei ansiosamente para ver se eles iam se comportar como macho alfa um com o outro. Mas Nathan era bastante relaxado por natureza e Sam ainda estava calmo depois de vinte e quatro horas de comida e sexo. Os dois simplesmente se cumprimentaram, sorriram um para o outro e trocaram gracejos.

— Vocês vão sair hoje à noite?

Nathan tomou um grande gole da bebida enquanto eu entregava a Sam uma xícara de chá.

— Nós pensamos em ir ao topo do Rockefeller. É uma espécie de missão.

— Ai, gente. Vocês não vão querer ficar em uma fila de turistas na última noite juntos. Venham para o Holiday Cocktail Lounge no East Village. Vou encontrar meus amigos lá. Lou, você conheceu os caras da última vez que saímos. Vai ter uma promoção lá hoje à noite. É sempre uma boa pedida.

Olhei para Sam, que deu de ombros. Podíamos dar uma passada de meia hora, eu disse. Então talvez pudéssemos ir ao topo do Rockefeller sozinhos. Ficava aberto até onze e quinze.

Três horas mais tarde, estávamos espremidos ao redor de uma mesa tumultuada, meu cérebro girando de leve por causa dos drinques que tinham aterrissado nele, um após o outro. Eu estava com meu vestido solto psicodélico porque queria mostrar a Sam como tinha gostado. Ele, enquanto isso, da maneira como fazem os homens que adoram a companhia de outros homens, tinha se conectado a Nathan e seus amigos. Estavam comentando sobre as escolhas musicais de cada um e comparando histórias de terror bizarras da juventude.

Uma parte de mim sorria e me juntava à conversa, enquanto que a outra fazia cálculos mentais sobre a frequência com que poderia contribuir financeiramente para Sam ir a Nova York duas vezes mais do que ele havia planejado. Sem dúvida ele perceberia como isso era bom. Como nós dois éramos bons juntos.

Sam se levantou para comprar a rodada seguinte.

— Vou pegar o cardápio

Ele pronunciou as palavras sem emitir som. Fiz que sim. Eu sabia que provavelmente devia comer alguma coisa para não ficar mal mais tarde.

E então senti a mão de alguém no meu ombro.
— Você está mesmo me perseguindo!
Josh me encarava com o rosto iluminado, um grande sorriso exibindo dentes perfeitamente brancos. Eu me levantei de repente, ruborizada. Virei-me, mas Sam estava no bar, de costas para nós.
— Josh! Oi!
— Você sabia que este pode ser considerado meu outro bar predileto, certo?
Ele estava usando uma camisa azul listrada de tecido macio, as mangas dobradas.
— Não sabia!
Minha voz estava alta demais, minha fala rápida demais.
— Acredito em você. Quer uma bebida? Aqui fazem um *old-fashioned* que é de outro mundo.
Esticou o braço e tocou meu cotovelo.
Dei um pulo para trás como se ele tivesse me queimado.
— É, eu sei. E não. Obrigada. Estou com amigos e...
Virei-me justo a tempo de Sam chegar, segurando uma bandeja de drinques, dois cardápios embaixo do braço.
— Oi — disse ele, dando uma espiada em Josh antes de colocar a bandeja na mesa.
Depois, se endireitou devagar e o examinou de verdade.
Permaneci de pé, as mãos tensas ao lado do corpo.
— Josh, este é o Sam, meu... meu namorado. Sam, este é... este é o Josh.
Sam encarava Josh, como se tentasse absorver alguma coisa.
— É — disse Sam afinal. — Acho que eu podia ter adivinhado.
Ele me olhou, depois tornou a encarar Josh.
— Vocês... vocês querem uma bebida? Quer dizer, dá para ver que já têm, mas eu ficaria feliz em oferecer a próxima rodada.
Josh fez um gesto na direção do balcão.
— Não. Obrigado, cara — disse Sam, que ficara de pé para demonstrar que era meia cabeça mais alto que o outro. — Acho que estamos bem aqui.
Seguiu-se um silêncio constrangedor.
— Tudo bem, então.
Josh me olhou e aquiesceu.
— Prazer em conhecer você, Sam. Vai ficar muito tempo?
— O suficiente.
O sorriso de Sam não se alargou até os olhos. Eu nunca o vira tão irritado.
— Bem, então... vou deixar vocês em paz. Louisa, vejo você por aí. Tenham uma ótima noite.

Josh ergueu as palmas das mãos, um gesto de paz. Abri a boca, mas não havia nada a dizer que soasse certo, então acenei, um gesto esquisito e agitado com os dedos.

Sam se sentou pesadamente. Dei uma espiada em Nathan, que estava do outro lado da mesa e mantinha uma expressão de perfeita neutralidade. Os outros rapazes não pareceram ter reparado nada e ainda estavam conversando sobre os preços dos ingressos do último show a que tinham ido. Durante um instante, Sam ficou perdido em seus pensamentos. Por fim, ergueu o olhar. Peguei a mão dele, mas ele não apertou a minha.

O humor não melhorou. O bar estava barulhento demais para conversar com Sam, e eu não tinha certeza do que queria dizer. Beberiquei meu drinque e pensei em uma centena de argumentos que se reviravam em minha mente. Sam tomou um grande gole de sua bebida, aquiesceu e sorriu com as piadas dos rapazes, mas eu percebia o tique em seu maxilar e sabia que seu coração não estava mais lá. Às dez horas, saímos e pegamos um táxi para casa. Deixei que ele chamasse.

Subimos pelo elevador de serviço, seguindo as instruções, e verificamos se havia algum ruído antes de entrarmos sorrateiramente em meu quarto. Parecia que o Sr. Gopnik já estava na cama. Sam não falou nada. Foi ao banheiro se trocar e fechou a porta atrás de si, as costas rígidas. Ouvi-o escovar os dentes e gargarejar enquanto eu subia na cama, sentindo-me desconfortável e com raiva ao mesmo tempo. Ele pareceu ficar lá dentro por uma eternidade. Enfim abriu a porta e saiu de cueca. As cicatrizes ainda estavam vermelhas e intensas, cruzando sua barriga.

— Estou sendo um babaca.

— É, está, sim.

Ele expirou demoradamente. Olhou para minha foto de Will, aninhada entre uma foto dele mesmo e outra de minha irmã com Thom, que estava com o dedo no nariz.

— Desculpe. Simplesmente me pegou de surpresa. Como ele se parece com...

— Eu sei. Mas qualquer um também poderia dizer que é esquisito você passar o tempo com minha irmã e ela se parecer tanto comigo.

— Só que ela não se parece com você. — Ele ergueu as sobrancelhas. — Espera aí, o quê?

— Estou esperando você dizer que sou mil vezes mais bonita.

— Você é mil vezes mais bonita.

Afastei as cobertas para deixá-lo entrar, e ele subiu na cama ao meu lado.

— Você é muito mais bonita que sua irmã. Milhões de vezes mais. Você é praticamente uma *top model*.

Ele colocou uma das mãos em meu quadril. Estava morna e pesada.

— Mas com pernas mais curtas. Melhor assim?

Tentei não sorrir.

— Melhor. Mas um pouco grosseiro sobre as minhas pernas.

— São pernas lindas. Minhas pernas favoritas. As pernas de *top models* são simplesmente... entediantes.

Sam se aproximou e ficou em cima de mim. Toda vez que ele fazia isso era como se pedacinhos de mim ganhassem vida involuntariamente, e tive que me esforçar muito para não me remexer. Ele estava apoiado nos cotovelos, prendendo-me no lugar e olhando para o meu rosto, que eu tentava deixar impassível, mesmo que meu coração estivesse disparado.

— Acho que você matou o pobre rapaz de susto — falei. — Parecia de leve querer bater nele.

— É porque eu queria, de leve.

— Você é um bobo, Sam Fielding.

Estiquei-me e o beijei. Ao retribuir o beijo, ele estava sorrindo de novo. Seu queixo estava com a barba por fazer no lugar onde ele não tinha se dado ao trabalho de barbear.

Dessa vez Sam foi meigo. Em parte porque agora acreditávamos que as paredes eram finas e ele realmente não deveria estar ali. Porém, acho que estávamos cuidadosos um com o outro depois dos eventos inesperados da noite. Toda vez que ele me tocava, era com respeito. Ele disse que me amava, a voz baixa e suave, olhando direto em meus olhos. As palavras reverberaram dentro de mim como pequenos terremotos.

Amo você.

Amo você.

Amo você também.

Programamos o alarme para as 4h45, e acordei xingando, arrancada do sono pelo barulho estridente. Ao meu lado, Sam gemeu e pôs um travesseiro por cima da cabeça. Tive que acordá-lo à força.

Empurrei-o, resmungando, para o banheiro, abri o chuveiro e fui me arrastando até a cozinha para fazer um café. Quando voltei, ouvi o som do chuveiro sendo desligado. Sentei-me na beirada da cama, bebericando meu café e pensando de quem fora a maravilhosa ideia de beber drinques fortes em uma noite de domingo. A porta do banheiro se abriu assim que caí para trás.

— Posso pôr a culpa da bebida em você? Preciso culpar alguém.
Minha cabeça estava latejando. Eu a levantei e abaixei devagar.
— O que é que tinha naqueles drinques?
Apertei as têmporas com a ponta dos dedos.
— Eles devem ter servido doses duplas. Normalmente não fico tão mal. Ah, cara. Nós devíamos apenas ter ido ao Rockefeller.
Sam não disse nada. Virei o rosto para poder vê-lo. Ele estava imóvel na porta do banheiro.
— Quer falar comigo sobre isso?
— Sobre o quê?
Eu me empertiguei. Sam estava com uma toalha em torno da cintura e segurava uma caixinha retangular branca. Por um breve momento pensei que estava tentando me dar uma joia e quase caí na risada. Mas, quando ele me entregou a caixa, não estava sorrindo.
Eu a peguei da mão dele. E fiquei encarando, incrédula, um teste de gravidez. A caixa estava aberta e o bastão de plástico branco, jogado lá dentro. Verifiquei o conteúdo, uma parte distante de mim percebendo que não havia nenhuma linha azul. Depois olhei para Sam, sem saber o que dizer.
Ele se sentou pesadamente na lateral da cama.
— Nós usamos camisinha, não é? Da última vez que eu visitei você. Usamos camisinha.
— On... onde você achou isto?
— Na sua lata de lixo, quando fui jogar a lâmina fora.
— Não é meu, Sam.
— Você divide este quarto com mais alguém?
— Não.
— Então como é que você não sabe de quem é?
— Eu não sei! Mas... mas não é meu! Não transei com mais ninguém!
Percebi, ao protestar, que o mero ato de insistir que eu não tinha feito sexo com mais ninguém fazia parecer que eu estava tentando esconder o fato de que tinha feito sexo com outra pessoa.
— Sei o que parece, mas não faço ideia de como isso veio parar no meu banheiro!
— É por isso que você está sempre me aborrecendo por causa da Katie? Porque na verdade está se sentindo culpada por sair com outra pessoa? Como é que chamam? Transferência? Era... era por isso que você estava tão... tão diferente na outra noite?
O ar desapareceu do quarto. Senti como se tivesse levado um tapa. Encarei-o.

— Você acha isso de verdade? Depois de tudo o que passamos?

Sam não disse uma palavra.

— Acha mesmo... que eu trairia você?

Ele estava pálido, tão chocado quanto eu.

— Eu só acho que, se a coisa parece um pato e grasna feito um pato, então, sabe... provavelmente é um pato.

— Não sou um maldito *pato*... Sam. Sam.

Relutante, ele virou a cabeça.

— Eu não trairia você. Não sou assim. Precisa acreditar em mim.

Os olhos dele examinavam meu rosto.

— Não sei quantas vezes vou ter que repetir. Não é meu.

— Nós estamos juntos há tão pouco tempo. E grande parte dele passamos separados. Eu não...

— Você não o quê?

— É uma daquelas situações, sabe? Se você contasse para seus amigos no bar, eles lançariam aquele olhar tipo... *cara*...

— Então não conte para seus malditos amigos no bar! *Me* escute!

— Quero escutar, Lou!

— Então qual é o seu problema?

— *Ele era a cara do Will Traynor!*

A frase irrompeu dele como se não tivesse nenhum outro lugar para ir. Sam se sentou e apoiou a cabeça nas mãos. Então repetiu, baixinho:

— Ele era a cara do Will Traynor.

Meus olhos tinham se enchido de lágrimas. Limpei-as com o punho, sabendo que provavelmente estava manchando as bochechas com o rímel da noite anterior, mas sem me importar. Quando falei, a voz saiu baixa e grave. Nem parecia minha.

— Vou dizer isso mais uma vez. Não estou dormindo com mais ninguém. Se você não acredita em mim... Bem, não sei o que está fazendo aqui.

Sam não falou nada, mas senti como se sua resposta flutuasse silenciosamente entre nós: *Nem eu*. Ele se levantou e se aproximou da sua mala. Retirou uma calça lá de dentro e vestiu-a, puxando-a com movimentos curtos e raivosos.

— Tenho que ir.

Eu não conseguia dizer mais nada. Fiquei sentada na cama, observando-o, sentindo-me ao mesmo tempo desolada e furiosa. Não abri a boca enquanto ele se vestia e jogava o resto de suas coisas na mala. Depois ele a pendurou no ombro, foi até a porta e se virou.

— Boa viagem — falei.

Não consegui sorrir.

— Eu ligo quando chegar.
— Tudo bem.

Sam se curvou e me beijou no rosto. Não levantei o olhar quando abriu a porta. Ele ficou ali parado por mais um momento e então saiu, fechando silenciosamente a porta.

Agnes voltou para casa ao meio-dia. Garry a buscou no aeroporto, e ela chegou estranhamente quieta, como se estivesse relutante de estar ali. Cumprimentou-me de forma apressada por trás dos óculos escuros e se retirou para seu quarto de vestir, onde permaneceu, com a porta trancada, pelas quatro horas seguintes. Na hora do chá, apareceu, tomou um banho e se vestiu, forçando um sorriso quando entrei em seu escritório levando os painéis semânticos concluídos. Conversei com ela sobre as cores e os tecidos, e ela concordou, distraída, mas eu percebi que, na verdade, não tinha registrado nada do que eu fizera. Deixei-a tomar o chá, depois esperei até constatar que Ilaria tinha descido. Fechei a porta do escritório, de modo que ela ergueu o olhar para mim.

— Agnes — falei, baixinho. — É uma pergunta estranha, mas você deixou um teste de gravidez no meu banheiro?

Ela me fitou por cima da xícara de chá. Então colocou-a no pires e mudou a expressão.

— Ah. Isso. Sim, eu ia contar para você.

Senti a raiva crescer dentro de mim.

— Você ia me contar? Sabia que meu namorado encontrou?

— Seu namorado veio para o fim de semana? Que ótimo! Aproveitaram bem?

— Até o momento em que ele achou um teste de gravidez usado no meu banheiro.

— Mas você disse que não era seu, não é?

— Disse, Agnes. Mas, que engraçado, os homens costumam ficar um pouco desconfiados quando encontram testes de gravidez no banheiro das namoradas. Principalmente namoradas que moram a quase cinco mil quilômetros de distância.

Ela fez um gesto com a mão, como se desconsiderasse minhas preocupações.

— Ah, pelo amor de Deus. Se ele confia em você, vai ficar bem. Você não está traindo. Ele não devia ser tão idiota.

— Mas por quê? Por que você colocaria um teste de gravidez no meu banheiro?

Ela parou. Olhou ao meu redor, como se para checar que a porta do escritório estava realmente fechada. E de repente ficou séria.

— Porque, se eu deixasse no meu banheiro, Ilaria ia descobrir — disse, de modo direto. — E não posso deixar que ela veja.

Agnes ergueu as mãos, como se eu estivesse sendo incrivelmente tola.

— Leonard foi muito claro quando nos casamos. Nada de filhos. Foi nosso acordo.

— Sério? Mas isso não é... E se você decidir ter?

Ela enrugou os lábios.

— Não vou ter.

— Mas... mas você tem a minha idade. Como pode ter certeza? Na maioria dos dias nem ao menos sei se vou continuar usando a mesma marca de condicionador. Uma porção de pessoas muda de ideia quando...

— Não vou ter filhos com Leonard — disparou ela. — Entendido? Chega dessa conversa sobre filhos.

Fiquei parada, meio relutante, e a cabeça dela se virou de repente, com uma expressão decidida.

— Sinto muito. Sinto muito se criei problemas para você. — Ela esfregou a testa com a palma da mão. — Está bem? Sinto muito. Agora vou correr. Sozinha.

Ilaria estava na cozinha quando entrei alguns minutos depois. Batendo uma grande quantidade de massa em uma tigela, com movimentos regulares e fortes, ela não ergueu o olhar.

— Você acha que ela é sua amiga.

Parei, minha caneca a meio caminho da cafeteira.

Ela sovou a massa com uma força determinada.

— A *puta* trairia você sem dó se isso salvasse o pescoço dela.

— Isso não ajuda em nada, Ilaria — falei. Talvez tenha sido a primeira vez que lhe dei uma resposta. Enchi a caneca e andei até a porta. — E, acredite ou não, você não sabe tudo.

Eu a ouvi resmungar até o meio do corredor.

Fui até a mesa de Ashok para pegar a roupa lavada de Agnes, parando para conversar por alguns minutos a fim de tentar melhorar meu mau humor. Ashok estava sempre tranquilo, sempre otimista. Conversar com ele era como abrir a janela para um mundo mais leve. Quando voltei ao apartamento, havia um saco plástico, pequeno e ligeiramente amassado, do lado de fora da porta da frente. Abaixei-me para pegá-lo e descobri, para minha surpresa, que era endereçado a mim. Ou pelo menos para "Louisa acho que é o nome dela".

Abri a sacola no meu quarto. Dentro dela, embrulhado em papel de seda reciclado, havia um xale vintage da Biba, decorado com uma estampa de penas de pavão. Desenrolei-o e coloquei-o em volta do pescoço, admirando o brilho sutil do tecido, a maneira como reluzia mesmo na penumbra. Tinha cheiro de cravo e perfume antigo. Depois enfiei a mão na sacola e puxei um pequeno cartão. No alto, havia um nome, impresso em letra circular azul-escura: Margot De Witt. Embaixo, em um rabisco tremido, estava escrito: *Obrigada por salvar meu cachorro.*

15

Para: SreSraBernardClark@yahoo.com
De: AbelhaAtarefada@gmail.com

Oi, mãe,

Sim, o Halloween é um grande evento aqui. Andei pela cidade e foi muito legal. Uma porção de fantasminhas e bruxinhas passava carregando cestas de doces, com os pais acompanhando-os de longe com lanternas. Alguns dos pais também estavam fantasiados. E as pessoas aqui realmente parecem entrar no espírito da coisa, não é como na nossa rua, onde metade dos vizinhos apaga as luzes ou se esconde no quarto dos fundos para evitar que as crianças batam na porta. Todas as janelas ficam cheias de abóboras de plástico ou fantasmas de mentirinha, e todo mundo parece adorar se fantasiar. Ninguém nem de longe reclamou, pelo que vi.

Mas não apareceu ninguém pedindo "doces ou travessuras" no nosso prédio. Não estamos exatamente no tipo de vizinhança em que as pessoas batem na porta dos outros. Talvez elas tivessem que chamar os motoristas umas das outras. E também teriam que passar pelo porteiro da noite, que pode ser meio assustador.

A próxima festa é o Dia de Ação de Graças. Mal sumiram com todos os fantasmas e os anúncios de peru já começaram. Não tenho certeza do que se trata o Dia de Ação de Graças — acho que é principalmente para comer. A maioria dos feriados aqui parece servir para isso.

Estou bem. Desculpe não estar telefonando com frequência. Mande um beijo para o papai e para o vovô.

Saudades.
Lou

O Sr. Gopnik, que nos últimos tempos ficara sentimental em relação a reuniões familiares, da maneira como acontecia com homens recém-divorciados, determinara que queria uma ceia de Ação de Graças no apartamento com a presença de seus parentes mais próximos, tirando proveito do fato de Kathryn ter ido para Vermont com a irmã. A perspectiva desse evento festivo — junto com o cronograma de dezoito horas de trabalho por dia dele — foi o suficiente para deixar Agnes em um estado constante de pavor.

Sam me mandou uma mensagem de texto ao voltar — vinte e quatro horas depois de chegar em casa, na verdade — para dizer que estava cansado e que aquilo era mais difícil do que ele pensara. Respondi com um mero *sim* porque, na realidade, eu também estava cansada.

Eu corria com Agnes e George de manhã cedo. Quando não ia, acordava no quartinho com os sons da cidade e uma imagem de Sam, de pé na porta do banheiro. Eu ficava deitada ali, me mexendo e me virando, até me enroscar nos lençóis, com o humor arruinado. O dia inteiro perdia o viço antes mesmo de começar. Quando tinha que me levantar e sair com os tênis de corrida, já acordava embalada, forçada a contemplar a vida de outras pessoas, o impulso em minhas coxas, o ar frio no peito, o som da respiração nos ouvidos. Sentia-me rija, forte, pronta para rebater qualquer coisa ruim que o dia provavelmente usaria como forma de me receber.

E, naquela semana, houve um bocado de coisas ruins. A filha de Garry largou a faculdade, deixando-o com um humor horrível, de modo que toda vez que Agnes saía do carro ele se lamentava sobre filhos ingratos que não entendiam o sacrifício ou o valor do dinheiro de um trabalhador. Ilaria estava reduzida a uma constante e muda fúria pelos hábitos mais bizarros de Agnes, como pedir comida e depois resolver que não queria comer ou trancar o quarto de vestir quando não estava lá, para que Ilaria não pudesse guardar suas roupas.

— Ela quer que eu coloque as calcinhas dela no corredor? Quer que seus trajes sensuais fiquem em exibição para o quitandeiro? Afinal, o que ela está escondendo lá dentro?

Michael entrava no apartamento como um fantasma, com a expressão exausta e aniquilada de um homem com dois empregos — e até mesmo Nathan perdeu parte de sua tranquilidade e falou de uma maneira ríspida com a japonesa especialista em gatos quando ela sugeriu que a surpresa inesperada que Nathan havia encontrado no sapato era consequência de sua "energia ruim".

— Vou passar para ela uma bendita energia ruim — rosnou ele, jogando os tênis de corrida no lixo.

A Sra. De Witt bateu à nossa porta duas vezes em uma semana para reclamar do piano e, em retaliação, Agnes colocava a gravação de uma peça musical intitulada A *Escada do Diabo*, aumentando o volume logo antes de sairmos.

— Ligeti — resmungou ela, verificando a maquiagem no estojo de pó compacto enquanto descíamos no elevador, as notas atonais martelando, crescendo e retrocedendo acima de nós.

Em silêncio, mandei uma mensagem para Ilaria pedindo que desligasse o som depois que saíssemos do prédio.

A temperatura caiu, as calçadas ficaram ainda mais congestionadas e as vitrines de Natal começaram a aparecer nas lojas, como uma erupção vistosa e cintilante. Reservei o voo para casa com pouca ansiedade, sem saber que tipo de recepção eu teria. Telefonei para minha irmã, na esperança de que ela não fizesse muitas perguntas. Eu não precisava ter me preocupado. Ela estava mais tagarela do que nunca, conversando sobre os projetos escolares de Thom, os novos amigos que ele fizera no condomínio, sua destreza no futebol. Perguntei sobre o namorado e ela ficou atipicamente quieta.

— Vai nos contar *alguma coisa* sobre ele? Você sabe que isso está enlouquecendo a mamãe.

— Você ainda vem para casa no Natal?

— Vou.

— Então talvez eu apresente a você. Se você conseguir não ser uma idiota completa por algumas horas.

— Ele já conheceu o Thom?

— Neste fim de semana — respondeu ela, a voz subitamente um pouco menos segura. — Eu mantive os dois separados até agora. E se não der certo? Quer dizer, Eddie ama crianças, mas e se eles não...

— Eddie!

Ela suspirou.

— Sim. Eddie.

— Eddie. Eddie e Treena. *Eddie e Treena sentados numa árvore. B-E-I-J-A-N-D-O.*

— Você é tão infantil.

Foi a primeira vez que eu ri a semana toda.

— Eles vão se dar bem — falei. — E, depois que você tiver feito isso, pode apresentá-lo para o papai e a mamãe. Então é para você que ela vai ficar dando indiretas sobre casamento e eu vou poder tirar umas Férias de Culpa Materna.

— "Férias de Culpa Materna"... Você está falando feito uma americana. E até parece que isso vai acontecer. Sabia que ela está preocupada que você esteja esnobe demais para falar com eles no Natal? Ela acha que você não vai querer entrar na van do papai saindo do aeroporto porque se acostumou a andar de limusine.

— É verdade, me acostumei.

— Sério, como você está? Não contou nada do que está acontecendo com você.

— Amando Nova York — respondi, suave como um mantra. — Trabalhando bastante.

— Ah, droga. Tenho que ir. Thom acordou.

— Depois me conte como foi.

— Vou contar. A não ser que tudo corra mal. Nesse caso, vou sair do país sem falar mais com ninguém pelo resto da vida.

— Essa é a nossa família. Sempre uma reação razoável.

O sábado foi servido frio, com acompanhamento de vendavais. Eu não sabia que os ventos podiam ser tão brutais em Nova York. Era como se os edifícios altos afunilassem qualquer brisa, polindo-a com força e rapidez e transformando-a em algo gelado, feroz e sólido. Com frequência, eu me sentia como se estivesse andando em algum túnel sádico de vento. Mantendo a cabeça baixa, o corpo a um ângulo de quarenta e cinco graus e, de vez em quando, o braço estendido para agarrar hidrantes ou postes de luz, peguei o metrô para o Vintage Clothes Emporium, onde tomei um café para me aquecer e comprei um casaco com estampa de zebra na promoção por meros doze dólares. Na verdade, demorei lá. Não queria voltar para meu quartinho silencioso, com o noticiário da TV de Ilaria balbuciando no corredor, os ecos fantasmagóricos de Sam e a tentação de checar meu e-mail a cada quinze minutos. Cheguei em casa depois que já anoitecera e eu estava com frio e cansada o suficiente para não ficar inquieta ou submergida naquela persistente sensação de Nova York: que, ao ficar em casa, eu estava perdendo algo.

Acomodei-me e assisti à TV no meu quarto. Pensei em escrever um e-mail para Sam, mas continuava zangada o suficiente para não agir de forma conciliadora e não estava segura de que o que tinha para falar melhoraria alguma coisa. Peguei um romance de John Updike emprestado das prateleiras do Sr. Gopnik, mas era sobre as complexidades dos relacionamentos modernos, e todos pareciam infelizes ou desejavam alguém ardentemente, então, por fim, apaguei a luz e dormi.

Na manhã seguinte, quando desci, Meena estava no saguão do prédio. Dessa vez sem os filhos, mas acompanhada de Ashok, que não usava o uniforme.

Fiquei um pouco surpresa ao vê-lo em trajes normais, vasculhando embaixo da mesa. De repente, ocorreu-me como era bem mais fácil para os ricos se recusarem a saber qualquer coisa sobre nós quando não estávamos vestidos como indivíduos.

— Oi, Srta. Louisa — disse ele. — Esqueci meu chapéu. Precisei passar aqui antes de ir para a biblioteca.

— Aquela que eles querem fechar?

— É — confirmou Ashok. — Quer vir junto?

— Venha nos ajudar a salvar nossa biblioteca, Louisa!

Meena deu um tapinha em minhas costas com a mão coberta por uma luva que deixava os dedos de fora.

— Precisamos de toda ajuda que pudermos conseguir!

Eu havia planejado ir a um café, mas não tinha mais nada para fazer, e o domingo se estendia à minha frente como uma terra estéril, então concordei. Eles me entregaram um cartaz que dizia "UMA BIBLIOTECA É MAIS DO QUE LIVROS" e verificaram se eu tinha gorro e luvas.

— Você está bem para uma ou duas horas, mas vai congelar na terceira — disse Meena quando saímos.

Ela era o que meu pai teria chamado de intrépida — uma nova-iorquina voluptuosa, sexy, com cabelão, que tinha uma resposta inteligente para tudo o que o marido falava e adorava zombar dele por causa do cabelo, de sua maneira de cuidar das crianças, de sua destreza sexual. Tinha uma gargalhada alta e rouca e não levava desaforo para casa. Ashok a adorava. Eles se chamavam de "meu bem" com tanta frequência que de vez em quando eu me perguntava se haviam esquecido o nome um do outro.

Pegamos o metrô em direção a Washington Heights e conversamos sobre como ele havia arranjado aquele emprego como uma medida temporária quando Meena engravidou pela primeira vez, e como, quando as crianças tivessem idade para ir à escola, ele começaria a procurar outra coisa, um trabalho em horário comercial, para que pudesse ajudar mais. ("Mas os benefícios de plano de saúde são bons. Torna mais difícil sair.") Os dois tinham se conhecido na faculdade — fiquei envergonhada de admitir que eu tinha suposto que fora um casamento arranjado.

Quando contei isso, Meena começou a gargalhar. *Garota? Você não acha que eu teria feito meus pais escolherem coisa melhor para mim?*

Ashok: *Você não disse isso na noite passada, meu bem.*

Meena: *Foi porque eu estava concentrada na TV.*

Quando finalmente subimos, rindo, os degraus da estação de metrô na 163rd Street, de repente me vi em uma Nova York bem diferente.

* * *

Os prédios nessa parte de Washington Heights pareciam esgotados: vitrines tapadas por tábuas de madeira com escadas de incêndio envergadas, lojas de bebidas, lanchonetes de frango frito e salões de beleza com fotos gastas e enrugadas de penteados fora de moda. Um homem xingando baixinho passou por nós, empurrando um carrinho de compras cheio de sacos plásticos. Grupos de adolescentes relaxavam nas esquinas, passando cantadas, e o meio-fio era pontuado por sacos de lixo dispostos em pilhas desarrumadas ou com seu conteúdo jogado na rua. Não havia nada do brilho da parte sul de Manhattan, nada da pretensão proposital que era transmitida no ar da área central da cidade. A atmosfera ali tinha cheiro de comida frita e desilusão.

Meena e Ashok pareciam não notar. Eles caminhavam lado a lado, as cabeças juntas, checando os telefones para se certificar de que a mãe de Meena não estava tendo problemas com as crianças. Meena se virou para ver se eu ainda estava com eles e sorriu. Dei uma olhada para trás, enfiei a carteira mais fundo dentro do casaco e me apressei para alcançá-los.

Ouvimos o protesto antes de vê-lo, uma vibração no ar que gradativamente foi se tornando distinta, um canto ao longe. Viramos uma esquina e lá, na frente de um prédio de tijolos vermelhos sujo de fuligem, havia cerca de cento e cinquenta pessoas, empunhando cartazes e cantando, a maioria direcionando a voz para uma pequena equipe de filmagem. Quando nos aproximamos, Meena empunhou seu cartaz no ar.

— *Educação para todos!* — gritou. — *Não tirem os espaços seguros dos nossos filhos!*

Entramos na multidão e fomos rapidamente engolidos por ela. Eu achava que Nova York era multiforme, mas agora percebia que tudo o que tinha visto era a cor da pele das pessoas, os estilos de suas roupas. Ali havia outra variedade de pessoas. Havia mulheres velhas com gorros de tricô, hipsters com bebês presos nas costas, rapazes negros com o cabelo cuidadosamente trançado e indianas idosas de sári. Todos estavam animados, reunidos com um propósito comum e a intenção total e compartilhada de se fazerem ouvir. Eu me juntei ao canto, vendo o sorriso radiante de Meena, a maneira como ela abraçava os outros manifestantes conforme se movimentava pela multidão.

— Eles disseram que vai passar no noticiário da noite.

Uma mulher idosa se virou para mim, aquiescendo de satisfação.

— É a única coisa que a câmara municipal leva em conta. Todos eles querem estar nos noticiários.

Sorri.

— Todo ano é a mesma coisa, certo? Todo ano temos que lutar um pouco mais arduamente para manter nossa comunidade unida. Todo ano temos que nos apegar mais ao que é nosso.

— D... Desculpe. Eu não sei. Só estou aqui com amigos.

— Mas você veio nos ajudar. É isso que importa.

Ela colocou uma das mãos em meu braço.

— Sabia que o meu neto tem um programa de orientação aqui? Pagam para ele ensinar computação para outros jovens. Realmente pagam para ele. Ele ensina adultos também. Ajuda a se candidatarem a empregos.

Ela bateu as mãos enluvadas uma na outra, tentando se manter aquecida.

— Se a câmara fechar a biblioteca, todas essas pessoas não vão ter para onde ir. E pode apostar que os vereadores vão ser os primeiros a reclamar dos jovens zanzando por aí pelas esquinas. Você sabe.

Ela sorriu para mim como se eu soubesse.

Adiante, Meena ergueu seu cartaz novamente. Ashok, do lado dela, curvou-se para cumprimentar o filhinho de um amigo, pegando-o no colo e levantando-o até acima da multidão para que ele visse melhor. Ashok parecia completamente diferente na multidão, sem a roupa de porteiro. Por mais que tivéssemos conversado, eu só o tinha visto através do prisma de seu uniforme. Não imaginara sua vida além da mesa da portaria, como ele sustentava a família, quanto tempo levava para chegar ao trabalho ou quanto ganhava. Examinei a multidão, que havia silenciado um pouco mais desde que a equipe de filmagem fora embora, e me senti estranhamente envergonhada pelo pouco que havia explorado Nova York. Esse lugar representava a cidade tanto quanto as torres brilhantes do centro.

Continuamos a cantoria por mais uma hora. Os carros e caminhões buzinavam em apoio quando passavam, e gritávamos de volta. Duas bibliotecárias saíram e ofereceram bandejas com bebidas quentes ao máximo de gente que conseguiram. Eu não peguei. A essa altura, já tinha notado as costuras rasgadas do casaco da senhora, as roupas gastas e surradas à minha volta. Uma indiana e seu filho passaram pela rua com grandes bandejas prateadas de *pakoras* quentes e nós corremos para pegá-las, agradecendo em profusão.

— Vocês estão fazendo um trabalho importante — disse ela. — Nós agradecemos.

Minha *pakora* estava cheia de ervilhas e batata, apimentada o suficiente para me fazer engasgar, mas absolutamente deliciosa.

— Eles trazem para nós toda semana, Deus os abençoe — disse a idosa, limpando pedaços de massa que caíram em seu cachecol.

Uma viatura de polícia passou duas, três vezes, o rosto do policial inexpressivo enquanto esquadrinhava a multidão.

— Nos ajude a salvar nossa biblioteca, senhor! — gritou Meena para ele.

O homem virou o rosto para o outro lado, mas seu colega sorriu.

Em algum momento, Meena e eu entramos na biblioteca para usar o banheiro, e tive a oportunidade de ver o lugar pelo qual eu aparentemente estava lutando. O prédio era velho, com teto alto, tubulações visíveis e ar abafado; as paredes eram cobertas por cartazes oferecendo educação para adultos, sessões de meditação, ajuda com currículos e pagamentos de seis dólares por hora para turmas de orientação. Mas estava cheio de gente, a área das crianças lotada de jovens famílias, a seção dos computadores zumbindo com adultos digitando cuidadosamente nos teclados, ainda não confiantes no que estavam fazendo. Vários adolescentes estavam sentados conversando baixo em um canto, alguns lendo livros, vários usando fones de ouvido. Fiquei surpresa de ver dois seguranças parados perto da mesa da bibliotecária.

— É. Temos algumas brigas. É grátis para todo mundo, sabe? — sussurrou Meena. — Drogas, geralmente. Sempre tem alguma encrenca.

Na volta, quando descemos a escada, passamos por uma idosa. O chapéu dela estava imundo, seu casaco de náilon azul amarrotado e surrado, com rasgos nos ombros, feito ombreiras. Eu a observei enquanto ela subia, degrau após degrau, seus chinelos gastos mal ficando nos pés, carregando uma bolsa na qual um único livro sobressaía.

Ficamos lá fora por mais uma hora — tempo suficiente para um repórter e outra equipe de notícias parar e fazer perguntas, prometendo se esforçar para divulgar a história. E então, de uma só vez, a multidão começou a se dispersar. Meena, Ashok e eu voltamos para o metrô, os dois conversando animadamente sobre as pessoas com quem tinham falado e sobre os protestos planejados para a semana seguinte.

— O que vocês vão fazer se realmente fechar? — perguntei a eles, quando estávamos no trem.

— Sinceramente? — disse Meena, empurrando a bandana para trás no cabelo. — Não tenho ideia. Mas é provável que feche no fim das contas. Tem outro prédio, mais bem-equipado, a três quilômetros de distância, e eles vão dizer que podemos levar nossos filhos lá. Porque obviamente todos por aqui têm carro. E é bom para os idosos andarem três quilômetros com um calor de mais de trinta graus. — Ela revirou os olhos. — Mas até lá continuamos lutando, certo?

— Precisamos ter lugares para a comunidade. — Ashok levantou a mão em um movimento enfático, cortando o ar. — Precisamos ter lugares onde as pessoas possam se encontrar, conversar e trocar ideias, e isso não pode ser só sobre dinheiro, sabe? Os livros nos ensinam sobre a vida. Os livros ensinam sobre *empatia*.

Mas não dá para comprar livros se você mal tem o suficiente para pagar o aluguel. Então aquela biblioteca é um recurso vital! Ao fechar uma biblioteca, Louisa, você não acaba só com uma instalação, você acaba com a *esperança*.

Houve um breve silêncio.

— Eu amo você, meu bem — disse Meena, e o beijou na boca.

— Eu amo você também, meu bem.

Eles se entreolharam e eu tirei com as mãos migalhas imaginárias do meu casaco, tentando não pensar em Sam.

Ashok e Meena foram para o apartamento da mãe dela pegar as crianças, me abraçando e me fazendo prometer voltar na semana seguinte. Eu me arrastei até a lanchonete, onde tomei um café e comi um pedaço de torta. Eu não conseguia parar de pensar na manifestação, nas pessoas na biblioteca, nas ruas encardidas e esburacadas que a circundavam. Continuava visualizando os rasgos no casaco daquela mulher, na idosa do meu lado e seu orgulho pelo pagamento que o neto recebia pelas aulas. Pensei no apelo apaixonado de Ashok pela comunidade. Lembrei-me de como minha vida tinha mudado por causa de nossa biblioteca perto de casa, da maneira como Will havia insistido que "conhecimento é poder". Pensei em como cada livro que eu lia agora — e quase toda decisão que tomava — remetia àquela época.

Pensei em como cada um dos manifestantes na multidão conhecia outra pessoa, ou estava ligado a outra pessoa, ou trazia comida ou bebida para os outros, ou conversava com eles; como eu sentira a energia fluir e o prazer advindo de um objetivo compartilhado.

Pensei em meu novo lar, em um prédio silencioso de talvez trinta pessoas, onde ninguém falava com ninguém, a não ser para reclamar sobre alguma pequena violação de sua própria paz, onde ninguém parecia gostar de ninguém nem se preocupar em conhecer os outros o suficiente para descobrir.

Fiquei sentada até que a torta esfriou na minha frente.

Quando voltei, fiz duas coisas: escrevi um bilhete curto para a Sra. De Witt agradecendo pelo lindo lenço, dizendo que o presente salvara a minha semana e que, se algum dia ela precisasse de ajuda com o cachorro, eu adoraria aprender mais sobre cuidados caninos. Coloquei em um envelope e o enfiei por baixo da porta dela.

Bati na porta de Ilaria, tentando não ficar intimidada quando ela a abriu e me fitou com uma desconfiança evidente.

— Passei no café onde vendem os biscoitos de canela de que você gosta, então trouxe alguns para você. Aqui.

Entreguei a bolsa para ela.
Ela olhou, desconfiada.
— O que você quer?
— Nada! — respondi. — Só... obrigada pela coisa toda com as crianças no outro dia. E, sabe, nós trabalhamos juntas e tal, então... — Dei de ombros. — São só uns biscoitos.

Eu os segurei a alguns centímetros dela, para que fosse obrigada a pegá-los. Ilaria olhou para a sacola, depois para mim, e tive a sensação de que ela estava a ponto de devolvê-los, então, antes que pudesse fazer isso, dei tchau e corri de volta para o meu quarto.

Nessa noite, entrei na internet e li tudo o que encontrei sobre a biblioteca: as notícias sobre os cortes de orçamento, ameaças de fechamento, pequenas histórias de sucesso — *Adolescentes locais creditam bolsa na faculdade a biblioteca* —, imprimindo as partes mais importantes e salvando todas as informações úteis em um arquivo.

E, às 08h45, um e-mail pipocou na minha caixa de entrada. O título era DESCULPE.

> Lou,
>
> Eu estive ocupado a semana toda e queria escrever quando tivesse mais de cinco minutos e soubesse que não ia piorar as coisas ainda mais. Não sou bom com palavras. E acho que só uma palavra é importante de verdade agora. Desculpe. Sei que você não me trairia. Fui um idiota por pensar isso.
>
> O fato é que é difícil estar tão longe e não saber o que está acontecendo na sua vida. Quando nos encontramos, é como se o peso de tudo aumentasse. Não conseguimos simplesmente relaxar um com o outro.
>
> Sei que seu tempo em Nova York é importante para você e não quero que fique estagnada.
>
> Desculpe de novo.
> Seu Sam

Foi a coisa mais próxima de uma carta que ele já me mandara. Fitei aquelas palavras por alguns instantes, tentando distinguir meus sentimentos. Finalmente, abri uma nova mensagem e digitei:

> Eu sei. Amo você. Quando nos virmos no Natal, espero que possamos ter tempo só para relaxar um com o outro. Beijos, Lou

Enviei, depois respondi a um e-mail de mamãe e escrevi outro para Treena. Digitei tudo no piloto automático, pensando em Sam o tempo inteiro. *Sim, mãe, vou olhar as fotos novas do jardim no Facebook. Sim, sei que a filha de Bernice faz aquele bico em todas as fotos. É para sair bonita.*

Entrei na minha conta do banco, depois no Facebook e acabei sorrindo, mesmo sem querer, com as intermináveis fotos da filha de Bernice e seu bico emborrachado. Vi as fotos de minha mãe em nosso pequeno jardim, as cadeiras novas que ela tinha comprado do centro de jardinagem. Depois, como em um capricho, entrei no perfil de Katie Ingram. Quase imediatamente desejei não ter feito isso. Lá, em cores gloriosas, havia sete fotos recentes de uma saída noturna dos paramédicos, possivelmente aquela para a qual eles estavam a caminho quando liguei.

Ou, pior, talvez não.

Lá estava Katie, usando uma camisa cor-de-rosa que parecia de seda, o sorriso escancarado, um olhar astuto, inclinando-se sobre a mesa para defender seu ponto de vista, seu pescoço exposto ao jogar a cabeça para trás enquanto ria. Lá estava Sam, com seu casaco surrado e uma camiseta cinza, sua grande mão segurando um copo do que parecia ser refresco de limão, alguns centímetros mais alto que todo mundo. Em todas as fotos, o grupo estava feliz, rindo com as piadas compartilhadas. Sam parecia totalmente relaxado e à vontade. E, em todas as fotos, Katie Ingram aparecia grudada nele, aninhada embaixo do braço dele enquanto os dois estavam sentados em volta da mesa do pub, ou olhando para ele, uma das mãos encostando de leve em seu ombro.

16

— Tenho uma missão para você.

Eu estava sentada no canto do salão de cabeleireiro supermoderno onde Agnes ia pintar o cabelo e depois fazer escova. Estava vendo o noticiário local que cobria o protesto contra o fechamento da biblioteca e larguei depressa o celular quando ela se aproximou, com o cabelo cuidadosamente separado em camadas de papel-alumínio. Ela se sentou ao meu lado, ignorando a colorista, que claramente queria que ela voltasse para sua cadeira.

— Quero que você encontre um piano muito pequeno. Para eu mandar para a Polônia.

Ela disse isso como se estivesse me pedindo para comprar um pacote de chiclete no supermercado.

— Um piano muito pequeno — repeti.

— Um piano pequeno muito especial para uma criança aprender a tocar. É para a filhinha da minha irmã — explicou ela. — Mas precisa ser de ótima qualidade.

— Não tem como comprar pianos pequenos na Polônia?

— Não um tão bom. Quero um Hossweiner and Jackson. Eles fazem os melhores pianos do mundo. E você tem que arranjar um envio especial, com controle ambiental, para ele não ser afetado pelo frio ou pela umidade, já que isso altera a afinação. Mas a loja deve ajudar com isso.

— Qual é mesmo a idade da filha da sua irmã?

— Quatro anos.

— Ahn... está bem.

— E precisa ser o melhor, para que ela possa identificar a diferença. Sabe, existe uma imensa diferença entre as afinações. É como tocar um Stradivarius em comparação com um violino qualquer.

— Claro.

— Só que tem uma coisa.

Agnes se virou de costas, ignorando a colorista, que, agora frenética, gesticulava para ela do outro lado do salão, dando tapinhas em um relógio de pulso imaginário.

— Eu não quero que isto apareça na fatura do cartão de crédito. Então, você terá que sacar dinheiro toda semana para pagar o piano. Aos poucos. Está bem? Já tenho algum dinheiro.

— Mas... o Sr. Gopnik certamente não se importaria...

— Ele acha que eu gasto demais com a minha sobrinha. Ele não entende. E, se Tabitha descobrir, vai distorcer tudo para me fazer parecer uma pessoa má. Você sabe como ela é, Louisa. E então... pode fazer isso?

Ela me encarou avidamente sob as camadas de papel-alumínio.

— Ahn, posso sim.

— Você é maravilhosa. Fico muito feliz por ter uma amiga como você.

Agnes me abraçou do nada, amassando as folhas de papel-alumínio ao encostá-las na minha orelha. Na mesma hora a colorista veio correndo para ver o estrago provocado pelo meu rosto.

Liguei para a loja e pedi que me mandassem o orçamento de dois modelos de pianos em miniatura, mais o custo do envio. Quando me recuperei do susto, imprimi a relação dos valores e mostrei a Agnes em seu quarto de vestir.

— É um presente e tanto — comentei.

Ela fez um gesto de menosprezo.

Engoli em seco.

— Com a taxa de entrega, são mais dois mil e quinhentos dólares.

Eu hesitei. Agnes não. Ela foi até a cômoda e a abriu com uma chave guardada na calça jeans. Diante dos meus olhos, pegou um maço desorganizado de notas de cinquenta dólares da grossura do seu braço.

— Pronto. Aqui tem oito mil e quinhentos. Preciso que você saia todas as manhãs para sacar o restante no caixa eletrônico. Quinhentos de cada vez. Está bem?

Eu não me senti totalmente confortável com a ideia de tirar tanto dinheiro da conta sem o conhecimento do Sr. Gopnik. No entanto, sabia como Agnes era apegada à família, e eu conhecia melhor que ninguém a vontade de se sentir perto de quem está longe. Quem era eu para questionar como ela gastava o seu dinheiro? Afinal, com certeza ela tinha vestidos mais caros do que o pianinho.

Nos dez dias seguintes, em algum momento do dia, eu ia obedientemente a pé ao caixa eletrônico na Lexington Avenue e sacava o dinheiro, enfiando as notas no sutiã antes de voltar, preparada para enfrentar assaltantes que nunca se materializaram. Entregava o dinheiro a Agnes quando ficávamos a sós, então ela o juntava ao maço na cômoda e trancava a gaveta novamente. Enfim, levei todo o bolo de notas à loja de pianos, assinei o formulário de compra e contei o dinheiro diante de um vendedor perplexo. O piano seria entregue na Polônia a tempo para o Natal.

Essa era a única coisa que parecia dar alguma alegria a Agnes. Toda semana, a deixávamos no ateliê de Steven Lipkott para a aula de arte, e Garry e eu tomávamos uma overdose silenciosa de cafeína e açúcar no Best Doughnut Place ou eu concordava com murmúrios com suas opiniões sobre filhos adultos ingratos e donuts com confeitos de caramelo. Buscávamos Agnes umas duas horas mais tarde e tentávamos ignorar o fato de que ela não trazia nenhum desenho da aula.

Seu ressentimento em relação ao implacável circuito beneficente havia aumentado ainda mais. Ela havia parado de tentar ser gentil com as outras mulheres, segundo Michael me contou aos cochichos enquanto tomávamos café na cozinha. Ela simplesmente ficava sentada, linda e emburrada, esperando o evento terminar.

— Acho que não se pode culpá-la, considerando como foram umas vacas com ela. Mas isso está tirando o Sr. Gopnik um pouco do sério. Para ele é importante ter, se não uma esposa troféu, alguém que esteja pelo menos preparada para sorrir de vez em quando.

O Sr. Gopnik parecia exausto por causa do trabalho e da vida como um todo. Michael me contou que as coisas no escritório estavam difíceis. Uma imensa negociação para resgatar um banco em alguma economia emergente dera errado e todos estavam trabalhando dia e noite para tentar salvá-la. Ao mesmo tempo — ou talvez por causa disso — Nathan disse que a artrite do Sr. Gopnik tinha piorado, e os dois estavam fazendo sessões extras para que ele conseguisse se movimentar normalmente. Ele estava tomando muitos remédios e um médico particular vinha vê-lo duas vezes por semana.

— Eu odeio esta vida — reclamou Agnes enquanto atravessávamos o parque a pé. — Todo esse dinheiro que ele dá, e para quê? Para ficarmos sentados quatro vezes por semana, comendo canapés secos com pessoas secas. E para essas mulheres secas poderem falar mal de mim.

Ela parou por um instante, olhou para o prédio atrás de nós, e notei que seus olhos estavam cheios d'água.

— Às vezes, Louisa, acho que não vou mais aguentar — disse baixinho.

— Ele ama você — falei.

Eu não soube o que mais poderia dizer.

Ela secou os olhos com a palma da mão e balançou a cabeça, como se tentasse se livrar da emoção.

— Eu sei.

Ela então me deu o sorriso menos convincente que já vi.

— Mas faz muito tempo que deixei de acreditar que o amor resolve tudo.

Por impulso, me adiantei e a abracei. Mais tarde, me dei conta de que não sabia se tinha feito isso por ela ou por mim mesma.

Tive a ideia pouco antes do jantar de Ação de Graças. Agnes havia se recusado a sair da cama o dia inteiro, por causa de um evento beneficente em prol da saúde mental agendado para aquela noite. Ela alegou que estava deprimida demais para ir, aparentemente ignorando a ironia da desculpa.

Pensei nisso enquanto tomava uma caneca de chá e então decidi que tinha pouco a perder.

— Sr. Gopnik? — chamei, batendo na porta do escritório dele e esperando que me convidasse a entrar.

Ele levantou a cabeça — a camisa azul-clara estava imaculada e os olhos, caídos de cansaço. Na maioria dos dias, eu sentia um pouco de pena dele, da forma como sentimos pena de um urso enjaulado ao mesmo tempo que mantemos um respeito saudável e ligeiramente temeroso por ele.

— O que foi?

— Eu... eu sinto muito por incomodá-lo. Mas tive uma ideia. Algo que acho que pode ajudar Agnes.

Ele se recostou na cadeira de couro e fez sinal para que eu fechasse a porta. Reparei no copo de conhaque na mesa — ele tinha começado a beber mais cedo do que o normal.

— Posso falar com franqueza? — perguntei.

Me senti um pouco enjoada de tão nervosa que estava.

— Por favor.

— Está bem. Bom, não pude deixar de notar que Agnes não está tão... ahn... feliz como poderia.

— Isso é um eufemismo — retrucou ele baixinho.

— Me parece que muitas das questões dela têm a ver com o fato de ter sido arrancada de sua vida antiga e não ter realmente se integrado à nova. Ela me contou que não sai com as amigas antigas porque elas não entendem sua vida nova e, pelo que reparei, bem, muitas das pessoas da vida nova não parecem dispostas a serem suas amigas. Acho que elas consideram que isso seria... desleal.

— Com a minha ex-mulher.

— Isso. Então, ela não tem um trabalho nem uma comunidade. E este prédio não é uma comunidade de verdade. O senhor tem seu trabalho e pessoas que conhece há anos e que gostam do senhor e o respeitam. Mas Agnes não tem. Eu sei que ela considera os eventos beneficentes especialmente difíceis, porém a filantropia é algo realmente importante para o senhor. Então, eu tive uma ideia...

— Diga.

— Bem, há uma biblioteca em Washington Heights que está ameaçada de fechar. Tenho todas as informações aqui. — Empurrei a minha pasta pela mesa. — É uma biblioteca comunitária de verdade, utilizada por pessoas de diferentes nacionalidades, idades e tipos. E é absolutamente vital para os moradores da área que permaneça aberta, eles estão lutando muito para salvá-la.

— Isso é um problema da câmara municipal.

— Bem, talvez. Mas conversei com uma das bibliotecárias, e ela contou que, no passado, eles receberam doações particulares que ajudaram a biblioteca a continuar funcionando. — Me inclinei na direção dele. — Se fosse até lá, Sr. Gopnik, veria que há programas de orientação para jovens e mães mantendo os filhos abrigados e seguros, além de pessoas de fato tentando melhorar as coisas. Melhorar de verdade. Sei que não é tão glamouroso quanto os eventos que o senhor frequenta... quer dizer, não vai haver um baile lá, mas ainda assim é beneficente, certo? E pensei que talvez... bom, talvez o senhor pudesse se envolver. E, melhor ainda, se Agnes se envolvesse, ela faria parte de uma comunidade. Poderia tornar isso um projeto dela. O senhor e ela fariam algo incrível.

— Em Washington Heights?

— O senhor deveria ir até lá. É uma região com bastante diversidade. Bem diferente... daqui. Quer dizer, algumas partes estão gentrificadas, mas essa em especial...

— Eu conheço Washington Heights, Louisa. — Ele tamborilou os dedos na mesa. — Você conversou com Agnes sobre isso?

— Eu achei que deveria conversar com o senhor primeiro.

Ele pegou a pasta e a abriu. Franziu o cenho diante da primeira folha — um recorte de jornal sobre os primeiros protestos. A segunda era um demonstrativo orçamentário que eu pegara do site da câmara municipal, que mostrava o balanço financeiro do último ano.

— Sr. Gopnik, eu realmente acho que o senhor poderia fazer a diferença. E não apenas para Agnes, mas para uma comunidade inteira.

Foi a essa altura que percebi que ele parecia impassível, indiferente até. Não foi uma mudança notável em sua expressão, mas um leve enrijecimento, o olhar para baixo. E me ocorreu que, por ser tão rico, ele provavelmente recebia uma centena de pedidos de dinheiro todo dia, além de sugestões sobre o que fazer com ele. E que talvez, ao também pedir isso, eu houvesse ultrapassado uma fronteira invisível da relação empregado/empregador.

— Enfim, é apenas uma ideia. Provavelmente uma não muito boa. Desculpe se falei demais. Vou voltar ao trabalho. Não se sinta obrigado a olhar isso tudo se estiver ocupado. Posso levar comigo se o senhor...

— Está tudo bem, Louisa.

Ele pressionou as têmporas com a ponta dos dedos, os olhos fechados. Eu me levantei, sem saber ao certo se estava sendo dispensada.

Então ele finalmente olhou para mim.

— Pode falar com Agnes, por favor? Descubra se eu terei que ir a esse jantar sozinho?

— Posso sim, claro.

Saí do escritório.

Agnes foi ao jantar beneficente. Não ouvimos nenhuma briga quando os dois chegaram em casa, mas, no dia seguinte, descobri que ela havia dormido no quarto de vestir.

Nas duas semanas antes de eu ir para casa no Natal, desenvolvi um hábito quase obsessivo com o Facebook. Passei a conferir a página de Katie Ingram de manhã e à noite, lendo suas conversas públicas com os amigos e procurando fotos novas. Uma amiga perguntou o que ela estava achando do emprego, e Katie escreveu "Estou AMANDO!" com uma carinha piscando (era irritante como ela gostava de carinhas piscando). Em outro dia, ela postou: "Dia difícil hoje. Grata por ter um parceiro incrível! #abençoada". E postou mais uma foto de Sam, ao volante da ambulância. Ele estava rindo, com a mão levantada como que para fazê-la parar, e a visão do rosto dele, a intimidade da foto, a maneira como a imagem me colocava como uma mera espectadora dos dois me deixou sem ar.

Nós tínhamos combinado de conversar por telefone na noite anterior — a vez era dele —, porém, quando liguei, ele não atendeu. Tentei mais duas vezes e nada. Duas horas depois, quando eu estava começando a ficar preocupada, recebi uma mensagem de texto: *Desculpe. Ainda está aí?*

— Você está bem? Estava trabalhando? — perguntei, quando ele me ligou.

Houve uma brevíssima hesitação antes que ele respondesse.

— Não exatamente.

— Como assim?

Eu estava no carro com Garry, esperando Agnes sair da pedicure, e tinha consciência de que ele devia estar prestando atenção, independentemente do quanto parecesse estar entretido no caderno de esportes do *New York Post*.

— Eu estava ajudando Katie com uma coisa.

Senti um nó na garganta ao ouvir o nome dela.

— Ajudando com o quê? — questionei, tentando manter a voz descontraída.

— Com um guarda-roupa. Um desses baratinhos. Ela comprou e não conseguiu montar sozinha, então fiquei de ajudá-la.

Eu me senti enjoada.

— Você foi à casa dela?

— Apartamento. Foi só para ajudá-la com um móvel, Lou. Ela não tem mais ninguém. E eu moro na mesma rua.

— Você levou a sua caixa de ferramentas.

Lembrei como ele costumava fazer pequenos consertos no meu apartamento. Isso foi uma das primeiras coisas que me atraíram nele.

— Sim. Eu levei a minha caixa de ferramentas. E tudo o que fiz foi ajudá-la com um guarda-roupa — explicou com a voz cansada.

— Sam?

— O que foi?

— Você se ofereceu para ajudá-la ou foi ela quem pediu?

— Que diferença isso faz?

Tive vontade de dizer que tinha diferença, sim, porque era evidente que Katie estava tentando roubá-lo de mim. Ela estava alternando entre bancar a mulher indefesa, a festeira divertida, a melhor amiga compreensiva e a colega de trabalho. Ou ele estava cego, ou — pior — não estava. Das fotos postadas por ela nas redes sociais, não havia uma sequer em que não estivesse grudada nele, feito uma sanguessuga de batom. Às vezes eu me perguntava se ela sabia que eu xeretaria as fotos e se gostava de imaginar o desconforto que elas me provocavam. Será que isso era parte do plano: me deixar triste e paranoica? Tenho minhas dúvidas se os homens um dia compreenderão a artilharia infinitamente sutil que as mulheres usam umas contra as outras.

O silêncio entre nós ao telefone se prolongou e se tornou um sumidouro. Eu sabia que não tinha como vencer. Se tentasse alertá-lo sobre o que estava acontecendo, eu pagaria de bruxa ciumenta. Se não falasse nada, ele continuaria caindo cegamente na armadilha dela. Até o dia em que de repente Sam se daria conta de que sentia tanto a falta dela quanto um dia sentiu a minha. Ou descobrisse a mão macia de Katie em cima da sua no pub, buscando conforto depois de um dia difícil. Ou os dois se conectassem por causa de um pico de adrenalina, uma experiência de quase morte, e acabassem se beijando e...

Fechei os olhos.

— E então? Quando você volta? — perguntou ele.

— Na véspera do Natal.

— Ótimo. Vou tentar trocar uns plantões. Mas terei que trabalhar durante parte do feriado do Natal, Lou. Você sabe como é. O trabalho não para nunca. — Então suspirou. Houve uma pausa antes de ele voltar a falar: — Olha, eu estive pensando. Talvez fosse uma boa ideia você e Katie se conhecerem. Aí você vai ver que ela é uma pessoa legal. Ela não está tentando ser nada além de minha amiga.

Não está é o cacete.
— Ótimo! Parece uma boa — retruquei.
— Acho que você vai gostar dela.
— Se você acha, com certeza eu vou.
Da mesma forma que eu gostaria do vírus ebola. Ou de arranhar os cotovelos. Ou talvez comer aquele queijo com insetos vivos dentro.
Ele pareceu aliviado ao dizer:
— Mal posso esperar para ver você. Vai ficar uma semana, certo?
Baixei a cabeça, tentando abafar um pouco a voz.
— Sam, a... a Katie realmente quer me conhecer? Vocês conversaram sobre isso?
— Sim. — E, então, como eu não disse nada, ele acrescentou: — Quer dizer, não de um jeito... nós não conversamos sobre o que aconteceu com você e comigo ou coisa parecida. Mas ela entende que deve ser difícil para nós.
— Entendi.
Senti o maxilar ficar tenso.
— Ela acha que você parece ser ótima. Claro que eu disse que ela entendeu tudo errado.
Eu ri e fiquei na dúvida se o pior ator do mundo conseguiria ter soado menos convincente.
— Você vai ver quando conhecê-la. Mal posso esperar...
Quando Sam desligou, levantei a cabeça e flagrei Garry me observando pelo retrovisor. Mantemos contato por um instante, até que ele desviou o olhar.

Considerando que moro em uma das metrópoles mais movimentadas do planeta, passei a compreender que o mundo como eu o conhecia era na verdade muito pequeno, encolhido em torno das demandas dos Gopnik das seis da manhã até tarde da noite. Minha vida havia se tornado completamente entrelaçada à da deles. Assim como ocorrera com Will, eu havia me tornado sensível a cada humor de Agnes, conseguindo detectar pelos sinais mais sutis se ela estava triste, com raiva ou simplesmente precisando de comida. Agora eu sabia quando ela ia ficar menstruada e marcava seus ciclos na minha agenda para me preparar para cinco dias de emoção exacerbada ou de piano sendo tocado com empatia extra. Sabia como me tornar invisível durante conflitos familiares e ficar totalmente presente quando necessário. Eu me tornei uma sombra, de tal forma que às vezes me sentia quase evanescente — útil apenas em relação a outra pessoa.
Minha vida antes dos Gopnik se tornou algo distante, indistinto e espectral, vivenciado através de poucos telefonemas (quando a agenda dos Gopnik permitia) e e-mails esporádicos. Fiquei duas semanas sem ligar para a minha irmã e

chorei quando minha mãe me mandou uma carta escrita à mão com fotos dela e de Thom em uma matinê de teatro "apenas para o caso de você ter esquecido a nossa aparência".

A coisa toda podia ficar pesada demais. Então, para equilibrar, mesmo estando exausta, eu ia todos os fins de semana à biblioteca com Ashok e Meena — até cheguei a ir sozinha uma vez, quando os filhos deles estavam doentes. Aprendi a me vestir melhor para o frio e fiz meu próprio cartaz *"Conhecimento é poder!"* — uma referência específica a Will. Voltava de trem e depois ia ao East Village tomar café no Vintage Clothes Emporium e dar uma olhada nos novos itens do estoque de Lydia e da irmã.

O Sr. Gopnik nunca mais voltou a falar da biblioteca. Um pouco decepcionada, eu me dei conta de que caridade podia significar algo muito diferente em Nova York: não bastava doar, era preciso ser visto doando. Os hospitais exibiam os nomes de seus beneméritos em letras de três metros de altura acima das portas. Bailes eram batizados com o nome dos financiadores. Até os ônibus divulgavam listas de nomes nas janelas traseiras. O Sr. e a Sra. Leonard Gopnik eram conhecidos como doadores generosos porque a sociedade os via fazendo isso. Uma biblioteca antiga em um bairro decadente não oferecia esse tipo de reconhecimento.

Ashok e Meena haviam me convidado para passar o Dia de Ação de Graças no apartamento deles, em Washington Heights, depois de ficarem horrorizados quando revelei que não tinha planos para o feriado.

— Você não pode passar o Dia de Ação de Graças sozinha! — argumentou Ashok, e preferi não comentar que pouca gente na Inglaterra entendia o significado da data.

— Minha mãe faz o peru. Mas não espere que seja ao estilo americano — explicou Meena. — Não suportamos toda essa comida sem gosto. Vai ser um peru bem *tandoori*.

Não foi difícil dizer sim para algo novo: eu estava muito empolgada. Comprei uma garrafa de champanhe, alguns chocolates finos e flores para a mãe de Meena, então coloquei o vestido azul com mangas de pele, achando que um Dia de Ação de Graças indiano seria uma estreia adequada para ele — ou, pelo menos, uma estreia sem *dress code* definido. Como Ilaria estava concentrada na preparação do jantar em família dos Gopnik, preferi não incomodá-la. Saí do apartamento e conferi se não tinha esquecido as anotações do caminho dadas por Ashok.

No corredor, percebi que a porta do apartamento da Sra. De Witt estava aberta. Ouvi a televisão ligada lá dentro. A poucos metros da porta, Dean Martin estava de pé no corredor, me encarando com o olhar furioso. Fiquei na dúvida se ele não estava prestes a fugir mais uma vez para a liberdade e toquei a campainha.

A Sra. De Witt surgiu no corredor.

— Sra. De Witt? Acho que Dean Martin está prestes a sair para uma caminhada.

O cachorro foi para trás dela, que se apoiou na parede. Ela parecia frágil e cansada.

— Você poderia fechar a porta, querida? Acho que não a fechei direito.

— Claro, pode deixar. Feliz Dia de Ação de Graças, Sra. De Witt.

— É hoje? Eu nem reparei.

Ela desapareceu de novo na sala, com o cachorro atrás, e eu fechei a porta da frente. Nunca a havia considerado mais do que uma mera conhecida, porém senti uma pontada de tristeza ao imaginá-la passando o Dia de Ação de Graças sozinha.

Estava me virando para sair quando Agnes passou pelo corredor vestindo roupa de ginástica. Pareceu espantada em me ver.

— Aonde você vai?

— Jantar...

Preferi não contar com quem ia jantar, pois não sabia como os patrões do prédio se sentiriam se achassem que os empregados se reuniam na ausência deles. Agnes me encarou horrorizada.

— Mas você não pode ir, Louisa. A família do Leonard está vindo para cá. Eu não consigo fazer isso sozinha. Eu disse a eles que você estaria aqui.

— Você disse? Mas...

— Você precisa ficar.

Olhei para a porta. Senti um aperto no peito.

E então ela disse baixinho:

— Por favor, Louisa. Você é minha amiga. Eu preciso de você.

Liguei para Ashok e contei que não iria mais. Meu único consolo foi o fato de que, por causa do seu emprego, ele compreendeu na hora a situação.

— Eu sinto muito — sussurrei ao telefone. — Eu queria muito jantar com vocês.

— Nah. Você precisa ficar. Ei, a Meena está aqui gritando, falando para avisar que ela vai guardar um pouco de peru para você. Te entrego amanhã... Amor, eu avisei a ela! Eu avisei! Louisa, ela mandou você tomar todo o vinho caro deles, está bem?

Por um instante, eu me senti à beira das lágrimas. Tinha esperado ansiosamente por uma noite cheia de crianças alegres, comida deliciosa e risos. Em vez disso, eu seria uma sombra mais uma vez, um objeto cenográfico silencioso em um ambiente gelado.

Meus receios se provaram justificados.

Três outros membros da família Gopnik compareceram ao Dia de Ação de Graças celebrado no apartamento: o irmão dele, uma versão mais velha, mais grisalha e mais anêmica do Sr. Gopnik, que pelo visto trabalhava com algo relacionado a direito. Provavelmente comandava o Departamento de Justiça dos Estados Unidos. Ele trouxe a mãe dos dois, que ficou em uma cadeira de rodas, se recusou a noite toda a tirar o casaco de pele e reclamou em voz alta que não conseguia escutar o que os outros estavam dizendo. O terceiro convidado era a mulher do irmão do Sr. Gopnik, uma ex-violinista aparentemente de certo renome. Ela foi a única que se preocupou em me perguntar com o que eu trabalhava. Cumprimentou Agnes com dois beijinhos e o sorriso profissional que poderia ser direcionado para qualquer um.

Tabitha completou o grupo, chegando tarde e dando a impressão de ter passado a corrida de táxi conversando intensamente ao celular sobre o quanto não queria estar ali. Logo depois de ela chegar, todos nos acomodamos para comer na sala de jantar — que ficava fora da sala de estar principal e era dominada por uma longa mesa oval de mogno.

Pode-se dizer que a conversa foi artificial. O Sr. Gopnik e o irmão logo iniciaram uma discussão sobre as restrições jurídicas no país onde ele estava fazendo negócios no momento, e as duas esposas trocaram algumas perguntas básicas, como quem pratica conversação em um idioma estrangeiro.

— Como tem passado, Agnes?
— Bem, obrigada. E você, Veronica?
— Muito bem. Você está ótima. Seu vestido é muito bonito.
— Obrigada. Você também está muito bonita.
— Fiquei sabendo que você viajou para a Polônia. Leonard disse que você foi visitar a sua mãe.
— Fui para lá duas semanas atrás. Foi ótimo ver minha mãe. Obrigada.

Eu me sentei entre Tabitha e Agnes, observando Agnes beber vinho branco demais e Tabitha ficar insolentemente no celular, revirando os olhos de vez em quando. Tomei a sopa de abóbora com sálvia, assenti, sorri e tentei não pensar com muita melancolia no apartamento de Ashok e no caos alegre que estaria rolando lá. Eu teria perguntado a Tabitha sobre como havia sido sua semana — qualquer coisa para fazer a conversa claudicante se desenrolar —, mas ela tinha feito tantos comentários ácidos sobre o horror de ter "empregados" em eventos de família, que não tive a audácia.

Ilaria trouxe um prato após o outro.

— A *puta* polonesa não cozinha. Então, alguém tem que abrir mão do próprio Dia de Ação de Graças — resmungou ela mais tarde.

Havia preparado um banquete de peru, batata assada e uma porção de coisas que eu nunca tinha visto serem servidas como acompanhamento, mas suspeitei que me deixariam com diabetes tipo 2 na mesma hora: caçarola de batata-doce caramelizada com cobertura de marshmallow, vagem com mel e bacon, abóbora-bolota assada com bacon e calda de bordo, pão de milho amanteigado e cenoura assada com mel e condimentos. Havia também bolinhos — parecidos com o *Yorkshire pudding* —, e eu disfarçadamente os analisei para ver se também estavam cobertos de calda.

É claro que apenas os homens comeram boa parte da comida. Tabitha ficou empurrando a dela de um lado para outro no prato. Agnes comeu um pouco de peru e quase mais nada. Eu comi um pouco de tudo, grata por ter o que fazer e também por Ilaria ter parado de jogar vários pratos diante de mim. Na verdade, ela me fitou de rabo de olho algumas vezes, como que para expressar solidariedade pelo meu martírio. Os homens continuaram falando de negócios, sem perceber ou sem querer reconhecer o clima constrangedor na outra ponta da mesa.

Às vezes, o silêncio era interrompido pela idosa Sra. Gopnik exigindo que alguém lhe servisse batata ou perguntando em voz alta, pela quarta vez, o que afinal tinham feito com a cenoura. Mais de uma pessoa lhe respondia ao mesmo tempo, como que aliviada por ter um foco, sem se importar com a situação irracional.

— Que vestido peculiar, Louisa — comentou Veronica, após um silêncio especialmente longo. — Bem inusitado. Você o comprou em Manhattan? Não se veem muitas mangas de pele hoje em dia.

— Obrigada. Comprei no East Village.

— É um Marc Jacobs?

— Ahn, não. É vintage.

— Vintage — repetiu Tabitha em tom de deboche.

— O que foi que ela disse? — perguntou a Sra. Gopnik, em voz alta.

— Ela está falando do vestido da moça, mamãe — explicou o irmão do Sr. Gopnik. — Disse que é vintage.

— Vintage o quê?

— Qual é o problema com "vintage", Tab? — questionou Agnes friamente.

Eu me endireitei na cadeira.

— É um termo tão sem sentido, não? É apenas outra forma de dizer "de segunda mão". Um jeito de glamourizar algo, fazendo com que pareça ser o que não é.

Tive vontade de dizer que vintage significava muito mais do que isso, porém não soube como colocar em palavras — e suspeitei que não deveria falar nada. Só queria que a conversa fosse redirecionada para outro assunto, para longe de mim.

— Acho que as roupas vintage estão muito na moda agora — interveio Veronica, se dirigindo diretamente a mim com uma habilidade diplomática. — Mas é óbvio que estou velha demais para compreender as tendências dos jovens de hoje.

— E educada demais para dizer esse tipo de coisa — alfinetou Agnes.

— Desculpe? — disse Tabitha.

— Ah, agora você se desculpa?

— Não, eu quis dizer "o que você acabou de falar?" — explicou Tabitha.

O Sr. Gopnik desviou a atenção do prato. Seu olhar cansado foi da mulher para a filha.

— Por que você é tão grossa com Louisa? Ela é minha convidada aqui, mesmo sendo minha funcionária. E você foi grossa ao falar da roupa dela.

— Eu não fui grossa. Só fiz um comentário.

— É assim que as pessoas são grossas hoje em dia. *Eu digo o que penso. Só estou sendo sincera.* A desculpa de quem faz *bullying*. Todos sabemos como é.

— Do que você acabou de me chamar?

— Agnes. Querida.

O Sr. Gopnik estendeu o braço pela mesa e colocou a mão sobre a da mulher.

— O que elas estão dizendo? — perguntou a Sra. Gopnik. — Peça para falarem mais alto.

— Eu disse que Tab está sendo muito grossa com a minha amiga.

— Ela não é sua amiga, pelo amor de Deus. Ela é sua *assistente assalariada*. Embora eu ache que seja o mais próximo que você chegará em termos de amizade agora.

— Tab! — exclamou o pai dela. — Que coisa horrível de se dizer.

— Mas é verdade. Ninguém quer se aproximar dela. Você não pode fingir que não vê isso aonde quer que vá. Você sabia que a nossa família é motivo de chacota, papai? Você se tornou um clichê. Ela é um clichê ambulante. E para quê? Todo mundo sabe qual é o plano dela.

Agnes tirou o guardanapo do colo e o amassou em uma bola.

— Meu plano? Você poderia me dizer qual é o meu plano?

— É o mesmo de todas as outras imigrantes espertas e ambiciosas. De alguma forma, você convenceu o papai a se casar com você. Agora com certeza está fazendo o possível para engravidar e ter um ou dois filhos e, em cinco anos, vai se divorciar dele. E aí vai estar com a vida feita. Bum! Nada de massagens. Só Bergdorf Goodman, um motorista e almoços com o seu povo polonês.

O Sr. Gopnik se inclinou para a frente.

— Tabitha, nunca mais quero ouvir você dizer a palavra "imigrante" em tom pejorativo nesta casa. Seus bisavós eram imigrantes. Você é descendente de imigrantes...

— Não *desse* tipo de imigrante.

— O que isso quer dizer? — questionou Agnes, com o rosto vermelho.

— Você quer que eu desenhe? Tem os que conquistam seus objetivos com trabalho duro e os que fazem isso deitando...

— Como você? — atacou Agnes, gritando. — Como você, que vive de mesada mesmo tendo uns vinte e cinco anos? Você, que mal teve um emprego na vida? Eu devo considerar você como exemplo? Eu pelo menos sei o que é trabalhar duro...

— Ah, é. Montando em cima de desconhecidos nus. *Grande* emprego.

— Já chega! — berrou o Sr. Gopnik, que agora estava de pé. — Você está muito, muito errada, Tabitha, e tem que se desculpar.

— Por quê? Porque consigo enxergá-la de forma objetiva? Papai, lamento dizer, mas você está completamente cego para o que essa mulher é de verdade.

— Não. É você quem está errada!

— Então ela não quer ter filhos? Ela tem vinte e oito anos, papai. Acorda!

— Sobre o que eles estão falando? — perguntou a Sra. Gopnik, em tom rabugento, para a nora, e Veronica sussurrou algo em seu ouvido. — Mas ela falou sobre homens nus. Isso eu escutei.

— Não que seja da sua conta, Tabitha, mas não haverá mais crianças nesta casa. Agnes e eu concordamos quanto a isso antes de nos casarmos.

Tabitha fez uma careta.

— *Aaaah*. Ela *concordou*. Como se isso significasse algo. Uma mulher como ela diria qualquer coisa para se casar com você! Papai, eu odeio ter que dizer isso, mas você está sendo absurdamente ingênuo. Em um ano mais ou menos haverá um pequeno "acidente", e ela vai convencê-lo...

— Não haverá acidente! — berrou o Sr. Gopnik, batendo na mesa com tanta força que os copos tilintaram.

— Como você pode garantir?

— Porque eu fiz uma maldita vasectomia! — disparou o Sr. Gopnik, voltando a se sentar na cadeira. Suas mãos estavam trêmulas. — Dois meses antes de nos casarmos. No Mount Sinai. Com total concordância de Agnes. Está satisfeita agora?

A sala mergulhou em silêncio. Boquiaberta, Tabitha ficou encarando o pai.

A idosa olhou para os lados e então perguntou, observando o Sr. Gopnik:

— Leonard fez uma apendicectomia?

Um zumbido baixo começou a soar no fundo da minha cabeça. Bem longe, ouvi o Sr. Gopnik insistir que a filha pedisse desculpas, então vi Tabitha empurrar a cadeira para trás e sair da mesa sem fazer isso. Percebi Veronica trocando olhares com o marido e tomando um longo gole da bebida. E então me virei para Agnes, que estava olhando fixamente para o próprio prato, onde a comida esfriava em porções cobertas por mel e bacon. Quando o Sr. Gopnik estendeu a mão e apertou a dela, senti o coração acelerado reverberar nos ouvidos.

Ela não olhou para mim.

17

Voei para casa no dia 22 de dezembro, carregada de presentes e usando meu novo casaco vintage com estampa de zebra — que, como mais tarde eu viria a descobrir, foi estranhamente afetado pelo ar reciclado no 767 e, quando cheguei ao Heathrow, passou a feder feito uma carcaça.

Na verdade, era para eu ter pegado o avião só na véspera do Natal, mas Agnes insistira para que eu viajasse antes, já que ela decidira ir à Polônia para ver a mãe, que não estava bem — por isso não havia por que eu ficar em Nova York sem ter o que fazer quando poderia estar com a minha família. O Sr. Gopnik pagou a taxa de remarcação de voo. Agnes havia ficado ao mesmo tempo extremamente gentil e distante desde o jantar do Dia de Ação de Graças. De minha parte, fui profissional e receptiva. Às vezes, minha cabeça ficava rodando com tantas informações. Mas então pensava no que Garry me dissera no outono, quando cheguei: *Não veja nada, não ouça nada, esqueça tudo.*

Algo mudou com a proximidade do Natal. O meu humor ficou mais leve. Talvez eu estivesse apenas aliviada por sair daquele lar disfuncional. Ou quem sabe o ato de comprar presentes de Natal tivesse ressuscitado o senso de diversão no meu relacionamento com Sam. Afinal, fazia muito tempo que eu não tinha um namorado para quem comprar presentes de Natal. Nos dois últimos anos do nosso relacionamento, Patrick simplesmente me mandava e-mails com links para equipamentos de ginástica específicos que ele queria. *Não precisa embrulhar, gata, para o caso de você comprar errado e eu ter que trocar.* Tudo o que eu fazia era clicar em um botão. Eu nunca havia passado o Natal com Will. Dessa vez, fui às compras lado a lado com outros clientes na Saks, tentando imaginar meu namorado nos blusões de caxemira, encostando o rosto neles, as camisas xadrez macias que ele gostava de usar no jardim, meias grossas da REI. Comprei brinquedos para Thom, ficando ligadona de açúcar com o cheiro da loja da M&M na Times Square. Comprei artigos de papelaria para Treena na McNally Jackson e um lindo roupão de banho para o vovô na Macy's. Empolgada, tendo gastado tão pouco nos meses anteriores, comprei uma pulseirinha da Tiffany para a mamãe e um rádio para o papai usar na cabana.

E então, de última hora, comprei uma meia natalina para Sam e a enchi de presentinhos: loção pós-barba, chicletes diferentes, meias e um porta-cerveja no formato de uma mulher de calça jeans bem justa. Finalmente, fui à loja de brinquedos onde comprara os presentes de Thom e saí com alguns móveis de casa de boneca — uma cama, uma mesa com cadeiras, um sofá e um banheiro. Embrulhei tudo e escrevi na etiqueta: *Até a verdadeira estar pronta*. Também achei um kit médico minúsculo e o incluí, encantada com a riqueza de detalhes. De repente, o Natal pareceu real e empolgante, e a perspectiva de quase dez dias longe dos Gopnik e da cidade também pareceu um presente.

Cheguei ao aeroporto, rezando para que os presentes não ultrapassassem o limite de peso da bagagem. A mulher no balcão de check-in pegou meu passaporte, pediu que eu colocasse a mala na balança e franziu a testa ao olhar para a tela.

— Algum problema? — perguntei, quando ela olhou meu passaporte e depois para trás.

Calculei de cabeça quanto teria que pagar pelo peso extra.

— Ah, nenhum, senhora. É que a senhora não deveria estar nesta fila.

— Você está brincando — falei, sentindo o coração ficar apertado ao olhar para as filas que só aumentavam atrás de mim.

— E em qual fila eu deveria estar?

— A senhora está na classe executiva.

— Executiva?

— Sim. A senhora ganhou um upgrade. Deveria ter feito o check-in lá. Mas não tem problema, posso fazer por aqui também.

Fiz que não com a cabeça.

— Ah, acho que não. Eu...

E então meu celular apitou. Olhei para a tela. *Você deve estar no aeroporto agora! Espero que isso torne a sua viagem para casa um pouco mais agradável. Um presentinho de Agnes. Nos vemos no Ano-Novo, colega! Bj, Michael*

Pisquei.

— Está bem. Obrigada.

Observei minha mala imensa desaparecer na esteira e guardei o celular na bolsa.

Mesmo com o aeroporto lotado, tudo estava tranquilo e silencioso na classe executiva do avião, um pequeno oásis de presunção coletiva à parte do caos relacionado às festas de fim de ano do lado de fora. A bordo, fuxiquei meu *nécessaire* de cortesia para passar a noite, calcei as meias do kit e tentei não tagarelar com o homem na poltrona ao lado, que acabou colocando a máscara nos olhos e se deitando. Tive apenas um imprevisto com o assento reclinável, pois meu sapato ficou preso no apoio para pés, mas a comissária foi um amor e me mostrou como tirá-lo. Jantei pato com molho de xerez e torta de limão e agradeci a cada um dos tripulantes que me levaram alguma coisa. Assisti a dois filmes e me dei conta de que seria melhor tentar dormir um pouco. No entanto, era difícil dormir com toda a experiência sendo tão prazerosa. Era exatamente o tipo de coisa sobre a qual eu contaria para o pessoal de casa, só que, pensei, sentindo um friozinho na barriga, agora eu poderia contar a todos pessoalmente.

A mulher que estava voltando para casa era uma Louisa Clark diferente. Foi isso que Sam me disse, e decidi acreditar. Eu me tornara mais confiante, mais profissional, muito distante da pessoa triste, confusa e fisicamente abalada de seis meses antes. Imaginei a expressão de Sam quando eu o surpreendesse, assim como ele havia me surpreendido. Ele tinha me mandado uma cópia da rota dele pelos próximos quinze dias, para eu poder planejar as visitas aos meus pais, e de acordo com meus cálculos eu poderia deixar as minhas coisas em casa, passar algumas horas com a minha irmã, depois ir ao apartamento dele e ficar por lá para recebê-lo quando terminasse seu turno.

Eu achava que dessa vez faríamos a coisa do jeito certo. Tínhamos um tempo decente para ficarmos juntos. E entraríamos em uma rotina — uma maneira de existir sem traumas ou mal-entendidos. Os primeiros três meses sempre seriam os mais difíceis. Eu me cobri com o cobertor e, já tendo percorrido boa parte do Atlântico, tentei em vão dormir, com um nó no estômago e a cabeça zumbindo enquanto observava o aviãozinho piscando deslizar lentamente pela tela pixelada.

Cheguei ao meu prédio logo depois do almoço e entrei em casa após me atrapalhar um pouco com as chaves. Treena estava no trabalho, Thom, ainda na escola, e o tom cinza de Londres era permeado por luzes piscantes de Natal e pelo som das lojas tocando canções natalinas que eu já havia escutado um milhão de vezes. Subi a escada do prédio, sentindo o cheiro familiar de aromatizador de ambiente barato e da umidade londrina. Então abri a porta da frente, larguei logo a mala no chão e suspirei.

Meu lar. Ou coisa parecida.

Tirei o casaco no hall e entrei na sala de estar. Eu estava com um pouco de medo de voltar ali — lembrando-me dos meses que passei afundada na depressão, bebendo demais, os cômodos vazios e largados funcionando como uma censura autoinfligida pelo meu fracasso em salvar o homem que havia me proporcionado o apartamento. Mas na hora me dei conta de que aquele não era o mesmo apartamento: em três meses, ele fora totalmente transformado. O interior antes vazio agora estava repleto de cores, com pinturas de Thom coladas em todas as paredes. Havia almofadas bordadas no sofá, uma nova poltrona estofada, cortinas e uma estante cheia de DVDs. A cozinha estava repleta de pacotes de comida e louça de cerâmica nova. Uma tigela de cereal e uma caixa de Coco Pops em cima de um jogo americano de arco-íris denunciavam o abandono de um café da manhã apressado.

Abri a porta do quarto de hóspedes — agora de Thom — e sorri ao ver os pôsteres de futebol e o edredom com estampa de desenho animado. Um guarda-roupa novo estava abarrotado de roupas dele. Então, fui ao meu quarto — agora de Treena — e encontrei uma colcha amarrotada, uma nova estante de livros e persianas. Ainda não tinha muitas roupas, porém ela havia acrescentado uma cadeira e um espelho, e a pequena penteadeira estava coberta com hidratantes, cosméticos e escovas de cabelo, o que revelou que minha irmã realmente devia ter mudado muito nos poucos meses em que eu estive fora. As leituras de cabeceira eram a única coisa que deixava claro que aquele era o quarto de Treena: *Subsídios de capital de Tolley* e *Introdução à folha de pagamento*.

Eu sabia que estava cansadíssima, mas me sentia péssima mesmo assim. Era desse jeito que Sam estava se sentindo quando chegou a Nova York e me viu pela segunda vez? Eu havia parecido ao mesmo tempo uma conhecida e uma desconhecida?

Meus olhos estavam ardendo de cansaço, e meu relógio interno, bagunçado. Ainda faltavam três horas para eles voltarem para casa. Lavei o rosto, tirei os sapatos e me deitei no sofá, suspirando com o barulho do trânsito de Londres se distanciando aos poucos.

Acordei com uma mão grudenta dando tapinhas no meu rosto. Pisquei, tentando afastá-la, mas havia um peso sobre o meu peito. Ele se mexeu. Uma mão me deu tapinhas de novo. Então abri os olhos e encarei Thom.

— Titia Lou! Titia Lou!
— Oi, Thom — resmunguei.
— O que você trouxe para mim?
— Deixe sua tia pelo menos abrir os olhos primeiro.
— Você está em cima do meu peito, Thom. Ai.

Liberta, eu me endireitei e pisquei para meu sobrinho, que estava saltitando no lugar.

— O que você trouxe para mim?

Minha irmã se abaixou e me deu um beijo no rosto, depois apertou meu ombro. Cheirava a perfume caro, e eu recuei um pouco para observá-la melhor.

Estava maquiada — uma maquiagem adequada, sutil, em vez do único delineador azul que ela havia ganhado de brinde em uma revista em 1994 e guardado na gaveta para ser usado em todas as ocasiões que pediam uma "produção" pelos dez anos seguintes.

— Então você conseguiu. Não pegou o avião errado e foi parar em Caracas. O papai e eu fizemos uma aposta.

— Olhe só. — Levantei o braço e segurei a mão dela por uns segundos a mais do que nós duas esperaríamos. — Nossa. Você está bonita.

E estava mesmo. Treena havia cortado o cabelo na altura do ombro e o tinha escovado e deixado solto, em vez de usá-lo preso no habitual rabo de cavalo. Isso, somado à camisa bem-cortada e o rímel, realmente a deixava muito bonita.

— Olha, é por causa do trabalho, na verdade. A gente tem que se forçar a andar arrumada aqui na City.

Como Treena se virou ao dizer isso, eu não acreditei nela.

— Acho que preciso conhecer esse tal de Eddie — brinquei. — Eu nunca consegui influenciar dessa forma a maneira como você se arruma.

Ela encheu a chaleira e acendeu o fogo.

— Isso porque você só se veste como se tivesse ganhado um voucher de duas libras para um bazar e tivesse comprado logo tudo.

Estava escurecendo lá fora. De repente, meu cérebro atordoado com o *jet lag* registrou o que isso queria dizer.

— Ah, nossa. Que horas são?

— Hora de você me dar os presentes?

O sorriso banguela de Thom surgiu diante de mim, com as mãos postas em oração.

— Está tudo bem — respondeu Treena. — Você ainda tem uma hora até Sam sair do trabalho. Thom, a Lou vai dar o que trouxe para você assim que tomar uma xícara de chá e encontrar o desodorante. Ah, e que diabo é aquele casaco listrado que você deixou no hall? Está fedendo a peixe podre.

Agora sim eu estava em casa.

— Está bem, Thom — falei. — Deve ter alguns presentinhos pré-Natal para você naquela bolsa azul. Traga até aqui.

Precisei tomar banho e me maquiar para me sentir humana de novo. Vesti uma minissaia prateada, uma camisa polo preta e sapato de camurça anabela que comprara no brechó, a echarpe Biba da Sra. De Witt e uma borrifada do La Chasse aux Papillons — o perfume que Will me convencera a comprar e que sempre me dava confiança. Thom e Treena estavam jantando quando fiquei pronta. Ela me ofereceu um pouco de macarrão com queijo e tomate, porém meu estômago começou a embrulhar, e meu relógio interno estava bagunçado.

— Gostei do que você fez nos olhos. Ficou muito sedutor — falei para Treena, que reagiu com uma careta.

— Você está bem para dirigir? É que você não está enxergando direito.

— Não é longe. E eu tirei um cochilo e tanto.

— E quando você deve estar de volta? Este novo sofá-cama é incrível, caso você esteja se perguntando. Colchão de mola. Nada da sua porcaria de cinco centímetros de espuma.

— Espero não precisar usar o sofá-cama por um ou dois dias — respondi, dando um sorriso malicioso.

— O que é isso? — perguntou Thom, depois de engolir o que estava mastigando e apontando para o pacote embaixo do meu braço.

— Ah. É uma meia de Natal. O Sam vai trabalhar no dia do Natal, então só vou vê-lo à noite. Por isso pensei em dar logo um presente para ele poder abrir na hora em que acordar.

— Humm. Não peça para ver o que tem ali dentro, Thom.

— Não tem nada que eu não poderia dar ao vovô. São só umas coisinhas divertidas.

Treena piscou para mim. E silenciosamente agradeci a Eddie e seus milagres.

— Depois me manda uma mensagem, ok? Só para eu saber se coloco a trava na porta.

Dei um beijo nos dois e segui para a porta da frente.

— Não vá assustá-lo com o seu terrível sotaque americano capenga!

Mostrei o dedo do meio ao sair do apartamento.

— E não se esqueça de dirigir pela esquerda! E não use o casaco que fede a bacalhau!

Ouvi a risada dela ao fechar a porta.

Nos últimos três meses, eu havia andado a pé, pegado táxi ou sido levada por Garry na imensa limusine preta. Me acostumar a ficar atrás do volante do meu pequeno carro hatch com o câmbio duvidoso e migalhas de biscoito no banco do carona exigiu uma concentração surpreendente. Peguei o final do trânsito da hora do rush, liguei o rádio e tentei ignorar o coração batendo forte, sem saber se era pelo medo de dirigir ou pela perspectiva de ver Sam novamente.

O céu estava escuro, as ruas, cheias de pessoas fazendo compras e iluminadas por luzinhas de Natal, e meus ombros aos poucos começaram a murchar enquanto eu freava e acelerava a caminho do subúrbio. A largura das calçadas diminuiu e a multidão desapareceu, com poucas pessoas olhando por janelas iluminadas enquanto eu passava. E então, pouco depois das oito, diminuí bem a velocidade, espiando por cima do volante para ver se estava na altura certa da rua escura.

O vagão brilhava no meio do campo escuro, lançando uma luz dourada através das janelas sobre a lama e o gramado. Vislumbrei a moto dele na outra ponta do portão, sob o abrigo atrás da cerca. Havia até algumas luzinhas de Natal no espinheiro da frente. Sam já tinha chegado em casa.

Parei o carro, desliguei os faróis e fiquei olhando. Então, num ímpeto, peguei o celular. *Muito ansiosa para ver você*, digitei. *Falta pouco agora! Bj*

Depois de alguns segundos veio a resposta: *Eu também. Bom voo. Bj*

Sorri. Então saí do carro, percebendo tarde demais que havia estacionado em uma poça, por isso a água fria e lamacenta entrou no meu sapato.

— Ah, valeu, universo — sussurrei. — Belo toque.

Coloquei meu chapéu de Papai Noel escolhido com esmero e peguei a meia de Sam no banco do carona, então fechei a porta devagarzinho, trancando-a manualmente para não fazer o barulho do alarme e denunciar que eu já havia chegado.

Meus passos fizeram barulho enquanto caminhei na ponta dos pés pela lama, e me lembrei da primeira vez que estivera ali — eu fiquei ensopada por causa de uma tromba d'água e acabei usando as roupas dele, deixando as minhas para secar no banheirinho abafado. Aquela foi uma noite extraordinária, como se ele tivesse retirado toda as camadas que a morte de Will havia criado ao meu redor. Tive um flashback do nosso primeiro beijo, da sensação das imensas meias dele nos meus pés gelados, e um arrepio quente percorreu meu corpo.

Abri o portão, percebendo, aliviada, que ele havia feito um caminho rudimentar de lajes de pavimento até o vagão desde a última vez que eu estivera ali. Um carro passou por mim e, com a breve iluminação dos faróis, vi a casa parcialmente construída de Sam à minha frente, agora com o telhado e algumas janelas já instalados. Onde ainda faltava uma janela, uma lona azul se mexia de leve na abertura, de modo que a casa, de forma repentina e espantosa, parecia algo real. Um lugar onde poderíamos morar um dia.

Dei mais alguns passos na ponta dos pés e então parei perto da porta. Por uma janela aberta senti um cheiro intenso de comida — seria um cozido? —, de tomate com um toque de alho. Fiquei inesperadamente com fome. Sam nunca comia macarrão de pacote ou feijão enlatado: tudo era preparado do zero, como se ele tivesse prazer em fazer as coisas metodicamente. Aí eu o vi — ainda de uniforme —, com um pano de prato pendurado no ombro, parando para conferir uma panela e, por apenas um instante, eu fiquei ali parada no escuro, sem ser vista, e me senti absolutamente tranquila. Ouvi a brisa distante nas árvores, o cocoricar baixinho das galinhas trancadas no galinheiro, o zumbido longínquo do tráfego em direção à cidade. Senti o ar fresco na pele e o sabor da expectativa natalina no ar que eu respirava.

Tudo era possível. Era o que eu tinha aprendido naqueles últimos meses. A vida podia ter sido complicada, porém, no fim, éramos apenas eu e o homem que eu amava, o vagão dele e a perspectiva de uma noite divertida. Respirei fundo, me permitindo saborear o pensamento, dei um passo à frente e coloquei a mão na maçaneta da porta.

E então eu a vi.

Ela atravessou o vagão dizendo algo que não entendi, a voz abafada pelos vidros, o cabelo preso para cima, os cachos macios caindo ao redor do rosto. Ela estava usando uma camiseta masculina — dele? — e com uma garrafa de vinho na mão, eu vi Sam balançando a cabeça. E então, quando ele se inclinou sobre o fogão, ela se aproximou por trás e colocou as mãos em seu pescoço, se inclinando na direção dele e esfregando os músculos com os polegares, um movimento que parecia uma consequência da intimidade. As unhas dos polegares dela tinham sido pintadas de rosa-escuro. Enquanto eu estava parada ali, sem ar, ele jogou a cabeça para trás, com os olhos fechados, como que se rendendo às mãozinhas intensas dela.

E então ele se virou para encará-la, sorrindo, com a cabeça inclinada, e ela recuou, dando risada, erguendo a taça para ele.

Não vi mais nada. Meu coração estava batendo tão forte nos meus ouvidos que achei que fosse desmaiar. Cambaleei para trás, então me virei e voltei correndo pelo caminho, ofegante e com os pés gelados nos sapatos molhados. Embora meu carro estivesse a uns cinquenta metros de distância, escutei a risada repentina dela ecoar através da janela aberta, como vidro estilhaçando.

Fiquei dentro do carro no estacionamento atrás do meu prédio até ter certeza de que Thom já tinha ido dormir. Eu não conseguiria esconder o que estava sentindo e não suportaria explicar a situação a Treena na frente dele. Olhei para cima algumas vezes, vendo a luz do quarto dele se acender e, então, meia hora mais tarde, ser apagada. Desliguei o motor e deixei que parasse de fazer barulho. Enquanto ele morria, o mesmo acontecia com todos os sonhos a que eu vinha me apegando.

Eu não deveria estar surpresa. Por que estaria? Katie Ingram havia colocado as cartas na mesa desde o início. O que me chocou foi a cumplicidade de Sam. Ele não a havia dispensado. Ele tinha respondido a minha mensagem e depois cozinhado para ela e a deixado massagear seu pescoço, e isso era uma preparação para... para o quê?

Toda vez que imaginava os dois juntos, meu estômago se revirava, meu corpo se curvava, como se tivesse levado um soco. Eu não conseguia esquecer aquela imagem. A maneira como ele inclinou a cabeça com a pressão dos dedos dela. A risada dela confiante, provocadora, como se aquela fosse uma piada interna dos dois.

O mais estranho era eu não conseguir chorar. O que estava sentindo era maior do que dor. Eu estava entorpecida, com a cabeça zumbindo de perguntas — *Há quanto tempo? Até que ponto? Por quê?* —, e então me curvava de novo, querendo vomitar, pensando naquela nova informação, naquele golpe pesado, naquela dor, naquela dor, naquela dor.

Não sei bem por quanto tempo fiquei ali sentada, mas, por volta das dez da noite, subi devagar a escada e entrei no apartamento. Tinha esperança de Treena já estar dormindo, porém ela estava assistindo ao noticiário de pijama, com o laptop no colo. Estava sorrindo para a tela e levou um baita susto quando abri a porta.

— Meu Deus, você quase me matou de susto... Lou? — perguntou ela, empurrando o laptop para o lado. — Lou? Ah, não...

É sempre a gentileza que acaba com a gente. Minha irmã, uma mulher que considerava o contato físico entre adultos algo mais desconfortável do que um tratamento dentário, me envolveu com os braços e, de algum lugar inesperado que parecia estar no fundo de mim, brotaram soluços e lágrimas imensos, sem fôlego e pesados. Chorei de um jeito que não chorava desde a morte de Will, soluços que continham a morte dos sonhos e o pavor da mágoa que eu encararia pelos próximos meses. Afundamos lentamente no sofá, e eu enterrei o rosto no ombro dela e a abracei. Dessa vez, minha irmã encostou a cabeça na minha e não me soltou.

18

Nem Sam nem meus pais esperavam me ver pelos dois dias seguintes, então foi fácil ficar escondida no apartamento e fingir que eu não estava lá. Não me sentia pronta para ver ninguém. Não estava pronta para falar com ninguém. Quando Sam me mandou mensagens de texto, eu ignorei, imaginando que ele acreditaria que eu estava trabalhando feito louca em Nova York. Fiquei olhando várias vezes para as duas mensagens dele — "O que você quer fazer no Natal? Ir à igreja? Ou está cansada demais?" e "Vamos nos ver no dia 26?" — e fiquei espantada com o fato de aquele homem, aquele homem completamente direto e respeitável, ter adquirido uma capacidade tão descarada de mentir para mim.

Durante aqueles dois dias, eu abria um sorriso forçado nos momentos em que Thom estava no apartamento, fechando o sofá-cama enquanto ele conversava durante o café da manhã e desaparecendo para tomar banho. No instante em que ele saía, eu voltava para o sofá e ficava deitada ali, olhando fixamente para o teto, lágrimas escorrendo dos cantos dos olhos, ou remoendo friamente as várias maneiras como eu parecia ter entendido tudo errado.

Será que eu tinha mergulhado de cabeça em um relacionamento com Sam porque ainda estava de luto por Will? Será que eu chegara a conhecê-lo de verdade? Nós vemos o que queremos ver, afinal, ainda mais quando somos cegados pela atração física. Ele fez o que fez por causa de Josh? Por causa do teste de gravidez de Agnes? Na realidade, precisava haver um motivo? Eu não confiava mais em minha própria capacidade de julgamento para saber.

Pela primeira vez na vida, Treena não ficou insistindo para que eu levantasse da cama ou fizesse algo construtivo. Ela balançava a cabeça, incrédula, e xingava Sam quando Thom não estava por perto. Mesmo nas profundezas de minha infelicidade, eu me via pensando na aparente capacidade de Eddie de incutir algo semelhante a empatia em minha irmã.

Nem uma vez ela disse que aquilo não era uma grande surpresa, considerando que eu estava morando a tantos quilômetros de distância, nem que eu com certeza tinha feito algo para empurrá-lo para os braços de Katie Ingram ou que tudo aquilo era inevitável. Treena me ouviu quando contei sobre os acontecimentos que haviam levado até aquela noite e se certificou de que eu comesse, tomasse banho e me vestisse. E, embora não fosse muito de beber, ela levou duas garrafas de vinho para casa, dizendo que achava que eu tinha direito a uns dias de drama (mas acrescentou que, se eu vomitasse, eu mesma teria que limpar).

Quando a véspera de Natal chegou, eu havia desenvolvido uma casca dura, uma carapaça. Estava me sentindo uma estátua de gelo. Sabia que precisaria conversar com ele em algum momento, mas ainda não estava pronta. Não tinha certeza se algum dia estaria.

— O que você vai fazer? — perguntou Treena, sentada no vaso sanitário enquanto eu tomava banho de banheira.

Ela só veria Eddie no dia do Natal e estava pintando as unhas dos pés de um tom claro de cor-de-rosa para se preparar, embora não admitisse. Na sala de estar, Thom estava com a televisão ligada em um volume ensurdecedor, pulando no sofá com um entusiasmo pré-natalino.

— Eu estava pensando que podia simplesmente dizer a ele que perdi o voo. E que a gente se falaria depois do Natal.

Ela fez uma careta.

— Não é melhor você simplesmente falar com ele? Ele não vai acreditar nisso.

— Neste exato momento, não estou muito preocupada com o que ele acredita. Só quero passar o Natal com minha família e sem drama.

Afundei na água para não escutar Treena gritando para Thom baixar o volume da TV.

Ele não acreditou em mim. A mensagem de texto dizia: *O quê? Como você perdeu o voo?*

Simplesmente perdi, digitei. *Vejo você no dia 26.*

Notei tarde demais que eu não tinha incluído nenhum beijo na mensagem. Houve um longo silêncio, e então uma resposta monossilábica: *Ok.*

Treena nos levou de carro até Stortfold, com Thom pulando no banco traseiro durante toda a hora e meia que demoramos para chegar lá. Ouvimos canções natalinas no rádio e falamos pouco. Estávamos a menos de dois quilômetros da cidade quando eu agradeci pela consideração e ela sussurrou que não era por mim: Eddie também ainda não havia conhecido a mamãe e o papai, então o estômago dela estava se revirando só de pensar no dia de Natal.

— Vai dar tudo certo — falei.

O sorriso dela não foi muito convincente.

— Ah, deixa disso. Eles gostaram daquele contador com quem você saiu no começo do ano. E, para ser sincera, Treen, você está solteira há tanto tempo que acho que pode trazer qualquer um que não seja Átila, o Huno, que eles vão adorar.

— Bem, essa teoria está prestes a ser testada.

Paramos antes que eu pudesse dizer mais alguma coisa. Conferi meus olhos, que ainda estavam do tamanho de ervilhas de tanto que eu havia chorado, e saí do carro. Minha mãe apareceu na porta da frente, veio correndo em nossa direção como uma velocista no início da corrida. Jogou os braços ao meu redor, abraçando-me com tanta força que senti seu coração batendo forte.

— Olhe para você! — exclamou ela, segurando-me à sua frente antes de me puxar para perto de novo.

Ela afastou uma mecha de cabelo do meu rosto e se virou para meu pai, que estava parado na entrada, os braços cruzados, sorrindo.

— Que linda que você está! Bernard! Veja como ela está incrível! Ah, nós sentimos tanto a sua falta! Você perdeu peso? Parece ter emagrecido. Está com cara de cansada. Precisa comer alguma coisa. Entre. Aposto que não lhe deram café da manhã no avião. Ouvi dizer que é tudo ovo em pó, de qualquer maneira.

Mamãe abraçou Thom e, antes que meu pai se aproximasse, ela pegou minhas bolsas e voltou marchando pelo caminho, pedindo que a seguíssemos.

— Oi, querida — disse papai, baixinho, e eu me deixei envolver pelos braços dele.

Enquanto ele me abraçava, finalmente me permiti soltar o ar.

Vovô não conseguira chegar até a porta da casa. Tivera outro pequeno derrame, mamãe sussurrou, e agora estava com dificuldade para se levantar ou caminhar, então passava a maior parte do dia na poltrona de espaldar reto da sala de estar. ("Não queríamos preocupar você.") Ele estava elegante, com uma camisa e um pulôver em homenagem à ocasião, e deu um sorriso torto quando entrei. Ergueu uma das mãos, trêmula, e eu o abracei, percebendo que ele parecia menor. Mas, para ser sincera, tudo parecia menor. A casa dos meus pais, com o papel de parede de vinte anos antes, os quadros escolhidos menos por motivos estéticos e mais porque eram presentes de alguém querido ou porque serviam para cobrir defeitos nas paredes, as poltronas e o sofá combinando, a pequena área de jantar, onde as cadeiras batiam nas paredes se empurradas muito para trás, e um lustre no teto que ficava a poucos centímetros da cabeça de meu pai. Distraída eu me peguei comparando a casa ao grandioso apartamento, com seus muitos metros de pisos polidos, os tetos imensos e ornamentados, o movimento intenso de Manhattan do lado de fora. Pensara que talvez me sentisse reconfortada por estar em casa. Em vez disso, senti-me sem chão, como se de repente me ocorresse que, naquele momento, eu não pertencia a lugar algum.

Comemos um jantar leve: rosbife, batatas, *pudding* de Yorkshire e torta inglesa, apenas uma coisinha que mamãe tinha "dado um jeitinho" de preparar antes do evento principal do dia seguinte. Papai estava mantendo o peru na cabana, já que não cabia na geladeira, e saía a cada meia hora para verificar se não havia acabado nas garras de Houdini, o gato do vizinho. Mamãe nos fez um resumo de todas as diversas tragédias que haviam se abatido sobre nossos vizinhos:

— Bem, é claro, isso foi antes da herpes-zóster do Andrew. Ele me mostrou a barriga. Fiquei enjoada de olhar. E eu falei para a Dymphna que ela precisa colocar os pés para o alto antes de o bebê nascer. Sinceramente, as varizes dela parecem um mapa das estradas secundárias dos Chilterns. Eu contei que o pai da Sra. Kemp morreu? Foi ele que ficou preso por quatro anos por assalto à mão armada antes de descobrirem que, na verdade, o culpado era o homem dos correios que usava a mesma peruca.

Mamãe continuou tagarelando sem parar.

Foi só quando começou a tirar a mesa que papai se inclinou na minha direção e disse:

— Acredita que ela está nervosa?

— Nervosa por quê?

— Por você. Tudo o que você conquistou. Ela estava com um pouco de medo de que você não quisesse voltar para cá. Que passasse o Natal com seu namorado e voltasse direto para Nova York.

— Por que eu faria isso?

Ele deu de ombros.

— Não sei. Ela achou que você poderia ter se afastado de nós, ficado importante demais. Eu disse que ela estava sendo boba. Não entenda isso errado, querida. Ela tem muito orgulho de você. Imprime todas as suas fotos, coloca em um álbum e enche a paciência dos vizinhos para mostrá-las. Para ser sincero, até eu fico meio entediado de tanto ver as fotos, e olha que sou seu pai.

Ele sorriu e apertou meu ombro.

Senti um pouco de vergonha com o tanto de tempo que eu pretendera passar na casa de Sam. Eu havia planejado deixar a mamãe cuidando de todas as coisas do Natal, da minha família e do meu avô, como sempre fiz.

Deixei Treena e Thom com papai e levei o resto dos pratos até a cozinha, onde mamãe e eu lavamos tudo em um silêncio amigável por um tempo. Então ela se virou para mim.

— Você parece cansada, querida. É por causa do voo, da mudança de fuso horário?

— Um pouco.

— Vá sentar com os outros. Eu cuido disto.

Forcei-me a endireitar os ombros.

— Não, mamãe. Faz meses que não nos vemos. Por que você não conta o que está acontecendo? Como vão as suas aulas noturnas? E o que o médico disse sobre o vovô?

A noite se estendeu, a televisão ficou ligada no canto da sala, e a temperatura subiu até estarmos todos semicomatosos, acariciando a barriga feito grávidas, como era inevitável depois de um dos jantares leves da minha mãe. A ideia de que faríamos aquilo de novo no dia seguinte fez meu estômago se revirar um pouco em protesto. Vovô caiu no sono na poltrona, e o deixamos lá enquanto fomos à missa da meia-noite. Fiquei de pé na igreja, cercada por pessoas que conhecia desde pequena acenando e sorrindo para mim, cantei as canções natalinas de que me lembrava, apenas mexi a boca durante as que não lembrava e tentei não pensar no que Sam estava fazendo naquele exato momento — o que eu fazia aproximadamente cento e dezoito vezes por dia. De vez em quando, os olhos de Treena cruzavam com os meus e ela me dava um sorrisinho encorajador, que eu respondia com outro, como que dizendo *Estou bem, está tudo bem*, embora não estivesse. Foi um alívio me retirar para o quarto quando voltamos. Talvez tenha sido por eu estar na casa da minha infância, ou por estar exausta após três dias de grandes emoções, mas dormi profundamente pela primeira vez desde que chegara à Inglaterra.

Eu tinha a vaga consciência de que Treena havia acordado às cinco da manhã e de que eu ouvira batidas empolgadas e, em seguida, papai gritando para Thom que ainda estava de madrugada e que, se não voltasse para a cama, ele diria para o Papai Noel levar todos os presentes de volta. Da próxima vez que acordei, minha mãe estava colocando uma caneca de chá na minha mesa de cabeceira e me pedindo para eu me vestir, porque íamos começar a abrir os presentes. Eram onze e quinze.

Peguei o relógio ao lado da cama, apertei os olhos e o chacoalhei.

— Você estava precisando — disse ela, acariciando minha cabeça e saindo para cuidar das coisas.

Desci vinte minutos depois usando o suéter de rena com focinho iluminado que havia comprado na Macy's porque sabia que Thom iria gostar. Todos já tinham descido, estavam arrumados e haviam tomado café da manhã. Dei um beijo em cada um e desejei um feliz Natal, acendi e apaguei o focinho da rena e distribuí meus presentes, sempre tentando não pensar no homem que deveria ganhar o suéter de caxemira e a camisa de flanela xadrez muito macia que estavam no fundo da minha mala.

Eu não ia pensar nele hoje, disse a mim mesma com firmeza. O tempo com minha família era precioso, e eu não iria estragá-lo me sentindo triste.

Todos gostaram de meus presentes, que aparentemente se tornaram mais atrativos por serem de Nova York, mesmo que eu tivesse certeza de que era possível comprar basicamente as mesmas coisas na Argos.

— De Nova York! — dizia mamãe, maravilhada, depois de cada item ser desembrulhado, até Treena revirar os olhos e Thom começar a imitá-la.

É claro que o presente mais apreciado foi o mais barato: um globo de neve de plástico que comprei em uma banca para turistas na Times Square. Eu tinha certeza de que ele estaria vazando na cômoda de Thom antes de a semana terminar.

Em troca, ganhei:

- Meias do vovô (99% de certeza de que haviam sido escolhidas e compradas por minha mãe).
- Sabonetes do papai (idem).
- Um pequeno porta-retratos prateado com uma foto de nossa família ("Para você poder nos levar aonde for", disse mamãe. Papai: "Por que ela iria querer fazer isso? Ela foi para Nova York para ficar longe da gente".)
- Um aparelho para tirar pelos do nariz, de Treena. ("Não olhe para mim desse jeito. Você está chegando nessa idade.")
- Um desenho de uma árvore de Natal com um poema escrito embaixo de Thom. Ao questionar, descobri que ele não havia realmente feito aquilo. "Nossa professora disse que não colocamos os enfeites nos lugares certos, então ela fez a árvore e nós só assinamos nossos nomes."

Ganhei também um presente de Lily, deixado no dia anterior, antes que ela e a Sra. Traynor fossem esquiar. ("Ela parece bem, Lou. Embora deixe a Sra. Traynor exausta, pelo que ouvi falar.") Um anel vintage, com uma pedra verde imensa em uma estrutura de prata que serviu perfeitamente no meu dedo mindinho. Eu tinha mandado para ela um par de brincos de prata que pareciam algemas, que a vendedora da loja assustadoramente moderna do SoHo havia garantido serem perfeitos para uma adolescente. Ainda mais para uma adolescente que agora parecia gostar de piercings em lugares inesperados.

Agradeci a todos e fiquei observando vovô cair no sono. Sorri e acho que passei a impressão de estar gostando do dia. Mas mamãe não se deixou enganar.

— Está tudo bem, querida? Você parece muito desanimada.

Ela derramou gordura de ganso em cima das batatas e deu um passo para trás por causa dos respingos quentes.

— Ah, olha só isso! Vão ficar muito crocantes.

— Eu estou ótima.

— Ainda o fuso horário? O Ronnie, que mora a três casas daqui, disse que quando foi à Flórida levou três semanas para parar de dar com a cara na parede.

— É basicamente isso.

— Não acredito que tenho uma filha com problemas de fuso horário. Todo mundo no clube está morrendo de inveja, sabia?

Ergui os olhos.

— Vocês voltaram para lá?

Depois que Will pôs fim à própria vida, meus pais foram banidos do clube do qual eram sócios fazia anos, sendo indiretamente culpados por minha decisão de concordar com o plano dele. Era uma das muitas coisas pelas quais eu me sentia culpada.

— Bem, aquela Marjorie se mudou para Cirencester. Você sabe que ela era a maior fofoqueira. Então Stuart, da oficina mecânica, disse a seu pai que ele deveria aparecer para jogar sinuca um dia. Assim, casualmente. E deu tudo certo.

Ela deu de ombros.

— E, sabe, já faz alguns anos que tudo aquilo aconteceu. As pessoas têm outras coisas em que pensar.

As pessoas têm outras coisas em que pensar. Não sei por que esse comentário inocente causou um nó na minha garganta, mas foi o que aconteceu. Enquanto eu tentava engolir uma onda súbita de dor, mamãe enfiou a forma cheia de batatas de volta no forno. Fechou a porta com um movimento satisfeito e então se virou para mim, tirando as luvas térmicas.

— Quase esqueci. Uma coisa esquisita. Seu namorado ligou de manhã para perguntar o que íamos fazer sobre o seu voo no dia 26 e se nos importávamos de ele ir buscar você no aeroporto.

Congelei.

— O quê?

Ela levantou a tampa de uma panela, deixou sair bastante vapor e a fechou de novo.

— Bem, eu disse que ele devia estar enganado, que você já estava aqui. Então ele falou que apareceria mais tarde. Sinceramente, os plantões devem estar deixando o homem maluco. Ouvi no rádio uma matéria dizendo que trabalhar à noite pode fazer muito mal para o cérebro. Talvez você deva dizer isso a ele.

— O quê... quando ele vem?

Mamãe olhou para o relógio.

— Hum... acho que ele disse que ia estar liberado no meio da tarde e que viria para cá depois. Toda aquela estrada no dia do Natal! Aliás, você conheceu o namorado da Treena? Já notou como ela está se vestindo ultimamente?

Mamãe olhou para trás, para a porta, e falou, com a voz encantada:

— É quase como se ela estivesse virando uma pessoa normal.

Passei todo o almoço de Natal em alerta máximo, tranquila por fora, mas ficando tensa toda vez que alguém passava por nossa porta. Cada garfada da comida da minha mãe virava pó em minha boca. Cada piada ruim do meu pai passava reto pela minha cabeça. Eu não conseguia comer, não conseguia escutar, não conseguia sentir. Estava presa em uma redoma de expectativa infeliz. Olhei para Treena, mas ela também parecia preocupada, e me dei conta de que estava esperando a chegada de Eddie. *Quão difícil poderia ser?*, pensei, irritada. Pelo menos o namorado dela não a estava traindo. Pelo menos ele *queria* estar com ela.

Começou a chover, e as gotas batiam com força nas janelas, o céu escurecendo para combinar com meu humor. Nossa casinha, enfeitada com fios brilhosos e cartões cheios de glitter, encolheu ao nosso redor, e eu alternava entre a dificuldade de respirar e o pânico do que poderia haver do lado de fora. De vez em quando, notava o olhar de mamãe se voltar para mim, como se estivesse se perguntando o que estava acontecendo, mas ela não disse nada, e eu também não.

Ajudei a lavar a louça e conversei — de maneira convincente, em minha opinião — sobre as alegrias da entrega de compras em Nova York. Finalmente, a campainha tocou, e minhas pernas viraram geleia.

Mamãe se virou para mim.

— Você está bem, Louisa? Ficou muito pálida.

— Depois eu conto para você, mãe.

Ela me encarou com firmeza, e então sua expressão suavizou.

— Vou estar aqui. — Ela estendeu a mão e colocou uma mecha de cabelo atrás de minha orelha. — O que quer que seja, vou estar aqui.

Sam estava de pé no degrau da entrada, usando um casaco azul macio que eu não conhecia. Perguntei-me quem teria dado aquele presente a ele. Sam exibiu um meio sorriso, mas não se aproximou para me beijar nem jogou os braços ao meu redor como em nossos encontros anteriores. Ficamos olhando cautelosamente um para o outro.

— Quer entrar?

Minha voz pareceu estranhamente formal.
— Obrigado.
Segui na frente dele pelo corredor estreito, esperei enquanto ele cumprimentava meus pais pela porta da sala de estar e então o levei até a cozinha, fechando a porta atrás de nós. Eu estava absolutamente ciente de sua presença, como se nós dois estivéssemos um pouco eletrificados.
— Aceita um chá?
— Claro... bonito suéter.
— Ah... obrigada.
— Você... deixou seu focinho aceso.
— Ah, é.
Desliguei o focinho, sem querer ceder a qualquer coisa que pudesse aliviar o ânimo entre nós.

Ele se sentou à mesa, o corpo meio que grande demais para as cadeiras da cozinha, os olhos ainda fixos em mim, e estendeu as mãos sobre o tampo, como alguém à espera de uma entrevista de emprego. Na sala de estar, ouvi papai rindo de algum filme e a voz aguda de Thom querendo saber qual era a graça. Tratei de me ocupar preparando o chá, mas senti os olhos dele em minhas costas o tempo todo.

— Então — disse Sam quando entreguei a caneca a ele e me sentei —, você está aqui.

Quase baixei a guarda nesse momento. Olhei para o rosto lindo dele do outro lado da mesa, para os ombros largos, as mãos envolvendo a caneca, e pensei: *não vou suportar se ele me deixar*.

Mas então me vi de novo parada no frio, na frente da casa dele, os dedos magros dela no pescoço dele, meus pés gélidos nos sapatos molhados, e esfriei de novo.

— Voltei dois dias atrás — falei.
Uma pausa muito breve.
— Está bem.
— Pensei em fazer uma surpresa para você. Na quinta à noite. — Raspei uma mancha na toalha de mesa. — Acontece que quem foi surpreendida fui eu.

Vi a compreensão tomando conta do rosto dele: a testa ligeiramente franzida, os olhos se distanciando, e então a conclusão, quando ele se deu conta do que eu podia ter visto.

— Lou, eu não sei o que você viu, mas...
— Mas o quê? "Não é o que você está pensando"?
— Bem, é e não é.
Aquilo foi como um soco.

— Não vamos fazer isso, Sam.
Ele ergueu o olhar.
— Sei muito bem o que eu vi. Se você tentar me convencer de que não era o que eu acho que era, vou querer tanto acreditar em você que talvez realmente acredite. E o que eu percebi nesses últimos dois dias é que isto... isto não é bom para mim. Não é bom para nenhum de nós dois.
Sam apoiou a caneca na mesa. Passou a mão pelo rosto e olhou para o lado.
— Eu não a amo, Lou.
— Eu não me importo com o que você sente em relação a ela.
— Bom, eu quero que você saiba. Sim, você tinha razão a respeito de Katie. Talvez eu tenha interpretado errado os sinais. Ela realmente gosta de mim.
Dei uma risada amarga.
— E você gosta dela.
— Não sei o que acho dela. É você quem está na minha cabeça. É em você que eu acordo pensando. Mas acontece que você não...
— Eu não estou aqui. Não coloque a culpa disso em mim. Não *ouse* colocar a culpa disso em mim. Você me disse para ir. *Você me disse para ir.*
Ficamos sentados em silêncio por alguns instantes. Observei as mãos dele — os nós dos dedos fortes e calejados, a forma como pareciam tão duras, poderosas, mas eram capazes de tanta ternura. Fiquei olhando com determinação para a mancha na toalha.
— Sabe, Lou, eu achei que ficaria bem sozinho. Afinal, estou sozinho há muito tempo. Mas você despertou alguma coisa em mim.
— Ah, então é culpa minha.
— Eu não estou dizendo isso! — explodiu ele. — Estou tentando explicar. Estou dizendo que não sou mais tão bom em ficar sozinho quanto pensei que fosse. Depois que minha irmã morreu, eu não queria sentir mais nada por ninguém de novo, está bem? Eu tinha espaço para me importar com o Jake, mais ninguém. Tinha meu emprego e minha casa inacabada, minhas galinhas, e tudo bem. Eu estava apenas... seguindo em frente. E aí você apareceu, caiu daquele maldito prédio e, literalmente, na primeira vez que segurou na minha mão, eu senti alguma coisa ceder dentro de mim. E de repente havia alguém com quem eu tinha vontade de conversar. Alguém que entendia como eu me sentia. Entendia de verdade. Eu podia passar de carro pelo seu apartamento e saber que, no fim de um dia horrível, ia poder ligar para você ou fazer uma visita e me sentir melhor. E, sim, sei que tivemos alguns problemas, mas eu simplesmente senti que, no fundo, havia algo *certo* lá, sabe? — Ele estava com a cabeça

abaixada sobre o chá, o maxilar tenso. — E aí, justamente quando estávamos próximos... mais próximos do que eu jamais havia me sentido em relação a outra pessoa... você... você simplesmente *foi embora*. E eu me senti como... como se alguém tivesse me dado um presente, uma chave para todas as coisas, e depois tirado de mim.

— Então por que você me deixou ir?

A voz dele explodiu na cozinha:

— Porque... porque eu não sou esse tipo de cara, Lou! Eu não sou o cara que vai insistir para você ficar. Não sou o cara que vai impedir você de ter suas aventuras, de crescer e de fazer todas as coisas que está fazendo lá. Eu não sou esse cara!

— Não... você é o cara que se envolve com outra assim que eu vou embora! Alguém do mesmo CEP!

— É *código postal*! Você está na Inglaterra, pelo amor de Deus.

— É, e você não faz ideia de como eu gostaria de não estar.

Sam se virou de costas para mim, claramente se esforçando para se conter. Para além das portas da cozinha, embora a televisão ainda estivesse ligada, notei o silêncio absoluto na sala.

Depois de alguns minutos, falei baixinho:

— Eu não posso fazer isso, Sam.

— Não pode fazer o quê?

— Não posso ficar me preocupando com Katie Ingram e as tentativas dela de seduzir você... porque, seja o que for que tenha acontecido naquela noite, eu vi o que *ela* queria, mesmo que eu não saiba o que você queria. E isso está me enlouquecendo, me deixando triste e, pior... — Engoli em seco. — Está me fazendo odiar você. E eu não consigo imaginar como cheguei a esse ponto em apenas três meses.

— Louisa...

Houve uma batida discreta na porta. O rosto de minha mãe apareceu.

— Desculpem incomodar, mas vocês se importariam muito se eu preparasse um pouco de chá? O vovô está sem ar.

— Claro.

Mantive o rosto virado.

Ela entrou e encheu a chaleira, de costas para nós.

— Eles estão vendo um filme sobre alienígenas. Nada muito natalino. Eu me lembro quando, no Natal, só passava *O Mágico de Oz* ou *Noviça Rebelde* ou alguma coisa que todos pudessem ver juntos. Agora, eles estão assistindo a essa coisa cheia de tiros e explosões, e o vovô e eu não conseguimos entender nada do que estão dizendo.

Minha mãe continuou tagarelando, simplesmente aflita por precisar estar ali, batucando a superfície de trabalho com os dedos enquanto esperava que a água da chaleira fervesse.

— Sabe que ainda nem assistimos ao discurso da rainha? Seu pai colocou para gravar. Mas não é a mesma coisa quando vemos depois, não é? Eu gosto de ver junto com todo mundo. A pobre senhora, trancada naquelas caixas de vídeo até todo mundo ter acabado de ver os alienígenas e os desenhos animados. Era de imaginar que, depois de mais de sessenta anos de serviço... Há quanto tempo ela está naquele trono? O mínimo que podíamos fazer era assistir ao discurso na hora em que ela o faz. Mas seu pai me disse que estou sendo ridícula, porque ela provavelmente gravou a mensagem semanas atrás. Sam, quer um pedaço de bolo?

— Não, obrigado, Josie.
— Lou?
— Não. Obrigada, mamãe.
— Vou deixar vocês em paz.

Ela sorriu, constrangida, colocou na bandeja um bolo de frutas do tamanho de uma roda de trator e saiu apressadamente. Sam se levantou e fechou a porta atrás dela.

Ficamos sentados em silêncio, escutando o tique-taque do relógio da cozinha, o clima pesado. Eu estava me sentindo esmagada sob o peso das coisas que não haviam sido ditas entre nós.

Sam tomou um longo gole do chá. Eu queria que ele fosse embora. Mas achava que talvez morresse se ele fosse.

— Desculpe — disse Sam, afinal. — Sobre aquela noite. Eu nunca quis... bem, eu interpretei errado.

Balancei a cabeça. Não conseguia mais falar.

— Eu não dormi com ela. Se você não quer ouvir mais nada, preciso que ouça pelo menos isso.

— Você disse...

Ele ergueu o olhar.

— Você disse... que ninguém mais me magoaria. Você disse isso. Quando foi a Nova York. — Minha voz surgiu inesperadamente de algum lugar dentro do meu peito. — Eu nunca pensei nem por um instante que seria você quem faria isso.

— Louisa...

— Acho que eu quero que você vá embora agora.

Ele se levantou pesadamente e hesitou, as mãos na mesa à sua frente. Eu não conseguia olhar para ele. Não conseguia ver o rosto que eu amava prestes a desaparecer da minha vida para sempre. Ele se endireitou, suspirou alto e se virou de costas para mim.

Tirou um pacote do bolso e o colocou na mesa.

— Feliz Natal — disse ele.

E então caminhou até a porta.

Eu o acompanhei de volta pelo corredor, onze longos passos, até chegarmos à varanda. Não podia olhar para ele, ou estaria perdida. Pediria para ele ficar, prometeria abrir mão do meu trabalho, imploraria para ele mudar de emprego, para não ver Katie Ingram novamente. Eu me tornaria patética, o tipo de mulher de quem sentia pena. O tipo de mulher que ele nunca quisera.

Fiquei de pé, os ombros tensos, e me recusei a olhar para além dos pés estúpidos e imensos dele. Um carro parou. Uma porta bateu em algum ponto da rua. Passarinhos cantaram. E eu fiquei ali parada, prisioneira de minha própria infelicidade particular em um instante que teimosamente se recusava a terminar.

E então, de repente, Sam deu um passo à frente e seus braços se fecharam ao meu redor. Ele me puxou para perto e, naquele abraço, senti tudo o que havíamos significado um para o outro, o amor, a dor e a maldita impossibilidade de tudo. E meu rosto, que ele não estava vendo, franziu.

Não sei por quanto tempo ficamos ali. Provavelmente apenas segundos. Mas o tempo parou, estendeu-se e desapareceu. Éramos apenas ele, eu e aquele terrível sentimento morto indo da cabeça aos pés, como se estivéssemos nos transformando em pedra.

— Não. Não me toque — falei, quando não consegui mais suportar.

Minha voz estava engasgada e diferente, e eu o empurrei para trás, para longe de mim.

— Lou...

Só que não era a voz dele. Era a da minha irmã.

— Lou, você pode só... desculpe... sair do caminho, por favor? Eu preciso passar.

Pisquei e virei a cabeça. Minha irmã, com as mãos erguidas, estava tentando passar por nós na porta estreita para ir até a entrada da casa.

— Desculpem — disse ela. — Eu só preciso...

Sam me soltou de um jeito abrupto e foi embora com passos largos, os ombros caídos e tensos, fazendo uma pequena pausa apenas enquanto o portão se abria. Não olhou para trás.

— É o novo rapaz da nossa Treena chegando? — perguntou mamãe atrás de mim.

Ela estava alisando o avental e endireitando o cabelo em um único movimento fluido.

— Achei que ele fosse chegar às quatro. Nem passei batom... Você está bem?

Treena se virou e, através do borrão de minhas lágrimas, vi um sorrisinho cheio de esperança em seu rosto.

— Mamãe, papai, esta é Eddie — disse ela.

E uma mulher negra e magra usando um vestido florido curto acenou para nós, hesitante.

19

No fim das contas, para se distrair da perda do segundo grande amor de sua vida, recomendo fortemente que sua irmã saia do armário no Natal, especialmente com uma jovem negra chamada Edwina.

Mamãe disfarçou seu choque inicial com uma profusão de boas-vindas excessivamente efusivas e a promessa de preparar um chá, levando Eddie e Treena até a sala de estar, fazendo uma pausa momentânea para me lançar um olhar que, se minha mãe fosse do tipo que diz palavrões, teria significado *que porra é essa*, antes de desaparecer de novo no corredor que levava até a cozinha. Thom surgiu da sala, gritou "Eddie!", deu um abraço apertado em nossa convidada, ficou balançando os pés enquanto esperava para receber seu presente, rasgou a embalagem e saiu correndo com um Lego novo.

E papai, absolutamente mudo, ficou apenas olhando fixo para o que se desenrolava bem à sua frente, como se estivesse tendo um sonho alucinógeno. Vi a expressão ansiosa pouco característica de Treena, percebi o pânico aumentando no ar e soube que precisava agir. Murmurei para papai fechar a boca, então dei um passo para a frente e estendi a mão.

— Eddie! — falei. — Oi! Sou Louisa. Minha irmã sem dúvida já deve ter contado todas as coisas ruins de mim.

— Na verdade — disse Eddie —, ela só me contou coisas maravilhosas. Você mora em Nova York, não é?

— A maior parte do tempo.

Esperava que meu sorriso não parecesse tão forçado quanto eu tinha a impressão de estar.

— Eu morei no Brooklyn durante dois anos depois da faculdade. Ainda sinto saudade de lá.

Ela tirou o casaco cor de bronze, esperando enquanto Treena o pendurava em nosso cabideiro sobrecarregado. Eddie parecia uma minúscula bonequinha de porcelana, com os traços mais simétricos que eu já tinha visto e olhos amendoados com extravagantes cílios pretos. Ela continuou falando enquanto nos encaminhamos para a sala de estar — talvez educada demais para notar o choque maldisfarçado de meus pais — e se abaixou para apertar a mão do vovô, que sorriu torto para ela e voltou a olhar fixamente para a televisão.

Eu nunca tinha visto minha irmã daquele jeito. Era como se tivéssemos acabado de ser apresentados a duas estranhas, e não apenas uma. Ali estava Eddie — impecavelmente educada, interessante, envolvida, navegando com graça pelas águas agitadas daquela conversa —, e lá estava a nova Treena, a expressão ligeiramente insegura, o sorriso meio frágil, a mão deslizando pelo sofá de vez em quando para apertar a da namorada, como se quisesse ser tranquilizada. O queixo de papai caiu uns bons dez centímetros na primeira vez que ela fez isso, e mamãe o cutucou repetidamente na costela com o cotovelo até ele fechar a boca de novo.

— Então! Edwina! — disse mamãe, servindo o chá. — Treena nos contou... ahn... muito pouco sobre você. Como... como vocês duas se conheceram?

Eddie sorriu.

— Eu sou gerente de uma loja de decoração perto do apartamento de Katrina, e ela foi lá algumas vezes para comprar almofadas e tecido, então nós começamos a conversar. Saímos para um drinque e depois fomos ao cinema e... sabe, descobrimos que tínhamos muitas coisas em comum.

Acabei assentindo, tentando entender o que minha irmã poderia ter em comum com a criatura educada e elegante à minha frente.

— Coisas em comum! Que ótimo. Coisas em comum é algo muito bom. Sim. E... de onde você... ah, puxa. Eu não quis...

— De onde eu sou? Blackheath. Eu sei... as pessoas raramente vão do sul para o norte de Londres. Meus pais se mudaram para Borehamwood quando se aposentaram, há três anos. Então, eu sou uma daquelas raridades: uma londrina do norte e do sul.

Ela sorriu para Treena, como se isso fosse uma piada interna delas, antes de se voltar para mamãe.

— Vocês sempre moraram por aqui?

— Mamãe e papai só vão sair de Stortfold no caixão — disse Treena.

— O que não vai acontecer tão cedo, esperamos! — comentei.

— Parece uma cidadezinha linda. Entendo por que vocês quiseram ficar — disse Eddie, estendendo o prato. — Este bolo está incrível, Sra. Clark. A senhora mesma faz? Minha mãe faz um com rum, e ela jura que é preciso deixar as frutas de molho durante três meses para absorver todo o sabor.

— Katrina é *gay*? — indagou papai.

— Está muito bom, mamãe — disse Treena. — As passas estão... bem... úmidas.

Papai olhava para nós, de uma para outra.

— Nossa Treena gosta de garotas? E ninguém está dizendo nada? Ficam só falando sobre almofadas e *bolo*?

— Bernard — repreendeu minha mãe.

— Talvez eu devesse dar um momento para vocês — disse Eddie.

— Não. Fique, Eddie.

Treena olhou para Thom, que estava concentrado na televisão, e falou:

— Sim, papai. Eu gosto de mulheres. Ou, pelo menos, gosto de Eddie.

— Treena talvez tenha gênero fluido — comentou mamãe, nervosa. — É assim que se diz? Os jovens do curso noturno me contaram que muitos deles não são nem uma coisa nem outra, hoje em dia. Existe um espectro. Ou um espéculo. Eu nunca lembro o que é.

Papai piscou.

Mamãe tomou um gole de chá tão audível que quase doeu.

— Bem, pessoalmente — falei, quando Treena parou de bater nas costas dela —, eu acho que é ótimo alguém querer sair com Treena. Qualquer um. Sabe, alguém com olhos, ouvidos, coração, essas coisas.

Treena me lançou um olhar de gratidão genuína.

— Pensando bem, você sempre usou muita calça jeans. Quando criança — refletiu mamãe, secando a boca. — Talvez eu devesse ter feito você usar mais vestidos.

— Não tem nada a ver com calça jeans, mãe. Com genes, talvez.

— Bom, isso certamente não faz parte da genética da nossa família — disse papai. — Sem ofensas, Edwina.

— Sem problemas, Sr. Clark.

— Eu sou gay, papai. Sou gay e estou mais feliz do que nunca, e na realidade ninguém tem nada a ver com a maneira como eu escolhi ser feliz, mas eu realmente gostaria que você e a mamãe conseguissem ficar felizes por mim, porque eu estou feliz, e, o mais importante, espero que Eddie faça parte da minha vida e da do Thom por muito tempo.

Ela olhou para Eddie, que deu um sorriso tranquilizador.

Houve um longo silêncio.

— Você nunca comentou nada — disse papai, em tom de acusação. — Você nunca agiu como gay.

— Como uma pessoa gay deve agir? — perguntou Treena.

— Bem. De um jeito gay. Tipo... você nunca trouxe uma garota para nossa casa.

— Eu nunca trouxe ninguém para nossa casa. Além de Sundeep. O contador. E você não gostou dele porque ele não gostava de futebol.

— Eu gosto de futebol — disse Eddie, prestativa.

Papai ficou sentado, olhando fixamente para o próprio prato. Por fim, suspirou e esfregou os olhos com a palma das mãos. Quando parou, estava com uma expressão confusa, como se tivesse acordado de repente. Mamãe o observava atentamente, com a ansiedade estampada no rosto.

— Eddie. Edwina. Sinto muito se pareci um velho idiota. Não sou homofóbico, de verdade, mas...

— Ah, meu Deus — disse Treena. — Tem um mas.

Papai balançou a cabeça.

— Mas eu provavelmente vou dizer a coisa errada de qualquer maneira e fazer todo tipo de ofensas porque sou apenas um velho que não entende direito os novos termos e a forma como as coisas são feitas... Minha esposa pode contar isso a você. Dito tudo isso, até eu sei que o que importa a longo prazo é que essas minhas duas garotas sejam felizes. E se você a fizer feliz, Eddie, como Sam faz a nossa Lou feliz, então, que bom. Fico muito feliz por conhecê-la.

Ele se levantou e estendeu a mão por cima da mesa de centro. Depois de um instante, Eddie se inclinou para a frente e o cumprimentou.

— Certo. Agora, vamos comer um pedaço daquele bolo.

Mamãe suspirou de alívio e pegou a faca. E eu fiz o melhor possível para sorrir, então saí depressa da sala.

Sem dúvida existe uma hierarquia nas formas de se ter o coração partido. Eu a descobri. No topo da lista está a morte da pessoa que amamos. Não há situação capaz de despertar mais choque e solidariedade: as expressões se transformam, sempre há uma mão estendida para apertar seu ombro. *Ah, meu Deus, eu sinto muito.* Depois disso vem provavelmente ser deixado por outra pessoa — a infidelidade, a perversidade dos dois indivíduos envolvidos na traição provocando afirmações de ultraje e camaradagem. *Ah, deve ter sido um choque e tanto para você.* Podemos acrescentar separação forçada, obstáculos religiosos e doença grave. Mas *Nós nos afastamos porque estávamos morando em continentes separados*, embora seja verdade, dificilmente arrancará mais do que um sinal de reconhecimento com a cabeça ou um pragmático dar de ombros compreensivo. É, essas coisas acontecem.

Vi essa reação, ainda que coberta de preocupação maternal, na minha mãe. E depois no meu pai. *Puxa, que pena. Mas imagino não seja uma grande surpresa.* Eu me senti ligeiramente magoada, de uma maneira que não consegui expressar. *Como assim não foi uma grande surpresa? EU O AMAVA.*

O dia 26 passou lentamente, as horas vagarosas e tristes. Tive um sono agitado, contente pela distração criada por Eddie, de modo que eu não precisava ser o foco das atenções. Fiquei deitada na banheira e na cama do meu quartinho, sequei as lágrimas que escaparam e torci para que ninguém percebesse. Minha mãe me levou chá e tentou não comentar muito sobre a felicidade radiante de minha irmã.

Era ótimo vê-la daquele jeito. Ou teria sido, se eu não estivesse tão arrasada. Vi as duas dando as mãos disfarçadamente embaixo da mesa enquanto mamãe servia o jantar, as cabeças se encostando enquanto falavam sobre algo que tinham lido em uma revista, os pés se tocando enquanto viam televisão, Thom abrindo caminho entre elas com a confiança dos que são extremamente amados, indiferente a quem o estava amando. Depois que passamos da fase da grande surpresa, tudo fez total sentido para mim: Treena ficava muito feliz e relaxada na companhia daquela mulher, de um jeito que eu nunca tinha visto. De vez em quando, ela me lançava breves olhares tímidos e silenciosamente triunfantes, e eu sorria em resposta, esperando não parecer tão falsa quanto estava me sentindo.

Porque tudo o que eu sentia era um segundo buraco gigantesco onde antes ficava meu coração. Sem a raiva que havia me alimentado pelas quarenta e oito horas anteriores, eu era um vazio. Sam tinha ido embora, eu praticamente o mandara embora. Para outras pessoas, o fim do meu relacionamento talvez fosse compreensível, mas, para mim, aquilo tudo não fazia sentido algum.

Na tarde do dia 26, enquanto minha família cochilava no sofá (eu havia esquecido quanto tempo era passado discutindo, comendo ou digerindo comida em nossa casa), saí e caminhei até o castelo Stortfold. Estava vazio, exceto por uma mulher cheia de energia usando uma jaqueta impermeável, passeando com o cachorro. Ela me cumprimentou com um aceno de cabeça que sugeria que não queria conversa, então segui até as muralhas e encontrei um banco de onde podia olhar para o labirinto e a metade sul de Stortfold. Deixei a brisa gelada pinicar a ponta de minhas orelhas, senti os pés esfriando e disse a mim mesma que não me sentiria tão triste para sempre. Deixei que meus pensamentos fossem em direção a Will, lembrando-me de quantas tardes havíamos passado ao redor daquele castelo e de como eu sobrevivera à morte dele, e disse a mim mesma com firmeza que essa nova dor era menor: eu não enfrentaria meses de uma tristeza tão profunda que me faria passar mal. Eu não pensaria em Sam. Não imaginaria ele com aquela mulher. Não olharia o Facebook. Voltaria para minha nova vida emocionante, rica e cheia de acontecimentos em Nova York e, quando ficasse totalmente longe dele, as partes de mim que estavam ocas e destruídas acabariam se curando. Talvez nós não tivéssemos sido o que eu achara que fôssemos. Talvez a intensidade do nosso primeiro encontro — quem poderia resistir a um paramédico, afinal? — tivesse feito com que acreditássemos que a intensidade era nossa. Talvez eu apenas precisasse de alguém para me tirar daquele luto. Talvez nosso relacionamento tivesse sido um rebote, e eu me sentiria melhor antes do que imaginava.

Repeti isso sem parar em minha mente, mas uma parte teimosa de mim se recusava a escutar. Por fim, quando cansei de fingir que ia ficar tudo bem, fechei os olhos, apoiei a cabeça nas mãos e chorei. Em um castelo vazio, em um dia em que todo mundo estava em casa, deixei a dor passar por mim e chorei sem inibição ou medo de ser flagrada. Chorei de um jeito que não poderia chorar na casinha da Renfrew Road nem depois que voltasse para o apartamento dos Gopnik: com raiva e tristeza, uma espécie de sangria emocional.

— Seu idiota... — falei, soluçando em meus joelhos. — *Eu só fiquei três meses longe...*

Minha voz soou estranha, estrangulada. E, como Thom, que costumava olhar para o próprio reflexo no espelho quando chorava e, depois, passava a chorar ainda mais forte, o som daquelas palavras foi tão triste e terrivelmente definitivo que comecei a chorar com mais intensidade.

— *Caramba, Sam. Você foi um filho da mãe por me fazer pensar que valia o risco.*

— Posso me sentar também ou é uma festa de sofrimento particular?

Ergui a cabeça de repente. Lily estava diante de mim, enrolada em uma grande jaqueta preta e um cachecol vermelho, os braços cruzados, com cara de que talvez já estivesse ali me examinando por algum tempo. Ela sorriu, como se me ver em meu momento mais sombrio fosse divertido, então ficou esperando enquanto eu me recompunha.

— Bem, acho que eu não preciso perguntar o que está acontecendo na *sua* vida — disse ela, me dando um soco forte no braço.

— Como você soube que eu estava aqui?

— Fui até sua casa, afinal voltei da estação de esqui há dois dias e você nem se deu ao trabalho de me ligar.

— Desculpe — falei. — As coisas têm sido...

— Têm sido difíceis porque você levou um pé na bunda do Sexy Sam. Foi aquela bruxa loura?

Assoei o nariz e a encarei.

— Como fiquei uns dias em Londres antes do Natal, fui até a central de ambulâncias para dar um alô, e ela estava lá, grudada nele feito uma espécie de mofo humano.

Funguei.

— Você percebeu.

— Nossa, sim. Eu ia alertar você, mas daí pensei: para quê? Não é como se você pudesse fazer algo a respeito disso lá em Nova York. Argh. Mas os homens são uns idiotas. Como ele pode não ter enxergado *isso*?

— Ah, Lily, eu senti muita saudade de você.

Eu percebera como sentira falta dela até aquele momento. A filha de Will, em toda a sua glória alegre e adolescente. Ela se sentou ao meu lado e eu me apoiei nela, como se Lily fosse a adulta. Ficamos olhando ao longe. Dava para ver a casa de Will, a Granta House.

— Quer dizer, só porque ela é bonita e tem peitos enormes e uma daquelas bocas de filme pornô que parecem estar sempre prontas para um boquete...

— Certo, pode parar agora.

— Enfim, eu não choraria mais se fosse você — disse ela sabiamente. — Em primeiro lugar, porque nenhum homem merece. Até a Katy Perry pode dizer isso a você. Mas também porque seus olhos ficam muito, muito pequenos quando você chora. Tipo, microscópicos mesmo.

Não consegui deixar de rir.

Ela se levantou e estendeu a mão.

— Vamos. Vamos até sua casa. Não tem nada aberto hoje, e o vovô, Della e a Bebê que Não Faz Nada Errado estão me enlouquecendo. Tenho vinte e quatro horas para matar antes que a vovó venha me buscar. Eca. Você deixou catarro no meu casaco? Deixou! Você vai limpar isso.

Tomando chá em minha casa, Lily me contou as notícias que não incluíra em seus e-mails — estava adorando a nova escola, mas não tinha conseguido se envolver com o trabalho como deveria. ("No fim das contas, perder muitas aulas tem consequências. O que é muito irritante no front 'eu avisei' dos adultos.") Lily gostava tanto de morar com a avó que reclamava dela do jeito como reclamava das pessoas que amava de verdade — com humor e um sarcasmo alegre. A avó tinha sido completamente irracional em relação a ela pintar de preto as paredes do quarto. E não a deixava dirigir o carro, embora Lily soubesse perfeitamente como dirigir e só quisesse se adiantar antes de entrar na autoescola.

Foi só quando começou a falar sobre sua mãe que a animação desapareceu. A mãe tinha, enfim, deixado o padrasto de Lily — "é claro" —, mas o arquiteto que mora no final da rua e que ela havia planejado tornar seu próximo marido não entrara no jogo, recusando-se a deixar a esposa. Agora, a mãe dela estava levando uma vida de infelicidade histérica, morando com os gêmeos em uma casa alugada em Holland Park e passando por uma sucessão de babás filipinas que, apesar de terem uma tolerância impressionante, raramente eram tolerantes o bastante para sobreviver a Tanya Houghton-Miller por mais do que algumas semanas.

— Eu nunca pensei que fosse sentir pena dos meninos, mas sinto — disse Lily. — Argh, eu queria muito um cigarro. Só tenho vontade de fumar quando falo da minha mãe. Não é preciso ser Freud para entender isso, né?

— Sinto muito, Lily.

— Não sinta. Eu estou ótima. Estou morando com a vovó e indo à escola. O drama da minha mãe não me afeta mais. Bem, ela me deixa longas mensagens de voz, chorando ou me dizendo que sou egoísta por não voltar a morar com ela, mas não me importo.

Lily estremeceu brevemente.

— Às vezes eu penso que, se tivesse ficado lá, eu teria enlouquecido de vez.

Pensei na menina que tinha aparecido na porta da minha casa tantos meses antes, bêbada, infeliz e isolada, e senti uma pequena explosão silenciosa de prazer pelo fato de que, ao acolhê-la, eu havia ajudado a filha de Will a construir um relacionamento feliz com a avó.

Minha mãe entrou e saiu, reabastecendo a bandeja com fatias de presunto, queijo e torta de carne moída, e pareceu encantada por Lily estar ali, em especial quando Lily, com a boca cheia, passou o boletim completo do que estava acontecendo na mansão. Ela achava que o Sr. Traynor não andava muito feliz. Della, sua nova esposa, estava achando a maternidade um desafio e vivia preocupada com a bebê, hesitando e choramingando sempre que a neném berrava. O que acontecia basicamente o tempo todo.

— O vovô passa a maior parte do tempo no escritório dele, o que a deixa ainda mais furiosa. Mas, quando ele tenta ajudar, ela apenas grita e diz que ele está fazendo tudo errado. *Steven! Não a segure desse jeito! Steven! Você colocou a roupa totalmente ao contrário!* Eu a mandaria cair fora, mas ele é legal demais para isso.

— Ele é da geração que se envolvia muito pouco com os bebês — comentou mamãe gentilmente. — Acho que seu pai não trocou uma fralda sequer.

— Como ele sempre pergunta da vovó, eu disse que ela está com um homem novo.

— A Sra. Traynor arranjou um namorado? — perguntou minha mãe, arregalando os olhos.

— Não. É claro que não. A vovó diz que está aproveitando a liberdade. Mas ele não precisa saber disso, certo? Eu falei para o vovô que um bonitão grisalho com um Aston Martin e uma cabeleira farta a busca duas vezes por semana e que eu não sei o nome dele, mas que é bom ver a vovó tão feliz de novo. Percebo que ele quer fazer mais perguntas, mas não se atreve a isso na presença de Della, então apenas assente, dá um sorriso muito falso, diz "Que bom" e volta para o escritório.

— Lily! — repreendeu minha mãe. — Você não pode contar mentiras assim!

— Por que não?

— Porque, bom, porque não é verdade!

— Muitas coisas na vida não são verdade. O Papai Noel não é verdade. Mas aposto que você falou com o Thom a respeito dele mesmo assim. O vovô arrumou outra esposa. É bom para ele, e para a vovó, ele achar que ela está tendo férias curtas e deliciosas em Paris com um aposentado rico e bonitão. E os dois nunca se falam. Então, qual é o problema?

Em termos de lógica, era muito impressionante. Percebi isso porque a boca de mamãe se mexia como a de alguém que sente um dente mole, mas ela não conseguiu pensar em nenhum outro motivo pelo qual Lily poderia estar errada.

— Enfim — disse Lily —, é melhor eu voltar. Jantar em família. Ho-ho-ho.

Foi nesse instante que Treena e Eddie entraram, voltando da pracinha com Thom. Vi a expressão repentina de ansiedade maldisfarçada de mamãe e pensei *Ah, Lily, não diga nada terrível.* Fiz um gesto na direção delas.

— Esta é Lily, Eddie. Eddie, Lily. Lily é a filha do meu antigo patrão, Will. Eddie é...

— Minha namorada — disse Treena.

— Ah. Legal.

Lily apertou a mão de Eddie e então se virou para mim.

— Então. Ainda estou planejando convencer a vovó a me levar para Nova York. Ela diz que não vai fazer isso enquanto estiver frio, mas que irá na primavera. Então, esteja preparada para tirar uns dias de folga. Abril se qualifica como primavera, certo? Está a fim?

— Mal posso esperar — respondi.

Ao meu lado, minha mãe murchou silenciosamente de alívio.

Lily me deu um abraço apertado e saiu correndo pela porta da frente. Eu a observei indo embora e invejei a força da juventude.

20

Para: KatrinaClark@scottsherwinbarker.com
De: AbelhaAtarefada@gmail.com

Linda foto, Treen! Realmente linda. Gostei quase tanto quanto daquelas quatro que você mandou ontem. Não, minha preferida ainda é a que você mandou na terça. Vocês três no parque. Sim, Eddie tem olhos lindos. Você definitivamente parece feliz. Fico muito contente.
Sobre a outra pergunta: acho, sim, que talvez seja um pouco cedo demais para mandar uma emoldurada para a mamãe e o papai, mas, ah, você que sabe.
Beijo no Thom,
Lou

P.S.: Estou ótima. Obrigada por perguntar.

Voltei com o tipo de nevasca de Nova York que só vemos no noticiário, em que apenas os tetos dos carros ficam visíveis, as crianças andam de trenó em ruas normalmente cheias de carros e nem mesmo os meteorologistas conseguem disfarçar a alegria infantil. As avenidas largas estavam vazias por ordem do prefeito, e os imensos limpadores de neve da cidade subiam e desciam as principais vias feito gigantescas feras de carga.
Em circunstâncias normais, talvez eu ficasse emocionada de ver neve daquele jeito, mas meu humor estava cinzento e úmido, pairando acima de mim como um peso gelado, sugando a alegria de qualquer situação.
Ninguém tinha partido meu coração antes, pelo menos não alguém vivo. Eu me afastara de Patrick sabendo no fundo que, para nós dois, nosso relacionamento tinha se tornado um hábito, como um par de sapatos de que talvez a gente nem goste tanto, mas que continua usando porque não quer ter o

trabalho de comprar outro. Quando Will morreu, eu pensei que nunca mais voltaria a sentir nada.

Acontece que não é nem um pouco reconfortante saber que a pessoa que amamos e perdemos ainda está respirando. Meu cérebro, órgão sádico que era, insistia em pensar em Sam várias vezes por dia. O que ele estaria fazendo naquele momento? No que estaria pensando? Será que estava com ela? Será que se arrependia do que havia acontecido entre nós? Ou nem sequer pensava em mim? Eu tinha uma dúzia de discussões mentais com ele por dia, algumas das quais eu inclusive ganhava. Meu lado racional interferia, argumentando que não havia motivo para pensar nele. O que estava feito estava feito. Eu tinha voltado para um continente diferente. Nossos futuros estavam separados por milhares de quilômetros. E então, às vezes, uma parte ligeiramente maníaca de mim intervinha com um otimismo forçado: *Eu podia ser quem eu quisesse! Não estava amarrada a ninguém! Podia ir a qualquer lugar do mundo sem entrar em conflito!* Essas três partes de mim eram capazes de disputar espaço em minha mente por alguns minutos, e costumavam fazer isso com frequência. Era uma existência esquizofrênica, completamente exaustiva.

Eu as afogava. Corria com George e Agnes ao amanhecer, sem diminuir o passo quando meu peito doía e minhas canelas pareciam espetos quentes. Zunia pelo apartamento, antecipando as necessidades de Agnes, oferecendo-me para ajudar Michael quando ele parecia especialmente assoberbado, descascando batatas com Ilaria e a ignorando quando ela bufava. Cheguei até a me oferecer para ajudar Ashok a tirar a neve da entrada do prédio — qualquer coisa para não ter que sentar e pensar em minha própria vida. Ele fez uma careta e me disse para não ser louca: por acaso eu queria que ele perdesse o emprego?

Josh me mandou uma mensagem de texto no meu terceiro dia de volta, enquanto Agnes examinava sapato por sapato em uma loja infantil e conversava em polonês com a mãe ao telefone, aparentemente tentando descobrir o tamanho que deveria comprar e se a irmã aprovaria. Senti meu telefone vibrar e olhei para a tela.

E aí, Louisa Clark Primeira. Quanto tempo! Espero que tenha tido um bom Natal. Quer tomar um café uma hora dessas?

Fiquei olhando fixamente para a mensagem. Não tinha por que não aceitar, mas, de alguma maneira, parecia errado. Eu estava sensível demais, ainda conectada a um homem a quase cinco mil quilômetros de distância.

Oi, Josh. Meio ocupada agora (Agnes não me deixa parar!), mas talvez em breve. Espero que você esteja bem. Bj, L

Ele não respondeu, e eu me senti estranhamente mal em relação a isso.

Garry levou as compras de Agnes para o carro, e então o telefone dela vibrou. Ela o tirou da bolsa e ficou observando o aparelho. Olhou pela janela por um instante, então se virou para mim.

— Esqueci que tinha aula de arte. Precisamos ir a East Williamsburg.

Era claramente uma mentira. Tive uma lembrança súbita do terrível almoço do Dia de Ação de Graças, com todas as suas revelações, e tentei disfarçar.

— Vou cancelar a aula de piano, então — falei, sem alterar a voz.

— Sim. Garry, tenho aula de arte. Esqueci.

Sem dizer uma palavra, Garry começou a dirigir a limusine.

Garry e eu ficamos sentados em silêncio no estacionamento, o motor ligado para nos proteger do frio do lado de fora. Eu estava silenciosamente furiosa com Agnes por ter escolhido aquela tarde para uma de suas "aulas de arte", pois isso queria dizer que fui deixada sozinha com meus pensamentos, uma porção de convidados indesejados que se recusavam a ir embora. Enfiei os fones de ouvido e coloquei músicas alegres para tocar. Usei meu iPad para organizar o resto da semana de Agnes. Joguei três rodadas de palavras cruzadas on-line com minha mãe. Respondi a um e-mail de Treena, perguntando se eu achava que ela devia levar Eddie a um jantar de trabalho ou se era cedo demais. (Eu achava que ela provavelmente devia ir em frente.) Olhei para fora, para o céu carregado, e me perguntei se ia nevar mais. Garry estava assistindo a um programa de comédia no tablet, rindo junto com as gargalhadas gravadas, o queixo apoiado no peito.

— Quer um café? — perguntei, quando não tinha mais unhas para roer. — Ela vai demorar uma eternidade, não vai?

— Não, obrigado. Meu médico me mandou cortar os donuts. E você sabe o que acontece se a gente for até aquele lugar que vende donuts gostosos.

Puxei um fio solto da minha calça.

— Quer brincar de alguma coisa?

— Você está de gozação com a minha cara?

Recostei-me no banco do carro, suspirando, e fiquei escutando o resto do programa de comédia. Depois, prestei atenção na respiração pesada de Garry ficando mais lenta e se transformando em roncos ocasionais. O céu estava começando a escurecer, ficando com um cinza-escuro hostil. Levaríamos horas para voltar por conta do trânsito. Então meu telefone tocou.

— Louisa? Você está com Agnes? O telefone dela parece estar desligado. Pode chamá-la para mim?

Olhei pela janela do carro para onde a luz do estúdio de Steven Lipkott lançava um retângulo amarelado sobre a neve cinzenta abaixo.

— Ahn... ela está só... ela está experimentando umas roupas, Sr. Gopnik. Deixe eu ir até os provadores pedir que ela ligue para o senhor em seguida.

A porta do térreo estava sendo mantida aberta com duas latas de tinta, como se estivessem fazendo uma entrega. Subi correndo os degraus de concreto e passei pelo corredor até chegar ao estúdio. Lá, parei diante da porta fechada, respirando com dificuldade. Olhei para meu telefone e depois para o alto. Eu não queria entrar. Não queria uma prova irrefutável do que havia sido sugerido no Dia de Ação de Graças. Encostei a orelha na porta, tentando descobrir se era seguro bater e me sentindo furtiva, como se fosse eu a errada. Mas tudo o que escutei foi música e uma conversa abafada.

Mais confiante, bati. Alguns segundos depois, tentei abrir a porta. Steven Lipkott e Agnes estavam de pé do outro lado da sala, com as costas viradas para mim, observando uma série de telas apoiadas na parede. Ele estava com uma das mãos no ombro dela e a outra agitando um cigarro na direção de uma das telas menores. A sala cheirava a fumaça, produtos químicos e, ligeiramente, a perfume.

— Bem, por que você não me traz outras fotos dela? — perguntou ele. — Se acha que este não a representa de verdade, então precisamos...

— Louisa!

Agnes se virou e espalmou a mão na minha direção, como se estivesse me espantando.

— Eu sinto muito — falei, mostrando meu telefone. — É... é o Sr. Gopnik. Ele está tentando falar com você.

— Você não devia ter entrado aqui! Por que não bateu?

A cor havia desaparecido do rosto dela.

— Eu bati. Desculpe. Eu não tinha como...

Foi quando estava saindo de costas que vi a tela. Uma criança, de cabelo louro e olhos grandes, meio virada, como se estivesse prestes a escapar. E, com uma clareza súbita e inevitável, compreendi tudo: a depressão, as conversas intermináveis com a mãe, as compras incessantes de brinquedos e sapatos...

Steven se inclinou para pegá-la.

— Olhe. Leve esta daqui com você se quiser. Pense um pouco.

— Cale a *boca*, Steven!

Ele se encolheu, como se não soubesse ao certo o que havia provocado a reação dela. Mas foi o que finalmente confirmou tudo.

— Nos vemos lá embaixo — falei, fechando a porta em silêncio atrás de mim.

* * *

Voltamos para o Upper East Side em silêncio. Agnes ligou para o Sr. Gopnik e pediu desculpas, *ela não tinha se dado conta de que o telefone estava desligado, um problema do design... O aparelho vivia desligando sem ela querer... Ela realmente precisava de um novo, sim, querido. Estamos voltando agora. Sim, eu sei...*

Ela não olhou para mim. Na verdade, eu mal conseguia encará-la. Minha cabeça estava a mil, juntando os acontecimentos dos meses anteriores com o que eu descobrira.

Quando finalmente chegamos em casa, andei alguns passos atrás dela no saguão, mas, quando chegamos ao elevador, ela girou, olhou fixamente para o chão e então se virou de novo na direção da porta.

— Certo. Venha comigo.

Nós nos sentamos em um bar de hotel escuro e dourado, do tipo onde eu imaginava que homens de negócios ricos do Oriente Médio se encontrassem com seus clientes, pagando as contas sem olhar. Estava quase vazio. Agnes e eu nos acomodamos em uma cabine de canto mal-iluminada, esperando enquanto o atendente deixava duas vodcas com água tônica e um pote de azeitonas verdes reluzentes, tentando, sem conseguir, ganhar a atenção de Agnes.

— Ela é minha — disse Agnes quando ele se afastou.

Tomei um gole do meu drinque. Estava forte demais, e eu gostei disso. Pareceu útil ter algo em que me focar.

— Minha filha.

A voz dela estava tensa, estranhamente furiosa.

— Ela mora com minha irmã na Polônia. Está ótima. Era tão pequena quando vim embora que mal se lembra da época em que a mãe vivia com ela. E minha irmã está feliz, porque não pode ter filhos. Mas minha mãe sente muita raiva de mim.

— Mas...

— Eu não contei a ele quando o conheci, está bem? Fiquei tão... tão feliz que alguém como ele tivesse gostado de mim. Não pensei por um instante que ficaríamos juntos. Foi como um sonho, sabe? Eu pensei: vou viver essa aventura, aí meu visto de trabalho vai vencer, vou voltar para a Polônia e me lembrar para sempre disso. E então tudo aconteceu muito rápido. Ele deixou a esposa por mim. Não consegui pensar em uma maneira de contar a ele. Toda vez que o encontro, penso *É agora, é agora...* e então, quando estamos juntos, ele me fala... ele me fala que não quer mais filhos. Ele *encerrou*, diz. Sente que causou uma grande confusão com a própria família e não quer piorar a situação com outras famílias, meios-irmãos, meias-irmãs, tudo isso. Ele me ama, mas a decisão de não ter filhos é irrevogável. Então, como posso contar?

Eu me inclinei para a frente para ninguém mais escutar.

— Mas... mas isso é muito louco, Agnes. Você já tem uma filha!

— E como eu posso contar isso agora, depois de dois anos? Você acha que ele não vai me achar uma pessoa ruim? Acha que ele não verá isso como uma traição muito, muito terrível? Eu criei um problema imenso para mim mesma, Louisa. Sei disso.

Ela tomou um gole da bebida.

— Penso o tempo todo... o tempo *todo*... em como posso consertar isso? Mas não tem o que consertar. Eu menti. E, para ele, confiança é tudo. Ele não me perdoaria. Então é simples. Assim, ele está feliz, eu estou feliz, posso ajudar todo mundo financeiramente. Estou tentando convencer minha irmã a vir morar em Nova York. Assim poderei ver Zofia todos os dias.

— Mas você deve sentir muita falta dela.

O maxilar de Agnes ficou tenso.

— Estou garantindo o futuro dela.

Agnes falou como se fosse um texto bastante ensaiado.

— Antes, nossa família não tinha muito. Agora, minha irmã mora em uma casa boa, com quatro quartos, tudo novo. Uma região muito boa. Zofia irá para a melhor escola da Polônia, tocará o melhor piano. Ela terá tudo.

— Menos a mãe.

Os olhos dela se encheram de lágrimas.

— É. Preciso escolher entre deixar Leonard ou deixá-la. Então, é minha... minha... ah, qual é a palavra... minha penitência viver sem ela.

Sua voz embargou um pouco.

Tomei um gole do drinque de vodca. Não sabia o que mais fazer. Ficamos olhando fixamente para nossos copos.

— Não sou uma pessoa má, Louisa. Amo Leonard. Muito.

— Eu sei.

— Eu achava que talvez quando nos casássemos, depois que estivéssemos juntos por um tempo, eu pudesse contar a ele. E ele ficaria um pouco chateado, mas talvez conseguisse superar. Ou então eu poderia ir e vir da Polônia, sabe? Ou talvez ela pudesse ficar aqui por um tempo. Mas as coisas simplesmente se tornaram tão... tão complicadas. A família dele me odeia demais. Sabe o que aconteceria se eles descobrissem a respeito dela agora? Sabe o que aconteceria se Tabitha soubesse?

Eu podia imaginar.

— Eu o amo. Sei que você pensa muitas coisas de mim. Mas eu o amo. Ele é um homem bom. Às vezes, eu acho muito difícil, porque ele trabalha demais e ninguém se preocupa comigo no mundo dele... e eu fico muito sozinha e talvez...

eu nem sempre me comporto perfeitamente, mas não suporto imaginar a vida sem ele. Leonard é realmente minha alma gêmea. Eu soube disso desde o primeiro dia.

Ela ficou desenhando um padrão na mesa com o dedo fino.

— Mas daí penso em minha filha crescendo pelos próximos dez, quinze anos sem mim, e eu... eu...

Seu suspiro saiu trêmulo e alto o bastante para chamar atenção do barman. Enfiei a mão na bolsa e, como não consegui encontrar um lencinho, dei um guardanapo a ela. Quando ergueu os olhos, havia uma suavidade em seu rosto. Era uma expressão que eu nunca tinha visto, radiante de amor e ternura.

— Ela é tão linda, Louisa. Está com quase quatro anos agora e é muito esperta. E inteligente. Ela sabe os dias da semana, sabe apontar países no globo e cantar. E sabe onde fica Nova York. Consegue desenhar uma linha no mapa entre Cracóvia e Nova York sem ninguém mostrar a ela. E toda vez que a visito ela se pendura em mim e diz: "Por que você precisa ir, mamãe? Não quero que você vá." E um pouco do meu coração se parte... Ah, meu Deus, se parte... Às vezes nem quero mais vê-la, porque a dor quando preciso vir embora... é...

Agnes se curvou sobre seu copo, erguendo a mão mecanicamente para secar as lágrimas que caíam em silêncio na mesa brilhante.

Dei outro guardanapo a ela.

— Agnes — falei baixinho —, não sei por quanto tempo você vai conseguir continuar com isso.

Ela secou os olhos, a cabeça baixa. Quando ergueu o olhar, era impossível dizer que estivera chorando.

— Somos amigas, certo? Boas amigas.

— É claro.

Ela olhou para trás e se inclinou sobre a mesa.

— Você e eu. Nós duas somos imigrantes. Sabemos que é difícil encontrar nosso lugar no mundo. A gente quer melhorar de vida, trabalhar duro em um país que não é o nosso. Construir uma nova vida, fazer novos amigos, encontrar um novo amor. É possível se tornar uma pessoa nova! Mas nunca é simples, sempre tem um preço.

Engoli em seco e afastei uma imagem furiosa de Sam em seu vagão.

— Sei que ninguém pode ter tudo. E nós, imigrantes, sabemos disso melhor do que ninguém. Estamos com um pé em cada lugar. Nunca conseguimos ser felizes de verdade porque, no instante em que partimos, somos duas pessoas e, onde quer que estejamos, uma metade nossa está sempre pensando na outra. Esse é nosso preço, Louisa. É o custo de ser quem somos.

Ela tomou um gole da bebida e mais outro. Então respirou fundo e balançou as mãos por cima da mesa, como se estivesse se livrando do excesso de emoções pela ponta dos dedos. Quando voltou a falar, foi com um tom de voz frio:

— Você não pode contar a ele. Não pode contar o que viu hoje.

— Agnes, não sei como você vai conseguir esconder isso para sempre. É grande demais. É...

Ela estendeu a mão e a colocou em meu braço. Seus dedos fecharam com firmeza ao redor do meu pulso.

— Por favor. Somos amigas, sim?

Engoli em seco.

Acontece que não existem segredos de verdade entre os ricos. Apenas pessoas pagas para guardá-los. Subi a escada com esse novo peso inesperado em meu coração. Pensei em uma menininha do outro lado do mundo com tudo menos a coisa que ela mais queria e em uma mulher que provavelmente se sentia da mesma maneira, ainda que estivesse apenas começando a se dar conta disso. Pensei em ligar para minha irmã, a única pessoa com quem eu talvez conseguisse falar sobre o assunto, mas eu já sabia o que Treena diria. Preferiria cortar um braço fora a deixar Thom em outro país.

Pensei em Sam, e nas barganhas que fazemos com nós mesmos para justificar nossas escolhas. Fiquei sentada no quarto naquela noite até que meus pensamentos baixaram como uma nuvem negra em volta da minha cabeça, então peguei o telefone. *Ei, Josh, a oferta ainda está de pé? Mas para, tipo, uma bebida de verdade em vez de um café?*

Em trinta segundos, a resposta chegou: *Diga onde e quando, Louisa.*

21

No fim, encontrei Josh em um bar que ele conhecia na Times Square. Era comprido e estreito, com as paredes repletas de fotos de boxeadores e o piso pegajoso. Eu estava de calça jeans preta e o cabelo preso em um rabo de cavalo. Ninguém ergueu os olhos enquanto eu me espremia para passar por entre os homens de meia-idade, fotos autografadas de pesos-mosca e homens com pescoço mais largo do que a cabeça.

Ele estava sentado a uma mesa minúscula nos fundos do bar, de casaco informal marrom-escuro. Ao me ver, subitamente abriu um sorriso contagiante e por um momento fiquei feliz por alguém descomplicado estar contente em me ver em um mundo que parecia terrivelmente confuso.

— Como você está?

Ele se levantou e pareceu querer dar um passo à frente para me abraçar, mas alguma coisa — talvez as circunstâncias do nosso último encontro — o impediu. Em vez disso, tocou no meu braço.

— Tive um dia meio ruim. Uma semana meio ruim, na verdade. E realmente precisava de um amigo para tomar um ou dois drinques. E, adivinhe só, o seu nome foi o primeiro que eu sorteei!

— O que você quer? Tenha em mente que eles fazem uns seis drinques aqui.

— Vodca com tônica?

— Tenho certeza de que esse é um deles.

Josh voltou em poucos minutos com uma cerveja long-neck para ele e uma vodca com tônica para mim. Eu havia tirado o casaco e estava estranhamente nervosa na frente dele.

— E então... Essa semana. O que aconteceu?

Tomei um gole. Desceu confortavelmente bem sobre o que eu havia tomado naquela tarde.

— Eu... eu descobri uma coisa hoje. Ela meio que me abalou. Eu não posso contar o que é, não porque não confie em você, mas porque é tão grande que poderia afetar muita gente. E eu não sei o que fazer com isso. — Eu me remexi. — Acho que eu só preciso engolir e tentar não ter uma indigestão por causa disso. Faz sentido? Eu estava torcendo para conseguir encontrar você, tomar uns drinques, saber um pouco da sua vida. Uma vida boa sem grandes segredos sombrios, partindo do princípio de que você não tem nenhum segredo sombrio, e com isso lembrar a mim mesma que a vida pode ser normal e boa, mas eu realmente não quero que você tente me convencer a falar sobre a minha vida. Tipo, me fazer baixar a guarda ou coisa do tipo.

Ele colocou a mão sobre o coração.

— Louisa, eu não quero saber sobre o seu lance. Só estou feliz de ver você.

— Eu sinceramente contaria, se pudesse.

— Não estou nem um pouco curioso com esse segredo gigantesco e bombástico. Pode ficar tranquila.

Ele tomou um gole de cerveja e abriu seu sorriso perfeito e, pela primeira vez em duas semanas, eu me senti um pouquinho menos solitária.

Duas horas depois, o bar estava quente e cheio demais, turistas exaustos e maravilhados com cervejas de três dólares e clientes assíduos se amontoavam no corredor comprido e estreito, a maioria concentrada em uma luta de boxe passando na TV no canto. Todos gritaram em uníssono com um *uppercut* rápido e rugiram com o lutador para quem torciam, que caiu nas cordas com o rosto amassado e desfigurado. Josh era o único homem do lugar que não estava vendo a luta, apoiado em silêncio sobre a garrafa, os olhos fixos nos meus.

Eu estava jogada por cima da mesa, contando detalhadamente a história de Treena e Edwina no dia do Natal, uma das poucas coisas que eu podia contar totalmente, junto com a do derrame do vovô, a história do piano (eu disse que era para a sobrinha de Agnes) e — caso começasse a parecer sombria demais — o meu ótimo upgrade de Nova York a Londres. Não fazia ideia de quantas vodcas eu já havia tomado — antes que eu me desse conta de ter terminado a bebida em mãos, Josh surgia com outro copo num passe de mágica à minha frente. Uma parte distante de mim, no entanto, tinha noção de que a minha voz havia adquirido um tom estranho e musical, aumentando e nem sempre baixando de acordo com o que eu dizia.

— Uau, isso foi legal, não? — perguntou ele quando cheguei ao discurso do papai sobre felicidade.

Talvez eu lhe tenha dado um tom mais cinematográfico do que foi na realidade. Em minha última versão, meu pai havia se tornado Atticus Finch no tribunal, em sua fala final em *O sol é para todos*.

— Está tudo certo — continuou Josh. — Ele só quer que ela seja feliz. Quando meu primo Tim saiu do armário, meu tio ficou sem falar com ele por, tipo, um ano.

— Elas estão muito felizes — falei, estendendo os braços por cima da mesa para tocar na superfície fria, tentando não me importar com o fato de que estava grudenta. — É muito legal. Com certeza. — Tomei mais um gole. — A gente olha para as duas juntas e fica muito feliz, sabe? Treena estava sozinha fazia um milhão de anos, mas, sinceramente... seria muito bom se elas estivessem só um pouquinho menos radiantes. Tipo, se ficassem *um minuto* sem olhar uma nos olhos da outra. Ou com aquele sorriso secreto que de quem tem muitas piadas internas. Ou aquele outro que diz que as duas acabaram de fazer um sexo maravilhoso. E talvez Treena simplesmente parasse de me mandar fotos das duas juntas. Ou mensagens sobre todas as coisas incríveis que Eddie diz ou faz. O que pelo jeito é basicamente qualquer coisa que ela diz ou faz.

— Ah, qual é. Elas estão apaixonadas há pouco tempo, certo? As pessoas fazem isso.

— Eu nunca fiz esse tipo de coisa. Você já fez? Sério, eu nunca mandei para os outros fotos minhas beijando alguém. Se eu mandasse para Treena uma foto minha abraçada com um namorado, ela reagiria como se eu tivesse enviado uma foto do pau dele. Quero dizer, estamos falando da mulher que achava todas as demonstrações de emoção *nojentas*.

— Então é a primeira vez que ela está apaixonada. E ela vai adorar a próxima foto que você mandar estando enjoativamente feliz com o seu namorado. — Josh parecia estar rindo de mim. — Talvez não a foto do pau.

— Você me acha uma pessoa horrível.

— Eu não acho que você seja uma pessoa horrível. Só uma pessoa bem... renovada.

Gemi.

— Eu sei. Sou uma pessoa horrível. Não estou pedindo que elas não sejam felizes, só um pouquinho sensíveis em relação a quem pode não estar... com...

Eu havia ficado sem palavras.

Josh tinha se recostado na cadeira e me observava.

— Um ex-namorado — falei, com a voz um pouco arrastada. — Ele agora é ex-namorado.

Josh ergueu as sobrancelhas.

— Opa. Foram duas semanas e tanto, então.

— Putz.

Encostei a testa na mesa.

— Você não faz ideia.

Tomei consciência do silêncio pairando suavemente entre nós. Por um instante, me perguntei se eu não poderia tirar um cochilo rápido ali. Estava bem confortável. Os ruídos da luta de boxe diminuíram por um segundo. Minha testa só estava um pouco molhada. E então senti a mão dele na minha.

— Muito bem, Louisa. Acho que está na hora de tirar você daqui.

No caminho até o lado de fora, fui me despedindo de todas as pessoas gentis no bar, cumprimentando com um "toca aqui" o máximo de gente possível (alguns pareciam errar a minha mão... idiotas). Por algum motivo, Josh ficava pedindo desculpa em voz alta. Acho que talvez ele estivesse tropeçando nas pessoas ao passar. Vestiu o casaco em mim quando chegamos à porta, e eu comecei a rir porque ele não conseguia colocar meus braços nas mangas e, quando conseguiu, foi ao contrário, como uma camisa de força.

— Eu desisto — disse ele, afinal. — Fique assim mesmo.

Ouvi alguém gritar:

— Vê se bebe um pouco d'água, lady.

— Eu *sou* uma lady! — exclamei. — Uma dama inglesa! Sou Louisa Clark Primeira, não sou, Joshua?

Eu me virei para quem havia gritado e dei um soco no ar. Eu estava encostada na parede de fotografias, e algumas caíram em cima de mim.

— Estamos indo, estamos indo — disse Josh, erguendo as mãos para o barman.

Alguém começou a gritar. Josh continuava pedindo desculpas para todo mundo. Eu disse a ele que não era bom pedir desculpas. Will havia me ensinado isso. É preciso ficar de cabeça erguida.

Um segundo depois estávamos do lado de fora, no ar frio. Foi quando tropecei em alguma coisa e subitamente caí na calçada gelada, os joelhos no concreto duro. Soltei um palavrão.

— Deus do céu — disse Josh, passando o braço com firmeza ao redor da minha cintura e me levantando. — Acho que você precisa tomar um café.

O perfume dele era ótimo. Lembrava o de Will — um aroma caro, como a seção masculina de uma loja de departamentos chique. Encostei o nariz no pescoço dele e inspirei enquanto cambaleávamos pela calçada.

— Seu perfume é ótimo.

— Muito obrigado.

— Muito caro.

— Bom saber.

— Eu poderia lamber você.

— Se isso fizer você se sentir melhor.

Eu o lambi. O sabor do pós-barba não era tão bom como o perfume, mas até que foi legal lamber alguém.

— Estou me sentindo melhor — falei, com alguma surpresa. — De verdade!

— Muuuuui-to bem. Aqui é o melhor lugar para pegar um táxi.

Ele se posicionou de modo a ficar de frente para mim e colocou as mãos nos meus ombros. Ao nosso redor, a Times Square era ofuscante e estonteante, um circo de neon, seus banners imensos acima de nós emitindo uma claridade exagerada. Eu me virei lentamente, olhando para as luzes e tendo a impressão de que poderia cair outra vez. Minha cabeça girou várias vezes, as luzes ficaram borradas e então cambaleei um pouco. Senti Josh me segurar.

— Posso colocar você em um táxi para a sua casa, porque acho que talvez você precise dormir até isso passar. Ou podemos caminhar até a minha casa e lá você pode tomar um pouco de café. Você escolhe.

Já passava de uma da manhã, mas ainda assim ele precisou gritar para ser escutado acima do barulho das pessoas ao nosso redor. Ele estava muito bonito com aquela camisa e aquele casaco. Com uma aparência muito boa e arrumada. Eu gostava muito dele. Então me virei em seus braços e pisquei. Ajudaria se ele parasse de balançar.

— Isso é muito gentil da sua parte — disse ele.
— Eu disse tudo em voz alta?
— Disse.
— Desculpe. Mas você é mesmo. Muito bonito. Bonito no padrão americano. Um verdadeiro astro de cinema. Josh?
— Sim?
— Acho que é melhor eu me sentar. Minha cabeça ficou meio confusa.

Eu estava na metade do caminho para o chão quando fui levantada por ele de novo.

— E lá vamos nós.
— Eu realmente quero contar a coisa para você. Mas não posso contar a coisa para você.
— Então não me conte a coisa.
— Você entenderia. Eu sei que entenderia. Sabe... Você se parece tanto com alguém que eu amei. Amei de verdade. Sabia disso? Você se parece muito com ele.
— Que... bom saber disso.
— É bom, sim. Ele era absurdamente bonito. Como você. Bonito tipo astro de cinema... Eu já disse isso? Ele morreu. Eu contei para você que ele morreu?
— Eu sinto muito pela sua perda. Mas acho que precisamos tirar você daqui.

Ele caminhou comigo por duas quadras, chamou um táxi e, com algum esforço, me ajudou a entrar. Eu me obriguei a me endireitar no banco de trás e me segurei na manga dele. Josh estava com metade do corpo dentro, metade fora do táxi.

— Para onde, moça? — perguntou o motorista ao olhar para trás.

Eu me virei para Josh.

— Você pode ficar comigo?
— Claro. Para onde vamos?

Vi o olhar desconfiado do motorista pelo retrovisor. Da televisão que estava ligada em um volume muito alto na parte de trás do banco dele, uma plateia começou a aplaudir. Do lado de fora, todos buzinaram ao mesmo tempo. As luzes eram ofuscantes. Nova York de repente era alta demais, tudo demais.

— Não sei. Para a sua casa — falei. — Eu não posso voltar. Ainda não. — Olhei para ele e senti vontade de chorar. — Sabia que eu tenho duas pernas em dois lugares?

Ele entortou a cabeça na minha direção e me olhou com uma expressão suave.

— Louisa Clark, de alguma maneira isso não me surpreende.

Apoiei a cabeça no ombro dele e senti seu braço passar gentilmente ao meu redor.

Acordei com o toque de um celular. Agudo e insistente. Logo veio o abençoado alívio com o fim do toque, e então uma voz masculina começou a murmurar. Senti um bem-vindo cheiro acre de café. Eu mudei de posição, tentando levantar a cabeça do travesseiro. Com o movimento veio uma dor que atravessou minhas têmporas, tão intensa e implacável que soltei um ruído meio animalesco, feito um cachorro com o rabo preso em uma porta. Fechei os olhos, inspirei, e os abri de novo.

Aquela não era a minha cama.

Ainda não era a minha cama quando abri os olhos pela terceira vez.

Esse fato indiscutível bastou para que eu tentasse levantar a cabeça mais uma vez, ignorando a dor latejante por tempo suficiente para me focar. Não, definitivamente aquela não era a minha cama. Também não era o meu quarto. Na realidade, era um quarto que eu nunca tinha visto. Olhei para as roupas — masculinas — dobradas cuidadosamente na parte de trás de uma cadeira, para a televisão no canto, a escrivaninha e o guarda-roupa e tomei consciência da voz se aproximando cada vez mais. E então a porta se abriu. Josh entrou, vestindo um terno, segurando uma caneca em uma das mãos e com a outra pressionando o celular na orelha. Nossos olhares se cruzaram, então ele ergueu uma sobrancelha e colocou a caneca na mesa de cabeceira, ainda falando.

— É, teve um problema no metrô. Vou pegar um táxi e chego aí em vinte minutos... Claro. Sem problemas... Não, ela já está cuidando disso.

Eu me sentei, descobrindo, ao fazer isso, que estava com uma camiseta masculina. As implicações desse fato levaram alguns minutos para serem absorvidas e senti a vermelhidão subindo do meu peito até o rosto.

— Não, nós já falamos sobre isso ontem. Ele está com toda a papelada pronta.
Ele se virou, e eu me deitei de novo, puxando o edredom até o pescoço. Eu estava de calcinha. Já era alguma coisa.
— Sim. Vai ser ótimo. Tá... almoço parece bom.
Josh desligou e enfiou o celular no bolso.
— Bom dia! Estava indo buscar um ibuprofeno. Acha melhor dois? Infelizmente, preciso ir...
— Ir?
Minha boca parecia estar cheia de poeira. Eu a abri e fechei umas duas vezes, notando que com isso eu fazia um som estalado meio nojento.
— Trabalhar. Hoje é sexta-feira?
— Ah, meu Deus. Que horas são?
— Sete e quinze. Preciso ir. Já estou atrasado. Tudo bem você sair sozinha?
Ele remexeu uma gaveta, pegou uma cartela de cápsulas e colocou do meu lado.
— Pronto. Isso vai ajudar.
Afastei o cabelo do rosto. Estava um pouco molhado de suor e espantosamente embaraçado.
— O que... o que aconteceu?
— Falaremos sobre isso mais tarde. Tome o café.
Bebi um gole obedientemente. Forte e restaurador. Desconfiava que precisasse de mais uns seis.
— Por que eu estou usando a sua camiseta?
Ele sorriu.
— Isso foi a dança.
— A dança?
Senti meu estômago revirar.
Ele se abaixou e me deu um beijo no rosto. Cheirava a sabonete, limpeza, frutas cítricas, todas as coisas boas. Eu tinha noção de que estava exalando ondas quentes de suor seco, álcool e vergonha.
— Foi uma noite divertida. Olha... só se certifique de bater bem a porta quando sair, ok? Às vezes ela não fecha direito. Ligo para você mais tarde.
Ele acenou da porta, se virou e saiu, batendo as mãos nos bolsos como que para se certificar de alguma coisa.
— Espere um pouco... onde eu estou? — gritei, um instante depois, mas ele já havia saído.

Eu estava no SoHo. A um engarrafamento terrível de distância de onde deveria estar. Peguei o metrô da Spring Street até a 59, tentando não suar demais na minha camisa amarrotada de ontem e agradecida pela pequena bênção de não estar usando as costumeiras roupas brilhantes de noite. Eu nunca havia compreendido realmente a palavra "imundo" até aquela manhã. Não conseguia me lembrar de quase nada da noite anterior. E o que eu lembrava vinha na forma de desagradáveis flashbacks.

Eu sentada no meio da Times Square.

Eu lambendo o pescoço de Josh. Eu realmente havia lambido o pescoço dele.

E que história era essa de dança?

Se eu não estivesse me segurando na barra do metrô como se minha vida dependesse disso, estaria com a cabeça entre as mãos. Em vez disso, fechei os olhos, fui chacoalhando entre as estações, tentando não vomitar enquanto desviava de mochilas e seus donos mal-humorados com fones de ouvido.

Apenas sobreviva ao dia de hoje, eu dizia o tempo todo a mim mesma. Se a vida havia me ensinado uma coisa era que as respostas sempre vinham.

Eu estava abrindo a porta do meu quarto quando o Sr. Gopnik apareceu. Ainda estava usando suas roupas de ginástica — algo incomum para ele depois das sete horas — e ergueu a mão quando me viu, como se estivesse à minha procura havia algum tempo.

— Ah. Louisa.

— Desculpe, eu...

— Queria conversar com você no meu escritório. Agora.

É claro que sim, pensei. É claro. Ele se virou e seguiu pelo corredor. Lancei um olhar angustiado para o meu quarto, onde estavam minhas roupas limpas, meu desodorante e creme dental. Desejei muito mais um café. Mas o Sr. Gopnik não era o tipo de homem que se deixava esperando.

Olhei para o celular e saí correndo atrás dele.

Entrei no escritório e já o encontrei sentado.

— Peço desculpas por estar dez minutos atrasada. Não costumo me atrasar. Eu só precisei...

Atrás de sua mesa de trabalho, o Sr. Gopnik exibia uma expressão indecifrável. Agnes estava sentada na poltrona estofada ao lado da mesa de centro, também com roupa de ginástica. Nenhum deles me convidou para sentar. Alguma coisa no clima do ambiente me deixou terrivelmente sóbria.

— Está... está tudo bem?

— Estou esperando você me dizer se está ou não. Recebi uma ligação do gerente da minha conta pessoal esta manhã.

— De quem?
— O homem que cuida das minhas operações bancárias. Será que você conseguiria me explicar isto?

Ele empurrou um pedaço de papel na minha direção. Era um extrato bancário, com os totais apagados. Minha visão estava um pouco embaçada, mas apenas uma coisa era visível: uma rastro de valores, quinhentos dólares por dia em "saques em dinheiro".

Foi quando notei a expressão de Agnes. Ela olhava fixamente para as próprias mãos, a boca retesada em uma linha fina. O olhar dela se fixou em mim e desviou em seguida. Fiquei de pé, uma gota de suor escorrendo pelas minhas costas.

— Ele me contou algo muito interessante. Aparentemente, perto do Natal, uma quantia considerável de dinheiro foi retirada da nossa conta bancária conjunta. E assim foram sendo retiradas dia a dia de um caixa eletrônico próximo daqui quantias que, talvez, foram pensadas para não ser percebidas. Meu gerente notou porque dispõe de um software antifraude criado para identificar padrões estranhos de uso de qualquer um dos nossos cartões, e esses se enquadraram. Claro que achei preocupante, então perguntei a Agnes, e ela me disse que não tinha nada a ver com isso. Então pedi que Ashok me passasse as imagens das câmeras de vigilância dos dias em questão, e o pessoal da segurança cruzou esses dados com os horários dos saques. E acontece, Louisa — nesse ponto ele olhou diretamente para mim —, que a única pessoa entrando e saindo do prédio nesses horários era você.

Arregalei os olhos.

— Pois bem, eu poderia ir ao banco e pedir que me fornecessem as imagens das câmeras dos caixas eletrônicos nos horários dos saques, mas prefiro não dar esse trabalho a eles. Então, eu realmente gostaria de saber se você poderia me explicar o que está acontecendo aqui. E por que quase dez mil dólares foram sacados da nossa conta conjunta.

Olhei para Agnes, mas ela continuava desviando o olhar de mim. Fiquei com a boca ainda mais seca do que no início da manhã.

— Eu precisei fazer umas... compras de Natal. Para Agnes.
— Você tem um cartão de crédito para fazer isso. Que mostra claramente as compras que fez, e você fornece a nota de todas essas compras. O que, até agora, segundo Michael, você tem feito. Mas dinheiro... dinheiro é bem menos transparente. Você tem os recibos dessas compras?
— Não.
— E pode me dizer o que comprou?
— Eu... não.

— Então o que aconteceu com o dinheiro, Louisa?
Eu não conseguia falar. Engoli em seco. E então respondi:
— Não sei.
— Você não sabe?
— Eu... eu não roubei nada.
Senti meu rosto ficando vermelho.
— Então Agnes está mentindo?
— Não.
— Louisa... Agnes sabe que eu daria tudo o que ela quisesse. Para ser sincero, ela poderia gastar dez vezes esse valor em um dia e eu não daria a menor importância. Sendo assim, ela não tem motivo para sacar quantias em dinheiro de um caixa eletrônico às escondidas. Por isso, vou perguntar a você mais uma vez: o que aconteceu com o dinheiro?

Senti o rosto quente, em pânico. E então Agnes olhou para mim. Sua expressão era uma súplica silenciosa.
— Louisa?
— Talvez... talvez eu tenha sacado o dinheiro.
— *Talvez* você tenha sacado o dinheiro?
— Para fazer compras. Não para mim. O senhor pode conferir o meu quarto. Pode conferir a minha conta bancária.
— Você gastou dez mil dólares em "compras". Comprando o quê?
— Só... coisinhas.
Ele baixou a cabeça brevemente, como se estivesse tentando conter a fúria.
— Coisinhas — repetiu ele devagar. — Louisa, você entende que sua presença nesta casa requer confiança.
— Entendo, Sr. Gopnik. E levo isso muito a sério.
— Você tem acesso aos funcionamentos mais particulares desta casa. Você tem chaves, cartões de crédito, conhecimento íntimo das nossas rotinas. É bem recompensada por isso porque entendemos que se trata de um cargo de responsabilidade e contamos com você para não trair essa responsabilidade.
— Sr. Gopnik. Eu adoro este trabalho. Eu não...
Lancei um olhar angustiado para Agnes, mas ela continuava olhando fixamente para baixo.
Vi que uma das mãos segurava a outra. A unha afundando na carne do polegar.
— Você não consegue explicar o que aconteceu com esse dinheiro?
— Eu... eu não o roubei.
Ele olhou atentamente para mim por um longo instante, como se estivesse esperando por algo. Como eu não disse nada, a expressão dele endureceu.

— Estou decepcionado, Louisa. Sei que Agnes gosta muito de você e que a tem ajudado bastante. Mas não posso ter dentro da minha casa alguém em quem eu não confie.

— Leonard... — começou Agnes, mas ele ergueu a mão.

— Não, querida. Eu já falei sobre isso. Sinto muito, Louisa, mas o seu trabalho nesta casa está imediatamente encerrado.

— O... o quê?

— Você tem uma hora para pegar as suas coisas no quarto. Deve deixar um endereço de correspondência com Michael. Ele entrará em contato para tratar do que quer que seja devido a você. Aproveito a oportunidade para lembrar você da cláusula de confidencialidade do seu contrato. Os detalhes desta conversa não avançarão. Espero que perceba que é tanto pelo seu bem quanto pelo nosso.

Agnes estava totalmente pálida.

— Não, Leonard. Você não pode fazer isso.

— Não vou mais falar sobre este assunto. Preciso ir trabalhar. Louisa, sua hora começa agora.

Ele se levantou. Estava esperando que eu saísse do escritório.

Pisei no corredor com a cabeça girando. Michael esperava por mim, e levei alguns instantes para me dar conta de que ele não tinha ido ver se eu estava bem, na verdade ia me acompanhar até o meu quarto. Porque daquele momento em diante eu não era alguém de confiança naquela casa.

Percorri o corredor em silêncio, vagamente ciente da expressão perplexa de Ilaria na porta da cozinha, o som de uma conversa fervorosa em algum ponto do outro lado do apartamento. Nathan não estava em lugar algum. Com Michael parado na porta, peguei minha mala debaixo da cama e comecei a guardar as coisas de forma desordenada e caótica, abrindo gavetas, recolhendo os objetos o mais rapidamente possível, sabendo trabalhar contra um relógio imprevisível. Minha cabeça zunia — choque e indignação misturados à necessidade de não me esquecer de nada. *Eu havia deixado roupa suja na lavanderia? Onde estavam os meus tênis?* E então, vinte minutos depois, eu estava pronta. Todas as minhas coisas estavam dentro de uma mala, uma mochila de viagem e uma sacola de compras grande com estampa xadrez.

— Pode deixar que eu pego isso — disse Michael, segurando minha mala de rodinhas ao ver que eu estava com dificuldade para chegar com todas as três até a porta do quarto.

Levei um segundo para me dar conta de que era menos uma gentileza e mais uma atitude de eficiência.

— iPad? — disse ele. — Celular do trabalho? Cartão de crédito.

Entreguei tudo a ele, junto com as chaves da porta, e ele as guardou no bolso.

Segui pelo corredor, ainda me esforçando para acreditar que aquilo estava acontecendo. Vi Ilaria parada na porta da cozinha, de avental, as mãos gorduchas fechadas. Quando passei por ela, olhei de soslaio, esperando que ela me dissesse um palavrão em espanhol ou me lançasse o tipo de olhar devastador que mulheres da idade dela reservavam para supostos ladrões. Mas, em vez disso, ela deu um passo para a frente e tocou a minha mão em silêncio. Michael se virou, como se não tivesse visto nada. E então chegamos à porta da frente.

Ele me passou a alça da mala.

— Adeus, Louisa — disse ele, a expressão indecifrável. — Boa sorte.

Saí do apartamento. E a imensa porta de mogno se fechou firmemente atrás de mim.

Fiquei sentada na lanchonete durante duas horas. Estava em choque. Não conseguia chorar. Não conseguia sentir raiva. Estava apenas paralisada. No começo achei que Agnes resolveria a situação. Ela daria um jeito de convencer o marido de que ele estava errado. Nós éramos amigas, afinal. Sendo assim, fiquei sentada esperando que Michael aparecesse, meio constrangido, pronto para levar minhas malas de volta ao Lavery. Olhei para o celular, aguardando uma mensagem. *"Louisa, houve um terrível mal-entendido."* Mas não recebi nada.

Quando me dei conta de que provavelmente essa mensagem não chegaria, pensei em voltar para o Reino Unido, mas fazer isso estragaria a vida de Treena. A última coisa de que ela e Thom precisavam era que eu os tirasse do apartamento. Eu não podia voltar para a casa dos meus pais — não era apenas a ideia arrasadora de retornar para Stortfold, mas a ideia de que eu seria capaz de morrer se voltasse fracassada para casa pela segunda vez. Antes eu tinha me ferrado depois de cair bêbada de um edifício e agora, demitida do emprego que eu adorava.

E, é claro, eu não podia mais ficar com Sam.

Segurei a xícara de café com os dedos ainda trêmulos e vi que eu havia efetivamente me encaixotado para fora da minha própria vida. Pensei em ligar para Josh, mas achei que não fosse adequado pedir para morar com ele, considerando que eu não sabia ao certo se aquele ao menos tinha sido nosso primeiro encontro.

E se eu encontrasse um lugar para ficar, o que iria fazer? Eu não tinha emprego. Não sabia se o Sr. Gopnik podia revogar meu visto de trabalho. Supostamente, o documento existia apenas enquanto eu trabalhasse para ele.

Mas o pior de tudo era a sensação de estar sendo assombrada pelo olhar que ele me lançara, a expressão de decepção absoluta e desprezo quando não consegui dar uma resposta satisfatória. A aprovação silenciosa do Sr. Gopnik era uma das várias pequenas satisfações da minha vida naquela casa — que um homem de tamanha estatura achasse que eu estava fazendo um bom trabalho havia melhorado a minha autoconfiança, fazendo com que eu me sentisse capaz e profissional, de um modo que eu não me sentia desde Will. Queria muito me explicar para ele, reconquistar sua confiança, mas como? Vi a expressão de Agnes, os olhos arregalados, suplicantes. Ela ia me ligar, não ia? Por que não havia ligado?

— Quer mais café, querida?

Olhei para a garçonete de meia-idade com cabelo cor de tangerina segurando a jarra de café.

Ela olhou para as minhas coisas como se já tivesse visto aquela cena um milhão de vezes.

— Acabou de chegar?

— Não exatamente.

Tentei sorrir, mas saiu meio como uma careta.

Ela serviu o café e se inclinou na minha direção, baixando o tom de voz:

— Meu primo é gerente de um hostel em Bensonhurst, se estiver precisando de um lugar para ficar. Tem cartões ao lado do caixa. Não é bonito, mas é barato e limpo. Então é melhor ligar logo, entendeu? As vagas são preenchidas rápido.

Ela colocou a mão no meu ombro por um segundo, depois foi até o cliente seguinte.

Aquele pequeno gesto de bondade quase me fez perder a compostura. Pela primeira vez, eu me senti impotente, sufocada por saber que estava sozinha em uma cidade na qual eu não era mais bem-vinda. Não sabia o que fazer agora que meu cérebro parecia ter queimado e soltava fumaça espessa e escura nos dois extremos. Tentei imaginar a mim mesma explicando aos meus pais o que havia acontecido, mas me peguei mais uma vez encurralada no imenso muro de segredos de Agnes. Seria possível contar a uma pessoa sem que a verdade se revelasse lentamente? Meus pais ficariam tão indignados por mim, que não consegui me convencer de que o papai não ligaria para o Sr. Gopnik para contar toda a verdade a respeito da esposa mentirosa dele. E se Agnes negasse tudo? Pensei nas palavras de Nathan — no fim, somos empregados, não amigos. E se ela mentiu e disse que eu havia roubado o dinheiro? Isso não pioraria as coisas?

Talvez pela primeira vez desde que eu havia chegado a Nova York desejei não ter vindo. Ainda estava com as roupas do dia anterior, amarrotadas e fedidas, e isso só me fazia sentir ainda pior. Funguei baixinho e limpei o nariz com um guardanapo de papel, olhando fixamente para a caneca diante de mim. Do lado de fora, a vida em Manhattan seguia seu curso, distraída, veloz, ignorando o lixo que se acumulava na sarjeta. *O que eu faço agora, Will?*, pensei enquanto um nó imenso se formava em minha garganta.

Parecendo atender a uma deixa, meu celular apitou.
Que diabo está acontecendo? Era a mensagem de Nathan. *Me liga, Clark.*
E, apesar de tudo, sorri.

Nathan disse que de jeito nenhum eu ia ficar em um maldito hostel em sabe Deus onde, com estupradores, traficantes e sabe Deus o quê. Ele me pediu para esperar até as sete e meia, horário em que os malditos Gopnik iriam para o maldito jantar e então encontrá-lo na entrada de serviço para pensarmos o que fazer a seguir. Foram vários palavrões em três mensagens de texto.

Quando cheguei, a raiva dele estava estranhamente igual.

— Não entendo. É como se eles tivessem transformado você em um fantasma. Como um maldito código de silêncio da máfia. Michael não me falou nada além de que se tratava de uma "questão de desonestidade". Eu disse a ele que nunca havia conhecido ninguém mais honesto em toda a minha vida e que eles estavam malucos. Que diabo aconteceu?

Ele havia me levado até o seu quarto no corredor de serviço e fechado a porta atrás de nós. Foi um alívio tão grande vê-lo, que quase o abracei. Mas não fiz isso. Achei que provavelmente havia agarrado uma quantidade suficiente de homens nas últimas vinte e quatro horas.

— Pelamordedeus. Gente. Quer uma cerveja?

— Claro.

Ele abriu duas latas e deu uma para mim, sentando-se na sua poltrona. Eu me sentei na beira da cama e bebi um gole.

— E... então?

Fiz uma careta.

— Eu não posso contar, Nathan.

As sobrancelhas dele se ergueram quase até o teto.

— Você também? Ah, caramba. Não me diga que você...

— É claro que não. Eu não roubaria um saquinho de chá dos Gopnik. Mas se eu te dissesse o que realmente aconteceu, seria... seria desastroso. Para outras pessoas na casa... É complicado.

Ele franziu a testa.

— Como assim? Você está dizendo que levou a culpa por algo que não fez?

— Mais ou menos.

Nathan apoiou os cotovelos nos joelhos, balançando a cabeça.

— Isso não está certo.

— Eu sei.

— Alguém precisa dizer alguma coisa. Sabia que ele estava pensando em chamar a polícia?

Acho que fiquei boquiaberta.

— Pois é. Ela o convenceu a não fazer isso, mas o Michael disse que ele estava furioso o bastante para tanto. Alguma coisa a ver com caixas eletrônicos?

— Eu não fiz isso, Nathan.

— Eu sei, Clark. Você seria uma criminosa de merda. Seria o pior blefe que já vi na vida. — Ele tomou um gole da cerveja. — Caramba. Eu adoro o meu emprego, sabe? Gosto de trabalhar para essas famílias. Gosto do velho Gopnik. Mas de vez em quando é como se eles nos lembrassem que somos basicamente dispensáveis. Não importa o quanto digam que somos amigos da família e o quanto somos ótimos, o quanto eles contam conosco, blá-blá-blá, no instante em que não precisam mais da gente, ou se fizermos algo de que não gostem, *bum*. Rua. Não existe justiça alguma.

Foi a coisa mais longa que ouvi Nathan dizer desde que cheguei a Nova York.

— Eu odeio isso, Lou. Mesmo sabendo tão pouco, para mim está claro que você está sendo injustiçada. E isso é uma droga.

— É complicado.

— Complicado? — Ele ficou olhando para mim com firmeza, balançou a cabeça de novo e tomou um longo gole de cerveja. — Cara, você é uma pessoa melhor do que eu.

Íamos sair para comprar comida, mas no instante em que Nathan vestiu o casaco para ir até o restaurante chinês, alguém bateu na porta. Olhamos um para o outro, horrorizados, e ele fez um sinal para eu ir para o banheiro. Fui deslizando e fechei a porta silenciosamente ao entrar. Pendurada no suporte de toalha, ouvi uma voz conhecida.

— Clark, está tudo bem. É a Ilaria — disse Nathan, um instante depois.

Ela estava de avental, segurando uma panela tampada.

— Para você. Ouvi vocês dois conversando.

Ela estendeu a panela na minha direção.

— Eu fiz para você. Você precisa comer. É o frango que você gosta. Com o molho apimentado.

— Ah, cara.

Nathan deu um tapa nas costas de Ilaria. Ela cambaleou para a frente, se recuperou e colocou cuidadosamente a panela em cima da mesa de Nathan.

— Você fez isto para mim?

Ilaria estava apontando com o indicador para o peito de Nathan.

— Eu sei que ela não fez isso que estão dizendo que fez. Eu sei de muita coisa. Muita coisa que acontece neste apartamento. — Ela deu um tapinha no próprio nariz. — Ah, sei.

Levantei a tampa por um segundo e um cheiro delicioso emergiu. De repente, lembrei que mal havia comido o dia todo.

— Obrigada, Ilaria. Não sei o que dizer.

— Aonde vai agora?

— Não faço ideia.

— Bom, você não vai ficar em um hostel no maldito Bensonhurst — disse Nathan. — Pode ficar aqui por uma ou duas noites até dar um jeito. Eu deixo a porta trancada. Você não vai dizer nada, vai, Ilaria?

Ela fez uma expressão de incredulidade, como se fosse uma estupidez ele fazer aquela pergunta.

— Ilaria está amaldiçoando a mulher a tarde toda de um jeito inacreditável. Diz que ela vendeu você. Fez um prato de peixe de jantar porque sabe que os dois detestam. Estou dizendo, cara, aprendi um monte de palavrões novos hoje.

Ilaria resmungou alguma coisa baixinho. Só consegui entender a palavra *puta*.

Como a poltrona era pequena demais para Nathan dormir e ele era antiquado demais para permitir que eu dormisse nela, concordamos em dividir a cama de casal com um muro de almofadas no meio que nos protegeria de toques acidentais durante a noite. Não sei quem estava mais constrangido. Nathan fez questão de me acompanhar até o banheiro primeiro, se certificando de que eu havia trancado a porta e esperando que eu estivesse na cama antes de ele sair do banho. Ele estava usando uma camiseta e uma calça de pijama listrada e, mesmo assim, eu não sabia para onde olhar.

— Meio estranho, né? — disse ele, deitando-se na cama.

— Hum, sim.

Não sei se foi pelo choque ou pela exaustão ou simplesmente pelo rumo surreal dos acontecimentos, mas comecei a rir. E então o riso se transformou em lágrimas. E antes que eu me desse conta, estava soluçando, curvada na cama de um estranho, segurando a cabeça com as mãos.

— Ah, cara.

Nathan claramente ficou constrangido por me abraçar estando na cama junto comigo. Ficava dando tapinhas no meu ombro e se inclinando na minha direção.

— Vai ficar tudo bem.

— Como? Eu perdi o meu emprego, o lugar onde morava e o homem que amava. Não vou ter nenhuma referência, porque o Sr. Gopnik acha que eu sou uma ladra, e eu nem sequer sei a que país pertenço. — Limpei o nariz na manga do pijama. — Eu ferrei com tudo de novo e nem sei por que ainda me dou ao trabalho de tentar ser algo além do que eu era porque sempre que eu tento, tudo acaba em desastre.

— Você só está cansada. Vai ficar tudo bem. Vai, sim.
— Como ficou com o Will?
— Ah... aquilo foi completamente diferente. Qual é...

Então Nathan me abraçou e me puxou para o ombro dele, passando o braço enorme ao meu redor. Chorei até não aguentar mais e, então, exatamente como ele disse, exausta pelos acontecimentos do dia e da noite, eu devo ter caído no sono.

Acordei oito horas mais tarde e me vi sozinha no quarto de Nathan. Levei alguns minutos para entender onde estava, e então me lembrei dos acontecimentos do dia anterior. Fiquei deitada embaixo do cobertor por um tempo, enroscada em posição fetal, me perguntando vagamente se eu não podia ficar ali por um ou dois anos, até a minha vida ter se resolvido de alguma maneira.

Conferi o celular: duas chamadas perdidas e uma série de mensagens de Josh que pareciam ter chegado de uma só vez no final da noite anterior.

Oi, Louisa, espero que esteja se sentindo bem. Passei o dia inteiro me lembrando da sua dança e dando risada no trabalho! Que noite! Bj, J

Você tá bem? Só quero saber se você chegou em casa e não tirou outro cochilo na Times Square ;-) Bj, J

Certo. Já são mais de dez e meia. Estou chutando que você foi para a cama dormir. Espero não ter ofendido você. Estava só brincando. Dê uma ligada. Bj

Aquela noite, com a luta de boxe e as luzes cintilantes da Times Square, parecia ter acontecido uma vida inteira atrás. Saí da cama, tomei uma ducha e me vesti, deixando minhas coisas no canto do banheiro. Isso limitava bastante o espaço, mas achei que seria mais seguro, apenas para o caso de um Gopnik perdido calhar de espiar pela porta de Nathan.

Mandei uma mensagem perguntando quando seria seguro sair, e Nathan respondeu: AGORA. *Os dois no escritório.* Desci pela entrada de serviço, passando rapidamente por Ashok de cabeça baixa. Ele estava conversando com um entregador, mas vi sua cabeça girar e ouvi seu "Ei! Louisa!", mas eu já estava do lado de fora.

Manhattan estava congelada e cinzenta, um daqueles dias sombrios em que parece haver partículas de gelo no ar, o frio penetrando nos ossos e apenas olhos, e o nariz de algumas pessoas, ficavam visíveis. Caminhei cabisbaixa, com o chapéu enfiado na cabeça, sem saber para onde estava indo. Acabei voltando para a lanchonete do dia anterior, racionalizando que tudo pareceria melhor depois do café da manhã. Eu me sentei sozinha em uma mesa e fiquei olhando para todos os transeuntes que seguiam para seus destinos, me obrigando a comer um muffin, a coisa mais barata e substanciosa do cardápio, tentando ignorar o fato de que era seco e sem gosto.

Às nove e quarenta, chegou uma mensagem. Michael. Meu coração deu um pulo.

Oi, Louisa. O Sr. Gopnik pagará você até o fim do mês em vez do aviso. Todos os seus benefícios de seguro-saúde estão suspensos a partir desse momento. Seu green card não será afetado. Tenho certeza de que compreende que isso é evidentemente muito mais do que ele precisaria fazer, considerando a violação do seu contrato, mas Agnes interveio em seu favor.

Att., Michael

— Gentil da parte dela — resmunguei.

Obrigada por me informar, digitei. Ele não respondeu mais nada.

E então meu celular soou de novo.

Muito bem, Louisa. Agora estou preocupado que eu possa ter feito algo que incomodou você. Ou quem sabe você se perdeu voltando para o Central Park? Por favor, me ligue. Bj. J

Eu encontrei com Josh perto do escritório dele, em um daqueles prédios do centro da cidade tão altos que, se paramos na calçada e olhamos para cima, ficamos até tontos. Ele veio a passos largos em minha direção, com um cachecol cinza leve enrolado no pescoço. Enquanto eu descia da mureta em que estava sentada, ele se aproximou de mim e me deu um abraço.

— Não acredito. Eita. Caramba, você está gelada. Vamos comer alguma coisa quente.

Nós nos sentamos em um bar de tacos quente e barulhento a duas quadras de distância enquanto um fluxo constante de executivos fazia os pedidos e os atendentes gritavam. Contei a ele, como havia contado a Nathan, o básico da história.

— Eu realmente não posso dar mais detalhes, só que não roubei nada. Eu não faria isso. Eu nunca roubei nada. Bom, só uma vez quando tinha oito anos. A minha mãe ainda menciona a ocasião às vezes, quando precisa de um exemplo de como eu quase me embrenhei em uma vida no crime.

Tentei sorrir.

Ele franziu a testa.

— Então isso quer dizer que você vai ter que ir embora de Nova York?

— Não sei exatamente o que vou fazer. Mas não consigo imaginar os Gopnik dando qualquer referência minha e não sei como vou me sustentar aqui. Quer dizer, eu não tenho emprego e os hotéis de Manhattan ficam um pouco além da minha faixa de preço...

Na lanchonete, eu havia feito uma busca na internet pelos aluguéis locais e quase cuspi o café. O minúsculo quartinho que me fizera sentir tão ambivalente quando cheguei para trabalhar com os Gopnik só era acessível com um salário de executivo. Não surpreendia que aquela barata não se mudasse de lá.

— Ajudaria se ficasse lá em casa?
Ergui os olhos do meu taco.
— Só por um tempo — acrescentou ele. — Não precisa significar uma coisa de namorados. Eu tenho um sofá-cama na sala. Você provavelmente não lembra.
Ele deu um meio sorriso. Eu havia esquecido que os americanos estão acostumados a convidar as pessoas para as suas casas. Diferentemente dos ingleses, que fazem o convite, mas saem do país no instante em que a pessoa diz que aceita.
— Muito gentil da sua parte. Mas isso complicaria as coisas, Josh. Talvez eu precise voltar para casa, pelo menos por enquanto. Só até outro emprego aparecer.
Josh ficou olhando fixamente para seu prato.
— Nosso timing é uma droga, hein?
— É.
— Eu estava esperando ansiosamente por mais danças.
Fiz uma careta.
— Ah, meu Deus. O lance da dança. Eu... eu... eu quero saber o que aconteceu naquela noite.
— Você realmente não lembra?
— Só das partes na Times Square. Talvez de entrar em um táxi.
Ele ergueu as sobrancelhas.
— Opa! Ah, Louisa Clark. É muito tentador provocar você agora, mas não aconteceu nada. Nada *daquilo*, pelo menos. Quer dizer, só se lamber o meu pescoço for o seu lance.
— Mas eu não estava com as minhas roupas quando acordei.
— Porque você insistiu em tirar tudo durante a dança. Quando chegamos ao meu prédio, você anunciou que gostaria de expressar seus últimos dias através da dança livre e, enquanto eu te seguia, você foi tirando as peças de roupa do saguão do edifício até a minha sala de estar.
— Eu mesma tirei a roupa.
— E de um jeito muito encantador. Houve... floreios.
Subitamente, me vi rodopiando, uma perna reticente saindo de trás de uma cortina, a sensação do vidro da janela gelado em minhas costas. Eu não sabia se ria ou chorava. Minhas bochechas estavam completamente vermelhas, e cobri o rosto com as mãos.
— Preciso dizer que você é uma bêbada muito divertida.
— E... depois que chegamos no seu quarto?
— Ah, a essa altura você estava só com a roupa de baixo. E então cantou uma música maluca... alguma coisa sobre um macaco ou malaco, ou coisa parecida. E aí caiu no sono do nada, toda enroscada no chão. Então vesti uma camiseta em você e a coloquei na minha cama. E eu dormi no sofá-cama.

— Eu sinto muito. E obrigada.
— Foi um prazer.
Ele sorriu, e seus olhos brilharam.
— A maioria dos meus encontros não tem nem metade dessa diversão.
Abaixei a cabeça por cima da caneca e disse:
— Sabe, nesses últimos dias, eu tenho me sentido como se estivesse o tempo todo prestes a cair no riso ou no choro e, neste momento, eu meio que quero fazer as duas coisas.
— Você vai ficar no quarto do Nathan esta noite?
— Acho que sim.
— Está bem. Bom, não faça nada sem pensar. Deixe eu dar alguns telefonemas antes de reservar a passagem, ok? Vou ver se tem alguma vaga em algum lugar.
— Acha mesmo possível?
Ele era sempre muito confiante. Era uma das coisas que mais me faziam lembrar de Will.
— Sempre tem alguma coisa. Ligo para você mais tarde.
E então ele me beijou. Fez isso tão casualmente que eu quase não registrei a ação. Ele se inclinou para a frente e me deu um selinho, como se fosse algo que já tivesse feito um milhão de vezes, como se fosse o encerramento natural de todos os nossos almoços juntos. E então, antes que eu tivesse tempo de ficar assustada, ele soltou os meus dedos e enrolou o cachecol no pescoço.
— Muito bem. Preciso ir. Tenho duas reuniões importantes esta tarde. Cabeça erguida, ok?
Ele deu seu sorriso perfeito de alta voltagem e voltou para o escritório, me deixando em meu banquinho alto de plástico, boquiaberta.

Não contei a Nathan o que havia acontecido. Mandei uma mensagem perguntando se era seguro voltar, e ele respondeu que os Gopnik sairiam de novo às sete, então seria bom se eu esperasse até sete e quinze. Caminhei no frio, fiquei esperando na lanchonete e finalmente voltei para casa, onde descobri que Ilaria havia deixado uma garrafa térmica com sopa e dois bolinhos macios que eles chamavam de biscuits. Nathan tinha saído para um encontro e quando acordei na manhã seguinte ele não estava. Havia deixado um bilhete dizendo que esperava que eu estivesse bem e reafirmando que eu podia ficar. Pelo jeito, eu roncava só um pouquinho.

Eu havia passado meses desejando ter mais tempo livre. Agora que tinha o tempo livre, descobri que a cidade não era um lugar tão amistoso quando não se tinha dinheiro para gastar. Saí do prédio quando encontrei uma brecha e caminhei a esmo até os dedos dos pés ficarem gelados demais. Então tomei chá em uma Starbucks, passando umas duas horas lá e usando o Wi-Fi liberado para procurar emprego. Não havia muita coisa para alguém sem referência, a menos que eu tivesse experiência no setor de alimentos.

Comecei a vestir várias camadas de roupas, agora que a minha vida não envolvia poucos minutos ao ar livre entre saguões aquecidos e limusines quentes. Eu estava usando uma jaqueta esportiva azul, macacão jeans, botas pesadas, meia-calça e meias grossas por baixo. Nada elegante, mas isso não era mais minha prioridade.

Na hora do almoço, fui até uma lanchonete de fast-food onde os hambúrgueres eram baratos e ninguém notaria uma cliente solitária beliscando um pãozinho durante uma ou duas horas. Lojas de departamentos eram uma triste impossibilidade, já que eu não me sentia mais capaz de gastar dinheiro, embora os banheiros fossem bons e tivesse Wi-Fi liberado. Fui duas vezes ao Vintage Clothes Emporium, onde as meninas se solidarizaram comigo, mas trocaram aqueles olhares ligeiramente tensos de quem desconfia que vão lhes pedir um favor.

— Se souberem de alguma vaga de emprego, especialmente parecida com as de vocês, podem me avisar? — pedi, sem conseguir mais olhar as araras de roupas.

— Querida, mal conseguimos pagar o aluguel. Senão, você seria contratada aqui imediatamente.

Lydia soprou um anel de fumaça de cigarro para o teto e olhou para a irmã, que espalhou a fumaça com a mão.

— Você vai deixar as roupas fedendo. A gente vai perguntar por aí, ok? — disse Angelica.

Ela falou isso de um jeito que me fez pensar que eu não era a primeira pessoa a pedir aquilo.

Saí lentamente da loja, me sentindo desanimada. Não sabia o que fazer. Não havia nenhum lugar tranquilo onde eu pudesse ficar sentada por um tempo. Nenhum lugar onde eu pudesse pensar no que fazer. Quem não tem dinheiro em Nova York vira um refugiado, passa a não ser bem-vindo em nenhum lugar por muito tempo. Talvez, pensei, estivesse na hora de admitir a derrota e comprar a passagem de avião.

E então me dei conta.

Peguei o metrô até Washington Heights e saí a uma distância curta a pé da biblioteca. Pela primeira vez em dias, tive a sensação de estar em algum lugar conhecido, algum lugar onde eu era bem-vinda. Aquele seria o meu refúgio, o meu trampolim para um novo futuro. Segui até os degraus de pedra. No primeiro andar, encontrei um computador desocupado. Eu me sentei pesadamente, respirei fundo e, pela primeira vez desde o desastre dos Gopnik, fechei os olhos e deixei meus pensamentos assentarem.

Senti como se um peso antigo saísse de cima dos meus ombros e divaguei pelo murmúrio das pessoas ao redor, a um mundo de distância do caos e da movimentação do lado de fora. Não sei se era apenas a alegria de estar cercada por livros, e pelo silêncio, mas eu me senti uma igual ali. Discreta, um cérebro, um teclado, apenas mais uma pessoa à procura de informações.

E ali, pela primeira vez, me perguntei que diabo havia acontecido, afinal. Agnes havia me traído. Meus meses com os Gopnik subitamente pareceram um delírio, um tempo fora da curva, uma névoa estranha e compactada de limusines e decorações suntuosas, um mundo para o qual uma cortina havia sido aberta por um segundo e fechada bruscamente.

Aquilo, por outro lado, era real. Ali, eu disse a mim mesma, era aonde eu poderia ir todos os dias até definir a minha estratégia. Ali, eu encontraria o caminho para me reerguer.

Conhecimento é poder, Clark.

— Moça.

Abri os olhos e encontrei um segurança à minha frente. Ele estava abaixado de tal forma que olhava diretamente para o meu rosto.

— Você não pode dormir aqui.

— Como?

— Você não pode dormir aqui.

— Eu não estava dormindo — retruquei, indignada. — Eu estava pensando.

— Então que tal pensar com os olhos abertos, sim? Senão terá que sair.

Ele se virou, murmurando alguma coisa em um walkie-talkie. Levei um instante para registrar o que ele realmente estava me dizendo. Duas pessoas em uma mesa próxima olharam para mim e então desviaram o olhar. Meu rosto ficou vermelho. Notei os olhares constrangidos dos outros frequentadores da biblioteca ao meu redor. Olhei para as minhas roupas: meu macacão jeans, as botas pesadas forradas de flanela e o chapéu de lã. Não era exatamente Bergdorf Goodman, mas estava longe de ser um visual de mendigo.

— Ei! Eu não sou uma sem-teto! — gritei às costas dele. — Fiz protestos em defesa deste lugar! Moço! EU NÃO SOU UMA SEM-TETO!

Duas mulheres ergueram os olhos no meio da conversa que estavam tendo. Uma delas ergueu uma sobrancelha.

E então eu me dei conta: eu era, sim, uma sem-teto.

22

Querida mãe,

Desculpe se faz algum tempo desde que entrei em contato pela última vez. Estamos trabalhando dia e noite nesse negócio com os chineses, e eu tenho passado muito tempo acordado à noite, lidando com os diferentes fusos horários. Se pareço um pouco cansado, é porque estou de fato. Recebi o bônus, o que foi muito bom (estou mandando uma parte para Georgina, para que ela possa comprar o carro que quer), mas, nas últimas semanas, eu me dei conta de que não estou mais me sentindo bem aqui.

Não é que eu não goste do estilo de vida — e você sabe que eu nunca tive medo de trabalho pesado. É só que eu sinto saudade de muitas coisas da Inglaterra. Sinto falta do senso de humor. Sinto falta dos almoços de domingo. Sinto falta do sotaque inglês, pelo menos o verdadeiro (você não iria acreditar na quantidade de gente que soa mais cheia de pompa do que Sua Majestade). Gosto de passar o fim de semana em Paris, Barcelona ou Roma. E essa coisa de ser expatriado é muito chata. Na bolha do mercado financeiro acabamos sempre dando de cara com as mesmas pessoas, seja em Nantucket ou Manhattan. Sei que você acha que eu tenho um tipo, mas aqui é quase cômico: loura, manequim 36, guarda-roupa padronizado, aula de Pilates...

Então, é o seguinte: você se lembra do Rupe? Aquele meu amigo do Churchill? Ele me disse que tem uma vaga na empresa dele. O chefe dele está vindo para cá em duas semanas e quer me conhecer. Se tudo der certo, talvez eu esteja de volta à Inglaterra antes do que você esperava.

Eu adorei Nova York. Mas tudo tem seu tempo. E acho que eu já tive o meu.

Com amor.
Beijo, W

Nos dias seguintes, liguei para me informar a respeito das vagas que vi no Craigslist, mas a mulher gentil procurando uma babá desligou quando soube que eu não tinha referências, e os trabalhos de garçonete já estavam preenchidos quando liguei. A vaga de assistente na loja de sapatos continuava disponível, mas o homem com quem falei me disse que o salário seria dois dólares a menos por hora por conta da minha falta de experiência relevante no varejo, e eu calculei que com isso mal sobraria o suficiente para o transporte. Eu passava as manhãs na lanchonete e as tardes na biblioteca de Washington Heights, que era silenciosa e aquecida e, exceto por aquele único guarda, ninguém olhava para mim como se eu estivesse prestes a cantar bêbada ou a fazer xixi em um canto.

A cada dois dias, eu encontrava com Josh para almoçar no bar especializado em noodles ao lado do trabalho dele, o atualizava sobre a minha procura por trabalho e tentava ignorar que, em sua presença imaculadamente bem-vestida e profissional, eu me sentia cada vez mais uma *loser* desleixada que dorme no sofá dos outros.

— Você vai ficar bem, Louisa. Segura a onda — dizia ele e me beijava ao sair, como se, de alguma forma, nós já tivéssemos concordado em ser namorados.

Com tantas coisas para pensar, eu não conseguia refletir a respeito do que isso significava. Sendo assim, eu achava que, ao contrário de tudo o mais na minha vida, isso não era algo necessariamente *ruim* e o assunto podia ficar na gaveta por enquanto. Além disso, Josh sempre tinha um hálito muito agradável e refrescante de hortelã.

Eu não poderia ficar no quarto de Nathan por muito mais tempo. Na manhã anterior, eu havia acordado com um braço enorme jogado em cima de mim e alguma coisa dura pressionando minha lombar. O muro de almofadas parecia ter desaparecido, migrando para uma pilha caótica aos nossos pés. Fiquei paralisada, tentando me desvencilhar discretamente de suas garras sonolentas, quando ele abriu os olhos, olhou para mim e pulou da cama como se tivesse levado uma ferroada, com um travesseiro no meio das pernas.

— Cara. Eu não queria... eu não estava tentando...

— Não sei do que você está falando! — reforcei, vestindo um moletom.

Eu não podia olhar para ele se...

Ele estava saltando de um pé para o outro.

— Eu só estava... eu não me dei conta de que... ah, cara. Ai, meu Deus.

— Tudo bem! Seja como for eu precisava acordar!

Saltei da cama e passei dez minutos escondida dentro do banheiro minúsculo, o rosto ardendo de vergonha enquanto o ouvia fazendo barulho ao se vestir. Quando saí, ele não estava mais lá.

Qual era o sentido de tentar ficar, afinal? Eu só podia dormir no quarto de Nathan por mais uma ou duas noites, no máximo. Aparentemente, mesmo que tivesse sorte suficiente para encontrar outro emprego, o melhor que eu poderia esperar era um salário mínimo e dividir com alguém um apartamento infestado de baratas e percevejos. Se eu voltasse para casa, pelo menos poderia dormir no meu próprio sofá. Talvez Treen e Eddie estivessem apaixonadas o bastante para quererem morar juntas, e então eu recuperaria meu apartamento. Tentei não pensar na sensação dos quartos vazios e de voltar para onde eu estava seis meses antes, sem falar na proximidade com o local de trabalho de Sam. Cada sirene que escutasse seria uma lembrança amarga do que eu havia perdido.

Tinha começado a chover, mas eu diminuí o passo ao me aproximar do edifício e, por baixo da aba do meu chapéu de lã, olhei para as janelas dos Gopnik. As luzes ainda estavam acesas, embora Nathan tivesse me dito que os dois estavam em um evento de gala. A vida havia continuado para eles com tanta tranquilidade como se eu nunca tivesse existido. Talvez nesse momento Ilaria estivesse passando o aspirador de pó, ou reclamando das revistas de Agnes espalhadas pelas almofadas do sofá. Os Gopnik — e aquela cidade — haviam me sugado e cuspido em seguida. Apesar de todas as palavras carinhosas, Agnes tinha me descartado tão completa e absolutamente como uma lagarta trocando de pele — sem nem sequer olhar para trás.

Se eu não tivesse vindo, pensei, irritada, que talvez ainda tivesse uma casa. E um emprego. Se não tivesse vindo, ainda estaria com Sam.

Esse pensamento me deixou ainda mais sombria; curvei os ombros e enfiei as mãos geladas nos bolsos, preparada para voltar para a minha acomodação temporária, um quarto onde eu precisava entrar às escondidas e uma cama que eu precisava dividir com alguém que entrava em pânico se tocasse em mim. Minha vida havia se tornado uma coisa ridícula, uma piada ruim passando em *looping*. Esfreguei os olhos, sentindo a chuva gelada na pele. Ia marcar minha passagem naquela noite e voltaria para casa no próximo voo. Ia engolir o choro e recomeçar. Eu não tinha escolha.

Tudo tem seu tempo.

Foi quando vi Dean Martin. Ele estava parado no carpete sob o toldo que levava ao edifício, tremendo sem agasalho e olhando ao redor, como se decidisse aonde ir. Dei um passo em sua direção, espiando para dentro do saguão, mas o porteiro da noite estava ocupado separando alguns pacotes e não o vira. Não vi a Sra. De Witt em nenhum lugar. Rapidamente me aproximei, me abaixei e o peguei no colo antes que ele pudesse se dar conta do que eu estava fazendo. Segurando seu corpo agitado nas mãos, com os braços estendidos, entrei correndo e subi depressa a escada dos fundos para devolvê-lo para ela, cumprimentando o porteiro da noite com um aceno de cabeça ao passar.

Era um motivo válido para eu estar ali, mas saí apreensiva da escada no corredor dos Gopnik. Se eles voltassem de repente e me vissem ali, será que o Sr. Gopnik concluiria que eu estava aprontando alguma coisa? Ele me acusaria de invasão? Minha presença no corredor deles valeria como tal? Eram as perguntas que passavam pela minha cabeça enquanto Dean Martin se contorcia furiosamente e tentava morder meus braços.

— Sra. De Witt? — chamei baixinho, olhando para trás.

A porta da frente dela estava entreaberta novamente, e eu entrei, erguendo a voz.

— Sra. De Witt? Seu cachorro fugiu de novo.

Ouvi a televisão alta invadindo o corredor e dei mais uns passos para dentro do apartamento.

— Sra. De Witt?

Como não ouvi resposta, fechei a porta cuidadosamente atrás de mim e coloquei Dean Martin no chão, não querendo segurá-lo por mais tempo do que o necessário. Ele saiu trotando na direção da sala de estar.

— Sra. De Witt?

Primeiro vi a perna, esticada no chão ao lado da poltrona. Levei um instante para registrar o que havia diante de mim. Então corri até a frente da poltrona e me joguei no chão, o ouvido colado em sua boca.

— Sra. De Witt? — chamei. — Está me ouvindo?

Ela estava respirando. Mas seu rosto estava branco-azulado, feito mármore. Eu me perguntei brevemente por quanto tempo ela devia estar ali.

— Sra. De Witt? Acorde! Ah, meu Deus... acorde!

Corri pelo apartamento, procurando o telefone. Estava no corredor, em cima de uma mesa que também continha várias agendas telefônicas. Liguei para a emergência e expliquei o que havia encontrado.

— Tem uma equipe a caminho, senhora — disse a pessoa do outro lado da linha. — Pode ficar com a paciente e deixar o pessoal entrar?

— Sim, sim, sim. Mas ela é muito velhinha e frágil e está gelada. Por favor, venham logo.

Corri, peguei uma colcha no quarto e coloquei por cima dela, tentando lembrar o que Sam me dissera sobre como cuidar de idosos que haviam sofrido uma queda. Um dos maiores riscos era morrerem de frio por ficarem descobertos durante horas. E ela parecia muito gelada, mesmo com o aquecimento central do prédio ligado no máximo. Eu me sentei no chão ao lado dela e segurei sua mão gelada, acariciando-a gentilmente, tentando fazer com que ela soubesse que havia alguém ali. De repente, uma dúvida passou pela minha cabeça: se ela morresse, iriam me culpar? O Sr. Gopnik testemunharia que eu era uma criminosa, afinal. Por um segundo me perguntei se não deveria sair dali, mas eu não podia deixá-la.

No meio da minha torturante série de pensamentos ela abriu um olho.

— Sra. De Witt?

Ela piscou para mim, como se estivesse tentando entender o que havia acontecido.

— Sou eu, Louisa. A do outro lado do corredor. Está com dor?

— Não sei... meu... meu pulso — disse ela baixinho.

— A ambulância está a caminho. A senhora vai ficar bem. Vai ficar tudo bem.

Ela me lançou um olhar vazio, como se estivesse tentando compreender quem eu era e se o que eu estava dizendo fazia algum sentido. Então franziu a testa.

— Onde ele está? Dean Martin? Onde está o meu cachorro?

Olhei ao redor da sala. O cachorrinho estava deitado no canto, examinando ruidosamente os próprios genitais. Levantou a cabeça quando ouviu seu nome e se endireitou.

— Ele está bem ali. Está bem.

Ela fechou os olhos, aliviada.

— Pode tomar conta dele? Se eu precisar ir para o hospital? Eu vou para o hospital, não vou?

— Vai, sim. É claro que posso.

— Tem uma pasta no meu quarto que você precisa entregar a eles. Na minha mesa de cabeceira.

— Sem problemas. Farei isso.

Fechei a mão ao redor da dela. E com Dean Martin da porta olhando para mim com desconfiança — bom, para mim e para a lareira —, ficamos esperando em silêncio pela chegada dos paramédicos.

Fui até o hospital com a Sra. De Witt, deixando Dean Martin no apartamento, já que ele não podia entrar na ambulância. Depois que a papelada estava resolvida, e a instalaram devidamente, voltei para o Lavery, garantindo a ela que tomaria conta do cachorro. Apareceria de manhã para dizer como ele estava. Os olhinhos azuis dela se encheram de lágrimas enquanto dava instruções sobre a comida, os passeios, o que ele gostava e não gostava, até os paramédicos pedirem que parasse de falar, insistindo que ela precisava descansar.

Peguei o metrô de volta para a Quinta Avenida, ao mesmo tempo exausta e ligada de adrenalina. Entrei no apartamento usando a chave que a Sra. De Witt havia me dado. Dean Martin estava esperando no corredor, de pé nas quatro patas, o corpo compacto irradiando desconfiança.

— Boa noite, garoto! Quer jantar? — perguntei, como se fosse uma velha amiga dele e não alguém que esperasse perder um pedaço das canelas.

A caminho da cozinha, passei por ele fingindo segurança, e lá tentei decifrar as instruções quanto à quantidade correta de frango cozido e ração que eu havia anotado nas costas da mão.

Coloquei a comida no prato dele e a empurrei em sua direção com o pé.

— Aí está! Bom apetite!

Ele ficou me encarando, os olhos saltados tristes e rebeldes, a testa repleta de rugas de preocupação.

— Comida! Nham!

Ele continuou me encarando.

— Não está com fome ainda, hein?

Saí lentamente da cozinha. Precisava definir onde eu iria dormir.

O apartamento da Sra. De Witt tinha aproximadamente metade da área do apartamento dos Gopnik. Mas isso não queria dizer que fosse pequeno. Tinha uma enorme sala de estar com janelas do chão ao teto com vista para o Central Park, decorada em tons de bronze e vidro fumê, como se tivesse sido projetada nos tempos do Studio 54. Havia uma sala de jantar mais formal, cheia de antiguidades que exibiam uma camada de poeira, o que sugeria que nada era usado havia gerações. Uma cozinha de melamina e fórmica, uma área de serviço e quatro quartos, incluindo a suíte principal, que tinha um banheiro e um quarto de vestir de bom tamanho do lado de fora. Os banheiros eram ainda mais antigos do que os dos Gopnik — e com vazamentos imprevisíveis. Dei a volta no apartamento com a reverência silenciosa e peculiar de estar na casa desocupada de alguém que eu não conhecia direito.

Quando cheguei ao quarto principal, respirei fundo. Estava cheio, três paredes e meia de roupas cuidadosamente guardadas em araras, cobertas de plástico e penduradas em cabides almofadados. O quarto de vestir era uma profusão de cores e tecidos, pontuados acima e abaixo por prateleiras com pilhas de bolsas, caixas de chapéu e sapatos combinando. Percorri lentamente o perímetro, passando a ponta dos dedos pelos tecidos, fazendo pausas ocasionais para puxar com cuidado uma manga ou empurrar um cabide para ver cada roupa melhor.

E não eram apenas aqueles dois quartos. Com o pequeno pug trotando desconfiadamente atrás de mim, entrei em dois dos outros cômodos e encontrei mais: fileiras e mais fileiras de vestidos, ternos, casacos e boás, em armários compridos com ar-condicionado. Nas etiquetas, Givenchy, Biba, Harrods e Macy's, sapatos Saks Fifth Avenue e Chanel. Havia etiquetas das quais eu nunca tinha ouvido falar — francesas, italianas, até russas. Roupas de diversas épocas: terninhos quadrados e discretos estilo Kennedy, túnicas fluidas, paletós de ombros marcados. Espiei dentro de caixas e encontrei chapéus e turbantes, imensos óculos de sol com armação de jade e delicados fios de pérola. Como não estavam arrumados de algum modo específico, simplesmente me joguei naquilo tudo, tirando coisas aleatoriamente, desdobrando papéis de seda, sentindo os tecidos, o peso, o cheiro mofado de perfume velho, levantando as peças para admirar os cortes e as estampas.

No espaço de parede que ainda era visível acima das prateleiras, vi desenhos de roupas emoldurados, capas de revistas dos anos cinquenta e sessenta com modelos radiantes e magras usando vestidos psicodélicos ou camisas cinturadas incrivelmente justas. Devo ter ficado uma hora ali até me dar conta de que não havia localizado outra cama. Mas, no último quarto, lá estava ela, coberta de peças de roupa descartadas — uma cama de solteiro estreita, possivelmente dos anos cinquenta, com uma cabeceira de nogueira ornamentada. No quarto também havia um guarda-roupa e uma cômoda combinando. E ainda mais quatro araras do tipo mais básico e, junto delas, caixas e mais caixas de acessórios: bijuterias, cintos e echarpes. Tirei algumas cuidadosamente de cima da cama e me deitei, sentindo o colchão ceder no mesmo instante, como costumam fazer os colchões velhos, mas não me importei. Basicamente, eu estaria dormindo em um guarda-roupa. Pela primeira vez em vários dias, me esqueci de ficar deprimida.

Pelo menos por uma noite, eu estava no país das maravilhas.

Na manhã seguinte, dei comida para Dean Martin e passeei com ele, tentando não me ofender por ele ter percorrido a Quinta Avenida inteira andando na diagonal, com um olho sempre fixo em mim, como se esperasse por alguma transgressão, e depois fui para o hospital, ansiosa para tranquilizar a Sra. De Witt de que seu bebê estava bem, ainda que permanentemente preparado para a maldade. Decidi que seria melhor não contar a ela que a única maneira de convencê-lo a comer o café da manhã tinha sido ralar queijo Parmigiano-Reggiano por cima.

Quando cheguei ao hospital, fiquei aliviada por encontrá-la com um tom rosado mais humano, ainda que seu rosto estivesse estranhamente sem forma sem a maquiagem e a peruca de costume. Ela de fato havia fraturado o pulso e estava com uma cirurgia marcada. Depois do procedimento ela ficaria no hospital por mais uma semana, em virtude do que os médicos chamaram de "complicadores". Quando revelei que não era da família, se recusaram a dizer mais qualquer coisa.

— Você pode tomar conta do Dean Martin? — perguntou ela, o rosto tenso de ansiedade.

Ele havia sido a preocupação principal dela no período em que eu não estive lá.

— Será que não podem deixar você entrar e sair para vê-lo durante o dia? Você acha que Ashok pode passear com ele? Ele vai se sentir muito sozinho. Não está acostumado a ficar sem mim.

Eu havia me perguntado se devia dizer a verdade a ela. Mas verdade era algo que estava em falta no nosso prédio ultimamente, e eu queria que tudo fosse transparente.

— Sra. De Witt — comecei —, preciso contar uma coisa para a senhora. Eu... eu não trabalho mais para os Gopnik. Fui demitida.

A cabeça dela deitou um pouco no travesseiro. Ela repetiu a palavra baixinho, como se não a conhecesse.

— *Demitida?*

Engoli em seco.

— Acharam que eu havia roubado dinheiro deles. Tudo o que posso lhe dizer é que não roubei. Mas acho que o correto é contar, porque talvez a senhora decida que não quer a minha ajuda.

— Bem — disse ela baixinho. E mais uma vez: — Bem.

Ficamos ali sentadas em silêncio por um tempo. Então ela estreitou os olhos.

— Mas você não fez isso.

— Não, senhora.

— Tem outro emprego?

— Não, senhora. Estou à procura.

Ela balançou a cabeça.

— Gopnik é um tolo. Onde você está morando?

Olhei para os lados.

— Ahn... eu... bom, na verdade estou ficando no quarto de Nathan, no momento. Mas não é o ideal. Nós não somos... sabe... envolvidos romanticamente. E, é claro, os Gopnik não sabem disso.

— Bem, parece que podemos fazer um arranjo bom para nós duas. Você pode cuidar do meu cachorro? E talvez continuar procurando emprego do meu lado do corredor? Só até eu voltar para casa?

— Sra. De Witt, eu adoraria.

Não consegui esconder o sorriso.

— Você terá que cuidar dele melhor do que antes, é claro. Vou deixar tudo anotado. Tenho certeza de que ele está terrivelmente inquieto.

— Vou fazer tudo o que a senhora disser.
— E preciso que você venha aqui diariamente para me dizer como ele está. É muito importante.
— Claro.

Com isso decidido, ela pareceu sossegar um pouco de alívio. Fechou os olhos.

— Não há tolo mais tolo do que um velho tolo — murmurou ela.

Eu não tinha certeza se ela se referia ao Sr. Gopnik, a ela mesma ou a outra pessoa. Então, esperei até que caísse no sono e voltei para o seu apartamento.

Durante toda a semana, me dediquei aos cuidados daquele pug de seis anos, desconfiado, de olhos arregalados e mal-humorado. Caminhávamos quatro vezes por dia, eu ralava queijo parmesão em cima do café da manhã dele e, depois de vários dias, ele abandonou o hábito de ficar parado em qualquer ambiente em que eu estivesse, me encarando com o cenho franzido, como se à espera de que eu fizesse algo inominável. Em dado momento, ele simplesmente começou a se deitar a alguns metros de distância, de onde ficava arfando suavemente. Eu ainda tinha um pouco de medo, mas também sentia pena dele. A única pessoa que ele amava havia desaparecido abruptamente, e não havia nada que eu pudesse fazer para garantir que ela voltaria para casa.

Além disso, era meio legal estar no prédio sem me sentir uma criminosa. Ashok, que estivera afastado por alguns dias, ouviu minha descrição dos eventos com choque, indignação e depois encantamento.

— Caramba, que sorte que você o encontrou! Ele poderia ter simplesmente desaparecido e ninguém saberia que ela estava caída no chão.

Ele estremeceu de maneira teatral.

— Quando ela voltar, vou começar a conferir todos os dias se ela está bem.

Nós nos entreolhamos.

— Nada a deixaria mais furiosa — falei.
— É, ela odiaria isso — disse ele, voltando ao trabalho.

Nathan fingiu ficar triste por ter o quarto de volta e levou minhas coisas para o apartamento com uma pressa quase indecorosa para me "economizar o trajeto" de cerca de seis metros. Acho que ele só queria se certificar de que eu estava realmente indo embora. Deixou minhas malas e espiou ao redor do apartamento, olhando com espanto para as paredes de roupas.

— Quanta tralha! — exclamou ele. — Isso aqui é tipo o maior brechó do mundo. Cara, eu detestaria ser da empresa de limpeza contratada para se livrar dessas coisas quando a velha bater as botas.

Mantive o sorriso fixo e equilibrado.

Ele contou a Ilaria, que bateu na minha porta no dia seguinte para saber notícias da Sra. De Witt, então me pediu que levasse para ela uns bolinhos que havia assado.

— A comida nesses hospitais é capaz de deixar a pessoa doente — disse ela, dando um tapinha no meu braço e saindo rapidamente antes que Dean Martin conseguisse mordê-la.

Ouvi Agnes tocando piano do outro lado do corredor. Certa vez, uma peça bonita que parecia tranquila e melancólica. Outra vez, algo apaixonado e furioso. Pensei nas várias ocasiões em que a Sra. De Witt havia atravessado o corredor e exigido furiosamente o fim do barulho. Desta vez, a música parou de repente sem sua intervenção, com Agnes aparentemente martelando as teclas com as mãos. De vez em quando, eu ouvia vozes elevadas, e levei alguns dias para convencer meu corpo de que a minha adrenalina não precisava se elevar com a deles, que aquelas pessoas não tinham mais nada a ver comigo.

Passei pelo Sr. Gopnik apenas uma vez no saguão principal. Ele não me viu, então olhou uma segunda vez, aparentemente preparado para se opor à minha presença ali. Ergui o queixo e segurei a ponta da guia de Dean Martin.

— Estou ajudando a Sra. De Witt com o cachorro — falei, com o máximo de dignidade que consegui reunir.

Ele olhou para Dean Martin, cerrou o maxilar e se virou como se não tivesse me escutado. Ao seu lado, Michael olhou para mim e então voltou a atenção para o celular.

Josh foi até o apartamento na sexta-feira à noite depois do trabalho, levando comida pronta e uma garrafa de vinho. Ele ainda estava de terno — trabalhando até tarde a semana inteira, disse. Como ele e um colega estavam disputando uma promoção, ele passava quatorze horas por dia no escritório e estava pensando em ir no sábado também. Olhou ao redor, erguendo as sobrancelhas para a decoração.

— Bom, babá de cachorro era um trabalho que eu certamente não havia considerado — observou ele enquanto Dean Martin o seguia, desconfiado.

Ele deu a volta lentamente na sala, pegando o cinzeiro de ônix e a sinuosa escultura de mulher africana, colocando os objetos de volta no lugar e observando atentamente as pinturas douradas nas paredes.

— Não estava no topo da minha lista também.

Fiz uma trilha de biscoitos caninos até o quarto principal e fechei o cachorrinho lá dentro até que se acalmasse.

— Mas estou tranquila com isso.

— E como você está?

— Melhor! — respondi, indo para a cozinha.

Eu vinha querendo mostrar a Josh que era mais do que a caçadora de trabalho desarrumada e permanentemente bêbada com quem ele se encontrou na última semana. Por isso, coloquei meu vestido preto estilo Chanel com gola e punhos brancos, meus Mary Janes verde-esmeralda de couro de crocodilo falso e sequei e alisei bem o cabelo.

— Bem, você está uma graça — disse ele, vindo atrás de mim.

Ele colocou a garrafa e a sacola de lado na cozinha, então se aproximou de mim, ficando a tão poucos centímetros de distância que seu rosto preencheu meu campo de visão.

— E, sabe, nada sem-teto. O que é sempre um bom visual.

— Temporariamente, pelo menos.

— Então isso quer dizer que você vai ficar aqui por mais um tempo?

— Quem sabe?

Ele estava a poucos centímetros de mim. Tive uma repentina lembrança sensorial de ter enterrado o rosto no pescoço dele uma semana antes.

— Você está ficando cor-de-rosa, Louisa Clark.

— É porque você está muito perto de mim.

— Eu provoco isso em você?

A voz dele ficou mais baixa e ele ergueu a sobrancelha. Então deu um passo para ainda mais perto e colocou as mãos em cima do balcão da cozinha, uma de cada lado dos meus quadris.

— Pelo jeito — falei, mas minha voz saiu quase como uma tosse.

E então ele encostou os lábios nos meus e me beijou. Eu me apoiei nos armários da cozinha e fechei os olhos, absorvendo o hálito mentolado, a sensação ligeiramente estranha do corpo dele contra o meu, mãos desconhecidas apertando as minhas. Imaginei se essa seria a sensação de beijar Will antes do acidente. E então pensei que nunca mais beijaria Sam. Mas me dei conta de que provavelmente era bem ruim pensar em beijar outros homens quando se estava beijando um homem perfeitamente agradável naquele exato instante. Quando inclinei a cabeça um pouco para trás, ele parou e olhou nos meus olhos, tentando entender o que aquilo queria dizer.

— Desculpe — falei. — É... é só um pouco precipitado. Eu realmente gosto de você, mas...

— Mas você acabou de terminar com o outro cara.

— Sam.

— Que é claramente um idiota. E não é bom o bastante para você.

— Josh...

Ele tombou a testa para a frente, apoiando-a na minha. Não larguei sua mão.

— É que as coisas ainda parecem um pouco complicadas. Desculpe.
Ele fechou os olhos por um instante, então os abriu de novo.
— Você me diria se eu estivesse perdendo meu tempo? — perguntou ele.
— Você não está perdendo seu tempo. É só que... faz pouco mais de duas semanas.
— Muita coisa aconteceu em duas semanas.
— Bem, sendo assim, quem sabe onde nós vamos estar daqui a duas semanas?
— Você disse "nós".
— Pelo visto sim.
Ele assentiu, como se fosse uma resposta satisfatória.
— Sabe — disse ele, quase para si mesmo —, eu tenho essa sensação a nosso respeito, Louisa Clark. E eu nunca estou errado sobre essas coisas.
E então, antes que eu pudesse responder, soltou a minha mão e foi até os armários, que ele abriu e fechou em busca de pratos. Quando se virou, estava com um sorriso largo e radiante.
— Vamos comer?

Fiquei sabendo de muitas coisas a respeito de Josh naquela noite. Sobre sua criação em Boston, a carreira no beisebol da qual seu pai executivo meio irlandês o havia feito abrir mão por achar que o esporte não garantiria uma renda segura a longo prazo. Sobre a mãe dele, que, diferentemente das amigas, era uma advogada que não abandonou a carreira enquanto criava o filho, e que, já aposentados, seus pais estavam se acostumando a ficar juntos dentro de casa. Aparentemente, a convivência estava enlouquecendo os dois.
— Somos uma família de gente ativa, sabe? Então, meu pai já assumiu um papel executivo no clube de golfe, e minha mãe está dando aula para crianças na escola local. Qualquer coisa para não precisarem ficar olhando um para a cara do outro.
Josh tinha dois irmãos, ambos mais velhos. Um administrava uma concessionária da Mercedes perto de Weymouth, Massachusetts, e o outro era contador, como a minha irmã. Formavam uma família unida e competitiva, e ele havia odiado os irmãos com a fúria impotente do caçula torturado até os dois saírem de casa. Depois disso, Josh descobriu que tinha saudade dos dois ao sentir uma dor persistente e inesperada.
— Minha mãe diz que foi porque eu perdi a minha régua, pela qual eu sempre julgava tudo.
Agora os irmãos estavam casados, com dois filhos cada. A família se reunia nos feriados e alugava a mesma casa em Nantucket todo verão. Na adolescência, ele

não gostava disso, mas agora era uma semana pela qual esperava com mais ansiedade a cada ano.

— É ótimo. As crianças, não ter que fazer nada e o barco... Você precisa ir — disse ele, servindo-se de mais *char siu bao*.

Ele falava sem timidez, um homem acostumado com as coisas fluindo à sua maneira.

— Para uma reunião de família? Achei que os homens de Nova York só quisessem saber de encontros casuais.

— É, bom, eu já fiz tudo isso. Além do mais, eu não sou de Nova York.

Josh parecia o tipo de homem que se dedica a tudo que faz. Trabalhava um milhão de horas por dia, lutava por promoções e ia para a academia antes das seis da manhã. Jogava beisebol com o time da empresa e estava pensando em fazer trabalho voluntário na escola local, como a mãe, mas tinha medo de não conseguir se comprometer com regularidade devido à agenda profissional. Ele passou pelo sonho americano como uma flecha: você trabalha duro, é bem-sucedido e ganha em troca. Tentei não fazer comparações com Will. Ao escutá-lo, ficava meio admirada, meio exausta.

No espaço entre nós, Josh pintou um quadro do seu futuro — um apartamento no Village, talvez uma casa de fim de semana nos Hamptons, se conseguisse os bônus certos. Ele queria um barco. Ele queria filhos. Ele queria se aposentar cedo. Ele queria ganhar um milhão de dólares antes dos trinta. Ele pontuou grande parte dessa conversa acenando com os hashis e recitando as frases "Você precisa ir!" ou "Você ia adorar". Parte de mim ficava lisonjeada, mas eu estava especialmente grata por isso dar a entender que ele não ficou ofendido com a minha reticência anterior.

Ele foi embora às dez e meia, já que planejava acordar às cinco, e ficamos parados no corredor ao lado da porta da frente, com Dean Martin montando guarda a poucos metros de distância.

— E então, vamos conseguir encaixar um almoço? Mesmo com toda a história do cachorro e do hospital?

— Quem sabe nos vemos uma noite?

— Quem sabe nos vemos uma noite? — repetiu baixinho. — Adoro o seu sotaque inglês.

— Eu não tenho sotaque — retruquei. — Você tem.

— E você me faz rir. Não são muitas garotas que conseguem isso.

— Ah. Então você simplesmente não conheceu as garotas certas.

— Ah, acho que conheci.

Ele parou de falar e olhou para o alto, como se estivesse tentando não fazer alguma coisa. Depois sorriu, como que reconhecendo o que havia de ridículo em dois adultos chegando à casa dos trinta anos tentando não se beijarem diante da porta. E o sorriso me bastou.

Levantei o braço e o toquei na nuca, muito levemente. E então fiquei na ponta dos pés e o beijei. Disse a mim mesma que não fazia sentido insistir em algo que havia acabado. Disse a mim mesma que duas semanas certamente era tempo o bastante para tomar uma decisão, ainda mais quando a outra pessoa ficou longe por meses e, portanto, disse a mim mesma que precisava seguir em frente.

Josh não hesitou. Ele me beijou de volta, deslizando lentamente as mãos pelas minhas costas, me empurrando contra a parede, para que eu ficasse deliciosamente presa a ele. Ele me beijou e me obriguei a parar de pensar e me entregar à sensação, ao corpo desconhecido, mais estreito e ligeiramente mais duro do que o outro que eu conhecia. A intensidade da sua boca na minha. Daquele americano bonito. Nós dois estávamos um pouco zonzos quando paramos para recuperar o fôlego.

— Se eu não for agora... — disse ele, dando um passo para trás, piscando com força, levando a mão à nuca.

Sorri. Desconfiava que meu batom estivesse por todo o meu rosto.

— Você precisa acordar cedo. A gente se fala amanhã.

Abri a porta e, depois de um último beijo na minha bochecha, ele seguiu pelo corredor principal.

Quando fechei a porta, Dean Martin continuava me encarando.

— O que foi? — perguntei. — O que foi? Eu estou solteira.

Ele abaixou a cabeça, enojado, se virou e seguiu para a cozinha.

23

Para: SreSraBernardClark@yahoo.com
De: AbelhaAtarefada@gmail.com

Oi, mãe,

Que bom saber que você e Maria se divertiram no chá na Fortnum & Mason no aniversário dela. Embora, sim, eu concorde: é MUITO caro para um pacote de biscoitos e tenho certeza de que vocês duas fariam melhores em casa. Os seus são muito leves. E, não, a coisa do banheiro no teatro não foi legal. Com certeza, sendo ela mesma atendente, tem um olho muito afiado para esse tipo de coisa. Que bom que alguém está cuidando das suas... necessidades de higiene.

Por aqui, tudo bem. Está bem frio, mas você me conhece, tenho roupas para todas as ocasiões. Tem algumas coisas acontecendo no trabalho, mas espero que tudo esteja resolvido quando nos falarmos. E, sim, estou totalmente tranquila em relação a Sam. É uma dessas coisas inevitáveis.

Lamento que o vovô não esteja bem. Espero que quando ele estiver se sentindo melhor você possa retomar suas aulas noturnas.

Sinto saudade de todos. Muita.

Com amor.

Beijos, Lou

P.S.: Talvez seja melhor você mandar e-mails ou escrever via Nathan, já que estamos com alguns problemas com o correio.

A Sra. De Witt deixou o hospital dez dias depois de ser internada, estreitando os olhos, desacostumada à luz do dia, o gesso que envolvia o braço direito parecendo pesado demais para o corpo frágil. Levei-a de táxi para casa. Ashok saiu para recebê-la na calçada e a ajudou a subir lentamente os degraus da entrada. Ao menos daquela vez ela não implicou com ele ou o afastou; foi caminhando com cautela, como se o equilíbrio já não fosse mais garantido. Eu tinha levado para o hospital a roupa que a Sra. De Witt exigira — um terninho de calça e blazer, da Céline, dos anos setenta, de um azul-claro, com uma blusa amarelo-narciso e uma boina de lã rosa-claro —, junto com alguns dos cosméticos que estavam sobre a penteadeira dela, e me sentei ao lado de sua cama de hospital para ajudá-la a passá-los. Ela comentou que suas próprias tentativas com a mão esquerda a haviam deixado com a aparência de quem havia bebido três Sidecars no café da manhã.

Dean Martin, encantado, corria e bufava ao redor dos tornozelos da Sra. De Witt, olhava para ela, então me encarava com determinação, como se estivesse querendo dizer que eu já podia ir embora. Havíamos chegado a uma espécie de trégua, o cachorro e eu. Dean Martin comia suas refeições e se aconchegava em meu colo toda noite, e acho que ele tinha até começado a apreciar o passo um pouco mais rápido e nossas caminhadas mais longas, porque seu rabinho balançava loucamente sempre que me via pegar a guia da coleira.

A Sra. De Witt ficou eufórica ao vê-lo, se alegria pudesse ser traduzida por uma série de reclamações sobre a minha óbvia negligência nos cuidados com o cão, pelo fato de que em um espaço de doze horas ela o considera tanto acima quanto abaixo do peso, e por uma sequência de emocionados pedidos de desculpa por tê-lo deixado em minhas mãos inadequadas.

— Meu pobre bebê. Eu o deixei com uma estranha? Deixei? E ela não cuidou direito de você? Está tudo bem. Mamãe está em casa agora. Está tudo bem.

Ela estava obviamente encantada por ter voltado para casa, mas não posso fingir que não estava ansiosa. A Sra. De Witt precisava de um imenso número de comprimidos — mesmo para os padrões americanos — e me perguntei se ela por acaso teria alguma síndrome de ossos frágeis: eram comprimidos demais apenas para um pulso quebrado. Comentei com Treena, que disse que, na Inglaterra, teriam receitado uns dois analgésicos, recomendado que não levantasse nada pesado e que gargalhasse com gosto.

Mas eu tinha a sensação de que a Sra. De Witt havia se tornado ainda mais frágil depois do tempo que passara no hospital. Estava pálida e tossia sem parar, e suas roupas sob medida ficavam largas em lugares estranhos ao redor do corpo. Quando servi o macarrão com queijo, ela comeu quatro ou cinco garfadas com delicadeza, declarou que estava delicioso, mas se recusou a comer mais.

— Acho que meu estômago encolheu naquele lugar horrível. Provavelmente tentando se proteger daquela comida horrorosa.

Ela levou metade de um dia para checar todo o apartamento, caminhando com dificuldade de um cômodo a outro, lembrando a si mesma que tudo estava como devia e se tranquilizando com isso — tentei não interpretar aquilo como se ela estivesse conferindo que eu não havia roubado nada. Finalmente, a Sra. De Witt se sentou em sua poltrona alta e fofa e suspirou com discrição.

— Nem sei dizer como é bom estar em casa — disse ela, como se uma parte sua houvesse esperado não voltar.

Então, cochilou. Pensei pela centésima vez no meu avô, e em sua sorte por ter minha mãe cuidando dele.

A Sra. De Witt estava obviamente frágil demais para ser deixada sozinha, e ao que parecia não tinha a menor pressa de me ver ir embora. Então, sem qualquer discussão a respeito, simplesmente fiquei. Ajudei-a a tomar banho e a se vestir, preparei suas refeições e, ao menos na primeira semana, saí para caminhar com Dean Martin várias vezes por dia. Já no fim daquela primeira semana, descobri que ela abrira um pequeno espaço para mim no último dos quatro quartos, afastando livros e peças de roupa, um de cada vez, para revelar uma mesinha de cabeceira utilizável, ou uma prateleira sobre a qual eu poderia colocar as minhas coisas. Reivindiquei o banheiro de hóspedes, dei uma boa limpeza nele e deixei as torneiras abertas até a água sair limpa. Então, discretamente, me dediquei a limpar todas as partes da cozinha e do banheiro da Sra. De Witt que sua vista fraca começara a negligenciar.

Levei-a ao hospital para as consultas de revisão, e fiquei sentada do lado de fora com Dean Martin até ser chamada de volta para pegá-la. Marquei horário no cabeleireiro que a Sra. De Witt estava acostumada a frequentar e esperei enquanto seu cabelo fino e prateado voltava às antigas ondas elegantes, um pequeno ato que pareceu mais restaurador do que qualquer atenção médica que ela havia recebido até ali. Ajudei-a com a maquiagem e encontrei seus vários pares de óculos. A Sra. De Witt agradecia tranquila e enfaticamente a minha ajuda, como se costuma fazer com um hóspede querido.

Como eu tinha consciência de que, por ter morado sozinha por anos, ela precisava do espaço só para si, costumava sair por algumas horas durante o dia, me sentava na biblioteca e procurava emprego. Mas sem a urgência de antes e, para dizer a verdade, não havia nada que eu quisesse fazer. A Sra. De Witt normalmente estava dormindo ou plantada em frente à televisão quando eu voltava.

— Ora, Louisa — dizia ela, endireitando o corpo como se eu a houvesse encontrado no meio de uma conversa —, estava me perguntando aonde você tinha ido. Faria a gentileza de levar Dean Martin para um rápido passeio? Ele está parecendo um tanto preocupado...

Aos sábados, eu ia com Meena aos protestos diante da biblioteca. A aglomeração tinha diminuído, o futuro da biblioteca dependia não só do apoio da população, mas também de um desafio jurídico de arrecadação de fundos. Ninguém parecia ter muita esperança de sucesso. Ficávamos paradas ali, menos animadas a cada semana, acenando com nossos cartazes surrados e aceitando com gratidão as bebidas quentes e as comidinhas que ainda chegavam, cortesias de vizinhos e lojistas da área. Eu havia aprendido a procurar por rostos conhecidos — a avó que eu conhecera na minha primeira visita, que se chamava Martine e que agora me cumprimentava com um abraço e um sorriso largo. Várias outras pessoas acenavam ou gritavam oi, o funcionário da segurança, a mulher que levava *pakoras*, a bibliotecária do cabelo lindo. Nunca mais vi a senhora com as insígnias rasgadas.

Eu já estava morando no apartamento da Sra. De Witt havia treze dias quando esbarrei em Agnes. Dada a nossa proximidade, era espantoso que isso não houvesse acontecido antes. Estava chovendo forte e eu usava uma das antigas capas de chuva da Sra. De Witt — laranja e amarela, de plástico, dos anos setenta, com estampa de flores redondas, enormes e de cores fortes —, e ela tinha vestido Dean Martin com uma capinha de chuva e levantado o capuz, o que me fazia ter que segurar o riso toda vez. Estávamos correndo pelo corredor, eu rindo da carinha cheia de dobras dele embaixo do capuz de plástico, e parei de repente quando as portas do elevador se abriram e Agnes saiu, seguida por uma jovem com um iPad, o cabelo preso em um rabo de cavalo esticado. Ela parou e me encarou. Algo que não consegui decifrar completamente passou por seu rosto — talvez constrangimento, talvez um pedido mudo de desculpas, ou mesmo raiva contida por eu estar ali... era difícil dizer. Os olhos de Agnes encontraram os meus, ela abriu a boca como se fosse dizer alguma coisa, então cerrou os lábios e passou por mim como se não tivesse me visto, o cabelo louro e reluzente balançando e a garota logo atrás.

Fiquei olhando enquanto a porta da frente se fechava enfaticamente depois de elas entrarem, meu rosto ardendo como o de uma amante rejeitada.

Tive uma vaga lembrança de nós duas rindo em um bar de noodles.

Somos amigas, Louisa?

Então, respirei fundo, chamei o cachorrinho para prender a guia na coleira e saímos para a chuva.

No fim, foram as garotas do Vintage Clothes Emporium que me ofereceram um emprego remunerado. Um contêiner de peças estava chegando da Flórida — o conteúdo de vários guarda-roupas — e elas precisavam de um par de mãos extra para examinar cada item antes de colocá-los à venda, para reforçar a costura de botões e garantir que tudo o que fosse para as araras estivesse limpo e bem passado, a tempo para a feira de roupas vintage no fim de abril. (Artigos que não tinham cheiro de novos eram os mais devolvidos.) O pagamento era um salário mínimo, mas a empresa era boa, o café à vontade e elas me dariam vinte por cento de desconto em qualquer coisa que eu quisesse. Meu apetite para comprar roupas novas havia diminuído com a minha falta de acomodação, mas aceitei satisfeita a oferta de trabalho e, depois de garantir que a Sra. De Witt estava recuperada a ponto de caminhar sozinha com Dean Martin ao menos até o fim do quarteirão e voltar, passei a ir para a loja todas as terças-feiras às dez da manhã e passava o dia lá, no quarto dos fundos, lavando, costurando e conversando com as garotas durante as pausas para o cigarro delas, que pareciam acontecer a cada quinze minutos mais ou menos.

Margot — eu estava proibida de continuar chamando-a de Sra. De Witt ("Você está morando na minha casa, pelo amor de Deus") — ouviu com atenção quando contei a ela sobre meu novo papel, então perguntou o que eu estava usando para consertar as roupas. Descrevi a enorme caixa de plástico com botões antigos e zíperes, mas acrescentei que a coisa toda era tão caótica que muitas vezes eu não conseguia encontrar dois botões iguais e, raramente, três. Ela se levantou pesadamente da poltrona em que costumava ficar e gesticulou para que eu a seguisse. Eu caminhava bem próxima a Margot agora — ela não parecia completamente firme nos pés e com frequência oscilava para um lado, como um navio em alto-mar com a carga maldistribuída. Mas por fim ela conseguiu, deixando a mão correr pela parede para estabilidade extra.

— Embaixo da cama, querida. Não, ali. Há dois baús. Isso.

Eu me ajoelhei e tirei duas pesadas caixas de madeira com tampa de debaixo da cama. Quando as abri, vi que estavam cheias com fileiras de botões, zíperes, fitas e franjas. Havia colchetes de gancho, fechos dos mais diversos tipos, todos meticulosamente separados e etiquetados, botões de marinheiro de metal e minúsculos botõezinhos chineses, cobertos de seda vistosa, botões de osso e de casco de tartaruga, costurados com cuidado em pequenas faixas de cartolina. Na tampa acolchoada, ramalhetes de alfinetes, fileiras de agulhas de tamanhos diferentes e uma variedade de fios de seda em minúsculos carretéis. Passei os dedos por eles com reverência.

— Ganhei isso no meu aniversário de quatorze anos. Meu avô mandou vir de Hong Kong. Se precisar, pode dar uma olhada aí. Eu costumava tirar os botões e os zíperes de tudo o que não usava mais, sabe. Assim, se perdemos um botão de alguma roupa boa e não conseguimos repor, sempre teremos uma vasta possibilidade de opções para substituí-lo.

— Mas não vai precisar deles?

Ela descartou a ideia gesticulando com a mão boa.

— Ah, meus dedos agora estão desajeitados demais para costurar. Metade do tempo nem consigo abotoar as minhas roupas. E tão poucas pessoas se dão ao trabalho de consertar botões e zíperes atualmente... elas simplesmente jogam as roupas no lixo e compram alguma coisa nova e horrível nessas lojas de descontos. Fique com eles, meu bem. Vai ser bom saber que estão sendo úteis.

Assim, por sorte e talvez um pouco por intenção, agora eu tinha dois empregos que amava. E com eles encontrei certo contentamento. Toda terça-feira à noite eu levava algumas peças de roupa para casa em uma sacola plástica xadrez de lavanderia e, enquanto Margot cochilava, ou assistia à televisão, eu removia cuidadosamente todos os botões restantes de cada uma delas e costurava um novo conjunto. Depois, mostrava para Margot, para ver se aprovava.

— Você costura muito bem — comentou ela, examinando meus pontos através dos óculos, enquanto assistíamos ao programa *Roda da Fortuna*. — Achei que seria tão ruim nisso quanto é em todo o resto.

— Na escola, trabalhos de agulha eram praticamente a única coisa em que eu era boa.

Alisei as dobras do tecido e me preparei para continuar dobrando um casaco.

— Comigo foi da mesma forma — contou ela. — Aos treze anos, eu já fazia minhas próprias roupas. Minha mãe me mostrou como cortar um molde e pronto. Fui fisgada. Fiquei obcecada por moda.

— Em que você trabalhou, Margot?

Abaixei a costura.

— Fui editora de moda da *Ladies' Look*, que já não existe mais... nem chegou aos anos noventa. Mas a revista esteve no mercado por trinta anos ou mais, e fui a editora de moda pela maior parte desse tempo.

— Essa é a revista que está nas molduras? As que estão penduradas na parede?

— Sim, aquelas foram as minhas capas favoritas. Fui um tanto sentimental e guardei algumas.

A expressão de Margot se suavizou por um instante, e ela inclinou a cabeça e me olhou com o semblante de quem estava prestes a fazer uma confidência.

— Era um emprego e tanto na época, sabe. A revista não era muito inclinada à ideia de ter mulheres em cargos sênior, mas as páginas de moda estavam sob a responsabilidade de um homem horrível, e meu editor... um homem maravilhoso, o Sr. Aldridge... argumentou que ter um velho pernóstico, que ainda usava suspensórios para segurar as meias, ditando o que era moda simplesmente não funcionaria para moças mais jovens. Ele achou que eu tinha olho para a coisa, me promoveu, e foi isso.

— Então é por esse motivo que você tem tantas roupas lindas.
— Ora, eu certamente não me casei com um ricaço.
— Mas chegou a se casar?

Ela abaixou os olhos e ficou brincando com alguma coisa no joelho.

— Santo Deus, você faz mesmo um monte de perguntas. Sim, eu me casei. Com um homem adorável. Terrence. Ele trabalhava no mercado editorial. Mas morreu em 1962, três anos depois de nos casarmos, e para mim bastou de casamento.

— Nunca quiseram filhos?
— Eu tive um filho, meu bem, mas não com o meu marido. É isso o que você quer saber?

Corei.

— Não. Quer dizer, não desse jeito. Eu... nossa... ter filhos é... quer dizer, eu não presumiria que...

— Pare de gaguejar, Louisa. Eu me apaixonei por alguém que não deveria enquanto estava de luto pelo meu marido e engravidei. Tive o bebê, mas isso causou certa comoção e, no fim, ficou decidido que seria melhor para todos se meus pais o criassem em Westchester.

— Onde ele está agora?
— Ainda em Westchester. Até onde eu sei.

Eu a encarei, sem compreender.

— Vocês não se encontram?
— Ah, nos encontrávamos. Todos os fins de semana e nas férias, por toda a infância dele. Mas quando chegou à adolescência, acabou ficando com raiva de mim por eu não ser a mãe que ele achava que eu deveria ser. Tive que fazer uma escolha, entenda. Naquele tempo, não era comum trabalhar se você se casasse ou tivesse filhos. Escolhi meu trabalho. Sinceramente, eu tinha a sensação de que morreria se ficasse sem ele. E Frank, meu chefe, me apoiou.

Ela suspirou.

— Infelizmente, meu filho nunca me perdoou de verdade.

Houve um longo silêncio.

— Sinto muito.
— Sim. Eu também. Mas o que está feito, está feito, e não adianta lamentar.

Margot começou a tossir e eu lhe servi um copo de água. Ela pegou o frasco de comprimidos que deixava na mesinha lateral e esperei enquanto tomava um. Margot, então, voltou a se acomodar, como uma galinha depois de arrumar as penas.

— Qual é o nome dele? — perguntei, quando ela já havia se recuperado.
— Mais perguntas... Frank Junior.

— Então, o pai dele era...
— ...meu editor na revista, sim. Frank Aldridge. Ele era bem mais velho do que eu, e casado, e temo que esse tenha sido o maior ressentimento do meu filho. Foi difícil para ele na escola. As pessoas eram diferentes em relação a essas questões na época.
— Quando foi a última vez que teve contato com ele? Com seu filho, quero dizer.
— Foi em... 1987. O ano em que ele se casou. Descobri depois que o casamento já havia acontecido e escrevi uma carta dizendo que tinha ficado magoada por ele não ter me convidado. Frank me disse sem rodeios que havia muito tempo eu abrira mão de qualquer direito de ser incluída em qualquer coisa que dissesse respeito à vida dele.

Ficamos sentadas em silêncio por um instante. O rosto dela estava absolutamente imóvel e era impossível saber o que estava pensando, ou mesmo se estava simplesmente concentrada na televisão. Eu não sabia o que dizer a Margot. Não conseguia encontrar palavras que servissem de consolo para uma mágoa tão grande. Mas então ela se virou para mim.

— E foi isso. Minha mãe morreu uns dois anos depois e ela era meu último ponto de contato com ele. Às vezes me pego imaginando como ele está... se está vivo até, se teve filhos. Escrevi para ele por algum tempo. Mas com o passar dos anos, acho que acabei me conformando com a situação. Ele estava certo, é claro. Eu realmente não tinha qualquer direito no que lhe dizia respeito, ou a nada relacionado à vida dele.

— Mas ele é seu filho — sussurrei.
— É, mas eu nunca me comportei como mãe, não é mesmo?

Ela deixou escapar um suspiro trêmulo.
— Tive uma vida muito boa, Louisa. Amava meu trabalho e trabalhei com algumas pessoas maravilhosas. Viajei para Paris, Milão, Berlim, Londres, fiz muito mais do que a maior parte das mulheres da minha idade... Tinha meu lindo apartamento e alguns amigos excelentes. Não se preocupe comigo. Toda essa bobagem sobre as mulheres poderem ter tudo... Nunca pudemos e provavelmente nunca teremos. As mulheres sempre têm que fazer as escolhas mais difíceis. Mas há um grande consolo em simplesmente fazer algo que se ama.

Ficamos sentadas em silêncio, digerindo aquilo. Então, ela apoiou as mãos espalmadas nos joelhos.
— Aliás, menina querida, você me ajudaria a chegar até o meu banheiro? Estou bem cansada, e acho que vou para a cama.

* * *

Naquela noite, fiquei acordada na cama, pensando no que Margot me contara. Pensei em Agnes e no fato de que aquelas duas mulheres, que moravam a poucos metros uma da outra e viviam envoltas em uma tristeza muito específica, poderiam ter sido, em outro mundo, um conforto uma para a outra. Pensei que parecia haver um preço muito alto para qualquer coisa que uma mulher escolhesse fazer com a própria vida, a menos que se contentasse em querer pouco. Mas eu já sabia disso, não é mesmo? A ida para Nova York me custara caro. Com frequência, de madrugada, eu evocava a voz de Will me dizendo para não ser ridícula e melancólica, para em vez disso pensar em todas as coisas que eu tinha conquistado. Fiquei deitada na escuridão, contando minhas conquistas nos dedos. Eu tinha um lar — ao menos por enquanto. Tinha um emprego remunerado. Ainda estava em Nova York, e entre amigos. Vivia um novo relacionamento, mesmo que às vezes me perguntasse como havia chegado a ele. Poderia realmente dizer que teria feito alguma coisa diferente?

Mas era na senhora no quarto ao lado que eu estava pensando quando finalmente dormi.

Havia quatorze troféus na prateleira de Josh, quatro deles do tamanho da minha cabeça, para futebol americano, beisebol, atletismo e um troféu júnior por um concurso de soletração. Eu já tinha estado ali, mas só agora, sóbria e sem pressa, tive uma noção do que estava ao meu redor e do tamanho das conquistas dele. Vi fotos de Josh usando uniformes esportivos, tiradas no momento de seus triunfos, os braços passados ao redor dos colegas de equipe, aqueles dentes perfeitos em um sorriso perfeito. Pensei em Patrick e na enorme quantidade de diplomas na parede do apartamento dele, e divaguei sobre a necessidade masculina de exibir suas conquistas, como um pavão abrindo permanentemente a cauda.

Quando Josh desligou o telefone, me sobressaltei.

— Eu estava só pedindo comida. Sinto muito, mas com tudo o que está acontecendo no trabalho não tenho tido tempo para mais nada. Mas é a melhor comida coreana ao sul de Koreatown.

— Não tem problema — falei.

Eu não tinha experiência com comida coreana para servir de referência. Estava apenas aproveitando a chance de vê-lo. Quando vim caminhando para pegar o metrô na direção sul, eu me deleitara com a novidade de estar a caminho de downtown sem ter que lutar contra ventos siberianos, ou contra a neve fofa, ou ainda contra a chuva gelada e torrencial.

E o apartamento de Josh não era exatamente a toca do coelho que ele descrevera, a menos que o coelho houvesse resolvido se mudar para um loft reformado, em uma área que aparentemente abrigara estúdios de artistas, mas que agora oferecia espaço para quatro versões diferentes de lojas de Marc Jacobs, distribuídas entre joalherias artesanais, cafeterias finas e lojas caras com seguranças na porta. O loft tinha as paredes caiadas e piso de carvalho, com uma mesa de mármore moderna e um sofá de couro surrado. A distribuição dos poucos enfeites cuidadosamente escolhidos e dos móveis sugeria que tudo fora pensado com atenção, garimpado e adquirido talvez com a ajuda dos serviços de um decorador.

Ele tinha comprado flores para mim, uma deliciosa combinação de jacintos e frésias.

— Por que as flores? — perguntei.

Ele deu de ombros enquanto me fazia entrar.

— Dei de cara com elas no caminho do trabalho para casa e achei que você ia gostar.

— Uau. Obrigada.

Inspirei profundamente o aroma do buquê.

— Isso é a coisa mais legal que me aconteceu em muito tempo.

— As flores? Ou eu?

Ele ergueu uma sobrancelha.

— Ora, acho que você é *razoavelmente* legal. — A expressão dele era de pura decepção. — Você é incrível. E amei as flores.

Ele deu um sorriso enorme e me beijou.

— Ora, você é a coisa mais legal que me aconteceu em muito tempo — disse ele, baixinho, quando se afastou. — Tenho a sensação de ter esperado muito tempo por você, Louisa.

— Só nos conhecemos desde outubro.

— Ah. Mas vivemos em uma época de gratificação instantânea. E estamos na cidade em que tudo o que se quer se consegue ontem.

Havia um estranho poder em ser desejada da maneira com que Josh parecia me desejar. Eu não sabia bem o que fizera para merecer aquilo. Tive vontade de perguntar o que ele via em mim, mas desconfiei que pareceria estranhamente carente dizer isso em voz alta, então tentei descobrir de outras formas.

— Conte sobre as outras mulheres que você já namorou — pedi, do sofá, enquanto ele estava na pequena cozinha anexa, pegando pratos, talheres e copos. — Como elas eram?

— Deixando de lado os *matches* do Tinder? Inteligentes, bonitas, normalmente bem-sucedidas...

Josh subiu numa banqueta para resgatar um vidro de molho de peixe na parte de trás de um armário da cozinha.

— Mas, honestamente? Meio narcisistas — continuou ele. — Como se não pudessem ser vistas sem a maquiagem perfeita, ou como se fossem ter um colapso se o cabelo não estivesse do jeito certo, e tudo tinha que estar registrado no Instagram, ou fotografado, ou descrito nas redes sociais sob a luz mais favorável. Incluindo os encontros comigo. Como se nunca pudessem baixar a guarda.

Ele se levantou. Segurando alguns vidros.

— Quer molho picante? Ou shoyu? Eu namorei uma garota que costumava checar a que horas eu me levantava todo dia e colocava o alarme dela para meia hora antes, assim teria tempo de arrumar o cabelo e se maquiar. Ou seja, eu sempre a veria com a aparência perfeita. Mesmo se para isso ela tivesse que se levantar, tipo, às quatro e meia da manhã.

— Muito bem. Já vou avisando que eu não sou essa garota.

— Sei disso, Louisa. Já coloquei você para dormir.

Tirei os sapatos e dobrei as pernas embaixo do corpo.

— Imagino que seja meio lisonjeiro elas se esforçarem tanto.

— Sim. Mas também pode ser um pouco exaustivo. E parece que a gente nunca consegue... nunca consegue saber o que está realmente por baixo de todo esse esforço. Com você, tenho que admitir, está tudo à mostra. Você é quem você é.

— Devo assumir isso como um elogio?

— Claro. Você se parece com as garotas com quem eu cresci. É sincera.

— Os Gopnik não pensam assim.

— Que se danem.

Ele usou um tom hostil ao qual eu não estava habituada.

— Sabe, tenho pensado nisso. Você pode provar que não fez o que eles disseram que fez... certo? Portanto, deveria processá-los por demissão sem justa causa, comprometimento a sua reputação, por terem ferido seus sentimentos e...

Balancei a cabeça.

— Estou falando sério — continuou ele. — Gopnik tem a reputação de ser um cara bom e decente à moda antiga nos negócios, e está sempre fazendo coisas para caridade, mas demitiu você por *nada*, Louisa. Você perdeu seu emprego e o lugar onde morava sem qualquer aviso ou compensação.

— Ele achou que eu estava roubando.

— Sim, mas Gopnik deve ter se dado conta de que não estava cem por cento certo o que ele estava fazendo, ou teria chamado a polícia. Sendo ele quem é, posso apostar que algum advogado aceitaria defendê-la cobrando os honorários apenas se a causa for ganha.

— Sinceramente, estou bem. Processar não é o meu estilo.

— É, eu sei. Você é legal demais. Está sendo muito *inglesa* a esse respeito.

A campainha tocou. Josh ergueu um dedo, como se para me dizer que continuaríamos aquela conversa mais tarde. Ele desapareceu no corredor estreito e o ouvi pagando ao entregador enquanto eu terminava de arrumar a mesinha para comermos.

— E sabe de uma coisa? — disse Josh, levando a comida para a cozinha. — Mesmo se você não tivesse provas, aposto que Gopnik pagaria uma bela quantia só para evitar que a coisa toda chegasse aos jornais. Pense no que isso representaria para você. Pelo amor de Deus, há duas semanas você estava dormindo no chão de alguém.

(Eu não contara a ele que havia dividido a cama com Nathan.)

— Isso poderia garantir dinheiro suficiente para um depósito decente para alugar um apartamento. Se conseguir um advogado realmente bom, poderia até comprar um apartamento! Sabe quanto dinheiro o Gopnik tem? O cara é *reconhecidamente* rico. Em uma cidade de pessoas muito ricas.

— Josh, sei que sua intenção é boa, mas eu só quero esquecer isso.

— Louisa, você...

— *Não.*

Apoiei as mãos na mesa.

— Eu não vou processar ninguém.

Ele esperou um minuto, talvez frustrado com a própria inabilidade para me pressionar mais, então deu de ombros e sorriu.

— Está certo... Bem, hora do jantar! Você não tem alergia a nenhum alimento específico, tem? Experimenta um pouco do frango. Aqui... você gosta de berinjela? Eles fazem esse prato de berinjela apimentada que é simplesmente o melhor.

Dormi com Josh naquela noite. Não estava bêbada, nem vulnerável, nem ofegante de desejo por ele. Acho que só queria que a minha vida parecesse normal de novo. E havíamos comido, bebido, conversado e rido até tarde da noite. Então, ele fechara as cortinas, diminuíra as luzes, e o que se seguiu pareceu uma progressão natural da noite, ou pelo menos eu não consegui pensar em qualquer razão para que não fosse daquele jeito. Josh era muito lindo. Tinha uma pele imaculada e malares que realmente chamavam atenção. Seu cabelo era sedoso, castanho com alguns mínimos toques de dourado, mesmo depois do longo inverno. Nos beijamos no sofá, primeiro delicadamente e então o ardor foi se intensificando. Ele tirou a blusa, eu tirei a minha e me forcei a me concentrar naquele homem lindo e atencioso, naquele príncipe de Nova York, e não em todas as coisas aleatórias em que minha mente tendia a se perder. Fui sentindo meu desejo crescer como um amigo distante que viera me tranquilizar, até eu ser capaz de bloquear qualquer coisa que não fossem as sensações do corpo dele contra o meu e, então, algum tempo depois, dele dentro de mim.

Quando tudo acabou, ele me beijou com ternura e me perguntou se eu estava feliz, então, murmurou que precisava dormir um pouco. Fiquei deitada ao seu lado, e tentei ignorar as lágrimas que inexplicavelmente escorriam do canto dos meus olhos para os meus ouvidos.

O que Will me dissera? Você precisa aproveitar o dia. Precisa abraçar as oportunidades quando elas aparecem. Tem que ser o tipo de pessoa que diz sim. Se eu tivesse dispensado Josh, não teria me arrependido para sempre?

Eu me virei silenciosamente naquela cama desconhecida e examinei o perfil dele enquanto dormia, o nariz reto perfeito e a boca que parecia a de Will. Pensei em todos os motivos pelos quais Will o teria aprovado. Conseguia até mesmo imaginá-los juntos, rindo, competindo para ver quem contava a melhor piada. Os dois poderiam até ter sido amigos. Ou inimigos. Eram quase parecidos demais.

Talvez eu estivesse destinada a ficar com esse homem, pensei, ainda que por um caminho tortuoso e perturbador. Talvez esse homem ao meu lado fosse Will, de volta para mim. E com esse pensamento, fechei os olhos e caí em um sono breve e inquieto.

24

Para: KatClark1@yahoo.com
De: AbelhaAtarefada@gmail.com

Cara Treen,
Sei que você acha que é cedo demais. Mas o que Will me ensinou? Só vivemos uma vez, certo? Você está feliz com Eddie? Então por que não posso ser feliz? Vai entender quando conhecê-lo, eu prometo.

Para você ver que tipo de homem o Josh é: ontem, ele me levou à melhor livraria do Brooklyn e comprou um monte de livros que achou que eu podia gostar. Depois, me levou para almoçar em um restaurante mexicano elegante na 46 East e me fez experimentar tacos de peixe — não faça careta, estavam absolutamente deliciosos. Depois, ele me disse que queria me mostrar uma coisa (não, não era isso). Caminhamos até o Grand Central Terminal, cheio como sempre, e eu estava pensando "Tudo bem, é meio esquisito... vamos viajar?", então, ele me disse para ficar parada com a cabeça encostada a uma diagonal do arco que fica bem ao lado do Oyster Bar. Eu ri. Achei que estava brincando. Mas Josh insistiu, me disse para confiar nele.

Assim, lá estava eu, parada, com a cabeça na diagonal do enorme arco de mármore, com todas aquelas pessoas indo e vindo ao meu redor, tentando não me sentir uma completa idiota, e quando olho na direção de Josh, vejo que ele está se afastando de onde estou. Mas logo para diagonalmente a mim, talvez a uns quinze metros de distância, cola o próprio rosto em outra diagonal do arco e, de repente, acima de todo o barulho, do caos e do chacoalhar dos trens, escuto — murmurado em meu ouvido, como se Josh estivesse bem ao meu lado — "Louisa Clark, você é a garota mais fofa de toda Nova York".

Treen, parecia bruxaria. Ergui os olhos, ele se virou e sorriu. Eu não faço ideia de como fez aquilo, mas Josh atravessou novamente até onde eu estava, me tomou nos braços e me beijou na frente de todo mundo. Alguém assoviou para nós e sinceramente foi a coisa mais romântica que já aconteceu comigo.

Então, sim, estou seguindo em frente. E Josh é incrível. Seria muito legal se você pudesse ficar feliz por mim.

Dê um beijo grande em Thom.

Bjs,

L

As semanas passaram e Nova York, como a maioria das coisas, mergulhou de cabeça na primavera, a milhões de quilômetros por hora, com pouca sutileza e muito barulho. O trânsito ficou mais pesado, as ruas, mais cheias de gente, e a cada dia a área ao redor do nosso quarteirão se tornava uma cacofonia de barulho e agitação que pouco diminuía até altas horas. Parei de usar chapéu e luvas nos protestos da biblioteca. O casaquinho acolchoado de Dean Martin foi lavado e guardado no armário. O parque ficou verde. Ninguém sugeriu que eu me mudasse.

Margot, em vez de me pagar qualquer tipo de salário de ajudante, me enchia com tantas roupas que tive que parar de admirar as peças na sua frente, porque fiquei com medo de que ela se sentisse obrigada a me dar mais. Ao longo das semanas, percebi que Margot podia até compartilhar o mesmo endereço que os Gopnik, mas os pontos comuns entre eles terminavam aí. Ela sobrevivia, como diria a minha mãe, com um orçamento apertado.

— Entre as despesas médicas e o pagamento do condomínio, não sei onde acham que vou conseguir dinheiro para me alimentar — comentou ela, quando entreguei outra carta escrita à mão, mandada pela administradora do prédio.

No envelope, lia-se "ABRA — MEDIDAS JUDICIAIS IMINENTES". Margot torceu o nariz e colocou a carta com todo o cuidado sobre uma pilha na mesa lateral, onde permaneceria pelas próximas semanas, a menos que eu a abrisse.

Margot resmungava com frequência a respeito do valor das taxas de condomínio, que totalizavam milhares de dólares por mês, e parecia ter chegado a um ponto em que decidira ignorar o pagamento, porque não havia mais nada que pudesse fazer.

Um dia ela me disse que havia herdado o apartamento do avô, que fora uma espécie de aventureiro do seu tempo, a única pessoa em toda a família dela que não acreditava que uma mulher deveria restringir seus objetivos a marido e filhos.

— Meu pai ficou furioso por ter sido posto de lado e não falou comigo por anos. Minha mãe tentou intermediar um acordo, mas na época havia as... outras questões.

Ela suspirou.

Margot fazia compras em uma loja de conveniência próxima, um supermercado minúsculo que praticava preços para turistas, porque era um dos poucos lugares até onde ela conseguia caminhar. Pus um fim nisso e, duas vezes por semana, eu ia até um supermercado Fairway na 86 East onde comprava o básico por cerca de um terço do que ela vinha gastando até então.

Se eu não cozinhasse, ela não comia quase nada saudável, mas comprava bons cortes de carne para Dean Martin, ou o mimava com peixe branco no leite "porque é bom para a digestão dele".

Acho que Margot havia se acostumado a minha companhia. Além disso, ela estava tão frágil que nós duas sabíamos que não conseguiria mais se virar sozinha. Eu me perguntava quanto tempo alguém da idade dela levava para se recuperar do choque de uma cirurgia. Também me perguntava o que ela teria feito se eu não estivesse lá.

— O que você vai fazer? — perguntei, indicando a pilha de contas.

— Ah, vou ignorá-las.

Ela acenou com a mão, descartando o assunto.

— Vou sair desse apartamento dentro de uma caixa. Não tenho para onde ir, nem ninguém para quem deixar esse lugar, e aquele bandido do Ovitz sabe disso. Acho que ele está apenas esperando pacientemente até eu morrer. Aí ele vai reivindicar a posse do apartamento sob a cláusula do não pagamento do condomínio e fazer uma fortuna vendendo o imóvel para algum executivo da internet, ou para algum CEO horrível, como aquele tonto do outro lado do corredor.

— Será que posso ajudar? Tenho algumas economias do tempo que passei com os Gopnik. Não sei, talvez só para você conseguir pagar as contas de alguns meses. Você tem sido tão boa para mim.

Ela assoviou.

— Menina querida. Você não conseguiria pagar o condomínio do meu banheiro de hóspedes.

Por alguma razão, isso a fez rir com tanto gosto que ela tossiu até ter que se sentar. Mas dei uma olhada na carta depois que Margot foi se deitar. As "multas por atraso de pagamento," as "violações diretas aos termos do contrato" e a "ameaça de despejo" me fizeram pensar que o Sr. Ovitz talvez não seria tão caridoso — ou tão paciente — quanto ela pensava.

* * *

Eu ainda caminhava com Dean Martin quatro vezes por dia e, durante esses passeios até o parque, tentava pensar no que poderia ser feito por Margot. A possibilidade de ela ser despejada era terrível. Com certeza a administradora do prédio não faria uma coisa dessas com uma idosa convalescente. Com certeza os outros moradores se oporiam. Então me lembrei da rapidez com que o Sr. Gopnik me despejara, e de como os moradores de cada apartamento do prédio eram isolados uns dos outros. Eu não tinha certeza de que eles ao menos perceberiam se Margot fosse despejada.

Estava parada na Sexta Avenida dando uma olhada na liquidação de uma loja de lingeries quando tive a ideia. As garotas da loja talvez não tivessem nada Chanel ou Yves St Laurent à venda, mas venderiam se conseguissem pôr as mãos em alguma peça desses estilistas — ou saberiam de algum outro lugar que pudesse vender. Margot tinha incontáveis etiquetas de estilistas famosos em sua coleção, coisas pelas quais eu tinha certeza de que colecionadores pagariam um bom dinheiro. Ela tinha algumas bolsas que, sozinhas, deveriam valer milhares de dólares.

Levei Margot para encontrar as meninas com a desculpa de sairmos um pouco. Disse a ela que o dia estava lindo e que deveríamos ir um pouco mais longe do que costumávamos, para que o ar puro a deixasse mais forte. Margot me falou para deixar de ser ridícula, que ninguém respirava ar puro em Manhattan desde 1937, mas entrou no táxi sem reclamar muito e, com Dean Martin acomodado no colo dela, seguimos até o East Village, onde ela franziu o cenho ao ver a fachada de concreto da loja, como se alguém houvesse lhe pedido para entrar em um matadouro por diversão.

— O que você *fez* com seus braços?

Margot parou no caixa e examinou a pele de Lydia, que estava usando uma blusa verde-esmeralda de mangas bufantes, deixando à mostra as tatuagens de carpas japonesas que tinha no braço, uma laranja, uma cor de jade e outra azul.

— Ah, minhas tatuagens. Gostou delas?

Lydia passou o cigarro para a outra mão e levantou o braço na direção da luz.

— Só se eu quisesse parecer um marinheiro.

Guiei Margot para uma parte diferente da loja.

— Aqui, Margot. Veja, elas separam as peças por setores. Se você tem roupas dos anos sessenta, elas ficam aqui, e lá estão as dos anos cinquenta. É um pouco como o seu apartamento.

— Não se parece nada com o meu apartamento.

— Só quis dizer que elas trabalham com roupas como as suas. É um negócio muito bem-sucedido atualmente.

Margot puxou a manga de uma blusa de náilon, então espiou a etiqueta por cima da armação dos óculos.

— Amy Armistead é péssima. Nunca suportei aquela mulher. Nem a Les Grandes Folies. Os botões sempre caem. Linha de má qualidade.

— Há alguns vestidos realmente especiais ali atrás, protegidos por plástico.

Fui até a seção de vestidos de gala, onde estavam expostas as melhores peças femininas. Peguei um vestido turquesa, da Saks Fifth Avenue, enfeitado com lantejoulas e contas na bainha e nos punhos, e encostei-o no corpo, sorrindo.

Margot examinou o vestido, então virou a etiqueta de preço. E fez uma careta ao ver o valor.

— Quem pagaria isso?

— As pessoas amam boas roupas — disse Lydia, que havia aparecido atrás de nós.

Ela mastigava ruidosamente um chiclete e vi os olhos de Margot estremecerem um pouco cada vez que os maxilares de Lydia se encontravam.

— Há mesmo mercado para elas?

— Um bom mercado — afirmei. — Especialmente para peças em condições imaculadas como as suas. Todas as roupas de Margot são protegidas por plásticos, no ar-condicionado. Ela tem peças até dos anos quarenta.

— Essas não são minhas. São da minha mãe — disse Margot, em um tom sério.

— É mesmo? O que a senhora tem? — perguntou Lydia, examinando de alto a baixo o casaco que Margot usava, sem a menor discrição.

Era um Jaeger de lã, em comprimento três-quartos, junto com um chapéu de pele negro, no formato de um grande bolo Rainha Vitória. Embora o clima estivesse quase ameno, ela ainda parecia sentir frio.

— O que eu tenho? Nada que eu queira mandar para cá, obrigada.

— Mas, Margot, você tem algumas roupas ótimas... Chanel e Givenchy que já não lhe servem. E você tem echarpes, bolsas... poderia vendê-las para revendedores especializados. Até para casas de leilão.

— Chanel vale muito dinheiro — comentou Lydia, pensativa. — Principalmente as bolsas. Se não estiver muito surrada, uma Chanel com aba dupla em bom estado, em couro caviar, pode chegar de dois mil e quinhentos dólares a quatro mil. Uma nova não vai lhe custar muito mais, entende o que estou dizendo? Se for de couro de cobra, então, nossa, o céu é limite.

— Você tem mais de uma bolsa Chanel, Margot — lembrei.

Ela prendeu a bolsa Hermès de couro de crocodilo com mais força embaixo do braço.

— Tem outras como essa? Podemos vendê-la para a senhora. Temos uma lista de espera para coisas boas. Há uma senhora em Asbury Park que pagará cinco mil dólares por uma Hermès decente.

Lydia estendeu a mão para correr o dedo pela lateral da bolsa de Margot, que se afastou como se estivesse sendo assaltada.

— Não são coisas — disse ela. — Não tenho "coisas".

— Só acho que vale a pena considerar a ideia. Parece haver uma boa quantidade de peças que você já não usa. Poderia vendê-las, pagar o condomínio, e então poderia, sabe como é, relaxar.

— Estou relaxada — retrucou ela, irritada. — E agradeço se você não discutir minhas questões financeiras em público, como se eu nem estivesse presente. Ah, não gosto desse lugar. Cheira a gente velha. Vamos, Dean Martin. Preciso de um pouco de ar puro.

Eu a segui para fora da loja, murmurando um pedido de desculpas silencioso para Lydia, que deu de ombros, despreocupada. Eu desconfiava que mesmo a mais remota possibilidade de ter acesso ao guarda-roupa de Margot havia suavizado a sua tendência natural a ser combativa.

Pegamos um táxi de volta para casa em silêncio. Estava aborrecida comigo mesma pela minha falta de diplomacia e, ao mesmo tempo, irritada com Margot por sua rejeição imediata ao que eu considerava um plano muito sensato. Ela se recusou a olhar para mim durante todo o caminho até em casa. Fiquei sentada ao seu lado, Dean Martin arfando entre nós, e ensaiei argumentos na minha cabeça até o silêncio se tornar enervante. Olhando de esguelha, deparei com uma idosa que acabara de sair do hospital. Eu não tinha o direito de pressioná-la a fazer nada.

— Não tive a intenção de aborrecê-la, Margot — falei, enquanto a ajudava a descer do carro, diante do prédio. — Só achei que talvez pudesse ser um caminho. Você sabe, com as dívidas e tudo o mais. Só não quero que você perca a sua casa.

Margot endireitou o corpo e ajustou o chapéu de pele com a mão frágil. A voz com que falou era queixosa, quase chorosa, e percebi que ela também estivera ensaiando uma conversa na cabeça por todos os cerca de cinquenta quarteirões pelos quais passamos.

— Você não compreende, Louisa. Aquelas são as minhas *coisas*, meus bebês. Para você, podem ser roupas velhas, ativos financeiros em potencial, mas para mim são *preciosas*. São a minha história, os restos lindos e amados da minha vida.

— Desculpe.

— Eu não as mandaria para aquela loja suja de segunda mão mesmo se estivesse *de joelhos*. E a possibilidade de ver uma completa estranha andando na minha direção na rua com uma roupa que eu amei?! Eu me sentiria miserável. Não. Sei que você estava tentando ajudar, mas não.

Ela se virou, afastou a minha mão esticada e preferiu esperar que Ashok a ajudasse a chegar ao elevador.

Apesar de nossos ocasionais desentendimentos, Margot e eu passamos a primavera bem contentes. Em abril, como prometido, Lily veio para Nova York, acompanhada pela Sra. Traynor. Elas ficaram no Ritz Carlton, a poucas quadras de distância, e convidaram Margot e eu para almoçar. Vê-las ali, juntas, me deu a sensação de ver partes diferentes da minha vida sendo silenciosamente costuradas uma à outra.

A Sra. Traynor, com suas boas maneiras de diplomata, ficou encantada com Margot, e elas encontraram um gosto em comum ao conversarem sobre a história do prédio e sobre Nova York de um modo geral. Durante o almoço, conheci outra Margot: de raciocínio rápido, articulada, renovada pela nova companhia. A Sra. Traynor, como descobrimos durante o almoço, passara a lua de mel em Nova York, em 1978, e elas conversaram sobre restaurantes, galerias e exibições de arte que ocorreram na época. A Sra. Traynor contou sobre seu tempo como magistrada, e Margot discutiu as políticas de Estado dos anos setenta. As duas riram com gosto, de um modo que sugeria que nós, mais jovens, jamais conseguiríamos compreender. Comemos saladas e uma pequena porção de peixe envolvido em *prosciutto*. Percebi que Margot provou apenas uma minúscula porção de cada prato, deixando o resto de lado, e silenciosamente perdi a esperança de vê-la voltar a preencher as roupas que usava.

Nesse meio-tempo, Lily se inclinou na minha direção e me perguntou aonde poderia ir que não envolvesse gente velha ou qualquer tipo de aprimoramento cultural.

— Vovó encheu esses quatro dias inteiros com bobagens educativas. Tive que ir ao Museu de Arte Moderna e a jardins botânicos de todos os tipos, o que é ótimo, e blá-blá-blá se você gosta dessas coisas todas, mas quero muito ir a alguma boate, me acabar, fazer compras. Pelo amor de Deus, estou em Nova York!

— Já falei com a Sra. Traynor. E vou sair com você amanhã, enquanto ela visita uma prima.

— Jura? Graças a Deus. Eu te contei que vou mochilar no Vietnã nas férias mais longas? Quero comprar alguns shorts decentes. Alguma coisa que eu possa usar por semanas sem me preocupar em lavar. E talvez uma jaqueta usada de motociclista. Boa e surrada.

— Quem vai com você? Alguma amiga?

Ergui uma sobrancelha.
— Você está parecendo a vovó.
— E?
— Meu namorado.
Ao me ver boquiaberta, ela acrescentou:
— Mas não quero contar nada sobre ele.
— Por quê? Estou tão feliz por você estar namorando. É uma ótima notícia. — Abaixei a voz. — Você sabe que a última pessoa misteriosa assim foi a minha irmã. E ela basicamente estava escondendo o fato de que estava saindo do armário.
— Eca! Não estou saindo do armário. Não quero tentar abrir caminho na vagina de ninguém.
Tentei não rir.
— Lily, não precisa ser tão reservada. Todos nós só queremos que você seja feliz. Não tem nada de mais as pessoas saberem sobre os seus assuntos.
— A vovó sabe sobre os meus assuntos, como você diz.
— Então por que não me conta? Achei que nós duas poderíamos contar qualquer coisa uma à outra!
A expressão de Lily agora era de quem tinha sido encurralada. Ela suspirou de um jeito teatral e apoiou a faca e o garfo. Então, me olhou como se estivesse preparada para brigar.
— Porque é o Jake.
— Jake?
— O Jake do Sam.
O movimento do restaurante pareceu ficar suspenso ao meu redor. Forcei um sorriso.
— Muito bem!... Uau!
Ela fechou a cara.
— Eu sabia que você reagiria assim. Escute, simplesmente aconteceu. E não ficamos falando sobre você o tempo todo, nem nada parecido. Só esbarrei nele umas duas vezes... você sabe, nós nos conhecemos naquele negócio de Seguindo em Frente para aquele grupo horroroso de terapia de luto e nos demos bem, gostamos um do outro, entendeu? A gente meio que compreendeu a situação um do outro e vamos mochilar juntos no verão, só isso. Nada de mais.
Eu estava zonza.
— A Sra. Traynor o conheceu?
— Sim. Ele foi lá em casa e eu fui à dele.
Ela pareceu quase na defensiva.
— Então você vê muito...

— O pai dele. Quer dizer, vejo o Sam da ambulância, sim, mas na maior parte das vezes vejo o pai do Jake. Que é legal, mas ainda está bem deprimido e come cerca de uma tonelada de bolo por semana, o que está estressando muito Jake. Em parte, é por isso que ele quer dar um tempo de tudo. Só por umas seis semanas mais ou menos.

Ela continuou falando, mas um zumbido que começara no fundo da minha mente não me deixava registrar o que estava dizendo. Eu não queria saber de Sam, nem indiretamente. Não queria saber de pessoas que eu amava brincando de Família Feliz sem mim, enquanto eu estava a milhares de quilômetros. Não queria saber da felicidade de Sam ou de Katie com sua boca sexy, ou de como eles com certeza estavam morando juntos na casa dele, em um recém-construído ninho de paixão e de uniformes iguais entrelaçados.

— Então, como vai seu namorado novo? — perguntou Lily.

— Josh? Josh! Ele é incrível. Simplesmente incrível.

Deixei a faca e o garfo com cuidado ao lado do prato.

— Um sonho.

— Então, o que está acontecendo? Preciso ver fotos de você com ele. É muito irritante que você não poste nenhuma foto no Facebook. Não tem retratos dele no seu celular?

— Não — respondi.

E torci o nariz, como se aquela fosse uma resposta totalmente inadequada.

Eu não estava dizendo a verdade. Tinha uma foto de nós dois em um restaurante pop-up no terraço, tirada na semana anterior. Mas eu não queria que Lily soubesse que Josh era a cara do pai dela. Isso a desestabilizaria, ou pior, vê-la comentar a semelhança *me* desestabilizaria.

— Então, quando vamos embora dessa sala de espera de funeral? Com certeza podemos deixar as velhas terminando o almoço sozinhas. — Lily me cutucou. As duas mulheres ainda estavam conversando. — Eu contei que venho perturbando imensamente o vovô falando do namorado imaginário maravilhoso da vovó? Disse a ele que os dois iam passar férias nas Maldivas e que a vovó tinha ido na Rigby and Peller para comprar um estoque de lingerie nova. Juro que ele está prestes a entregar os pontos e declarar que ainda ama a vovó. Estou quase *morrendo* de rir.

Por mais que eu adorasse Lily, fiquei grata pelo fato de a agenda de aprimoramento cultural da Sra. Traynor ser bem cheia. Por causa dela, ao longo dos dias que se seguiram, a não ser pela nossa saída para compras, tivemos pouco tempo juntas. A presença de Lily na cidade — com seu conhecimento íntimo sobre a vida de Sam — havia criado uma vibração no ar que eu não sabia como dissipar.

Também me sentia grata por Josh estar cheio de trabalho e nem sequer perceber se eu estava abatida ou distraída. Mas Margot percebeu, e certa noite, quando seu amado *Roda da Fortuna* havia terminado e eu estava me levantando para levar Dean Martin para seu último passeio do dia, ela me perguntou diretamente qual era o problema.

Contei a ela. Não consegui pensar em qualquer razão para não contar.

— Você ainda ama o outro — declarou Margot.

— Você parece a minha irmã falando — retruquei. — Não amo. É só... é só que o amei muito quando o amava. E o fim foi tão horrível que achei que estar aqui, levando uma vida diferente, me resguardaria disso. Não uso mais mídias sociais. Não quero saber o que ninguém está fazendo. E ainda assim, de algum modo, informações sobre o seu ex sempre acabam dando um jeito de encontrar você. E é como se eu não conseguisse me concentrar enquanto Lily está aqui, porque agora ela faz parte da vida dele.

— Talvez você devesse simplesmente entrar em contato com ele, meu bem. Parece que ainda tem coisas a dizer.

— Não tenho nada a dizer a Sam — falei. Meu tom ficou mais inflamado. — Eu tentei tanto, Margot. Escrevi para ele, mandei e-mails, liguei. Acredita que ele não me escreveu nem uma carta? Em três meses? Pedi para ele escrever, porque achei que seria um modo bonitinho de mantermos contato, e poderíamos aprender coisas um sobre o outro e esperar ansiosos para nos falarmos. Também teríamos algo para nos lembrar do tempo que passamos separados. Mas ele simplesmente... não escreveu.

Margot ficou sentada, me observando, as mãos envolvendo o controle remoto.

Endireitei os ombros.

— Mas está tudo bem. Porque virei a página. E Josh é simplesmente maravilhoso. Quer dizer, ele é lindo, é gentil, tem aquele emprego incrível, é ambicioso... nossa, ele é *tão* ambicioso. É um cara que vai longe, sabe? E deseja coisas... casas, carreira e fazer a parte dele para retribuir o que consegue. Ele quer retribuir! E ainda nem conseguiu tanta coisa assim para retribuir! — Eu me sentei. Dean Martin ficou parado na minha frente, confuso. — E Josh deixa bem claro que quer ficar comigo. Não tem "se" ou "mas". Ele literalmente me chamou de namorada no primeiro encontro. E já ouvi falar que os caras nessa cidade só querem encontros de uma noite. Tem ideia de como isso me faz sentir sortuda?

Margot assentiu ligeiramente com a cabeça.

Voltei a me levantar.

— Então, para ser sincera, eu não dou a mínima para Sam. Quer dizer, nós mal nos conhecíamos quando vim para cá. Desconfio que se não fosse pelo fato de nós dois termos precisado de atendimento médico de urgência, talvez nem tivéssemos ficado juntos. Na verdade, tenho certeza disso. E também tenho certeza de que eu não era a pessoa certa para Sam, ou ele teria esperado, não é mesmo? Porque é isso que as pessoas fazem. Portanto, no fim das contas, está tudo ótimo. E estou mesmo muito feliz com o rumo que as coisas tomaram. Está tudo ótimo. Tudo ótimo.

Houve um breve momento de silêncio.

— Estou vendo — disse Margot, baixinho.

— Estou realmente feliz.

— Dá para perceber, meu bem. — Ela me observou por um momento, então apoiou as mãos nos braços da poltrona. — Agora, talvez você pudesse levar esse pobre cachorro para passear. Os olhos dele estão começando a saltar das órbitas.

25

Levei duas noites para localizar o neto de Margot. Josh estava ocupado com o trabalho e Margot ia para a cama às nove, na maior parte dos dias, assim, certa noite, me sentei no chão perto da porta da frente — o único lugar em que eu conseguia surrupiar o sinal de Wi-Fi dos Gopnik — e comecei a procurar o filho dela no Google. Primeiro, digitei o nome Frank De Witt e, quando nada relacionado apareceu, passei para Frank Aldridge Junior. Nenhum resultado poderia ser ele, a menos que houvesse se mudado para outra parte do país, mas, mesmo assim, as datas e nacionalidades de todos os homens que apareceram com aquele nome estavam erradas. Na segunda noite, por impulso, procurei o nome de casada de Margot em alguns documentos antigos que estavam na cômoda no meu quarto. Encontrei um cartão avisando do funeral de Terrence Weber, então tentei Frank Weber e descobri, com certa tristeza, que ela dera ao filho o sobrenome do marido querido, que morrera anos antes de o menino nascer. E que algum tempo depois, Margot voltara a usar o sobrenome de solteira — De Witt — e se reinventara completamente.

Frank Weber Junior era dentista e morava em um lugar chamado Tuckahoe, em Westchester. Encontrei duas referências a ele no LinkedIn e também no Facebook, através da esposa dele, Laynie. A grande novidade era que eles tinham um filho, Vincent, que era um pouco mais novo do que eu. Vincent trabalhava em Yonkers, em um centro educacional sem fins lucrativos para crianças carentes, e foi ele que me fez tomar a decisão. Frank Weber Junior talvez estivesse zangado demais com a mãe para reconstruir o relacionamento, mas que mal poderia haver em tentar com Vincent? Encontrei o perfil dele, respirei fundo, mandei uma mensagem e aguardei.

Josh teve uma folga de sua interminável roda-viva de trabalho e almoçou comigo no bar de noodles, para anunciar que haveria um "dia da família" na empresa dele no sábado seguinte, e que ele gostaria que eu o acompanhasse.

— Eu estava planejando ir ao protesto na biblioteca.

— Você não quer continuar fazendo isso, Louisa. Não vai adiantar nada ficar lá parada com um monte de pessoas gritando para os carros que passam.

— E não sou exatamente da sua família — falei, um pouco irritada.

— Mas é perto disso. Vamos lá! Vai ser um dia ótimo. Você já esteve em uma casa-barco? É linda. Minha empresa realmente sabe como organizar uma festa. Você ainda está dedicada àquele seu projeto de "dizer sim", certo? Então precisa dizer sim. — Ele me lançou um olhar de cachorrinho sem dono. — Diz que sim, Louisa, por favor. Vamos.

Ele me pegara, e sabia disso.

Dei um sorriso resignado.

— Ok. Eu vou.

— Ótimo! No ano passado, ao que parece, havia macacões infláveis imitando lutadores de sumô e as pessoas lutaram na grama. Teve também corridas de família e jogos organizados. Você vai amar.

— Parece incrível — falei.

As palavras "jogos organizados" me atraíam tanto quanto "exame ginecológico". Mas era Josh, e ele ficou tão feliz com a perspectiva de eu acompanhá-lo que não tive coragem de dizer não.

— Prometo que não vai ter que lutar na grama com meus colegas de trabalho. Mas talvez tenha que lutar comigo, depois que tudo acabar — brincou.

Então me beijou e foi embora.

Chequei meu e-mail a semana toda, mas não havia nada a não ser uma mensagem de Lily, perguntando se eu conhecia algum lugar onde tatuassem menores de idade; além de um alô simpático de alguém que, pelo visto, havia estudado comigo, mas de quem eu não me lembrava de jeito nenhum; e um e-mail da minha mãe, que me mandou um GIF de um gato obeso, aparentemente conversando com uma criança de dois anos, e um link para um jogo chamado *Farm Fun Fandango*.

— Tem certeza de que vai ficar bem sozinha, Margot? — perguntei, enquanto pegava minhas chaves e as guardava na bolsa.

Eu estava usando um macacão branco com galões de lamê dourado e justo que ela me dera, do início dos anos oitenta. Margot bateu palmas.

— Ah, o macacão ficou magnífico. Você deve ter quase exatamente as mesmas medidas que eu na sua idade. Eu tinha bastante busto, sabe?! Totalmente fora de moda nos anos sessenta e setenta, mas agora é ótimo para você.

Não quis comentar que estava sendo necessário um grande esforço para que eu não arrebentasse todas as costuras, mas Margot estava certa, eu perdera alguns quilos depois que me mudara para aquela casa, principalmente por causa dos esforços para preparar comidas mais saudáveis para ela. E como me sentia muito bem com o macacão, girei para que ela apreciasse melhor.

— Já tomou seus comprimidos?

— É claro que sim. Não se preocupe, meu bem. Está querendo dizer que não vai dormir em casa?

— Não tenho certeza. Mas vou levar Dean Martin para um passeio rápido antes de sair. Só para garantir.

Parei, com a mão já estendida para a guia do cachorro.

— Margot? Por que você o batizou de Dean Martin? Nunca perguntei.

O tom da resposta dela deixou claro que fora uma pergunta idiota.

— Porque Dean Martin foi o homem mais lindo de todos, e ele é o cachorro mais lindo de todos, é claro.

O cachorrinho estava sentado obedientemente, os olhos saltados e estrábicos se revirando com a língua para fora.

— Tolice a minha perguntar — falei, e saí pela porta da frente.

— Nossa, olhe só para você!

Ashok assoviou enquanto Dean Martin e eu descíamos correndo o último lance de escadas até o térreo.

— Uma diva Disco!

— Gostou? — perguntei, fazendo um giro de dança para ele. — Era da Margot.

— É mesmo? Aquela mulher é cheia de surpresas.

— Pode ficar de olho nela? Estava bem frágil hoje.

— Deixe alguma correspondência aqui, para que eu tenha uma desculpa para bater na porta dela às seis da manhã.

— Você é maravilhoso.

Corremos até o parque e Dean Martin fez o que os cães fazem — e eu fiz o que se faz com um saquinho e certa quantidade de estremecimentos de nojo, e vários passantes olharam do modo como se olha quando uma garota em um macacão enfeitado com lamê dourado passa correndo com um cachorro animado e um saquinho com cocô. Enquanto corríamos de volta para casa, Dean Martin latindo feliz nos meus calcanhares, esbarramos com Josh no saguão do prédio.

— Ah, oi! — falei, e dei um beijo nele. — Volto em dois minutos, está bem? Só tenho que lavar as mãos e pegar a minha bolsa.

— Pegar a sua bolsa?

— Sim! — Eu o encarei. — Ah. Uma *clutch*. É assim que chamamos.

— Quero dizer... você não vai se trocar?

Olhei para o macacão.

— Já estou pronta.

— Meu amor, se você usar isso com o pessoal do escritório, eles vão achar que você é a animadora da festa.

Levei um instante para perceber que ele não estava brincando.

— Você não gostou?

— Ah. Não é isso. Você está ótima. É só que a roupa é um pouco... é meio *drag queen* demais. É um escritório cheio de caras de ternos. Tipo assim, as outras esposas e namoradas vão estar com vestidos retos ou calças brancas. Um estilo... casual chique.

— Ah. — Tentei não me sentir desapontada. — Desculpe. Realmente não entendo os códigos de vestimenta dos Estados Unidos. Está bem. Está bem. Volto logo.

Subi dois degraus de cada vez e entrei correndo no apartamento. Joguei a guia de Dean Martin para Margot, que se levantara da cadeira para fazer alguma coisa. Ela me seguiu pelo corredor, o braço fino apoiado na parede.

— Por que essa pressa toda? Você parece uma manada de elefantes adentrando o apartamento.

— Tenho que me trocar.

— Se trocar? Por quê?

— Não estou com a roupa adequada, ao que parece.

Examinei meu guarda-roupa. Vestidos retos? O único que eu tinha era um com estampa psicodélica que Sam me dera e parecia meio desleal usá-lo.

— Achei que você estava muito bem — declarou Margot, com determinação.

Josh apareceu na porta da frente; ele subira atrás de mim.

— Ah, ela está. Está fantástica. Eu só... só quero que falem dela pelos motivos certos.

Ele riu. Margot não o acompanhou.

Revirei meu guarda-roupa, jogando coisas na cama, até encontrar um blazer azul-marinho estilo Gucci, e um vestido-camiseta de seda, listrado. Passei o vestido pela cabeça e enfiei os pés em meus sapatos-boneca verdes.

— E agora? — perguntei, enquanto corria para o corredor, tentando alisar o cabelo.

— Ótimo! — disse Josh, sem esconder o alívio. — Muito bem. Vamos.

— Vou deixar a porta destrancada, meu bem.

Ouvi Margot resmungar, enquanto eu ia correndo atrás de Josh, que já saía do apartamento.

— Só para o caso de você querer voltar.

* * *

O Loeb Boathouse era um lugar lindo, protegido por sua posição do barulho e do caos fora do Central Park, as janelas amplas garantindo uma visão panorâmica do lago que cintilava sob o sol do fim de tarde. O restaurante estava cheio de homens elegantemente vestidos em calças cáqui idênticas, mulheres com o cabelo arrumado por profissionais e, como Josh previra, vestidas em um mar de tons pastel e calças brancas.

Peguei uma taça de champanhe de uma bandeja oferecida por um garçom e observei calmamente enquanto Josh percorria o lugar, trocando apertos de mão com vários homens, todos com a mesma aparência: cabelo curto e bem-cortado, maxilar quadrado, dentes brancos e certinhos. Tive uma breve lembrança de eventos a que eu acompanhara Agnes: voltara para o meu antigo mundo em Nova York, um mundo distante de lojas de roupas vintage, de macacões cheirando a naftalina e de café barato em que eu estivera imersa mais recentemente. Dei um longo gole no champanhe, decidida a aproveitar o momento.

Josh apareceu ao meu lado.

— Não é pouca coisa, hein?

— A festa está muito linda.

— Melhor do que ficar sentada no apartamento de uma velha a tarde toda, hein?

— Bem, eu não acho que...

— Meu chefe está vindo. Muito bem. Vou apresentar você. Fique comigo. Mitchell!

Josh levantou o braço e o homem mais velho se aproximou de nós devagar, ao seu lado uma morena escultural de sorriso estranhamente inexpressivo. Talvez, quando se tem que ser gentil com todo mundo o tempo inteiro, seja isso o que acaba acontecendo com o seu rosto.

— Aproveitando a tarde?

— Muito, senhor — disse Josh. — A festa está realmente linda. Posso lhe apresentar minha namorada? Louisa Clark, da Inglaterra. Louisa, esse é Mitchell Dumont. Ele é chefe de Fusões e Aquisições.

— Inglesa, é?

Senti a mão enorme do homem se fechar sobre a minha e sacudi-la com determinação.

— Sim. Eu...

— Bom. Bom.

Ele se virou novamente para Josh.

— Então, meu jovem, ouvi dizer que você está se destacando em seu departamento.

Josh não conseguiu esconder o prazer em ouvir aquilo e não conteve o sorriso. Os olhos dele encontraram os meus e se desviaram ligeiramente para a mulher ao meu lado, e percebi que ele estava esperando que eu conversasse com ela. Ninguém se dera ao trabalho de nos apresentar. Mitchell Dumont passou um braço paternal ao redor dos ombros de Josh e se afastou alguns metros com ele.

— Bem... — falei. Ergui as sobrancelhas e voltei a abaixá-las. A mulher me dirigiu seu sorriso inexpressivo. — Adorei seu vestido — comentei, usando o código de conversa universal para duas mulheres que não têm absolutamente nada a dizer uma à outra.

— Obrigada. Seus sapatos são lindinhos — disse ela em um tom que deixava claro que não eram nada lindinhos.

A mulher olhou ao redor, como se tentasse encontrar outra pessoa com quem conversar. Bastara uma olhada para a minha roupa para que ela se considerasse muito acima do meu nível salarial.

Como não havia ninguém por perto, tentei de novo.

— Então, você vem muito aqui? No Loeb Boathouse, quero dizer.

— É *Loube* — corrigiu ela.

— *Loube*?

— Você pronunciou *Lerb*. É Loeb, o nome do lugar.

Olhar os lábios dela, perfeitamente maquiados e cheios de um modo que não parecia muito natural, repetindo a palavra várias vezes me deu vontade de rir. Dei um gole no meu champanhe para disfarçar.

— Você *vir* a *Lerb Berthouse* sempre? — perguntei, sem conseguir me controlar.

— Não — respondeu ela. — Embora uma das minhas amigas tenha se casado aqui no ano passado. Foi um casamento lindo.

— Aposto que sim. E o que você faz?

— Sou dona de casa.

— Uma *dorna* de casa. Minha *mãer* também é *dorna* de casa. — Dei outro longo gole na minha bebida. — Ser *dorna* de casa é uma ocupação *encantardora*.

Olhei para Josh, para sua expressão intensamente concentrada no chefe, e me lembrei por um instante do rosto de Thom quando implorava ao meu pai para lhe passar algumas batatas fritas do seu prato.

A expressão da mulher ao meu lado se tornara ligeiramente preocupada. Ao menos até onde uma mulher incapaz de mexer a testa conseguia expressar preocupação. Uma risada começara a subir pelo meu peito e implorei a alguma divindade invisível para que a mantivesse sob controle.

— Maya!

Com uma voz que não escondia o alívio, a Sra. Dumont (ao menos presumi que fosse com ela que eu vinha conversando) acenou para uma mulher que se aproximava de nós, o corpo perfeito exibindo elegantemente um vestido reto cor de menta. Esperei enquanto as duas trocavam beijinhos no ar.

— Você está simplesmente maravilhosa.

— Você também. Adoro esse vestido.

— Ah, é tão velho. Você é um amor. E como está aquele seu marido querido? Sempre falando de negócios.

— Ah, você conhece Mitchell.

A Sra. Dumont claramente não conseguiu ignorar minha presença por mais tempo.

— Essa é a namorada de Joshua Ryan. Perdão, não ouvi seu nome. Está muito barulho aqui.

— Louisa — falei.

— Que encanto. Sou Chrissy. Sou a outra metade de Jeffrey. Você conhece Jeffrey, de Marketing e Vendas?

— Ah, todo mundo conhece Jeffrey — disse a Sra. Dumont.

— Ah, Jeffrey... — falei, balançando a cabeça. Então assentindo. Então balançando de novo.

— E o que você faz?

— O que eu faço?

— Louisa trabalha com moda.

Josh apareceu ao meu lado.

— Você sem dúvida tem uma aparência única. Amo os ingleses, você não, Mallory? São tão *interessantes* em suas escolhas.

Houve um breve momento de silêncio, enquanto todos digeriam as minhas escolhas.

— Louisa vai começar a trabalhar na *Women's Wear Daily*.

— É mesmo? — disse Mallory Dumont.

— Vou? — falei. — Sim. Vou.

— Nossa, que incrível. Essa revista é maravilhosa. Preciso encontrar meu marido. Por favor, me deem licença.

Com mais um sorriso inexpressivo, ela se afastou, caminhando sobre seus saltos vertiginosos, Maya ao seu lado.

— Por que você disse isso? — perguntei, pegando outra taça de champanhe. — Soa melhor do que *toma conta de uma senhora*?

— Não. Você... é que você simplesmente parece que poderia trabalhar com moda.

— Ainda está se sentindo desconfortável com o que estou vestindo?

Olhei de relance para as duas mulheres em seus vestidos complementares. E tive uma súbita lembrança do modo como Agnes deve ter se sentido em reuniões como aquela, a miríade sutil de modos que as mulheres encontram para deixar claro a outras mulheres que elas não se encaixam.

— Você está ótima. Só disse aquilo porque ficaria mais fácil de explicar sua... sua sensibilidade particular... e única, se achassem que você trabalha com moda. O que você meio que faz.

— Sou perfeitamente feliz fazendo o que eu faço, Josh.

— Mas você quer trabalhar com moda, não quer? Não pode passar o resto da vida tomando conta de uma velha. Olha, eu ia tocar nesse assunto depois... mas a minha cunhada, Debbie, conhece uma mulher do Departamento de Marketing da *Women's Wear Daily*, e disse que ia pedir a essa conhecida para descobrir alguma vaga para iniciantes. Minha cunhada parece muito confiante de que vai conseguir alguma coisa para você. O que acha?

Ele estava sorrindo, animado como se houvesse me presenteado com o Santo Graal.

Dei um gole na minha bebida.

— Claro.

— Isso aí! Maravilha!

Josh continuou me encarando, as sobrancelhas erguidas.

— Eba! — falei, por fim.

Ele apertou o meu ombro.

— Eu sabia que você ficaria feliz. Muito bem. Vamos voltar para lá. Já vão começar as corridas de família. Quer uma soda limonada? Acho que não podemos ser vistos tomando mais de uma taça de champanhe. Vamos, me dá isso aqui.

Josh colocou minha taça na bandeja de um garçom que passava e seguimos em direção ao sol.

Dada a elegância da ocasião e a natureza espetacular do cenário, eu realmente deveria ter me divertido nas duas horas seguintes. Afinal, havia dito sim a uma nova experiência. Mas, na verdade, me sentia cada vez mais deslocada entre os casais do mundo corporativo. Os ritmos das conversas me confundiam de tal modo que quando eu me aproximava de algum grupo, acabava parecendo muda ou estúpida. Josh ia de uma pessoa a outra como um míssil de negócios guiado, e a cada parada sua expressão era concentrada e ávida, os modos educados e assertivos. Eu não tinha nada em comum com aquelas mulheres, com seus braços e pernas cor de pêssego, cintilantes, e os vestidos que não amassavam, conversando sobre babás difíceis e feriados nas Bahamas. Fui seguindo Josh, repetindo a mentira dele sobre a minha carreira incipiente na moda e sorrindo silenciosamente, concordando que *sim, sim, é muito lindo e obrigada, aah, sim, adoraria outra taça de champanhe* e tentando não perceber a sobrancelha erguida de Josh.

— Está aproveitando o dia?

Uma mulher ruiva de corte chanel, fios tão brilhantes que eram quase espelhados, ficou parada ao meu lado enquanto Josh ria com gosto de uma piada contada por um homem mais velho usando calça cáqui e camisa azul-clara.

— Ah. Está ótimo. Obrigada.

Àquela altura, eu me tornara muito boa em sorrir e não dizer nada.

— Felicity Lieberman. Trabalho a duas mesas de distância de Josh. Ele está se saindo muito bem.

Apertei a mão dela.

— Louisa Clark. Ele está mesmo.

Recuei e tomei outro gole da minha bebida.

— Em dois anos Josh se tornará sócio da empresa. Tenho certeza disso. Vocês dois estão namorando há muito tempo?

— Ah, não muito. Mas nos conhecemos há muito mais tempo.

Ela pareceu esperar que eu falasse mais.

— Bem, antes éramos amigos, de certo modo. — Eu tinha bebido demais, e acabei falando mais do que pretendera. — Na verdade, eu estava com outra pessoa, mas Josh e eu vivíamos nos esbarrando. Bem, ele diz que estava esperando por mim. Ou esperando até que eu e meu ex terminássemos. Na verdade, foi bem romântico. Um monte de coisas aconteceu e... Bum! De repente, estávamos em um relacionamento. Você sabe como são essas coisas.

— Ah, sei. Ele é muito persuasivo, nosso Josh.

Algo na risada dela me deixou desconfortável.

— Persuasivo? — repeti, depois de um instante.

— Ele fez a cena da galeria dos sussurros com você?

— Fez o quê?

Ela deve ter percebido minha expressão de choque e se inclinou na minha direção.

— *Felicity Lieberman, você é a garota mais fofa de Nova York.*

Ela olhou de relance para Josh e se afastou.

— Ah, não fique assim. O que aconteceu entre nós não foi sério. E Josh realmente gosta de você. Ele fala *muito* de você no trabalho. Com certeza está levando o relacionamento a sério. Mas, nossa, esses homens e suas cantadas, hein?

Tentei rir.

— Nossa.

Quando o Sr. Dumont já havia terminado seu discurso autoelogioso e os casais começaram a ir embora, eu já sofria de uma ressaca precoce. Josh abriu a porta de um táxi para mim, mas eu disse que iria caminhando.

— Não quer ir lá para casa? Poderíamos comprar alguma coisa para comer.

— Estou cansada. E Margot tem uma consulta de manhã — falei.
Meu rosto doía por causa dos sorrisos falsos.
Os olhos dele me avaliaram.
— Você está chateada comigo.
— Não estou chateada com você.
— Está chateada comigo por causa do que eu disse sobre o seu emprego. — Josh pegou a minha mão. — Louisa, eu não quis deixar você chateada, meu amor.
— Mas quis que eu fosse outra pessoa. Achou que eu não estava à altura deles.
— Não. Eu acho você incrível. É só que você poderia ser mais, porque tem tanto potencial, e eu...
— Não diga isso, ok? Essa história de potencial. É condescendente, ofensivo e... Bem, eu não quero que me diga isso. Nunca. Está certo?
— Nossa.
Josh olhou para trás, talvez para checar se algum colega de trabalho estava nos observando. E me segurou pelo cotovelo.
— Muito bem, o que realmente está acontecendo aqui?
Olhei para baixo. Não queria dizer nada, mas não consegui me conter.
— Com quantas?
— Com quantas o quê?
— Com quantas mulheres você já fez aquilo? A galeria dos sussurros?
Ele estava encurralado. Josh revirou os olhos e deu as costas por um instante.
— Felicity.
— Sim, Felicity.
— Está certo, você não é a primeira. Mas foi legal, não foi? Achei que você ia gostar. Uau, eu só queria fazer você sorrir.
Ficamos parados, um de cada lado da porta do táxi, o taxímetro já contando a corrida, e o motorista ergueu os olhos para o retrovisor, esperando.
— E você sorriu, certo? Tivemos um bom momento. Não tivemos?
— Mas você já havia tido aquele momento. Com outra pessoa.
— Por favor, Louisa. Sou o único homem a quem você já disse coisas bonitas? Para quem se vestiu? Com quem fez amor? Não somos adolescentes. Cada um de nós tem um passado.
— E cantadas testadas e aprovadas.
— Isso não é justo.
Respirei fundo.
— Desculpa. Não foi só a história do sussurro na estação de trem. Acho eventos como esse meio complicados de lidar. Não estou acostumada a fingir ser quem não sou.

Ele sorriu mais uma vez, a expressão mais suave.

— Ei. Esse dia vai chegar. São pessoas legais depois que você as conhece melhor. Até mesmo as que eu namorei.

Ele tentou sorrir.

— Se você diz.

— Vamos a uma partida de softbol da empresa. É um pouco mais tranquilo. Você vai adorar.

Consegui sorrir.

Ele se inclinou para a frente e me beijou.

— Estamos bem? — perguntou Josh.

— Estamos bem.

— Tem certeza de que não quer ir lá para casa?

— Preciso ver como está Margot. Além do mais, estou com dor de cabeça.

— Isso é que dá beber demais! Beba bastante água. Você provavelmente está desidratada. A gente se fala amanhã.

Ele me beijou, entrou no táxi e fechou a porta. Fiquei parada onde estava, observando, e ele acenou, então bateu duas vezes na janela que o separava do motorista, para que o táxi partisse.

Conferi a hora no relógio do saguão ao chegar ao prédio e fiquei surpresa ao descobrir que eram apenas seis e meia. A tarde pareceu ter durado décadas. Tirei os sapatos, sentindo o imenso alívio que apenas uma mulher conhece quando os dedos que estavam apertados em um sapato finalmente afundam em um carpete macio, e subi descalça até o apartamento de Margot, com os sapatos nas mãos. Eu estava cansada e irritada de um modo que não conseguia explicar direito, como se tivesse sido convidada a participar de um jogo cujas regras eu não entendia. Na verdade, tinha a sensação de que preferia ter estado em qualquer outro lugar que não onde eu estivera. E não parava de pensar em Felicity Lieberman perguntando *Ele fez a cena da galeria dos sussurros com você?*.

Quando entrei no apartamento, parei para cumprimentar Dean Martin, que viera se balançando pelo corredor para me receber. A carinha amassada dele mostrava tanto prazer com o meu retorno que foi difícil continuar emburrada. Eu me sentei no chão do corredor e deixei que o cãozinho saltasse ao meu redor, lambendo meu rosto com sua língua cor-de-rosa até eu sorrir de novo.

— Sou só eu, Margot — gritei.

— Ora, eu dificilmente pensaria que era o George Clooney — retrucou ela. — O que é lamentável para mim. Como foi com as Mulheres Perfeitas? Ele já a converteu?

— Foi uma tarde deliciosa, Margot — menti. — Todos foram muito gentis.

— Foi assim tão ruim, é? Você se incomodaria de me servir um pouco daquele bom vermute se por acaso passar pela cozinha, meu bem?

— Que diabo é vermute? — murmurei para o cachorro, mas ele se sentou para coçar uma das orelhas com a pata traseira.

— Tome um também, se quiser — acrescentou ela. — Desconfio que esteja precisando.

Eu estava me levantando quando meu celular tocou. Senti um desânimo momentâneo — provavelmente era Josh, e eu não estava preparada para falar com ele, mas quando cheguei a tela, vi que era o número da minha casa. Levei o celular ao ouvido.

— Pai?

— Louisa? Ah, graças a Deus.

Chequei o relógio.

— Está tudo bem, pai? Deve ser de madrugada aí.

— Meu amor, tenho más notícias. Seu avô.

26

Em memória de Albert John Compton, o "Vovô"

Velório: Paróquia de Nossa Senhora e Todos os Santos,
Stortfold Green
23 de abril, 12h30

Todos serão bem-vindos em uma pequena reunião no pub Laughing
Dog, na Pinemouth Street

Em vez de flores, qualquer doação para o Fundo de Assistência aos
Jóqueis Feridos será bem-vinda.

"Nossos corações estão vazios, mas somos abençoados
por ter amado você."

Três dias depois, voei para casa a tempo de acompanhar o funeral. Preparei refeições para Margot suficientes para dez dias, congelei-as e deixei instruções com Ashok para que ele subisse ao menos uma vez por dia ao apartamento com um pretexto qualquer e se certificasse de que ela estava bem. Caso ela não estivesse, eu ao menos não depararia com um problema sério de saúde quando voltasse, dali a uma semana. Adiei uma das consultas dela no hospital, certifiquei-me de que tivesse lençóis limpos, que Dean Martin tivesse comida o bastante e paguei a Magda, uma passeadora de cachorros, para pegá-lo duas vezes por dia. Disse às meninas do Vintage Clothes Emporium que viajaria. Vi Josh duas vezes. Deixei que ele acariciasse meu cabelo, dissesse que sentia muito e que se lembrava de como tinha sido perder o próprio avô. Foi só quando eu finalmente estava no avião que me dei conta de que a miríade de maneiras pelas quais eu me mantivera ocupada havia sido um modo de não reconhecer a verdade do que acabara de acontecer.

O vovô se fora.

Outro derrame, disse meu pai. Ele e mamãe estavam sentados na cozinha, conversando, enquanto meu avô assistia à corrida de cavalos. Minha mãe foi até ele para ver se queria mais chá e vovô já se fora, tão silenciosamente e em paz que se passaram quinze minutos antes que meu pai e minha mãe se dessem conta de que ele não estava só dormindo.

— Ele parecia tão relaxado, Lou — contou papai, quando voltávamos do aeroporto na van dele. — A cabeça inclinada para o lado, os olhos fechados, como se estivesse cochilando. Sabe, Deus me perdoe, nenhum de nós queria perdê-lo, mas esse deve ser um bom modo de partir, não deve? Em sua poltrona favorita, na própria casa, com a velha TV ligada. Ele nem havia apostado nada naquela corrida, então não é como se tivesse partido para a outra vida chateado por não ter aproveitado o que ganhou.

Ele tentou sorrir.

Eu me sentia anestesiada. Foi só quando entrei em nossa casa com papai e vi a poltrona vazia que consegui me convencer de que era verdade. Eu nunca mais o veria, nunca mais sentiria as velhas costas encurvadas sob meus dedos quando o abraçasse, nunca mais prepararia uma xícara de chá para ele, ou interpretaria seu silêncio, ou brincaria com ele por trapacear no Sudoku.

— Ah, Lou.

Minha mãe atravessou o corredor e me puxou para um abraço.

Eu a abracei e senti suas lágrimas pingarem em meu ombro, enquanto papai permanecia de pé atrás dela, dando tapinhas carinhosos em suas costas e murmurando:

— Pronto, pronto, meu amor. Está tudo bem, está tudo bem.

Como se dizer isso repetidamente fosse tornar a frase verdade.

Por mais que eu amasse meu avô, às vezes me perguntava distraidamente se, quando ele se fosse, minha mãe se sentiria de algum modo livre da responsabilidade de cuidar dele. A vida dela estivera tão presa à de vovô, por tanto tempo, que ela poucas vezes conseguia um pouco de tempo só para si — os últimos meses de saúde frágil dele a haviam obrigado a abandonar suas amadas aulas noturnas.

Mas eu estava errada. Ela ficou devastada, permanentemente à beira das lágrimas. Recriminava-se por não estar na sala com vovô quando ele se fora, caía no choro ao ver os pertences dele e se questionava o tempo todo se poderia ter feito mais. Estava inquieta, perdida, sem alguém de quem cuidar. Ela se levantava e se sentava, afofava almofadas, checava o relógio para algum compromisso imaginário. Nos momentos em que ficava realmente infeliz, dedicava-se a limpar a casa como uma louca, espanando poeiras inexistentes e esfregando os pisos até os nós dos dedos estarem vermelhos e esfolados. À noite, nos sentamos ao redor da mesa da cozinha enquanto papai ia para o pub — supostamente para ver como iam os últimos arranjos para a recepção após o funeral — e minha mãe guardou a quarta xícara de chá que preparara por acidente para um homem que já não estava mais ali, então deixou escapar as perguntas que a vinham assombrando desde que ele morrera.

— E se eu pudesse ter feito algo? E se nós o tivéssemos levado para o hospital para mais exames? Talvez tivessem detectado o risco de mais derrames.

Ela torcia um lenço nas mãos enquanto falava.

— Mas você fez todas essas coisas. Levou o vovô para milhões de consultas.

— Você se lembra daquela vez que ele comeu dois pacotes de biscoito com cobertura de chocolate? Pode ter sido essa a causa do derrame. Ao que tudo indica, o açúcar agora é obra do demônio. Eu deveria ter colocado os biscoitos em uma prateleira mais alta. Não deveria ter deixado que ele comesse aqueles doces desgraçados...

— Ele não era criança, mãe.

— Eu deveria tê-lo feito comer mais legumes e verduras. Mas era difícil, sabe? Não se pode dar comida na boca de um adulto... Ah, meu Deus, eu não quis ofender. Quero dizer, com Will, obviamente era diferente...

Coloquei a mão na dela e vi seu rosto se franzir.

— Ninguém poderia ter amado o vovô mais do que você, mamãe. Ninguém poderia ter cuidado dele melhor do que você.

Na verdade, o sofrimento dela me deixava desconfortável. Era muito próximo de algo que eu já tinha sentido, e não fazia muito tempo. Eu estava cautelosa em relação à tristeza de mamãe, como se fosse contagiosa, e acabei procurando desculpas para ficar longe dela, tentando me manter ocupada para que não precisasse absorver aquela emoção também.

Naquela noite, quando minha mãe e meu pai estavam debruçados sobre alguns documentos do advogado, fui até o quarto do meu avô. Ainda estava como ele o deixara, a cama feita, a cópia do *Racing Post* na poltrona, duas corridas de cavalo que aconteceriam na tarde seguinte circuladas com caneta azul.

Sentei-me de lado na cama, traçando com o indicador o padrão do bordado da colcha. Na mesinha de cabeceira havia uma foto de minha avó nos anos cinquenta, com o cabelo arrumado em ondas perfeitas, o sorriso largo e confiante. Eu tinha apenas lembranças passageiras dela. Mas meu avô havia sido uma presença constante em minha infância, primeiro na casinha mais adiante na rua (Treena e eu descíamos correndo até lá para pegar doces nas tardes de sábado, enquanto minha mãe ficava no portão), e depois, nos quinze anos anteriores, em um quarto na nossa casa, o sorriso doce e vacilante dele pontuando meu dia, uma presença permanente na sala, com seu jornal e uma xícara de chá.

Pensei nas histórias que ele nos contava quando éramos pequenas, sobre o tempo que passou na Marinha (histórias de ilhas desertas, macacos e coqueiros, que não deveriam ser inteiramente verdadeiras). Pensei também nas rabanadas que ele preparava na frigideira já escura — a única coisa que ele sabia cozinhar — e em como, quando eu era bem pequena, ele contava piadas à minha avó que a faziam chorar de rir. Então pensei nos últimos anos dele, quando eu o tratara quase como parte da mobília. Não tinha escrito para ele. Nem telefonado. Havia presumido que ele estaria por ali pelo tempo que eu quisesse. Será que ele se importara? Será que sentira vontade de falar comigo?

Eu nem me despedira.

Lembrei-me das palavras de Agnes: de que nós, que viajávamos para longe de casa, sempre teríamos nosso coração em dois lugares. Apoiei a mão na colcha bordada. E, finalmente, chorei.

No dia do funeral, desci a escada e encontrei mamãe limpando furiosamente a casa, preparando tudo para os convidados, embora até onde eu sabia ninguém fosse para nossa casa. Papai estava sentado à mesa, parecendo meio perdido — o que não era uma expressão incomum quando ele falava com minha mãe durante aqueles dias.

— Você não precisa arrumar um emprego, Josie. Não precisa fazer nada.

— Ora, preciso fazer alguma coisa com o meu tempo.

Mamãe tirou o casaco e dobrou-o com cuidado nas costas de uma cadeira antes de se ajoelhar para tirar alguma partícula invisível de poeira de trás do armário. Sem me dizer nada, meu pai empurrou um garfo e uma faca em minha direção.

— Eu só estava dizendo, Lou, meu amor, que sua mãe não precisa se apressar a fazer nada. Ela está falando que vai direto para a agência de empregos depois do funeral.

— Você tomou conta do vovô por anos, mãe. Deveria simplesmente aproveitar que agora vai ter um pouco de tempo para si.

— Não. Eu me sinto melhor fazendo alguma coisa.

— Não teremos mais armários se ela continuar esfregando desse jeito — resmungou meu pai.

— Sente-se. Por favor. Você precisa comer.

— Não estou com fome.

— Pelo amor de Deus, mulher. Vai *me* fazer ter um derrame se continuar desse jeito.

Ele se encolheu assim que as palavras saíram de sua boca.
— Desculpe. Desculpe. Não tive a intenção...
— Mãe.
Fui até onde ela estava quando pareceu que não tinha me escutado e coloquei a mão em seu ombro. Ela ficou imóvel por um instante.
— Mãe.
Ela se levantou e olhou pela janela.
— Que utilidade eu tenho agora? — perguntou.
— Como assim?
Mamãe ajeitou a cortina branca engomada.
— Ninguém mais precisa de mim.
— Ah, mãe, eu preciso de você. Todos nós precisamos de você.
— Mas você não está morando aqui, está? Nenhum de vocês, aliás. Nem Thom. Estão todos a quilômetros de distância.
Eu e papai nos entreolhamos.
— Isso não significa que não precisamos de você.
— O vovô era o único que dependia de mim. Até mesmo você, Bernard, ficaria muito bem com uma torta e um caneco de cerveja no pub toda noite. O que vou fazer agora? Tenho cinquenta e oito anos e não sirvo para nada. Passei a vida tomando conta de outras pessoas e agora não sobrou ninguém que realmente precise de mim.
Os olhos dela estavam marejados. Por um minuto aterrorizante, pensei que ela estava prestes a começar a berrar.
— Sempre precisaremos de você, mãe. Não sei o que eu faria se você não estivesse aqui. Você é como o alicerce de um prédio. Posso não vê-la o tempo todo, mas sei que você está ali. Me apoiando. A todos nós. Aposto que Treena diria o mesmo.
Ela me encarou, os olhos perturbados, como se não soubesse se deveria acreditar naquilo.
— Você é importante mesmo. E esse... esse é um momento esquisito. Vai levar um tempo para se acostumar. Mas você se lembra do que aconteceu quando começou a fazer aulas noturnas? Como ficou animada? Como se você estivesse descobrindo pedaços de si mesma? Então, isso vai acontecer de novo. A questão não é quem precisa de você... É você finalmente dedicar algum tempo a si mesma.
— Josie — disse papai, baixinho —, vamos viajar. Vamos fazer todas aquelas coisas que achávamos que não poderíamos fazer porque teríamos que deixá-lo. Talvez possamos visitar você, Lou. Uma viagem para Nova York! Entenda, meu amor, sua vida não terminou, só vai ser diferente.

— Nova York? — indagou mamãe.

— Ah, meu Deus, eu adoraria isso — falei, enquanto pegava uma torrada. — Eu poderia encontrar um bom hotel para vocês e aí visitaríamos todos os pontos turísticos.

— Você faria isso?

— Talvez possamos conhecer aquele milionário para quem você trabalha — disse papai. — Ele pode nos dar umas dicas, certo?

Eu nunca chegara a contar a eles sobre a mudança em minhas circunstâncias. Continuei comendo a torrada, inexpressiva.

— Nós? Irmos para Nova York? — disse mamãe.

Meu pai pegou uma caixa de lenços de papel e a estendeu para ela.

— Ora, por que não? Temos economias. E não podemos levá-las conosco para o túmulo. O velho camarada sabia disso, pelo menos. Não espere nenhuma grande herança, viu, Louisa? Estou com medo de passar pelo agente de apostas e ele saltar em cima de mim dizendo que seu avô estava devendo dinheiro.

Minha mãe endireitou o corpo, o pano de limpeza ainda na mão. Olhou para o lado.

— Você, eu e seu pai em Nova York. Bem, isso seria interessante, não é mesmo?

— Podemos procurar voos hoje à noite, se você quiser.

Eu me perguntei, por um instante, se convenceria Margot a dizer que seu sobrenome era Gopnik.

Mamãe levou a mão ao rosto.

— Ah, meu Deus, escutem só, eu fazendo planos e vovô ainda nem esfriou no caixão. O que ele pensaria?

— Pensaria que isso é maravilhoso. Vovô adoraria a ideia de você e papai indo para os Estados Unidos.

— Acha mesmo?

— Sei que sim. — Fui até ela e a abracei. — Ele viajou o mundo com a Marinha, não foi? E também sei que ele gostaria da ideia de você voltar ao centro de educação para adultos. Não há motivo para desperdiçar todo o conhecimento que adquiriu ao longo do ano passado.

— Embora eu também tenha certeza de que ele gostaria de pensar que você ainda está deixando no forno algo para o meu jantar — acrescentou meu pai.

— Vamos, mamãe. Só precisa passar pelo dia de hoje e então começaremos a fazer planos. Você fez tudo o que podia por ele, e sei que o vovô acharia que você merece que o próximo estágio da sua vida seja uma aventura.

— Uma aventura — murmurou ela.

Pegou um lenço de papel com papai para secar o canto do olho.

— Como eu criei filhas tão sábias, hein?

Meu pai ergueu as sobrancelhas e, em um movimento hábil, tirou a torrada do meu prato.

— Ah. Bem, isso deve ter sido influência paterna, sabe.

Ele gritou quando mamãe bateu com a toalha de chá em sua cabeça. Então, quando ela deu as costas, papai sorriu para mim com uma expressão sincera de alívio.

O funeral aconteceu, como sempre ocorre nos funerais, com graus variados de tristeza, algumas lágrimas e uma porcentagem considerável da congregação desejando saber a melodia dos hinos. Não foi uma reunião de tamanho *exagerado*, como o padre disse de forma educada. Vovô saía tão raramente já no fim da vida que poucos de seus amigos souberam que ele havia falecido, embora mamãe tivesse colocado um anúncio no *Stortfold Observer*. Ou isso, ou a maior parte deles também estavam mortos (no caso de alguns dos presentes ao funeral, era bem difícil saber a diferença).

No cemitério, fiquei ao lado de Treena, com o maxilar tenso, e senti uma gratidão muito específica entre irmãs quando ela segurou minha mão e a apertou. Eu me virei para trás e vi que Eddie dava a mão a Thom, que chutava em silêncio as margaridas na grama, talvez tentando não chorar, ou talvez pensando nos Transformers ou no biscoito meio comido que ele enfiara no estofado do carro fúnebre.

Ouvi o sacerdote murmurar a oração já conhecida sobre pó e cinzas, e meus olhos se encheram de lágrimas. Sequei-as com um lenço. Então, ergui os olhos e, do outro lado do túmulo, atrás de um pequeno grupo de pessoas que acompanhavam o enterro, estava Sam. Meu coração disparou. Senti uma onda de calor, algo entre medo e náusea. Nossos olhos se encontraram por um instante em meio às pessoas, então pisquei com força e desviei o olhar. Quando me voltei na mesma direção, ele se fora.

Eu estava no bufê da recepção no pub quando me virei e o encontrei ao meu lado. Nunca o vira de terno, e encontrá-lo naquele momento, ao mesmo tempo tão bonito e tão pouco familiar, me fez perder o ar. Resolvi lidar com a situação da forma mais madura possível e simplesmente me recusei a reconhecer sua presença — para isso, concentrei o olhar com determinação nos sanduíches, como se eu tivesse acabado de ser apresentada ao conceito de comida.

Sam ficou parado ali, talvez esperando que eu erguesse os olhos, então disse baixinho:

— Sinto muito pelo seu avô. Sei como vocês são próximos na sua família.

— Não tão próximos, obviamente, ou eu teria estado aqui.

Ocupei-me arrumando os guardanapos na mesa, embora minha mãe houvesse pagado para que tivéssemos garçons.

— Sim, bem, a vida nem sempre funciona desse jeito.

— Foi o que descobri.

Fechei os olhos por um instante, tentando tirar a amargura da voz. Respirei fundo e finalmente olhei para ele, me esforçando para exibir uma expressão neutra.

— E como vai você?

— Nada mal, obrigado. E você?

— Ah. Bem.

Ficamos parados por um momento.

— Como está a casa?

— Adiantada. Eu me mudo no mês que vem.

— Uau.

Por um instante, fiquei espantada com o desconforto que senti. Parecia improvável que alguém que eu conhecia pudesse construir uma casa do nada. Eu a vira quando não passava de um retângulo de concreto no chão. E ele a terminara...

— Nossa, que... que impressionante.

— Eu sei. Mas sinto falta do velho vagão. Eu meio que gostava de morar lá. A vida era... simples.

Nós nos encaramos e, então, desviamos o olhar.

— Como está Katie?

Uma brevíssima pausa.

— Ela está bem.

Minha mãe apareceu ao meu lado com uma bandeja de enroladinhos de salsicha.

— Lou, meu bem, pode ir atrás da Treen? Ela ia servir esta bandeja de salgados para mim... ah, não. Ali está ela. Será que pode levar a bandeja para sua irmã? Algumas pessoas perto dela ainda não comeram nad...

De repente, ela se deu conta da pessoa com quem eu estava falando. E arrancou a bandeja das minhas mãos.

— Desculpe. Sinto muito. Não quis interromper.

— Você não interrompeu — falei, com um pouco mais de ênfase do que pretendera.

Puxei a bandeja por uma das alças.

— Pode deixar, meu bem — disse mamãe, levando a bandeja em direção à própria cintura.

— Não, deixe comigo.

Segurei a bandeja com força, os nós dos meus dedos ficando brancos com o esforço.

— Lou. Solte. Agora — disse ela com firmeza.

Seus olhos ardiam ao me encarar. Por fim, soltei a bandeja e minha mãe se afastou, apressada.

Sam e eu ficamos parados perto da mesa. Sorrimos constrangidos um para o outro, mas nossos sorrisos sumiram rápido demais. Peguei um prato e coloquei um palito de cenoura nele. Não sabia se conseguiria comer alguma coisa, mas parecia estranho ficar parada ali com um prato vazio na mão.

— Então... Você vai ficar aqui por um tempo?
— Só uma semana.
— Como anda a vida por lá?
— Interessante. Fui demitida.
— Lily me contou. Eu a vejo bastante agora, com todo esse negócio com Jake.
— Sim, isso foi... uma surpresa.

Eu me perguntei por um instante se Lily contara a ele sobre a visita dela.

— Não para mim. Percebi desde que os dois se conheceram. Você sabe, ela é ótima. Eles estão felizes.

Assenti, como se concordasse.

— Ela fala muito. Sobre o namorado incrível e sobre como você se recuperou depois da história da demissão e encontrou um novo lugar para morar, e sobre seu emprego naquele Vintage Clothes Emporium. — Ele parecia tão fascinado quanto eu pelos palitos de queijo. — Você deu um jeito em tudo, então. Ela está impressionada com você.

— Duvido.

— Disse que Nova York combina com você. — Sam deu de ombros. — Mas acho que nós dois já sabíamos disso.

Enquanto os olhos de Sam se fixavam em outra coisa, aproveitei para observá-lo disfarçadamente. E a pequena parte de mim que não estava morrendo ficou impressionada com o fato de duas pessoas que já haviam se sentido tão à vontade uma com a outra agora mal saberem como formular uma frase em uma conversa.

— Tenho uma coisa para você. No meu quarto, em casa — falei abruptamente. — Não sabia bem de onde tinha saído aquilo. — Eu trouxe comigo na última vez, mas... você sabe.

— Uma coisa para mim?

— Não exatamente para você. É, bem, é um boné dos Knicks. Eu o comprei... há algum tempo. Aquela coisa que você me contou sobre a sua irmã. Ela nunca chegou a ir ao 30 Rock, mas pensei que, bem, talvez Jake fosse gostar do boné.

Sam me encarou.

Foi a minha vez de baixar os olhos.

— Mas provavelmente é uma ideia idiota — comentei. — Posso dar o boné para outra pessoa. Não é exatamente difícil encontrar um lar para um boné dos Knicks em Nova York. E talvez seja um pouco estranho dar presente para você.

— Não. Não. Ele adoraria. É muito gentil da sua parte.

Alguém buzinou do lado de fora e Sam olhou para a janela. Eu me perguntei distraidamente se Katie estaria esperando no carro por ele.

Eu não sabia o que dizer. Não parecia haver uma resposta certa para nada daquilo. Tentei lutar contra o nó que surgira em minha garganta. Lembrei-me do baile dos Strager — eu presumira que Sam iria odiar, que ele não teria um terno. Por que tinha pensado isso? O terno que ele estava usando naquele momento parecia ter sido feito sob medida.

— Eu vou... vou mandar para você, então. Sabe de uma coisa? — falei, quando já não consegui mais suportar. — Acho melhor ajudar a minha mãe com aquilo... com os... As salsichas que...

Sam deu um passo para trás.

— Claro. Eu só queria dar os pêsames. Vou indo.

Ele se virou e senti meu rosto se franzir. Era bom estar em um funeral, onde ninguém prestaria muita atenção àquele tipo de expressão. Então, antes que eu conseguisse me recompor, Sam se voltou para mim.

— Lou — disse ele, baixinho.

Não consegui falar. Só balancei a cabeça. Então o vi passar entre os convidados e sair pela porta do pub.

Naquela noite, minha mãe me entregou um pequeno pacote.

— É do vovô? — perguntei.

— Não seja tonta — disse ela. — Seu avô nunca deu um presente a ninguém nos últimos dez anos de vida. Isso é do seu namorado, Sam. Quando o vi hoje, lembrei. Você deixou isto aqui na última vez que veio. Eu não sabia o que queria que eu fizesse com o pacote.

Segurei a caixinha e tive uma súbita lembrança de nossa discussão à mesa da cozinha. *Feliz Natal*, dissera Sam, deixando o pacote ali enquanto ia embora.

Mamãe se virou e começou a lavar a louça. Abri o pacote com delicadeza, afastando com um cuidado exagerado as camadas de papel de presente, como se estivesse abrindo um artefato de outra época.

Dentro da caixinha havia um broche de esmalte com formato de ambulância, talvez dos anos cinquenta. A cruz vermelha era feita de pedrinhas minúsculas, que poderiam ser rubis, ou pedras falsas. Fosse o que fosse, o broche cintilou em minha mão. Havia um bilhetinho dobrado na parte de cima da caixa. *Para você se lembrar de mim enquanto estivermos separados. Com todo o meu amor, Seu Sam da ambulância. Bjs.*

Segurei o broche na palma da mão e minha mãe espiou por cima do meu ombro. É raro ela escolher não falar. Mas, dessa vez, apenas apertou meu ombro, deu um beijo em minha cabeça e voltou a lavar a louça.

27

Cara Louisa Clark,

Meu nome é Vincent Weber — neto de Margot Weber, como eu a conheço. Mas você parece conhecê-la pelo nome de solteira, De Witt.

Sua mensagem me pegou de surpresa, porque meu pai nunca fala sobre a mãe dele — para ser honesto, por anos fui levado a acreditar que ela nem estava mais viva, embora agora me dê conta de que ninguém jamais colocou a situação nesses termos exatos.

Depois que recebi sua mensagem, perguntei a minha mãe e ela disse que houve uma grande briga bem antes de eu nascer. Mas andei pensando e decidi que, na verdade, isso não tem nada a ver comigo, e eu adoraria saber mais sobre ela (você pareceu dar a entender que ela não anda bem?). Não acredito que tenho outra avó!

Por favor, responda a esse e-mail. E obrigado por seus esforços.

Vincent Weber (Vinny)

Ele chegou no horário combinado, na tarde de quarta-feira, o primeiro dia realmente quente de maio, quando as ruas estavam cheias de corpos abruptamente expostos e de óculos escuros recém-comprados. Não contei a Margot sobre a visita porque (a) sabia que ela ficaria furiosa e (b) tinha uma forte sensação de que ela simplesmente sairia para caminhar até ele ir embora. Abri a porta da frente e lá estava ele — um homem louro, alto, com a orelha furada em sete lugares, usando uma calça larga estilo anos quarenta, com uma camisa vermelha, sapatos sociais marrons muito bem engraxados e um suéter Fair Isle apoiado nos ombros.

— Você é Louisa? — perguntou, quando me inclinei para pegar o cachorro agitado.

— Ah, meu Deus — falei, observando-o de cima a baixo. — Vocês dois vão se entender às mil maravilhas.

Atravessamos o corredor conversando aos sussurros. Demorou dois minutos inteiros de latidos e rosnados de Dean Martin até que ela perguntasse:

— Quem era na porta, meu bem? Se for aquela mulher Gopnik horrorosa, pode dizer que o jeito dela de tocar piano é uma tolice exibicionista e sentimental. E quem está falando isso é alguém que já viu Liberace tocar.

Ela começou a tossir.

Dei alguns passos para trás e fiz sinal para que ele fosse para a sala de estar. Abri a porta.

— Margot, você tem visita.

Ela se virou, o cenho ligeiramente franzido, as mãos apoiadas no braço da poltrona, e o examinou por uns longos dez segundos.

— Não conheço você — afirmou, decidida.

— Este é Vincent, Margot. — Respirei fundo. — Seu neto.

Ela o encarou.

— Oi, Sra. De Witt... vovó.

Vincent se adiantou e sorriu, então se agachou diante dela, que examinou o rosto dele.

A expressão de Margot era tão intensa que achei que iria gritar com o neto. Mas então ela deixou escapar algo que pareceu um pequeno soluço. Sua boca se abriu cerca de meio centímetro e suas mãos ossudas se fecharam ao redor das mangas da camisa dele.

— Você veio — disse ela, a voz um grasnado baixo, abalada, como se emergisse de algum lugar no fundo de seu peito. — Você veio.

Margot o encarou, os olhos cintilando enquanto examinava as feições dele, como se já estivesse vendo semelhanças, histórias, lembranças esquecidas muito tempo antes.

— Ah, mas você é tão, tão parecido com seu pai.

Ela estendeu a mão para tocar o rosto de Vincent.

— Gosto de pensar que tenho um gosto ligeiramente melhor — disse ele, sorrindo, e Margot deu uma risadinha engasgada.

— Deixe-me olhar para você. Ah, meu Deus. Você é tão bonito. Mas como me encontrou? Seu pai sabe sobre...?

Margot balançou a cabeça, como se estivesse fazendo um monte de perguntas atrapalhadas, enquanto os nós de seus dedos ficavam brancos nas mangas da camisa dele. Então, ela se virou para mim, como se houvesse se esquecido de que eu estava ali.

— Ora, não sei o que você está olhando, Louisa. A esta altura, uma pessoa normal já teria oferecido uma bebida a este pobre homem. Santo Deus. Há dias em que não tenho ideia do que você está fazendo aqui.

Vincent pareceu espantado, mas eu me virei e segui em direção à cozinha com um sorriso feliz.

28

— Foi assim — disse Josh, juntando as mãos.

Ele tinha certeza de que conseguiria a promoção. Connor Ailes não tinha sido convidado para um jantar. Charmaine Trent, que fora transferida recentemente do Jurídico, não tinha sido convidada para um jantar. Scott Mackey, gerente de contas, tinha sido convidado para um jantar antes de se tornar gerente de contas, e dissera que estava certo de que a promoção de Josh era garantida.

— Quer dizer, não quero ficar confiante demais, mas tudo se resume ao aspecto social, Louisa — disse ele, examinando seu reflexo no espelho. — Eles só promovem pessoas que acham que conseguem se enturmar socialmente com eles. Não se trata do que a pessoa sabe, entende? Eu estava me perguntando se deveria começar a jogar golfe. Todos eles jogam golfe. Mas não jogo desde que tinha, sei lá, treze anos. O que acha desta gravata?

— Está ótima.

Era uma gravata. Eu não sabia muito bem o que dizer. De qualquer modo, todas pareciam azuis. Ele deu o nó na gravata com gestos rápidos e seguros.

— Liguei para meu pai ontem e ele disse que o essencial é não parecer dependente deles, entende? Tipo... sou ambicioso e visto totalmente a camisa da empresa, mas, ao mesmo tempo, poderia ir para outra empresa a qualquer momento, afinal sou muito disputado. Eles precisam se sentir ameaçados com a possibilidade de você ir para outro lugar caso não o valorizem como devem, entende o que estou dizendo?

— Ah, sim.

Era a mesma conversa que já tivéramos quatorze vezes ao longo daquela semana. Eu não tinha nem certeza se precisava dar respostas. Josh voltou a examinar seu reflexo no espelho, então, aparentemente satisfeito, foi até a cama e se inclinou para passar a mão em meu cabelo.

— Passo para buscar você logo antes das sete, certo? Não se esqueça de passear com aquele cachorro antes, para não ficarmos presos. Não quero chegar atrasado.

— Estarei pronta.

— Tenha um ótimo dia. Ah, foi incrível o que você fez com a família daquela senhora, sabia? Realmente incrível. Você fez uma coisa boa.

Ele me beijou com determinação, já sorrindo por conta do dia que teria pela frente, e se foi.

Permaneci na cama, na exata posição em que Josh me deixou, usando uma das camisetas dele e abraçando os joelhos. Então me levantei, me vesti e saí do apartamento dele.

Ainda estava distraída quando acompanhei Margot ao hospital naquela manhã para uma consulta. Apoiei a testa na janela do táxi e tentei fazer de conta que entendia o que ela estava falando.

— Pode me deixar aqui mesmo, meu bem — disse Margot, enquanto eu a ajudava a descer do táxi.

Soltei o braço dela quando chegamos às portas duplas automáticas, que abriram como se fossem engoli-la. Aquela era a nossa rotina em cada consulta. Eu ficava do lado de fora com Dean Martin enquanto Margot seguia lentamente pelo hospital, e eu voltava uma hora depois, ou quando ela resolvesse me chamar.

— Não sei o que deu em você esta manhã. Você está muito distraída. Inútil.

Ela ficou parada na entrada do hospital e me entregou a guia da coleira.

— Obrigada, Margot.

— Bem, é como viajar com um idiota. Seu cérebro está claramente em outro lugar e você não está servindo como companhia. Minha nossa, precisei falar três vezes até conseguir que fizesse uma coisa para mim.

— Desculpe.

— Bem, certifique-se de dedicar plena atenção a Dean Martin enquanto eu estiver lá dentro. Ele fica muito perturbado quando percebe que está sendo ignorado. — Ela ergueu um dedo. — Estou falando sério, minha jovem. Eu vou *saber*.

Eu estava a meio caminho do café que tinha mesas do lado de fora e um garçom simpático quando me dei conta de que ainda estava segurando a bolsa de Margot. Xinguei e corri de volta pela rua.

Entrei ainda correndo na recepção do hospital, ignorando os olhares dos pacientes, que observavam o cachorro como se eu tivesse entrado com uma granada na mão.

— Oi! Preciso entregar uma bolsa para a Sra. Margot De Witt. Pode me dizer onde a encontro? Por favor. Sou a cuidadora dela.

A mulher não tirou os olhos da tela quando perguntou:

— Não pode ligar para ela?
— A Sra. De Witt tem uns oitenta anos. Não usa celular. E, mesmo que usasse, estaria na bolsa. Por favor. Ela vai precisar disto. Os remédios dela, as anotações, está tudo aqui.
— Ela tem consulta marcada hoje?
— Às onze e quinze. Margot De Witt.
Falei devagar, só para garantir.
A recepcionista checou a lista, passando um dedo com a unha pintada de forma extravagante pela tela.
— Certo. Sim, encontrei. A oncologia é ali, passando pelas portas duplas à esquerda.
— Desculpe, o quê?
— A oncologia. Descendo o corredor principal, passando pelas portas duplas à esquerda. Se ela estiver com o médico, você pode deixar a bolsa com um dos enfermeiros lá. Ou simplesmente deixe uma mensagem com eles para avisarem a ela que você está aguardando.
Encarei a mulher, esperando que me dissesse que tinha cometido um erro. Finalmente ela me olhou, com uma expressão indagadora, como se estivesse esperando que eu explicasse por que continuava parada diante dela, estupefata. Peguei o cartão da consulta no balcão e me virei para sair.
— Obrigada — disse com a voz fraca, e saí para o sol com Dean Martin.

— Por que não me contou?
Margot se acomodou no táxi e desviou os olhos de mim teimosamente, com Dean Martin arfando em seu colo.
— Porque não é da sua conta. Você teria contado a Vincent. E eu não queria que ele se sentisse na obrigação de me visitar só por causa de um câncer idiota.
— Qual é o seu prognóstico?
— Não é da sua conta.
— Como... como se sente?
— Exatamente como me sentia antes de você começar a fazer todas essas perguntas.
Agora tudo fazia sentido. Os comprimidos, as consultas frequentes no hospital, a perda de apetite. As coisas que eu pensara serem apenas sinais da idade avançada e da assistência médica excessivamente atenta dos Estados Unidos tinham, na verdade, escondido uma falha sísmica muito mais grave. Eu me sentia enjoada.
— Não sei o que dizer, Margot. Sinto...

— Não estou interessada em seus sentimentos.
— Mas...
— Não ouse ficar toda melosa comigo agora — disse ela, irritada. — O que aconteceu com aquela fleuma inglesa? A sua é feita de marshmallow?
— Margot...
— Não vou falar sobre isso. Não há nada a dizer. Se vai insistir em ficar toda fresca comigo, pode se mudar para o apartamento de outra pessoa.

Quando chegamos ao Lavery, ela saiu do táxi com um vigor fora do comum. Eu ainda estava terminando de pagar o motorista e Margot já entrara no saguão do prédio sem mim.

Quis conversar com Josh sobre o que acontecera, mas, quando mandei uma mensagem de texto, ele disse que estava muito ocupado e que eu poderia contar tudo à noite. Nathan estava ocupado com o Sr. Gopnik. Ilaria talvez se apavorasse ou, pior, acabasse insistindo em passar toda hora na casa de Margot para brindá-la com seus cuidados peculiares e bruscos e para entregar pratos requentados de carne de porco. Na verdade, não havia mais ninguém com quem eu pudesse conversar.

Enquanto Margot tirava sua soneca da tarde, entrei silenciosamente no banheiro e, sob o pretexto de estar limpando, abri o armário e observei a prateleira de remédios, anotando os nomes, até encontrar a confirmação que buscava: morfina. Chequei os outros remédios que estavam no armário e procurei por eles na internet até conseguir as respostas de que precisava.

Eu me senti profundamente abalada. E fiquei imaginando como deveria ser encarar a morte assim, tão de frente. Perguntei-me quanto tempo restaria a Margot. Percebi que amava aquela velha senhora, com sua língua afiada e a mente ainda mais afiada, do mesmo modo como amava a minha família. E uma parte bem pequena de mim se perguntava, de forma egoísta, o que aconteceria comigo: eu estava feliz no apartamento de Margot. Talvez não imaginasse que fosse um arranjo permanente, mas achava que teria ao menos um ano ou mais ali. Agora, precisava encarar o fato de que eu estava andando sobre areia movediça mais uma vez.

Eu já havia me recomposto um pouco quando a campainha tocou, às sete em ponto. Atendi e lá estava Josh, imaculado. Nem mesmo a sombra de uma barba por fazer.
— Como? — falei. — Como você consegue ter essa aparência depois de um dia inteiro de trabalho?
Ele se inclinou para a frente e me deu um beijo no rosto.

— Barbeador elétrico. Também deixei outro terno na lavanderia e me troquei no trabalho. Não queria estar amassado.

— Mas com certeza seu chefe vai estar com o mesmo terno que usou o dia todo.

— Talvez. Mas não é ele que está de olho em uma promoção. Você acha que estou bem?

— Olá, Josh, querido.

Margot passou por nós a caminho da cozinha.

— Boa noite, Sra. De Witt. Como está?

— Ainda estou aqui, querido. Isso é o máximo que você precisa saber.

— Bem, a senhora parece ótima.

— E você fala um monte de tolices.

Ele sorriu e se virou novamente para mim.

— Então, o que vai usar, meu amor?

Olhei para baixo.

— Ahn, isto?

Um breve momento de silêncio.

— Esta... meia-calça?

Olhei para minhas pernas.

— Ah, *ela*. Tive um dia difícil. Esta é a meia-calça que sempre uso quando quero me sentir melhor, é o meu equivalente a um terno recém-saído da lavanderia. — Dei um sorriso triste. — Se ajudar, eu só uso esta meia-calça nas ocasiões *mais* especiais.

Ele encarou minhas pernas por mais um momento, então passou a mão na boca, bem devagar.

— Sinto muito, Louisa, mas ela não é apropriada para esta noite. Meu chefe e a esposa são muito conservadores. E vamos a um restaurante elegante. Do tipo que tem estrelas Michelin.

— Este vestido é Chanel. A Sra. De Witt me emprestou.

— Claro, mas o efeito do todo é um pouco...

Ele fez uma careta.

— Insano?

Quando não me mexi, ele estendeu as mãos e me segurou pelos braços.

— Querida, sei que você adora se vestir do seu jeito, mas poderia ser um pouco mais formal só para o meu chefe? Esta noite é muito importante para mim.

Olhei para as mãos dele e enrubesci. E me senti subitamente ridícula. Óbvio que a minha meia-calça de abelhinha era errada para um jantar com um diretor financeiro. O que eu estava pensando?

— Claro — falei. — Vou me trocar.
— Você não se importa?
— De jeito nenhum.
Ele quase desabou de alívio.
— Ótimo. Pode fazer isso o mais rápido possível? Não quero me atrasar e o trânsito está pesado por todo o caminho até a Sétima Avenida. Margot, posso usar o seu banheiro?
Ela assentiu, sem dizer uma palavra.
Corri para o meu quarto e comecei a revirar minhas coisas. O que uma pessoa usa em um jantar elegante com gente de finanças?
— Socorro, Margot — falei, ouvindo-a entrar atrás de mim. — Devo trocar só as meias? O que devo usar?
— Exatamente o que você está usando — respondeu ela.
Eu me virei para encará-la.
— Mas ele disse que não é adequado.
— Para quem? Por acaso existe um uniforme? Por que não pode ser você mesma?
— Eu...
— Essas pessoas são tão tolas a ponto de não conseguirem lidar com alguém que não se vista igualzinho a elas? Por que você precisa fingir ser alguém que obviamente não é? Quer ser uma "dessas" mulheres?
Deixei cair o cabide que estava segurando.
— Eu... não sei.
Margot levou a mão ao cabelo recém-arrumado. E me encarou com o que minha mãe chamaria de um olhar à moda antiga.
— Qualquer homem que tenha a sorte de ser seu namorado não deveria dar a mínima se você saísse vestida com um saco de lixo e galochas.
— Mas ele...
Margot suspirou e tapou a boca com a mão, como as pessoas costumam fazer quando têm mais a dizer, mas vão ficar quietas. Um momento se passou antes que ela voltasse a falar:
— Meu bem, acho que, em algum momento, você vai ter que decidir quem Louisa Clark é de verdade.
Ela deu um tapinha carinhoso em meu braço e saiu do quarto.
Fiquei parada, encarando o espaço onde Margot estivera. Olhei para minhas pernas listradas e depois para as roupas em meu armário. Pensei em Will e no dia em que ele me dera aquela meia-calça.
Um instante depois, Josh apareceu na porta, arrumando a gravata. *Você não é ele*, pensei de repente. *Na verdade, não é nada parecido com ele.*

— Então? — disse ele, sorrindo.
E logo assumiu uma expressão desanimada.
— Ah, pensei que você já estaria pronta...
Olhei para meus pés.
— Na verdade... — comecei.

29

Margot me disse que eu deveria viajar alguns dias para clarear os pensamentos. Quando eu respondi que não faria isso, ela me perguntou por que não e acrescentou que eu obviamente não vinha pensando direito fazia algum tempo: precisava organizar minhas ideias. Quando admiti que não queria deixá-la sozinha, ela me disse que eu era uma garota ridícula, que não sabia o que era bom para mim. Margot me observou pelo canto dos olhos por um tempo, a mão ossuda tamborilando no braço da poltrona em um movimento irritado, então se levantou pesadamente e desapareceu, voltando alguns minutos depois com um drinque Sidecar tão forte que fez meus olhos arderem no primeiro gole. Em seguida, ela mandou que eu sentasse o meu traseiro, falou que minhas fungadas a estavam irritando e que eu deveria assistir a *Roda da Fortuna* com ela. Foi o que fiz, tentando não ouvir a voz de Josh, ultrajado e sem entender, ecoando em minha cabeça.

Você está terminando comigo por causa de uma meia-calça?

Quando o programa acabou, Margot me olhou, fez um *tsc tsc* alto, disse que daquele jeito realmente não ia dar certo e que, então, viajaríamos juntas.

— Mas você não tem dinheiro.

— Santo Deus, Louisa. É muita falta de educação discutir assuntos financeiros — repreendeu. — Fico chocada com a forma como vocês, jovens mulheres, são criadas para falar sobre essas coisas.

Ela me deu o nome do hotel em Long Island para onde queria que eu ligasse e me instruiu a frisar que estava ligando em nome de Margot De Witt para conseguir um valor preferencial "familiar". Acrescentou que vinha pensando no assunto e que, se aquilo realmente me aborrecia tanto, eu poderia pagar para nós duas. E então, eu me sentia melhor agora?

E foi assim que paguei uma viagem para Montauk para mim, Margot e Dean Martin.

Pegamos um trem que nos levou a um pequeno hotel romântico no litoral, para onde Margot viajara todo verão por décadas até que a fragilidade física — ou financeira — a impedisse de continuar. Enquanto eu observava o lugar, os funcionários do hotel a recepcionaram na porta como se ela fosse, de fato, alguém da família que não viam fazia tempo. Almoçamos camarões grelhados com salada e a deixei conversando com o casal que tomava conta do lugar enquanto desci pela trilha até a praia grande, varrida pelo vento. Inspirei o ar cheio de ozônio e fiquei olhando Dean Martin rodeando feliz as dunas de areia. Ali, sob o céu gigante, tive a sensação, pela primeira vez em meses, de que meus pensamentos não estavam infinitamente ocupados pelas necessidades e expectativas de outras pessoas.

Margot, exausta pela viagem de trem, passou a maior parte dos dois dias seguintes na pequena sala de estar, observando o mar ou conversando com o patriarca do hotel, um idoso imponente chamado Charlie, com as feições castigadas pelo tempo como um moai da Ilha de Páscoa, que assentia durante o ininterrupto fluxo de conversa dela, balançava a cabeça e concordava que, não, as coisas não eram como antes, ou, sim, as coisas certamente estavam mudando muito rápido por ali. E os dois esgotavam o assunto tomando pequenas xícaras de café, então permaneciam sentados, satisfeitos em concordar sobre como tudo se tornara terrível, por ter essa visão confirmada um pelo outro. Percebi muito depressa que meu papel fora simplesmente levá-la até ali. Margot mal parecia precisar de mim, a não ser para ajudá-la com peças de roupa mais difíceis de vestir e para caminhar com o cachorro. Ela passou a sorrir mais do que eu a vira sorrir desde que a conhecera, o que já era uma ótima distração.

Assim, durante os quatro dias que se seguiram, tomei café da manhã em meu quarto, li os livros da pequena estante do hotel, entreguei-me aos ritmos mais lentos da vida em Long Island e fiz o que Margot mandava. Caminhei sem parar até recuperar o apetite e silenciar os pensamentos em minha mente com o barulho das ondas, o som das gaivotas no céu permanentemente cinzento e o latido do cachorrinho empolgado que parecia não acreditar em sua sorte.

Na terceira tarde, sentei-me em minha cama, liguei para mamãe e contei a verdade sobre o que ocorrera comigo nos meses anteriores. Ao menos dessa vez ela não falou, apenas ouviu, e, no final, disse que achava que eu tinha sido muito sábia e corajosa, e essas duas afirmações me fizeram chorar um pouquinho. Ela colocou meu pai na linha e ele me disse que gostaria de chutar o traseiro daqueles malditos Gopnik, que eu não deveria conversar com estranhos e que deveria avisar a eles assim que voltasse com Margot para Manhattan. Papai acrescentou que estava orgulhoso de mim.

— Sua vida... nunca é tranquila, não é mesmo, meu bem? — disse ele.

E eu concordei que não, não era, e me lembrei de dois anos atrás, da minha vida antes de Will, quando a coisa mais empolgante que já me acontecera tinha sido alguém exigir um reembolso no The Buttered Bun. Então percebi que gostava de viver como vivia agora, apesar de tudo.

Na última noite, Margot e eu jantamos na sala de jantar do hotel, por desejo dela. Usei minha blusa de veludo cor-de-rosa e minha calça pantacourt de seda. Margot vestiu uma blusa verde de estampa floral com franjas e calça combinando (eu havia costurado um botão extra na cintura para que não escorregasse pelos quadris dela), e nos divertimos silenciosamente com os olhos arregalados dos outros hóspedes enquanto éramos levadas a nossos lugares na melhor mesa, perto da grande janela.

— Muito bem, querida. Esta é nossa última noite, por isso acho que devemos nos permitir, concorda? — disse Margot, erguendo a mão em um gesto régio para os hóspedes que ainda nos encaravam. Eu estava me perguntando exatamente o que deveríamos nos permitir quando ela acrescentou: — Acho que vou pedir lagosta. E talvez champanhe. Afinal, desconfio que esta seja a última vez que venho aqui. — Comecei a protestar, mas ela me interrompeu: — Ah, pelo amor de Deus. É um fato, Louisa. Indiscutível. Imaginei que vocês, garotas britânicas, fossem mais duronas.

Assim, pedimos uma garrafa de champanhe e duas lagostas. Enquanto o sol se punha, saboreamos a carne deliciosa, temperada com alho, e quebrei as patas da lagosta de Margot para ela, que já não tinha forças para aquilo. Ela chupou a carne das patas fazendo barulhinhos de prazer e passou pequenos pedaços por baixo da mesa, onde estava Dean Martin, diplomaticamente ignorado por todo mundo. Dividimos uma enorme porção de batatas fritas (comi quase todas, enquanto Margot colocava só algumas no prato e dizia que estavam deliciosas).

Ficamos sentadas em um silêncio saciado e cheio de companheirismo enquanto o restaurante esvaziava aos poucos, e Margot pagou o jantar com um cartão de crédito que raramente usava ("Estarei morta antes que venham atrás do pagamento, rá!"). Então, Charlie se aproximou, caminhando com o corpo rígido, e colocou a mão gigantesca no ombro minúsculo dela. Ele disse que já ia se recolher, mas que esperava ver Margot pela manhã, antes que ela partisse. Disse também que fora um grande prazer revê-la, depois de todos aqueles anos.

— O prazer foi todo meu, Charlie. Obrigada pela estada maravilhosa.

Os olhos dela cintilavam de afeto, e os dois ficaram de mãos dadas até Charlie se soltar com relutância e se virar para ir embora.

— Fui para a cama com ele uma vez — disse Margot enquanto ele se afastava. — Um homem encantador. Não era bom para mim, é claro.

Quando engasguei com minha última batata frita, ela me lançou um olhar entediado.

— Eram os anos setenta, Louisa. Eu já estava sozinha havia tempo. Foi muito bom vê-lo de novo. Viúvo agora, é claro. — Ela suspirou. — Como todos da minha idade.

Ficamos sentadas em silêncio por algum tempo, observando o oceano negro e interminável. Bem ao longe, dava para ver as minúsculas luzes dos barcos pesqueiros, piscando. Perguntei-me como seria a sensação de estar lá, sozinha, no meio do nada.

Então Margot falou em voz baixa:

— Eu não esperava voltar aqui. Por isso, preciso agradecer a você. Foi... foi revigorante.

— Para mim também, Margot. Eu me sinto... em ordem.

Ela sorriu para mim antes de se inclinar para acariciar Dean Martin. O cachorro estava deitado embaixo da cadeira dela, roncando baixinho.

— Você fez a coisa certa, sabe, com Josh. Ele não era para você.

Não respondi. Não havia nada a dizer. Eu passara três dias pensando em quem eu poderia ter me tornado se tivesse continuado com Josh — rica, semiamericana, até mesmo razoavelmente feliz — e descobrira que, depois de poucas semanas, Margot me compreendia melhor que eu mesma. Eu teria me moldado para me encaixar na vida dele. Teria me livrado das roupas que amava, das coisas de que mais gostava. Teria transformado meu comportamento, meus hábitos, e me perdido no fluxo carismático dele. Teria me tornado uma esposa executiva, culpando-me pelos pedaços de mim que não se encaixassem, eternamente grata por aquele Will americano.

Não pensei em Sam. Eu me tornara muito boa nisso.

— Sabe — disse Margot —, quando se tem a minha idade, a pilha de arrependimentos se torna tão grande que pode obscurecer terrivelmente a visão.

Ela continuou com os olhos fixos no horizonte enquanto eu esperava, perguntando-me a quem Margot estaria se dirigindo.

Três semanas se passaram sem grandes acontecimentos depois que voltamos de Montauk. Não parecia mais ter qualquer certeza na minha vida, por isso decidi viver como Will me aconselhara, simplesmente estando presente em cada momento, até ficar de mãos atadas de novo. Em algum ponto, eu acreditava que a saúde de Margot ou suas dívidas estourariam a bolha em que vivíamos e eu teria que marcar meu voo de volta para casa.

Até lá, aquele não era um modo desagradável de viver. As rotinas que pontuavam meu dia me davam prazer — minhas corridas ao redor do Central Park, meus passeios com Dean Martin, a preparação do jantar de Margot (mesmo que ela não comesse muito) e nossa dedicação agora conjunta a assistir a *Roda da Fortuna*, gritando letras para os prêmios surpresa. Dei uma melhorada em meu guarda-roupa, jogando-me em meu eu nova-iorquino com uma série de looks que deixaram Lydia e a irmã de queixo caído. Às vezes, usava peças que Margot me emprestava, e outras vezes usava coisas que tinha comprado no Emporium. Todo dia, parava diante do espelho no quarto vago de Margot e examinava as roupas que eu tinha permissão para usar. E uma parte de mim vibrava de alegria.

Trabalhei para as meninas do Vintage Clothes Emporium cobrindo alguns turnos enquanto Angelica estava em Palm Springs vasculhando uma fábrica de roupas femininas que, ao que parecia, guardava amostras de todos os itens que haviam sido confeccionados desde 1952. Mantive o negócio no rumo ao lado de Lydia, ajudando meninas de pele pálida a escolher vestidos para o baile de formatura e rezando para que os zíperes se mantivessem fechados enquanto ela reorganizava as araras e reclamava sobre a quantidade de espaço desperdiçado na loja.

— Sabe quanto custa o metro quadrado nesta área? — perguntou ela, balançando a cabeça diante do cabideiro giratório solitário em um canto distante. — É sério. Eu faria um estacionamento naquele canto se arrumasse um jeito de enfiar carros aqui dentro.

Agradeci a uma cliente que acabara de comprar um bolero de tule enfeitado com lantejoulas e fechei a gaveta da caixa registradora.

— Então por que não aluga o espaço? Para uma loja ou coisa assim? Isso lhe garantiria mais uma fonte de renda.

— Sim, nós já conversamos sobre isso. Mas é complicado. No momento em que envolvermos outros comerciantes no negócio, precisaremos instalar uma divisória, arrumar um acesso separado e fazer seguro, e não saberemos quem vai entrar e sair a qualquer hora. Estranhos junto das nossas coisas... É arriscado demais.

Ela mascou o chiclete, fez uma bola e a estourou distraidamente com a unha pintada de roxo.

— Além do mais, você sabe, não gostamos de ninguém.

— Louisa!

Ashok estava parado no tapete da entrada e bateu as palmas das mãos enluvadas quando cheguei ao prédio.

— Vai a nossa casa no próximo sábado? Meena quer saber.

— O protesto continua acontecendo?

Nos dois sábados anteriores, eu não deixara de notar que houvera uma clara diminuição no número de presentes. Os moradores do local já quase não tinham mais esperanças. As palavras de ordem não eram mais gritadas com tanta determinação agora que o orçamento da cidade apertara, e os manifestantes habituais começaram a não aparecer. Meses depois de a ação ter começado, apenas nosso pequeno grupinho permanecia firme, com Meena animando a todos com garrafas de água e insistindo que a luta continuava.

— Ainda está acontecendo. Você conhece minha esposa.

— Então eu adoraria ir. Obrigada. Diga a ela que vou levar a sobremesa.

— Pode deixar.

Ele murmurou feliz para si mesmo diante da perspectiva de comida boa e me chamou quando eu já chegava ao elevador.

— Ei!

— O que foi?

— Bela roupa, madame.

Naquele dia eu estava vestida em homenagem ao filme *Procura-se Susan Desesperadamente*. Usava uma jaqueta bomber de seda roxa com um arco-íris bordado nas costas, calça legging, camadas de camisetas e o braço cheio de braceletes que tilintavam deliciosamente cada vez que eu empurrava com força a gaveta da caixa registradora (não fechava direito a não ser que se fizesse isso).

— Sabe — comentou Ashok, balançando a cabeça. — Não acredito que você usava aquela camisa polo quando trabalhava para os Gopnik. Não tinha nada a ver com você.

Hesitei quando a porta do elevador se abriu. Eu me recusava a usar o elevador de serviço agora.

— Sabe de uma coisa, Ashok? Você está coberto de razão.

Em respeito ao status de proprietária de Margot, eu sempre batia na porta antes de entrar no apartamento, embora tivesse a chave havia meses. Não houve resposta da primeira vez e tive que controlar o pânico automático que ameaçou me dominar, dizendo a mim mesma que ela costumava colocar o rádio em volume alto e que Ashok teria me avisado se houvesse algum problema. Finalmente entrei com minha chave. Dean Martin veio se sacudindo pelo corredor para me cumprimentar, os olhos vesgos de alegria com minha chegada. Eu o peguei no colo e deixei que fuçasse meu rosto todo com o focinho enrugado.

— Olá, garoto. Olá para você. Onde está sua mãe, hein?

Coloquei Dean Martin no chão e ele latiu e correu em círculos, empolgado.

— Margot? Margot, cadê você?

Ela saiu da sala usando o robe de seda chinesa.

— Margot! Está se sentindo mal?

Deixei a bolsa cair no chão e corri em sua direção, mas ela ergueu a mão.

— Louisa, aconteceu um milagre.

Minha resposta saiu antes que eu tivesse a chance de me conter.

— Você está melhorando?

— Não, não, não. Entre. Entre! Venha conhecer *meu filho*.

Ela se virou antes que eu pudesse dizer qualquer coisa e desapareceu na sala. Fui atrás dela e um homem alto, usando um suéter em tom pastel, com uma barriguinha incipiente se destacando acima da fivela do cinto, levantou-se de uma poltrona para me cumprimentar.

— Esse é Frank Junior, meu filho. Frank, essa é minha querida amiga Louisa Clark. Sem ela, eu não teria enfrentado os últimos meses.

Tentei disfarçar como fiquei aturdida.

— Ah. Nossa. É... digo o mesmo.

Eu me inclinei para cumprimentar a mulher ao lado de Frank, que usava um suéter de gola alta e tinha cabelo claro e fino como algodão-doce, do tipo que ela provavelmente passara a vida tentando controlar.

— Sou Laynie — disse ela com uma voz aguda, como a de algumas mulheres que parecem não abandonar a adolescência. — Esposa de Frank. Acho que é a você que devemos agradecer por nossa pequena reunião familiar.

Ela secou os olhos com um lencinho bordado. Seu nariz estava muito vermelho, como se houvesse chorado recentemente.

Margot estendeu a mão para mim.

— Acabou que Vincent, aquele danadinho ardiloso, contou ao pai sobre nossos encontros e sobre minha... situação.

— Sim, o danadinho ardiloso com certeza sou eu — disse Vincent, aparecendo na porta com uma bandeja. — Ele parecia relaxado e feliz. — É bom vê-la de novo, Louisa.

Assenti, com um sorriso amarelo fixo no rosto.

Era estranho ver pessoas naquele apartamento. Eu estava acostumada ao silêncio, a sermos só eu, Margot e Dean Martin. Sem Vincent com sua camisa xadrez e gravata Paul Smith entrando com nossa bandeja de jantar, sem o homem alto com as pernas imprensadas na mesa de centro e a mulher que não parava de olhar ao redor da sala de estar, com os olhos ligeiramente arregalados, como se nunca tivesse estado em um lugar como aquele.

— Eles me pegaram de surpresa, sabe — contou-me Margot, a voz falhando um pouco, como se ela já tivesse falado demais. — Vincent me ligou para dizer que passaria aqui, mas achei que era só ele. Então, a porta se abriu um pouco mais e, ora, não consigo... Vocês devem estar chocados por eu estar de roupão. Eu não tinha nem me arrumado para o dia, não é mesmo? Havia esquecido completamente até agora. Mas tivemos uma tarde deliciosa. Nem sei como começar a lhe contar.

Margot estendeu a outra mão para o filho, que a pegou e apertou com carinho. O queixo dele tremeu um pouco com a emoção reprimida.

— Ah, foi mesmo mágico — disse Laynie. — Temos tanto para colocar em dia. Acho sinceramente que foi trabalho de Deus nos reunir.

— Bem, Dele e do Facebook — brincou Vincent. — Aceita um café, Louisa? Ainda tem um pouco no bule. Acabei de pegar alguns biscoitos, só para o caso de Margot querer comer alguma coisa.

— Ela não vai comer esses biscoitos — falei, antes que conseguisse me deter.

— Ah, ela está certíssima. Não como biscoitos, Vincent, querido. Esses na verdade são para Dean Martin. As gotas de chocolate não são de chocolate de verdade, está vendo?

Margot mal parava para respirar. Parecia completamente mudada. Era como se tivesse rejuvenescido uma década do dia para a noite. O brilho sem graça em seu olhar se fora, substituído por algo suave. E ela não parava de tagarelar, animada.

Recuei em direção à porta.

— Bem, não... não quero atrapalhar. Com certeza vocês têm muito para conversar. Margot, grite quando precisar de mim.

Eu me levantei e acenei com a mão sem saber bem por quê.

— Foi maravilhoso conhecer vocês. Estou muito feliz por todos.

— Achamos que o certo seria mamãe voltar conosco — falou Frank Junior.

Houve um breve momento de silêncio.

— Voltar para onde? — perguntei.

— Para Tuckahoe — disse Laynie. — Para nossa casa.

— Por quanto tempo? — indaguei. Eles se entreolharam. — Quero dizer, por quanto tempo ela ficaria com vocês? Para que eu possa arrumar a mala dela.

Frank Junior ainda estava segurando a mão da mãe.

— Srta. Clark, perdemos muito tempo, mamãe e eu. E nós dois acreditamos que seria ótimo se pudéssemos aproveitar ao máximo o tempo que ainda nos resta. Assim, precisamos fazer alguns... arranjos.

As palavras evidenciaram uma ponta de possessividade, como se ele já estivesse deixando claro que tinha uma influência maior que a minha sobre Margot.

Olhei para ela, que retribuiu meu olhar, os olhos tranquilos e serenos.

— É isso mesmo — concordou.

— Espere. Você quer ir embora... — falei, e quando ninguém disse nada — ...daqui? Do apartamento?

A expressão de Vincent era solidária. Ele se virou para o pai.

— Por que não vamos embora agora, pai? — sugeriu ele. — Todos têm muito para processar. Com certeza precisaremos resolver muita coisa. E acho que Louisa e vovó também têm que conversar.

Ele tocou meu ombro de leve quando saiu. Pareceu um pedido de desculpas.

* * *

— Sabe, achei a esposa de Frank bastante agradável, embora não tenha a *menor* ideia de como se vestir, a pobrezinha. Ele teve umas namoradas terríveis quando era mais novo, segundo a minha mãe. Por algum tempo, ela me mandou cartas descrevendo as moças. Mas uma blusa branca de gola alta. Pode imaginar esse horror? Uma *gola alta branca*.

A lembrança da roupa — ou talvez a rapidez com que Margot estava falando — provocou uma crise de tosse. Entreguei um copo de água a ela e esperei que se recuperasse. Todos haviam partido minutos depois da sugestão de Vincent. Fiquei com a sensação de que foram embora por causa da insistência dele, pois seus pais não queriam deixar Margot.

Eu me sentei na poltrona.

— Não consigo entender.

— Isso tudo deve parecer muito repentino para você. Foi simplesmente a coisa mais extraordinária, Louisa, querida. Nós conversamos sem parar, e talvez até tenhamos derramado algumas lágrimas. Ele continua igual! Foi como se nunca tivéssemos nos separado. Frank está do mesmo jeito... tão sério e silencioso, mas ao mesmo tempo muito gentil, exatamente como na infância. E aquela esposa dele é assim também... Então, do nada, os dois me convidaram para morar com eles. Tive a sensação de que já haviam conversado a respeito disso antes de chegarem. E eu disse que iria. — Ela olhou para mim. — Ah, vamos, você e eu sabemos que não vai ser para sempre. Há um ótimo lugar a pouco mais de três quilômetros da casa deles para onde eu posso ir quando as coisas se tornarem difíceis demais.

— Difíceis? — sussurrei.

— Louisa, não fique toda melosa por minha causa de novo, pelo amor de Deus. Quando eu não puder fazer as coisas sozinha. Quando estiver mal mesmo. Sinceramente, não imagino que vá ficar com meu filho por mais que uns poucos meses. Desconfio que foi por isso que eles ficaram tão confortáveis em fazer o convite.

Ela deu uma risada irônica.

— Mas... mas não entendo. Você disse que nunca deixaria este lugar. Quero dizer, e todas as suas coisas? Você não pode simplesmente ir embora.

Ela me encarou.

— É exatamente o que vou fazer.

Margot respirou fundo, o peito ossudo se erguendo dolorosamente por baixo do tecido macio do roupão.

— Estou morrendo, Louisa. Sou uma mulher velha e não vou aguentar muito mais tempo. E meu filho, que eu pensava que estava perdido para mim, teve a generosidade de engolir a mágoa e o orgulho e me estender a mão. Consegue imaginar? Consegue imaginar o que é alguém fazer uma coisa dessas por você?

Pensei em Frank Junior, nos olhos dele fixos na mãe, as cadeiras juntas, a mão dele segurando a dela com força.

— Por que eu escolheria permanecer neste lugar por mais um minuto sequer se tenho a possibilidade de passar meu tempo com Frank? De acordar e vê-lo durante o café da manhã, de conversar sobre todas as coisas que não vi acontecer, de conhecer os filhos dele... e *Vincent*... o querido Vincent. Sabia que ele tem um irmão? Tenho dois netos. *Dois!* Enfim. Consegui pedir desculpas ao meu filho. Você tem ideia de como isso foi importante? Consegui pedir desculpas. Ah, Louisa, podemos nos agarrar à mágoa por conta de um orgulho equivocado ou podemos simplesmente nos entregar e aproveitar o tempo precioso que ainda nos resta. — Ela apoiou as mãos nos joelhos com firmeza. — Então, é isso que planejo fazer.

— Mas você não pode. Não pode simplesmente ir embora.

Eu tinha começado a chorar. Não sabia de onde vinham aquelas lágrimas.

— Ah, menina querida, espero de coração que você não fique aborrecida com isso. Vamos, vamos. Sem lágrimas, por favor. Preciso lhe pedir um favor.

Sequei o nariz.

— Essa é a parte difícil. — Margot engoliu com certo esforço. — Eles não vão receber Dean Martin. Sentem muito mesmo, mas há problemas de alergia ou algo assim. E eu estava pronta a dizer a eles para deixarem de ser ridículos, que ele tinha que ir comigo, mas, para ser honesta, tenho andado ansiosa com o que vai acontecer com Dean Martin quando... você sabe, quando eu me for. Afinal, ele ainda tem anos de vida pela frente. Com certeza muito mais que eu. Então... eu queria saber se você ficaria com ele para mim. Ele parece gostar de você. E só Deus sabe por quê depois do modo terrível como você costumava arrastar a pobre criatura por aí. O animal deve ser a própria alma do perdão.

Eu a encarei através das lágrimas.

— Quer que eu fique com Dean Martin?

— Quero.

Olhei para o cachorrinho, que esperava ansioso aos pés dela.

— Estou lhe pedindo, como minha amiga, se... se consideraria a possibilidade. Por mim.

Ela me encarava atentamente, os olhos claros examinando os meus, os lábios franzidos. Meu rosto se contorceu. Estava feliz por Margot, mas me sentia arrasada por perdê-la. Não queria ficar sozinha de novo.

— Sim.

— Vai ficar com ele?

— É claro.

E comecei a chorar de novo.

Margot suspirou, aliviada.

— Ah, eu sabia que você aceitaria. Sabia. E sei que vai cuidar dele.

Ela sorriu e, pela primeira vez, não me repreendeu por minhas lágrimas. Inclinou-se para a frente, os dedos se fechando ao redor da minha mão.

— Você é esse tipo de pessoa.

Eles passaram no apartamento duas semanas mais tarde para levá-la embora. Eu achara aquela pressa vagamente indecente, mas a verdade era que nenhum de nós sabia quanto tempo restava a Margot. Frank Junior havia quitado a montanha de contas de condomínio atrasadas — um ato que poderia ser visto apenas como ligeiramente menos altruísta quando a gente lembrava que isso significava que ele poderia herdar o apartamento, que já não seria mais reivindicado pelo Sr. Ovitz —, mas Margot escolheu ver a atitude do filho como um ato de amor, e eu não tinha razão para não fazer o mesmo. Ele com certeza parecia feliz por estar com a mãe de novo. O casal papariçou Margot, checou se ela estava bem, se estava levando toda a medicação, se não se sentia cansada demais, ou zonza, ou mal, ou precisando de água, até ela unir as mãos e revirar os olhos, fingindo irritação. Mas Margot estava empolgada. Praticamente não parara de falar sobre Frank desde que me contara.

Eu ficaria e tomaria conta do lugar "pelo futuro próximo", de acordo com Frank Junior. Para mim, isso significava até que Margot morresse, embora ninguém dissesse isso em voz alta. Ao que parecia, o corretor de imóveis dissera que ninguém iria querer alugar o apartamento como estava, e era um pouco indecoroso começar a reformá-lo antes do "futuro próximo". Assim, eu fora agraciada com o papel de cuidadora temporária do lugar. Margot também repetiu várias vezes que isso ajudaria Dean Martin a ter alguma estabilidade enquanto se ajustava à nova situação. Não tenho certeza de que a saúde mental do cão estava no topo da lista de prioridades de Frank Junior.

Margot levou apenas duas malas e usou um de seus conjuntos favoritos para viajar, o casaquinho e a saia buclê cor de jade com um chapeuzinho combinando. Completei a roupa com uma echarpe azul-escura de Saint-Laurent amarrada ao redor do pescoço fino dela, para disfarçar o modo como ele se destacava, dolorosamente ossudo, e desenterrei um par de brincos cabochão turquesa como toque final. Fiquei preocupada com a possibilidade de ela sentir calor, mas Margot parecia estar ficando cada vez mais magra e frágil, reclamando de frio mesmo nos dias mais quentes. Fiquei parada na calçada do lado de fora do prédio, com Dean Martin nos braços, observando Frank Junior e Vincent supervisionarem o embarque da bagagem dela. Margot se certificou de que eles estavam com suas caixas de joias — ela planejava dar alguns dos itens mais valiosos para a nora e outros para Vincent, "para quando ele se casasse". Então, aparentemente satisfeita por eles terem guardado tudo em segurança, ela caminhou devagar até mim, apoiando-se na bengala.

— Agora, querida. Eu lhe deixei uma carta com todas as minhas instruções. Não contei a Ashok que estou partindo. Não quero agitação com relação a isso. Mas deixei uma coisinha para ele na cozinha. Eu agradeceria se você pudesse entregar depois que eu for embora.

Assenti.

— Anotei tudo de que você precisa para Dean Martin em uma carta separada. É muito importante que se atenha à rotina dele. É como ele gosta das coisas.

— Não precisa se preocupar. Vou garantir que ele seja feliz.

— E nada daqueles petiscos de fígado. Dean Martin implora por eles, mas fica enjoado quando come.

— Nada de petiscos de fígado.

Margot tossiu, talvez por causa do esforço de falar, e esperou um instante até se certificar de que tinha fôlego o suficiente. Apoiou-se na bengala e olhou para o prédio que a abrigara por mais de meio século, a mão frágil por cima dos olhos para protegê-los do sol. Então, virou-se, o corpo rígido, e observou o Central Park, que fora a vista de sua janela por tanto tempo.

Frank Junior estava chamando do carro, o corpo inclinado para nos ver melhor. A esposa dele estava de pé ao lado da porta do carona, usando um casaco impermeável de um tom azul-claro, apertando as mãos em um gesto ansioso. Ao que parecia, ela não era uma mulher que gostava da cidade grande.

— Mãe?

— Um momento, obrigada, querido.

Margot se adiantou e parou bem na minha frente. Então, estendeu a mão para o cachorro que eu segurava no colo e acariciou a cabeça dele três, quatro vezes, com os dedos finos, parecendo marmorizados.

— Você é um bom companheiro, não é, Dean Martin? — disse ela baixinho. — Muito bom companheiro.

O cachorrinho a encarou de volta, extasiado.

— E é mesmo o rapaz mais bonito.

A voz dela falhou na última palavra.

Dean Martin lambeu a mão de Margot, que deu um passo à frente e beijou a cabeça enrugada dele com os olhos fechados e os lábios cerrados por um momento um pouco longo demais, o que fez o cachorro arregalar os olhinhos estrábicos e agitar as patas na direção dela. Margot ficou abatida.

— Eu... eu poderia levá-lo para ver você.

Ela manteve o rosto encostado no dele, os olhos fechados, ignorando o barulho, o trânsito e as pessoas ao redor.

— Ouviu o que eu disse, Margot? Quer dizer, depois que você estiver acomodada, poderíamos pegar o trem e...

Ela endireitou o corpo, abriu os olhos e abaixou-os por um instante.

— Não. Obrigada. — Antes que eu pudesse dizer mais alguma coisa, Margot deu as costas. — Agora o leve para passear, por favor, querida. Não quero que ele me veja partir.

O filho dela saiu do carro e ficou na calçada, esperando. Ele lhe ofereceu a mão, mas ela não aceitou. Tive a impressão de vê-la piscando para afastar as lágrimas, mas era difícil dizer, já que meus próprios olhos não conseguiam conter o choro.

— Obrigada, Margot — falei. — Por tudo.

Ela balançou a cabeça, os lábios contraídos.

— Agora, vá. Por favor, meu bem.

Então, virou-se na direção do carro enquanto o filho se aproximava, a mão estendida na direção dela. E não sei o que aconteceu depois porque coloquei Dean Martin na calçada, como ela me pedira, e saí andando depressa para o Central Park, a cabeça baixa, ignorando os olhares das pessoas curiosas que deviam estar se perguntando por que uma garota usando um short curto cintilante e uma jaqueta bomber de seda roxa estava chorando às onze da manhã.

Caminhei pelo máximo de tempo que as pernas curtas de Dean Martin aguentaram. E quando ele parou, em um ato de rebeldia, perto do Azalea Pond, a linguinha minúscula para fora e um dos olhos ligeiramente caído, eu o peguei no colo e o carreguei, meus próprios olhos inchados de tanto chorar, meu peito a uma inspiração de distância de mais um soluço desolado.

Eu nunca fui uma pessoa louca por animais. Mas de repente compreendi o conforto de enterrar o rosto no pelo macio de outra criatura, o consolo garantido pelas várias pequenas tarefas que se é obrigado a fazer para assegurar o bem-estar do bichinho.

— A Sra. De Witt saiu de férias?

Ashok estava atrás da mesa dele quando entrei, com a cabeça baixa e usando meus óculos escuros de plástico azul.

Não tive energia para contar a ele naquele momento.

— Sim.

— Ela não me pediu para cancelar a entrega dos jornais. É melhor eu fazer isso. — Ele balançou a cabeça e estendeu a mão para um livro com capa de couro. — Sabe quando ela volta para casa?

— Eu lhe falo depois.

Subi lentamente a escada, o cachorrinho imóvel em meus braços, como se estivesse com medo de que qualquer movimento seu me fizesse colocá-lo para usar as pernas de novo. Então, entrei no apartamento.

Estava um silêncio mortal, já marcado pela ausência de Margot de um modo como nunca acontecera quando ela estava no hospital, com partículas de poeira se elevando no ar quente e parado. Em questão de meses, pensei, outra pessoa moraria ali, arrancaria o papel de parede dos anos sessenta, se livraria da mobília em vidro fumê. O apartamento seria transformado, reformado, serviria de refúgio para executivos ocupados ou de lar para uma família terrivelmente rica com filhos pequenos. Eu senti um vazio ao pensar nisso.

Dei água a Dean Martin e um punhado de ração pastosa como agrado, então andei devagar pelo apartamento, que ainda guardava as roupas, os chapéus, as paredes de lembranças, e disse a mim mesma para não pensar nas coisas tristes, mas no prazer no rosto daquela senhora diante da perspectiva de terminar seus dias junto do único filho. A alegria fora tamanha que a transformara, animando as feições cansadas e fazendo seus olhos brilharem. Isso me fez pensar até que ponto todos aqueles pertences, todas aquelas relíquias, não haviam sido um modo de Margot se proteger da dor imensa que sentia pela ausência dele.

Margot De Witt, rainha do estilo, extraordinária editora de moda, mulher à frente de seu tempo, havia construído um muro — encantador, chamativo e multicolorido, mas ainda assim um muro — para dizer a si mesma que tudo fora *por um objetivo*. E, no momento em que o filho voltara, ela derrubara aquele muro sem nem olhar para trás.

Algum tempo mais tarde, quando minhas lágrimas haviam se transformado em soluços espaçados, peguei o primeiro envelope em cima da mesa e abri. A carta estava escrita na letra linda e sinuosa de Margot, um remanescente de uma época em que as crianças eram julgadas por sua caligrafia. Como prometido, continha detalhes da dieta preferida do cachorrinho, os horários em que ele deveria comer, as necessidades veterinárias e a agenda de vacinação, de aplicação de antipulgas e vermífugos. A carta me orientava onde encontrar os diversos casacos de inverno dele — havia diferentes opções para chuva, vento e neve — e informava qual era a marca de xampu favorita de Dean Martin. Também era necessário limpar os dentes dele, as orelhas e (eu me encolhi ao ler) esvaziar suas glândulas anais.

— Ela não me disse *isso* quando me pediu para ficar com você — falei para ele, que ergueu a cabeça, grunhiu e voltou a abaixá-la.

Na sequência, Margot dava detalhes de para onde qualquer correspondência deveria ser encaminhada, as informações de contato da empresa de mudanças

— os itens que eles não levariam deveriam permanecer no quarto dela, e eu deveria escrever um bilhete avisando a eles para não entrarem ali e prendê-lo na porta do quarto. Toda a mobília, as luminárias e as cortinas poderiam ir. Os cartões do filho e da nora dela estavam no envelope, e eu deveria entrar em contato com eles se precisasse de qualquer outro esclarecimento.

E agora vamos ao que importa. Louisa, não a agradeci pessoalmente por encontrar Vincent — o ato de desobediência civil que me trouxe uma felicidade inesperada —, mas gostaria de agradecê-la agora. E também por tomar conta de Dean Martin. Há poucas pessoas em quem eu confiaria para cuidar dele de acordo com minhas instruções e para amá-lo como eu amo, mas você é uma delas.

Louisa, você é um tesouro. Sempre foi discreta demais para me contar os detalhes, mas não permita que o que quer que tenha acontecido com aquela família tola do apartamento vizinho ofusque sua luz. Você é uma criaturinha corajosa, linda e muito bondosa, e serei eternamente grata pelo fato de a perda deles ter sido o meu ganho. Obrigada.

Nesse espírito de agradecimento, gostaria de lhe oferecer meu guarda-roupa. Para qualquer outra pessoa — exceto talvez para suas amigas mercenárias daquela loja lamentável — essas peças seriam lixo. Sei disso. Mas você vê minhas roupas como o que elas são. Faça o que quiser com elas — guarde algumas, venda outras, o que for. Mas sei que você terá prazer com elas.

Aqui vai o que eu penso que deveria fazer — embora saiba muito bem que ninguém quer saber a opinião de uma velha. Monte seu próprio negócio. Alugue as roupas, ou venda-as. Aquelas garotas da loja ficaram achando que as peças valem alguma coisa — ora, acho que essa seria uma carreira perfeita para você. Deve haver roupas o bastante para começar algum tipo de empreendimento. Mas, é claro, talvez você tenha outras ideias para seu próprio futuro, muito melhores. Pode me contar o que decidir?

De qualquer modo, minha cara colega de apartamento, vou esperar ansiosa por notícias suas. Por favor, dê um beijo nesse cachorrinho por mim. Já sinto uma saudade terrível dele.

Com todo o meu carinho,
Margot

Larguei a carta e fiquei sentada na cozinha por algum tempo, então fui até o quarto de Margot, entrei no quarto de vestir e examinei os armários cheios, peça após peça.

Uma loja de aluguel de roupas? Eu não sabia nada sobre negócios, nada sobre instalações, contabilidade ou sobre como lidar com o público. Estava morando em uma cidade cujas regras eu não compreendia inteiramente, sem um endereço permanente, e havia fracassado em todos os empregos que tivera. Por que diabo Margot acreditava que eu poderia começar um empreendimento totalmente novo?

Passei os dedos por uma manga de veludo azul-escuro e tirei a roupa do cabide: um macacão Halston, com um decote quase até a cintura, protegido por um tecido transparente. Voltei a pendurar o macacão com cuidado e peguei um vestido — bordado inglês branco, a saia cheia de babados. Percorri aquela primeira arara repleta de cabides, estupefata, intimidada. Eu mal havia começado a absorver a responsabilidade de ter um cão. O que deveria fazer com três quartos cheios de roupas?

Naquela noite, fiquei sentada no apartamento de Margot e liguei a televisão para ver *Roda da Fortuna*. Comi o que sobrara do frango que eu assara para o último jantar dela no apartamento (eu desconfiava que ela havia passado a maior parte do que estava em seu prato para Dean Martin, por baixo da mesa). Não ouvi o que Vanna White falava, nem gritei letras para o prêmio surpresa. Pensei no que Margot me dissera, e na pessoa que ela vira em mim.

Quem era Louisa Clark, afinal?

Eu era filha, irmã e uma espécie de mãe substituta por um tempo. Era uma mulher que cuidava dos outros, mas que parecia não ter muita ideia, mesmo agora, de como tomar conta de si mesma. Enquanto a roda cintilante girava na minha frente, tentei pensar no que queria de verdade, em vez de levar em consideração o que todos os outros pareciam querer para mim. Pensei no que Will realmente quisera me dizer — para não viver uma ideia de segunda mão de uma vida plena, mas para viver meu próprio sonho. O problema, acho, era que eu nunca soubera que sonho era esse.

Pensei em Agnes, do outro lado do corredor, uma mulher tentando convencer a todos de que era capaz de se encaixar em uma nova vida enquanto uma parte fundamental dela se recusava a parar de lamentar o papel que deixara para trás. Pensei em minha irmã, na satisfação recém-encontrada depois que ela dera o passo necessário para compreender quem realmente era. O modo como Treena havia se entregado com tanta facilidade ao amor depois que se permitira fazer isso. Pensei em minha mãe, uma mulher tão acostumada a tomar conta de outras pessoas que já não sabia mais o que fazer com seu tempo livre.

Pensei nos três homens que eu amara, em como cada um deles havia me transformado, ou tentado me transformar. Era inegável que Will tinha ficado gravado em mim. Eu vira tudo através do prisma do que ele me desejara. *Eu também teria me transformado por você, Will. E agora compreendo... você provavelmente sabia disso o tempo todo.*

Viva corajosamente, Clark.
"Boa sorte!", gritou a apresentadora da *Roda da Fortuna*, e voltou a girá-la.
E me dei conta do que eu realmente queria fazer.

Passei os três dias seguintes inventariando o guarda-roupa de Margot, separando as peças em grupos: seis décadas diferentes e, dentro de cada década, roupas para o dia a dia, para a noite e para ocasiões especiais. Separei tudo que precisava de pequenos reparos — botões faltando, renda esgarçada, furinhos — e fiquei maravilhada com o modo como ela conseguira evitar as traças e o desgaste das costuras, muitas das quais permaneciam perfeitamente alinhadas. Segurei algumas peças diante do corpo, experimentei outras, erguendo as capas plásticas de proteção e deixando escapar baixinho exclamações de prazer e espanto que faziam Dean Martin levantar as orelhas e, em seguida, se afastar com desprezo. Fui até a biblioteca pública e passei metade do dia pesquisando sobre tudo o que era necessário para começar um pequeno negócio: impostos, autorizações, documentos. Imprimi tudo e fui guardando em uma pasta que ficava mais cheia a cada dia. Então, fiz uma visita ao Vintage Clothes Emporium com Dean Martin e me sentei com as meninas para pedir indicações dos melhores lugares para mandar lavar a seco peças delicadas e dos melhores armarinhos para encontrar forro de seda para reparos.

Elas ficaram empolgadas ao saber do presente de Margot.

— Poderíamos comprar todo o lote de você — disse Lydia, soprando anéis de fumaça para o alto. — Quer dizer, por algo assim, poderíamos pedir um empréstimo no banco. Não é? Nós lhe pagaríamos um bom preço. O bastante para o depósito de aluguel em um apartamento realmente bom! Tivemos muito interesse daquela empresa de TV alemã. Eles têm uma série de vinte e quatro episódios com pessoas de várias gerações, que querem...

— Obrigada, mas ainda não decidi o que quero fazer com tudo — falei, tentando não reparar no desânimo no rosto delas. Já me sentia um tanto possessiva em relação àquelas roupas. Inclinei-me para a frente, por cima do balcão. — Mas tenho outra ideia...

Na manhã seguinte, eu estava experimentando um terninho verde de paletó e calça Ossie Clark, dos anos setenta, checando se havia costuras ruins ou furinhos, quando a campainha tocou.

— Só um segundo, Ashok. Deixe só eu pegar o cachorro — gritei, enquanto pegava no colo um Dean Martin que latia furiosamente para a porta.

Michael estava parado à minha frente.

— Oi — falei friamente, depois de me recuperar do choque. — Algum problema?

Ele se esforçou para não erguer uma sobrancelha por causa da minha roupa.
— O Sr. Gopnik gostaria de vê-la.
— Estou aqui legitimamente. A Sra. De Witt me convidou para ficar.
— Não tem a ver com isso. Para dizer a verdade, não sei do que se trata. Mas ele quer falar com você sobre alguma coisa.
— Sinceramente, não quero falar com ele, Michael. Obrigada, de qualquer forma.

Fiz menção de fechar a porta, mas ele colocou o pé no caminho para impedir. Olhei para o pé dele. Dean Martin deixou escapar um rosnado baixo.
— Louisa. Você sabe como ele é. O Sr. Gopnik me disse para não sair daqui até você concordar.
— Diga para ele mesmo atravessar o corredor. Não é longe.

Michael abaixou a voz:
— Ele não quer ver você aqui. Quer vê-la no escritório. A sós.

Michael parecia desconfortável de um modo que não lhe era característico, como aconteceria com alguém que havia declarado ser seu melhor amigo para então largá-lo como se você fosse uma batata quente.
— Diga a ele que posso ir até lá mais tarde esta manhã, então. Depois que eu e Dean Martin fizermos nossa caminhada.

Ele continuou imóvel.
— O que foi?

A expressão dele era quase suplicante.
— O carro está esperando do lado de fora do prédio.

Levei Dean Martin comigo. Ele foi uma boa distração para a vaga sensação de ansiedade que me incomodava. Michael estava sentado ao meu lado na limusine, e os olhinhos estrábicos de Dean Martin se fixavam nele e nas costas do banco do motorista ao mesmo tempo. Fiquei em silêncio, me perguntando que diabo o Sr. Gopnik iria fazer agora. Se ele tivesse decidido me denunciar, sem dúvida teria mandado a polícia me pegar, não seu carro. Será que esperara de propósito Margot ter ido embora? Havia descoberto outras coisas para me culpar? Pensei em Steven Lipkott e no teste de gravidez e imaginei o que responderia se ele me perguntasse o que eu sabia. Will sempre dissera que eu não conseguia manter uma expressão neutra. Ensaiei mentalmente *Não sei de nada*, até Michael me lançar um olhar penetrante e eu perceber que havia começado a falar em voz alta.

Fomos deixados diante de um enorme prédio de vidro, e Michael atravessou depressa o saguão cavernoso revestido de mármore, mas me recusei a me apressar e deixei Dean Martin seguir em seu próprio ritmo, embora percebesse que isso estava enfurecendo Michael. Ele pegou um crachá com a segurança, entregou-o para mim e me guiou na direção de um elevador separado, nos fundos do saguão — o Sr. Gopnik claramente era importante demais para subir e descer no mesmo elevador que os funcionários.

Subimos até o quadragésimo sexto andar a uma velocidade que fez meus olhos saltarem tanto quanto os de Dean Martin, e tentei disfarçar o ligeiro tremor em minhas pernas quando saímos do elevador para o silêncio sussurrado dos escritórios. Uma secretária, imaculadamente vestida em um terninho e com um sapato de salto agulha, observou-me de cima a baixo — imaginei que não deviam estar acostumados a receber pessoas vestindo um terninho verde da Ossie Clark dos anos setenta, com viés de cetim vermelho, e ainda por cima segurando um cachorrinho furioso. Segui Michael por um corredor até outro escritório, onde havia mais uma mulher sentada, também vestida imaculadamente em seu uniforme formal.

— Trouxe a Srta. Clark para ver o Sr. Gopnik, Diane — disse ele.

Ela assentiu, ergueu um fone e murmurou alguma coisa para quem estava do outro lado.

— Ele vai recebê-la agora — disse a mulher com um sorrisinho.

Michael apontou as portas para mim.

— Quer que eu fique com o cachorro? — perguntou.

Ele estava obviamente desesperado para que eu não entrasse com Dean Martin.

— Não. Obrigada — respondi, segurando o cãozinho com um pouco mais de força junto ao corpo.

A porta se abriu e lá estava Leonard Gopnik com camisa social.

— Obrigado por concordar em me ver — disse ele, fechando a porta depois de entrarmos na sala.

O Sr. Gopnik indicou uma cadeira do outro lado da escrivaninha e contornou-a lentamente. Percebi que ele estava mancando bastante e me perguntei o que Nathan estaria fazendo em relação a isso. Ele sempre fora discreto demais para conversar a respeito.

Não falei nada.

O Sr. Gopnik se sentou pesadamente em sua cadeira. Reparei que parecia cansado, que o bronzeado caro não conseguia esconder as olheiras e as rugas de tensão no canto dos olhos.

— Está levando seus deveres muito a sério — comentou ele, gesticulando para o cachorro.

— Sempre levo — falei.

E ele assentiu, como se fosse uma resposta justa.

Então se inclinou para a frente e encostou as pontas dos dedos umas nas outras.

— Não sou uma pessoa acostumada a ficar sem palavras, Louisa, mas... confesso que é o que está acontecendo neste momento. Descobri algo há dois dias. Algo que me deixou muito abalado.

Ele olhou para mim. Eu o encarei de volta, minha expressão perfeitamente neutra.

— Minha filha, Tabitha, ficou... desconfiada de algumas coisas que ouviu e contratou um detetive. Não fiquei muito satisfeito com isso... Não somos uma família inclinada a investigar uns aos outros. Mas quando ela me contou sobre o que o cavalheiro havia descoberto... Bem, não era algo que eu pudesse ignorar. Falei com Agnes e ela me contou tudo.

Esperei.

— A criança.

— Ah — falei.

Ele suspirou.

— Durante as... várias discussões que tivemos, ela também explicou sobre o piano e o dinheiro para comprá-lo, que, pelo que compreendo, você recebeu ordens de sacar, um pouco a cada dia, de um caixa automático próximo.

— Sim, Sr. Gopnik.

Ele baixou a cabeça, como se ainda guardasse uma mínima esperança de que eu contrariasse os fatos, que dissesse que tudo aquilo não passava de bobagem, que o detetive particular estava falando besteira.

Por fim, recostou-se pesadamente na cadeira.

— Parece que erramos feio com você, Louisa.

— Não sou uma ladra, Sr. Gopnik.

— Exatamente. E, ainda assim, por lealdade a minha esposa, você estava disposta a me deixar acreditar que era.

Eu não entendi direito se aquilo era uma crítica.

— Não achei que tinha muita escolha.

— Ah, você tinha. Com certeza tinha.

Ficamos sentados em silêncio no escritório frio por alguns instantes. Ele tamborilou os dedos na mesa.

— Louisa, passei grande parte da noite tentando descobrir um modo de consertar essa situação. E gostaria de lhe fazer uma oferta.

Esperei.

— Gostaria de lhe devolver seu emprego. Você teria, é claro, melhores condições... Folgas mais longas, um aumento de salário, benefícios melhores. Se preferir não morar em nosso apartamento, podemos arrumar uma acomodação por perto.

— Um emprego?

— Agnes não encontrou ninguém de quem gostasse como gostava de você, nem de longe. Louisa, você mais do que provou seu valor, e estou imensamente grato por sua... lealdade e por sua discrição permanente. A moça que contratamos depois de você foi... Bem, ela não serve. Agnes não gosta dela. Minha esposa considerava você mais como... uma amiga.

Olhei para Dean Martin. Que retribuiu o olhar. Ele não parecia nada impressionado.

— Sr. Gopnik, fico lisonjeada com sua proposta, mas acho que não me sentiria mais confortável trabalhando como assistente de Agnes.

— Há outros cargos dentro da minha empresa. Pelo que sei, você ainda não tem outro emprego.

— Quem lhe disse isso?

— Pouca coisa acontece naquele prédio que eu não saiba, Louisa. Normalmente, pelo menos. — Ele se permitiu um sorriso irônico. — Escute, temos vagas nos departamentos de Marketing e Administrativo. Eu poderia pedir que o departamento de Recursos Humanos fizesse vista grossa para algumas exigências dos cargos, e lhe ofereceríamos treinamento. Ou então estou disposto a criar um cargo em meu ramo filantrópico se você achar que seria mais interessante. O que diz?

Ele se recostou na cadeira, um braço apoiado na escrivaninha, a caneta de ébano pendendo da mão.

Uma imagem dessa vida alternativa se estendeu diante de meus olhos: eu, vestindo um terninho, indo trabalhar todo dia naqueles imensos escritórios envidraçados. Louisa Clark, ganhando um belo salário, morando em um lugar pelo qual poderia pagar. Uma nova-iorquina. Por uma vez na vida não tendo que tomar conta de ninguém, apenas subindo, com o céu sem limites acima de mim. Seria uma vida completamente nova. Uma dose na veia do Sonho Americano.

Pensei no orgulho que minha família sentiria se eu aceitasse.

Pensei em uma loja bagunçada no centro da cidade, cheia até o teto com roupas velhas de outras pessoas.

— Sr. Gopnik, mais uma vez, estou muito lisonjeada. Mas acho que não.

A expressão dele ficou mais séria.

— Então você quer dinheiro.

Eu o encarei sem entender.

— Vivemos em uma sociedade litigiosa, Louisa. Tenho consciência de que você guarda informações muito delicadas sobre minha família. Se é de uma alta quantia que você está atrás, podemos conversar. Posso incluir meu advogado. — Ele se inclinou para a frente e apertou o interfone. — Diane, você pode...

Foi nesse momento que eu me levantei e coloquei Dean Martin delicadamente no chão.

— Sr. Gopnik, não quero seu dinheiro. Se eu quisesse processá-lo... ou ganhar dinheiro com seus segredos, teria feito isso semanas atrás, quando fiquei sem emprego e sem ter onde morar. O senhor está me julgando errado agora, da mesma forma como fez naquele momento. E eu gostaria de ir embora agora.

Ele tirou o dedo do interfone.

— Por favor... sente-se. Não tive a intenção de ofendê-la. — E indicou a cadeira. — Por favor, Louisa. Preciso resolver esse assunto.

Ele não confiava em mim. Percebi naquele instante que o Sr. Gopnik vivia em um mundo onde dinheiro e status eram muito mais valorizados do que qualquer coisa, e que era inconcebível que alguém não tentasse tirar algo dele se tivesse oportunidade.

— O senhor quer que eu assine alguma coisa — falei com frieza.

— Quero saber seu preço.

Então tive uma ideia. Talvez eu tivesse um preço, afinal.

Voltei a me sentar e, depois de um instante, contei a ele. Pela primeira vez, nos nove meses em que nos conhecíamos, o Sr. Gopnik pareceu devidamente surpreso.

— É isso o que você quer?

— É isso o que eu quero. Não me importo como o senhor vai fazer.

Ele se recostou na cadeira e colocou as mãos atrás da cabeça. Então, desviou os olhos, pensando um pouco, até se voltar de novo para mim.

— Eu realmente preferiria que você voltasse a trabalhar para mim, Louisa Clark — disse ele.

Então sorriu pela primeira vez e estendeu a mão na mesa para apertar a minha.

— Carta para você — disse Ashok quando entrei no prédio.

O Sr. Gopnik dera ordens para que o carro me levasse de volta para casa, e eu pedira ao motorista que me deixasse a duas quadras do prédio, para que Dean Martin pudesse esticar as pernas. Eu ainda estava abalada com o encontro. Sentia a cabeça leve, estava exultante, como se fosse capaz de qualquer coisa. Ashok precisou repetir antes que eu registrasse o que ele estava dizendo.

— Para mim?

Conferi o endereço. Não conseguia pensar em ninguém que soubesse que eu estava morando no apartamento da Sra. De Witt a não ser meus pais, e minha mãe sempre me manda um e-mail para dizer que enviou uma carta.

Subi a escada correndo, dei água a Dean Martin e me sentei para abrir a carta. A letra não me era familiar, então folheei as páginas. Estava escrita em um papel barato, com caneta preta, e havia alguns trechos riscados, como se o remetente tivesse ficado em dúvida sobre o que queria dizer.

Sam.

30

Querida Lou,

Não fui totalmente sincero na última vez que nos encontramos. Por isso, lhe escrevo esta carta. Não porque acho que isso vai mudar alguma coisa, mas porque a enganei uma vez e é importante para mim que você saiba que nunca mais vou enganá-la ou iludi-la.

Eu e Katie não estamos juntos. Não estávamos na última vez que vi você. Não quero falar muito sobre isso, porém logo ficou claro que somos pessoas muito diferentes e que eu havia cometido um tremendo erro. Para ser honesto, acho que eu sabia disso desde o início. Ela pediu transferência e, embora não tenham gostado muito da ideia no escritório central, parece que vão atender ao pedido.

Fiquei me sentindo um idiota, e com razão. Não há um dia em que eu não deseje ter lhe escrito algumas linhas, como você pediu, ou que tivesse lhe mandado um cartão-postal engraçado. Eu deveria ter abraçado você com mais força e lhe dito o que sentia na hora em que sentia. Deveria ter me esforçado um pouco mais em vez de me entregar a um show de autopiedade, pensando em todas as pessoas que tinham me deixado.

Como eu disse, não escrevi esta carta para fazê-la mudar de ideia. Sei que você seguiu em frente. Só quero lhe pedir desculpas e lhe dizer que vou carregar para sempre o arrependimento pelo que aconteceu, e que espero sinceramente que você esteja feliz (é um pouco difícil dizer isso de luto).

Cuide-se, Louisa.

Com amor, sempre,
Sam

Eu me senti exultante. E um pouco enjoada. Depois engoli um enorme soluço de uma emoção que não identifiquei. Então, amassei a carta em uma bola e, com um urro, a joguei com força no lixo.

Mandei uma foto de Dean Martin para Margot e escrevi uma cartinha para ela atualizando-a sobre o bem-estar dele, só para aplacar meu nervosismo. Andei para cima e para baixo no apartamento vazio e soltei alguns palavrões. Peguei xerez do armário de bebidas empoeirado de Margot e tomei o copo todo em três goles, apesar de ainda ser de manhã. Então, peguei a carta no lixo, abri o notebook, me sentei no chão do hall de entrada, de costas para a porta da frente, para usar o Wi-Fi dos Gopnik, e mandei um e-mail para Sam.

Que palhaçada é essa? Por que me mandou essa carta agora? Depois de todo esse tempo?

A resposta chegou em poucos minutos, como se Sam estivesse sentado diante do computador, esperando pelo meu e-mail.

Entendo a sua raiva. Eu provavelmente também ficaria furioso. Mas Lily disse que você estava pensando em se casar, que estava procurando apartamento em Little Italy, e isso me fez pensar que, se eu não falasse com você agora, depois seria tarde demais.

Encarei a tela e franzi o cenho. Então, reli duas vezes o que ele havia escrito. E digitei de volta:

Lily lhe disse isso?

Sam confirmou:

Disse. E falou também que você acha tudo isso um pouco precipitado, que não quer que ele ache que você vai se casar só para conseguir o green card. Mas que o modo como ele a pediu em casamento fez com que fosse impossível dizer não.

Esperei alguns minutos, então escrevi a resposta com todo o cuidado do mundo:

Sam, o que Lily lhe contou sobre o pedido de casamento?

Ele respondeu depressa:

> Que Josh se ajoelhou na sua frente no topo do Empire State. E que ele até contratou uma cantora de ópera. Lou, não fique chateada com Lily. Sei que eu não deveria ter obrigado ela a me contar. Sei que não é da minha conta. Mas só perguntei a ela como você estava um dia desses. Quis saber o que estava acontecendo na sua vida. Aí ela me pegou de surpresa com toda essa história. Eu disse a mim mesmo que deveria simplesmente ficar feliz por você. Mas então não parei de pensar: e se eu tivesse sido o cara? E se eu tivesse... sei lá... aproveitado a oportunidade?

Fechei os olhos.

> Então, você me escreveu porque Lily lhe disse que eu estava prestes a me casar?

Sam respondeu:

> Não. Eu queria mesmo escrever para você. Desde que a vi em Stortfold. Só não sabia o que dizer.
> Mas então me dei conta de que depois que você estivesse casada — ainda mais se fosse se casar tão depressa — seria impossível eu dizer alguma coisa. O que talvez seja antiquado da minha parte.
> Olha, eu só queria que você soubesse que sinto muito, Lou. É isso. Lamento se é inapropriado.

Levei um tempo para responder.

> Ok. Bem, obrigada por me contar.

Fechei o notebook, me recostei na porta e fiquei ali, de olhos fechados, por um bom tempo.

Decidi não pensar sobre aquilo. Eu era muito boa em não pensar nas coisas. Resolvi pendências domésticas, levei Dean Martin para passear e fui de metrô ao East Village no calor sufocante para conversar sobre metragem, divisórias, escritura de aluguel e seguro com as meninas. Não pensei em Sam. Não pensei em Sam quando passei com o cachorro pelos caminhões de lixo fedidos e onipresentes, ou quando desviei de vans da Fedex que buzinavam, ou quando torci o tornozelo nos paralelepípedos do SoHo, ou quando arrastei malas de roupas pelas catracas do metrô. Repeti mentalmente as palavras de Margot e fiz o que amava, que agora crescia da sementinha de uma ideia para uma bolha enorme cheia de oxigênio dentro de mim, empurrando todo o resto para o lado.

Não pensei em Sam.

A carta seguinte de Sam chegou três dias depois. Dessa vez, reconheci a letra dele, rabiscada em um envelope que Ashok enfiara por debaixo da porta do apartamento de Margot.

Eu andei pensando sobre a nossa troca de e-mails e só queria lhe contar mais algumas coisas. (Você não disse que eu não podia, por isso espero que não rasgue esta carta.)

Lou, eu nunca soube que você queria se casar. E agora me sinto um idiota por não ter lhe perguntado. Eu não percebi que você é o tipo de garota que no fundo quer grandes gestos românticos. Lily me falou tanto sobre o que Josh faz por você — as rosas que manda toda semana, os jantares elegantes e coisas assim —, que fico aqui pensando... Eu fui mesmo tão lerdo? Como fiquei parado esperando que tudo se resolvesse se nem sequer tentei?

Lou, eu entendi mesmo tudo tão errado? Só preciso saber se o tempo todo em que estivemos juntos você esperou que eu fizesse um grande gesto, se eu não a compreendi. Se foi esse o caso, mais uma vez me desculpe.

É meio estranho ter que refletir tanto sobre si mesmo, ainda mais quando se é um cara não muito chegado à introspecção como eu. Gosto de fazer coisas, não de refletir sobre elas. Mas acho que preciso aprender uma lição aqui e estou lhe pedindo para ser generosa o bastante para me responder.

Peguei um dos blocos desbotados de Margot, com o endereço do apartamento no topo. Risquei o nome dela e escrevi:

Sam, eu nunca quis nada grandioso de você. Nada.
Louisa

Desci a escada correndo, entreguei a carta a Ashok, para que a colocasse no correio, e subi correndo de novo o mais depressa possível, fingindo não tê-lo ouvido perguntar se estava tudo bem.

* * *

A carta seguinte chegou em poucos dias. Foi enviada pelo serviço de entrega expressa, que deve ter custado uma fortuna a Sam.

Mas você queria, sim. Queria que eu escrevesse. E eu não fiz isso. Estava sempre cansado demais ou, para ser honesto, ficava constrangido. Não era como se eu estivesse realmente falando com você, parecia só tagarelice com o papel. Para mim, soava falso.

Então, quanto mais eu não escrevia para você e mais você se adaptava a sua vida aí e mudava, eu tinha a sensação de... ora, que diabo eu tenho para contar a ela, afinal? Ela vai a esses bailes elegantes, frequenta clubes, anda de limusine para todo lado e está vivendo o melhor momento da vida, enquanto eu ando para cima e para baixo em uma ambulância, no leste de Londres, resgatando bêbados e aposentados solitários que caíram da cama.

Muito bem, vou lhe dizer outra coisa agora, Lou. E, se você nunca mais quiser saber de mim, vou entender. Mas, agora que estamos nos falando de novo, preciso dizer: eu não estou feliz por você. Acho que você não deve se casar com esse cara. Sei que ele é inteligente e bonito, que contrata quartetos de cordas para tocar enquanto vocês jantam no terraço dele, mas tem algo aí em que não acredito. Não acho que ele seja o homem certo para você.

Ah, droga. Isso na verdade nem é sobre você. Eu é que estou enlouquecendo. Odeio imaginar você com ele. O simples pensamento desse cara a envolvendo com os braços me dá vontade de sair socando tudo. Não durmo mais direito porque me transformei nesse ciumento idiota que precisa se obrigar a pensar em outra coisa. E você sabe como sou — eu durmo em qualquer lugar.

Você provavelmente está lendo isto agora e pensando: "Ótimo, bem feito, seu panaca." E você tem todo o direito.

Só não seja precipitada, ok? Tenha certeza de que esse cara é mesmo tudo o que você merece. Ou, sei lá, simplesmente não se case com ele.

Bjs, Sam

Levei alguns dias para responder daquela vez. Carreguei a carta para todo canto comigo e dava uma olhada nela nos momentos de calma no Vintage Clothes Emporium e quando parava para tomar um café em uma lanchonete que permitia a entrada de cães perto de Columbus Circle. Relia a carta quando ia de noite para a minha cama já afundada e pensava nela enquanto estava na banheira cor de salmão de Margot.

Então finalmente respondi:

Querido Sam,
Eu e Josh não estamos mais juntos. Usando uma frase sua, nós percebemos que somos pessoas muito diferentes uma da outra.
Lou

P.S.: Para sua informação, um violinista pairando sobre mim enquanto tento comer me dá arrepios.

31

Querida Louisa,

Pois bem, tive a minha primeira boa noite de sono em semanas. Encontrei a sua carta às seis da manhã, ao voltar de um turno noturno, e tenho que lhe confessar que fiquei tão, mas tão feliz que tive vontade de gritar feito um louco e de dançar, mas sou péssimo dançarino e não tinha ninguém com quem falar, por isso soltei as galinhas, me sentei no degrau e contei a elas (que não ficaram muito impressionadas, mas do que elas entendem?).
Então, posso escrever para você?
Tenho coisas a dizer agora. Também passo pelo menos oitenta por cento do meu dia de trabalho com um sorriso bobo estampado. Meu novo parceiro (Dave, que tem quarenta e cinco anos e com certeza não vai me dar romances franceses de presente) diz que estou assustando os pacientes desse jeito.
Conte-me o que está acontecendo na sua vida. Você está bem? Está triste? Não me pareceu triste. Talvez eu simplesmente não queira que você esteja triste.
Converse comigo.
Com amor.
Beijos, Sam

As cartas chegavam quase todos os dias. Algumas eram longas e mais vagarosas, outras tinham só algumas linhas, poucos rabiscos, ou uma foto dele mostrando partes da casa, que estava completa. Ou das galinhas. Às vezes, as cartas eram longas, exploratórias, ardentes.

Fomos rápido demais, Louisa Clark. Talvez minha mágoa tenha acelerado tudo. Afinal, não dá para se esforçar muito para conquistar alguém depois

de terem literalmente revirado as suas entranhas. Então, talvez isso seja bom. Talvez a gente consiga conversar de verdade um com o outro.
Fiquei arrasado depois do Natal. Agora posso lhe contar isso. Gosto de pensar que fiz a coisa certa, mas não fiz. Magoei você e isso me atormenta. Em muitas noites, eu simplesmente desisti de dormir e fui trabalhar na casa. Recomendo fortemente se comportar como um asno se deseja finalizar uma construção.
Tenho pensado muito na minha irmã. Principalmente no que ela me diria. Você não precisa tê-la conhecido para imaginar do que ela estaria me chamando neste momento.

Dia após dia, as cartas chegavam, às vezes duas em um período de vinte e quatro horas, outras vezes complementadas por e-mails, porém eram em sua maioria apenas longos textos escritos à mão, janelas que me transportavam para dentro da cabeça e do coração de Sam. Alguns dias, eu quase achava melhor não lê-las — tinha medo de retomar a intimidade com o homem que de forma tão abrangente partira meu coração. Em outros momentos, eu acabava descendo a escada correndo, descalça, de manhã, com Dean Martin nos calcanhares, e ficava parada diante de Ashok, balançando o corpo de ansiedade, enquanto ele examinava a correspondência. Ashok fingia que não tinha chegado nada para mim, então tirava uma carta de dentro do paletó e me entregava com um sorriso, enquanto eu disparava escada acima, para saboreá-la com privacidade.

Eu relia as cartas diversas vezes, descobrindo com cada uma o quanto eu e Sam nos conhecíamos tão pouco antes de eu partir. Através delas, aos poucos construí uma nova imagem daquele homem quieto e complicado. Às vezes, as cartas dele me deixavam para baixo:

Sinto muito. Hoje não dá. Perdi dois garotos em um acidente de trânsito. Só preciso ir para a cama.

Bjs
P.S.: Espero que seu dia tenha sido repleto de coisas boas.

Mas isso acontecia poucas vezes. Sam falava sobre Jake, sobre como o garoto lhe dissera que Lily era a única pessoa que de fato entendia como ele se sentia, e como toda semana Sam levava o pai de Jake para fazer a trilha do canal ou o convencia a ajudar com a pintura das paredes da casa nova, só para tentar fazer com que se abrisse um pouco (e parasse de comer bolo). Ele falou das duas galinhas que perdera para uma raposa, das cenouras e beterrabas que estavam crescendo na horta. Revelou como havia chutado a moto feito um louco, desesperado e furioso, no dia de Natal, depois que me deixou na casa dos meus pais, e que não mandara consertar o amassado porque era um bom lembrete de como ele ficou arrasado quando não estávamos nos falando. A cada dia, Sam se abria um pouco mais, e a cada dia eu sentia que o conhecia um pouco melhor.

Eu lhe contei que Lily veio aqui hoje? Finalmente disse a ela que você e eu temos conversado. Lily ficou roxa e engasgou com um chiclete. É sério. Achei que ia ter que fazer a manobra de Heimlich nela.

Eu respondia as cartas nas horas em que não estava trabalhando nem levando Dean Martin para passear. Descrevia para Sam pequenas vinhetas da minha vida, contava sobre como estava catalogando e consertando com cuidado os itens do guarda-roupa de Margot, mandava fotos das peças que me serviam como uma luva (ele me disse que prendia essas na cozinha). Contei a ele como a ideia de Margot de uma loja de roupas usadas fincara raízes na minha imaginação e como eu não tirava o projeto da cabeça. Falei de minhas outras correspondentes — os cartõezinhos delicados que recebia de Margot, ainda radiante de alegria por ter sido perdoada pelo filho; e os cartões estampados com flores que Laynie, nora de Margot, me mandava, me atualizando sobre as pioras na condição de saúde da sogra e agradecendo por eu ter aproximado mais o marido dela da mãe, mencionando também sua tristeza pelo fato de a reconciliação ter demorado tanto a acontecer.

Contei a Sam que tinha começado a procurar apartamento, que saía com Dean Martin para ver áreas da cidade que ainda não conhecia — Jackson Heights, Queens, Park Slope —, tentando perceber se eu correria o risco de ser assassinada enquanto dormia e tentando não arregalar os olhos diante do preço absurdo do metro quadrado.

Contei também sobre os meus jantares com a família de Ashok, que agora eram semanais, como as trocas de ofensas casuais entre eles e o amor evidente que sentiam um pelo outro, o que me dava saudade da minha própria família. Disse que toda hora pensava no meu avô — com muito mais frequência do que quando ele estava vivo —, e como a minha mãe, agora livre de toda responsabilidade, não conseguia parar de chorar por ele. Revelei como, apesar de eu estar passando mais tempo sozinha do que havia passado em anos, apesar de estar morando naquele apartamento grande e vazio, curiosamente não me sentia nem um pouco solitária.

E, aos poucos, permiti que ele soubesse o que significava para mim tê-lo de novo em minha vida, ter a voz dele em meu ouvido de madrugada, saber que eu significava algo para ele. O fato de senti-lo como uma presença física, apesar dos quilômetros que nos separavam.

Finalmente, disse a ele que sentia sua falta, mas percebi, ao clicar em Enviar, que aquilo na verdade não resolvia nada.

Nathan e Ilaria chegaram para jantar. Nathan trouxe algumas cervejas e Ilaria, um prato apimentado de carne de porco e feijão que ninguém quisera na casa dos Gopnik. Não deixei de pensar na frequência com que Ilaria cozinhava pratos que ninguém queria. Na semana anterior, ela aparecera com um prato de camarão ao curry, que eu me lembrava muito bem de Agnes mandando que nunca mais fosse servido.

Nós nos sentamos lado a lado no sofá de Margot, com as tigelas de comida no colo, molhando pedaços de pão de milho no encorpado molho de tomate e tentando não arrotar um na cara do outro enquanto conversávamos acima do barulho da televisão. Ilaria pediu notícias de Margot, então se benzeu e balançou a cabeça com tristeza quando repassei as informações que tinha recebido de Laynie. Ela, por sua vez, me contou que Agnes banira Tabitha do apartamento, o que causou certo estresse para o Sr. Gopnik, que preferira lidar com esse rompimento específico passando ainda mais tempo no trabalho.

— Para ser justo, tem muita coisa acontecendo no escritório — argumentou Nathan.

— Tem muita coisa acontecendo do outro lado do corredor — revelou Ilaria, com a sobrancelha erguida. — A *puta* tem uma filha — completou baixinho, secando as mãos em um guardanapo, quando Nathan se levantou para ir ao banheiro.

— Eu sei — falei.

— Ela está vindo visitar, com a irmã da *puta*. — Ilaria fungou e tirou um fio solto da calça. — Pobre criança. Não tem culpa de vir visitar uma família de loucos.

— Você vai tomar conta dela — comentei. — É boa nisso.

— Que cor de banheiro é essa?! — exclamou Nathan, voltando para a sala. — Achei que ninguém fazia azulejos de banheiro em verde-menta. Sabiam que lá tem um hidratante de 1974?

Ilaria ergueu as sobrancelhas e franziu os lábios.

Nathan foi embora às 21h15, e depois que ele saiu, Ilaria abaixou a voz, como se ele ainda pudesse ouvir, e me contou que Nathan estava saindo com uma personal trainer de Bushwick, que queria que ele fosse vê-la toda hora. Entre a garota e o Sr. Gopnik, ele mal tinha tempo para conversar com mais ninguém. O que se podia fazer?

Respondi que nada. As pessoas simplesmente vão fazer o que quiserem.

Ela assentiu, como se eu tivesse mostrado grande sabedoria, e também foi embora.

— Posso lhe perguntar uma coisa?
— Claro! Nadia, meu bem, leve isto para a sua avó para mim?

Meena se inclinou para entregar um copinho plástico com água gelada para a filha. A noite estava muito quente e todas as janelas do apartamento de Ashok e Meena tinham sido abertas. Apesar dos dois ventiladores que giravam preguiçosamente, o ar teimava em não se mover. Estávamos preparando o jantar na cozinha minúscula e cada movimento parecia fazer uma parte de mim grudar em algo.

— Ashok já feriu você?

Meena se virou depressa do fogão para me encarar.

— Não estou falando fisicamente. Só...
— Se já feriu os meus sentimentos? Se ele aprontou comigo? Não muito, para ser sincera. Esse na verdade não é muito o jeito dele. Uma vez, ele me zoou, dizendo que parecia uma baleia quando estava grávida de quarenta e duas semanas de Rachana, mas depois que superei o efeito dos hormônios, meio que fui obrigada a concordar com ele. E vou te dizer... ele pagou caro por ter dito isso! — contou ela, dando uma gargalhada aguda, então esticou a mão para pegar o pote de arroz no armário. — É o cara de Londres de novo?
— Ele escreve para mim. Todo dia. Mas eu...
— Você o quê?

Dei de ombros.

— Estou com medo. Eu o amei demais. E foi tão ruim quando terminamos. Acho que só estou com medo de que, ao me permitir me apaixonar por ele de novo, esteja me arriscando a sofrer ainda mais. É complicado.
— É sempre complicado. — Ela secou as mãos no avental. — A vida é assim. Então me mostre.
— Mostrar o quê?
— As cartas. Assuma. Não finja que não carrega todas com você por aí o dia inteiro. Ashok disse que você fica meio derretida quando lhe entrega uma delas.
— Achei que os porteiros deveriam ser discretos.
— Ele não guarda segredos de mim. Você sabe disso. Estamos muito *envolvidos* nas reviravoltas de sua vida por lá.

Meena riu e estendeu a mão, gesticulando com impaciência. Hesitei só por um segundo, então peguei as cartas com cuidado na bolsa. E, alheia às idas e vindas dos filhos pequenos, à risada abafada da mãe assistindo a uma comédia na televisão no cômodo ao lado, ao barulho, ao suor e ao clique-clique do ventilador de teto, Meena se debruçou sobre as cartas e começou a ler.

É a coisa mais estranha, Lou. Passei três anos construindo essa maldita casa. Obcecado com as molduras certas para as janelas, com o melhor modelo de chuveiro para o boxe e se deveria comprar soquetes brancos de plástico ou de níquel polido. E agora ela está pronta. Ou o mais pronta que vai ficar. E estou sentado aqui sozinho, na minha sala imaculada, pintada no tom perfeito de cinza-claro, com o aquecedor que queima madeira recondicionada e as cortinas triplas com entretelas que minha mãe me ajudou a escolher, e fico me perguntando... ora, para quê? Para que eu construí isso?

Acho que eu precisava de uma distração depois da perda da minha irmã. Construí uma casa para não ter que pensar. Construí uma casa porque precisava acreditar no futuro. Mas, agora que a terminei, olho esses cômodos vazios e não sinto nada. Talvez um pouco de orgulho por finalmente tê-la terminado. Mas e fora isso? Sinto absolutamente nada.

Meena ficou olhando para as últimas linhas por bastante tempo. Então, dobrou a carta, colocou-a com cuidado na pilha e me devolveu todas.

— Ah, Louisa — disse ela, com a cabeça inclinada para o lado. — Pelo amor de Deus, garota.

1442, Lantern Drive
Tuckahoe
Westchester, NY

Querida Louisa,

Espero que você esteja bem e que o apartamento não esteja lhe dando muito trabalho. Frank disse que os empreiteiros vão dar uma olhada aí daqui a duas semanas — você poderia ficar em casa para recebê-los? Mais tarde lhe passaremos os detalhes sobre a empresa.

Margot não anda com disposição para escrever muito esses dias — agora muitas coisas são cansativas para ela e os remédios a deixam um pouco debilitada —, mas achei que você gostaria de saber que ela está sendo bem cuidada. Decidimos que, apesar de tudo, não conseguimos suportar a ideia de mandá-la para a casa de repouso, então ela vai continuar conosco, com a ajuda da equipe médica, que é muito gentil. Margot ainda tem muito a dizer ao Frank e a mim, ah, tem, sim! Ela nos faz correr de um lado para outro feito doidos na maioria dos dias! Não me importo. Na verdade, gosto de ter alguém de quem cuidar, e nos dias bons de Margot é uma delícia ouvir todas as histórias dela de quando Frank era pequeno. Acho que ele também gosta de ouvi-las, embora nunca admita. São farinha do mesmo saco, aqueles dois!

Margot me pediu para lhe perguntar se você se importaria de enviar outra foto do cachorro. Ela gostou tanto da que você mandou! Frank a colocou em um lindo porta-retratos de prata ao lado da cama dela e sei que a foto é um grande conforto para Margot, agora que ela passa tanto tempo em repouso. Não acho esse cachorro tão agradável de se olhar quanto ela obviamente acha, mas gosto não se discute.

Ela manda muito amor para você e disse que espera que ainda esteja usando a linda meia-calça listrada. Não sei se isso é efeito dos remédios, mas achei que a intenção dela era boa!

Com todo o meu carinho,

Laynie G. Weber

— Você soube?

Eu estava saindo com Dean Martin para ir ao trabalho. O verão já tinha começado a mostrar bem a que viera, cada dia mais quente e mais úmido do que o anterior, por isso a curta caminhada até o metrô fazia a roupa colar nas minhas costas, enquanto os entregadores expunham a pele clara queimada de sol, xingando os turistas que atravessavam a rua sem olhar para os lados. Mas eu estava usando meu vestido psicodélico dos anos sessenta, que Sam tinha me dado, e sapatos de salto de cortiça, com flores cor-de-rosa na tira. E, depois do inverno que eu tivera, os raios de sol em meus braços eram como um bálsamo.

— Soube do quê?

— Da biblioteca! Ela foi salva! O futuro dela está garantido pelos próximos dez anos! — revelou Ashok, me passando o celular. Então parei no tapete e levantei os óculos escuros para ler a mensagem de Meena. — Eu não acredito. Uma doação anônima em homenagem a um cara que já morreu. O... espere, está aqui. — Ele rolou a mensagem com o dedo. — Em memória de William Traynor. Mas quem se importa com o nome do cara! Patrocínio por dez anos, Louisa! E a câmara municipal concordou! Dez anos! Nossa. Meena está nas *nuvens*. Ela tinha certeza de que perderíamos essa.

Dei uma olhada no celular e depois devolvi para ele.

— É uma boa notícia, não é?

— É incrível! Quem poderia imaginar, Louisa? Hein? Quem poderia imaginar? Os mais fracos ganharam uma. Viva!

O sorriso de Ashok era enorme.

Naquele instante senti uma emoção crescer dentro de mim, uma sensação de alegria e uma expectativa tão grande que foi como se por um segundo o mundo tivesse parado de girar, como se só existíssemos eu e o universo e um milhão de coisas boas que poderiam acontecer se mantivesse a determinação.

Olhei para Dean Martin no chão e depois para o saguão de entrada. Acenei para Ashok, ajeitei os óculos escuros e desci a Quinta Avenida com meu sorriso se alargando a cada passo.

Eu tinha pedido só cinco anos.

32

Então, imagino que em algum momento teremos que conversar sobre o fato de seu ano fora estar quase chegando ao fim. Você tem alguma data em mente para voltar? Imagino que não possa ficar para sempre na casa daquela senhora.

Andei pensando na sua loja de aluguel de roupas... Lou, você poderia usar a minha casa como base, tem muito espaço de sobra aqui, totalmente livre. Se lhe interessar, você também poderia morar aqui.

Se achar que é cedo demais para isso e não quiser atrapalhar a vida da sua irmã voltando para o apartamento, que tal ficar com o vagão de trem? Devo dizer que essa não é a minha opção preferida, mas você sempre adorou o vagão e não deixa de ser atraente a ideia de tê-la tão perto, do outro lado do jardim...

Há, é claro, outra opção: isso tudo ser demais e você não querer nada comigo. Mas não gosto muito dessa possibilidade — é uma opção aterradora. Espero que você pense o mesmo.

Alguma ideia?
Beijos,
Sam

P.S.: Levei na ambulância um casal que fez cinquenta e seis anos de casados hoje. Ele estava com dificuldade para respirar — nada muito grave — e ela não soltou a mão dele nem por um segundo. Ficou paparicando-o até chegarem ao hospital. Não costumo reparar nessas coisas, mas hoje à noite... Sei lá.

Sinto sua falta, Louisa Clark.

Percorri toda a extensão da Quinta Avenida, a via engarrafada e os turistas vestidos em cores vivas atulhando as calçadas, e pensei em como uma mulher é sortuda quando encontra não apenas um, mas dois homens extraordinários para amar — e como é uma dádiva quando eles também a amam. Pensei em como somos moldados pelas pessoas que nos cercam e como precisamos ser cuidadosos ao escolhê-las exatamente por esse motivo. Então pensei também que, apesar de tudo, no fim talvez seja necessário perder todas elas para de fato descobrirmos quem somos.

Pensei em Sam e nas pessoas que estavam casadas havia cinquenta e seis anos, que eu não conhecia, e o nome dele se repetindo na minha cabeça marcou o ritmo dos meus passos, enquanto passava pelo Rockefeller Plaza, pelo esplendor exagerado da Trump Tower, pela St Patrick's Cathedral, pela enorme e iluminada loja da Uniqlo, com suas telas pixeladas. Passei pelo Bryant Park, pela ampla Biblioteca Pública de Nova York, com todos os detalhes ornamentais e os vigilantes leões esculpidos em pedra, pelas lojas abarrotadas de turistas, vendedores e moradores de rua. Todas as características diárias de uma vida que eu amava, em uma cidade onde ele não morava. Ainda assim — acima do barulho, das sirenes, das buzinas —, percebi que ele estava presente a cada passo.

Sam.

Sam.

Sam.

Então, pensei em como seria voltar para casa.

28 de outubro de 2006

Mãe,

Está a maior correria aqui, mas estou voltando para a Inglaterra! Consegui o emprego na empresa de Rupe, então vou entregar a carta de demissão amanhã e com certeza logo depois estarei na rua com as minhas coisas em uma caixa — essas empresas de Wall Street não gostam de manter por muito tempo quem pede demissão, pois acham que podem roubar sua lista de clientes.

Então, no ano que vem, serei o diretor executivo de fusões e aquisições aí em Londres. Estava mesmo querendo um novo desafio. Pensei em tirar férias antes — talvez fazer aquela viagem de um mês à Patagônia — e depois arranjar um lugar para morar. Se não for incômodo, você poderia ver isso para mim com alguns corretores? Os bairros de sempre, bem centrais, dois ou três quartos. Estacionamento no subsolo para a bicicleta, se possível (sim, sei que você odeia que eu ande nela).

Ah, e você vai gostar dessa novidade: conheci uma pessoa. Alicia Deware. Ela é inglesa, mas estava aqui visitando amigos e a conheci em um jantar horroroso. Saímos algumas vezes antes de ela ter que voltar para Notting Hill. Um namoro certinho, não no estilo nova-iorquino. Ainda está bem no começo, mas Alicia é divertida. Vou me encontrar com ela quando voltar. Mas não vá comprar um chapéu para usar no casamento. Você me conhece.

Então é isso! Diga ao papai que o amo — diga que logo, logo, pagarei para ele algumas cervejas no Royal Oak.

Aos novos começos, certo?

Com amor, seu filho.
Beijos,
Will

Li e reli a carta de Will, com suas menções a um universo paralelo e "o que poderia ter sido" pairando delicadamente ao meu redor como a neve. Li nas entrelinhas o que poderia ter sido o futuro dele e de Alicia — ou até o dele e o meu. Mais de uma vez, William John Traynor afastara o curso da minha vida de seus trilhos predeterminados — não com um cutucãozinho, porém com um empurrão enfático. Ao me mandar a correspondência dele, Camilla Traynor sem querer tinha feito com que ele repetisse isso.

Aos novos começos, não é?

Li as palavras de Will mais uma vez, dobrei a carta com cuidado, coloquei-a de volta com as outras e fiquei sentada, refletindo. Então, me servi do que sobrara do vermute de Margot, fiquei olhando para o vazio por um tempo, suspirei, fui até a porta da frente com o notebook, me sentei no chão e escrevi:

Querido Sam,

Não estou pronta.
    Sei que já se passou quase um ano e que originalmente tinha dito que esse seria o tempo que eu ficaria aqui — mas a questão é: eu não estou pronta para voltar para casa.
    Durante toda a minha vida, acabei tomando conta de outras pessoas, me moldando às necessidades e aos desejos delas. Sou boa nisso. Faço sem sequer perceber. E provavelmente eu faria isso com você também.

Não tem ideia de como quero entrar em um voo neste exato momento e simplesmente estar com você.

Mas nos últimos meses algo aconteceu comigo — algo que me impede de fazer isso.

Vou abrir a minha loja de aluguel de roupas aqui. Vai se chamar Bee's knees e ficará em um canto do Vintage Clothes Emporium — os clientes podem comprar das meninas ou alugar comigo. Estamos juntando nossos contatos, dividindo os custos de divulgação, e espero que ajudemos umas as outras a impulsionar os negócios. Vou abrir minha loja na sexta-feira e estou avisando a todos que lembro. Já soubemos do interesse do pessoal da produção de filmes, de revistas de moda e até de mulheres que só querem alugar algo para se vestir com elegância. (Você ficaria espantado com a quantidade de festas temáticas sobre Mad Men que rolam em Manhattan.)

Vai ser difícil e vou ficar sem dinheiro, e à noite, quando estou em casa, quase durmo em pé. Mas, pela primeira vez na vida, Sam, estou acordando empolgada. Adoro receber os clientes e avaliar o que vai ficar bem neles. Adoro costurar essas roupas lindas para deixá-las como novas. Adoro o fato de todo dia poder reimaginar quem quero ser.

Uma vez você me disse que desde pequeno queria ser paramédico. Bem, eu esperei quase trinta anos para descobrir quem eu queria ser. Esse meu sonho pode durar uma semana ou um ano, mas todo dia vou para o East Village com as malas cheias de roupa e os braços doendo, e tenho a impressão de que nunca estarei pronta, mas, bem, fico cantando de felicidade.

Penso muito na sua irmã. Também penso em Will. É difícil ver pessoas que amamos morrerem jovens, isso nos lembra de que não devemos tomar nada como certo na vida, que é nosso dever tirar o máximo de proveito do que temos. Sinto que finalmente consegui fazer isso. Então, é o seguinte: eu nunca pedi nada a ninguém. Mas, se você me ama, Sam, quero que se junte a mim — pelo menos até eu descobrir se conseguirei fazer esse projeto dar certo. Andei pesquisando: você teria que passar em uma prova e, ao que parece, o estado de Nova York contrata só em determinadas épocas do ano, mas a cidade está precisando de paramédicos.

Você poderia alugar a sua casa para ter uma renda, e poderíamos morar em um apartamento pequeno no Queens ou talvez pegar um mais barato no Brooklyn, e todo dia acordaríamos juntos e... nossa, nada me faria mais feliz. E eu me esforçaria o máximo possível — nas horas em que não estivesse coberta de poeira, traças e lantejoulas soltas — para fazê-lo se sentir feliz por estar aqui comigo.

Acho que quero tudo.

Só se vive uma vez, certo?

Você já me perguntou se eu queria um grande gesto. Aqui vai: estarei onde sua irmã sempre quis estar, na noite de 25 de julho às sete. Você sabe onde me encontrar se a resposta for sim. Se for não, ficarei lá parada por um tempo, apreciarei a vista e simplesmente me sentirei feliz por termos nos reencontrado, mesmo se tiver sido só desse jeito.

Com todo o meu amor, sempre.

Beijos,
Louisa

33

Vi Agnes mais uma vez antes de enfim deixar o Lavery. Eu cambaleava com os braços cheios de roupas que tinha levado para consertar em casa, com os plásticos de proteção grudando incomodamente na minha pele por causa do calor. Quando passei pela mesa da recepção do prédio, dois vestidos caíram no chão. Ashok se levantou com um pulo para pegá-los para mim e tentei não deixar o restante cair.

— Trabalho não vai lhe faltar hoje à noite.
— Ah, com certeza. Trazer tudo isso no metrô foi um verdadeiro pesadelo.
— Imagino. Ah, perdão, Sra. Gopnik. Vou só tirar isso do caminho.

Observei Ashok tirar meus vestidos do tapete em um movimento fluido para liberar o caminho para Agnes. Quando ela passou, aprumei o corpo o máximo que pude, apesar dos braços cheios de roupas. Agnes estava usando um vestido reto simples, com um decote largo, e sapato baixo, e parecia, como sempre, que de algum modo as condições do clima no momento — fosse calor ou frio extremo — não valiam para ela. Estava segurando a mão de uma garotinha, de quatro ou cinco anos, em um vestido salopete, que diminuiu o passo para ficar olhando aquele monte de roupas coloridas que eu segurava à frente do corpo. Seu cabelo era cor de mel, tinha cachos delicados nas pontas e estava bem penteado para trás e preso por dois laços de veludo. Ela também tinha os olhos oblíquos da mãe. Enquanto me observava, ela deu um sorrisinho travesso diante da minha enrascada.

Não pude deixar de sorrir de volta e, quando fiz isso, Agnes se virou para ver para onde a filha estava olhando. Então fizemos contato visual. Fiquei paralisada por um instante e quase consegui ficar séria de novo, mas, antes que pudesse fazer isso, os cantos da boca de Agnes formaram um sorriso igual ao da filha, quase como se ela não pudesse contê-lo. Ela assentiu para mim — foi um movimento tão discreto que provavelmente só eu percebi. Então, passou pela porta, que Ashok segurava, com a criança já pulando, e as duas se foram, engolidas pela luz do sol e pelo tráfego humano sempre em movimento da Quinta Avenida.

34

Para: AbelhaAtarefada@gmail.com
De: SreSraBernardClark@yahoo.com

Querida Lou,

    Olha, eu tive que ler a carta duas vezes para ter certeza de que tinha entendido direito. Olhei para a garota nas fotos no jornal e pensei: sério que é a minha menininha em um jornal de Nova York?
    Ficaram maravilhosas suas fotos com todos os vestidos, e você está tão linda, toda arrumada, com as suas amigas! Eu já lhe disse como seu pai e eu estamos orgulhosos de você? Recortamos as fotos do jornal impresso e seu pai tirou printscreen de todas que achamos na internet (já contei que ele começou um curso de informática no centro de educação para adultos? Seu pai será o próximo Bill Gates de Stortfold). Estamos lhe mandando todo o nosso amor, e tenho certeza de que seu negócio será um sucesso, Lou. Você pareceu tão contente e destemida ao telefone — quando desligamos, fiquei sentada olhando para o aparelho e não pude acreditar que aquela era a minha garotinha, cheia de planos, me ligando do próprio negócio do outro lado do Atlântico. (É o Atlântico, não é? Sempre confundo com o Pacífico.)
    Então, aqui vai a NOSSA grande novidade. Vamos visitá-la no fim do verão! Iremos quando esfriar um pouco — não gostei muito do que você falou das ondas de calor, você sabe que seu pai tem assaduras em lugares lamentáveis. Deirdre, da agência de viagens, nos dará o desconto de funcionário dela e vamos marcar os voos no fim desta semana. Podemos ficar com você no apartamento da senhora? Senão, pode nos indicar um lugar? Um que não tenha percevejos.
    Me avise que data é melhor para você. Estou tão animada!!!
    Com muito amor sempre.

Beijos,
Mamãe

P.S.: Eu contei que Treena foi promovida? Ela sempre foi uma garota esperta. Sabe, dá para ver por que Eddie é tão apaixonada por ela.

25 de julho

"Que a sabedoria e o conhecimento sejam a estabilidade dos teus tempos."

Fiquei parada no epicentro de Manhattan, diante do prédio altíssimo, deixando o ar sair lentamente dos pulmões, e olhei para a placa dourada acima da ampla entrada do número 30 no Rockefeller Plaza. Ao meu redor, Nova York fervilhava no calor da noite, as calçadas abarrotadas de turistas caminhando devagar, o ar pesado com o barulho das buzinas e com o eterno cheiro de escapamento e de borracha queimada. Atrás de mim, uma mulher com uma camisa polo em que se lia 30 Rock, se esforçando para ser ouvida acima da algazarra, fazia um discurso bem-ensaiado para um grupo de turistas japoneses. *O projeto do prédio foi finalizado em 1933, pelo renomado arquiteto Raymond Hood, no estilo art decó* — Senhor, por favor, fique junto do grupo, senhor. Madame? Madame? —, *e foi batizado originalmente de RCA Building, antes de se tornar o GE Building em* — Madame? Por aqui, por favor... Levantei a cabeça para olhar os sessenta e sete andares e respirei fundo.

Eram quinze para as sete.

Eu queria estar perfeita para aquele momento, havia planejado voltar ao Lavery às cinco para ter tempo de tomar banho e escolher um look apropriado (tinha pensado em Deborah Kerr, em *Tarde Demais para Esquecer*). Mas o destino interveio na forma de uma estilista de uma revista de moda italiana, que chegou ao Vintage Clothing Emporium às quatro e meia e quis olhar todos os conjuntos de duas peças para um ensaio que estava organizando. Ela fez a colega experimentar algumas roupas, para tirar fotos e voltar depois. Quando me dei conta, já eram cinco e quarenta da tarde e mal tive tempo de levar Dean Martin num pulo para casa e lhe dar comida, para depois ir correndo para o centro da cidade. Então, ali estava eu, suada e aparentando cansaço, ainda com as roupas do trabalho, prestes a descobrir que rumo a minha vida tomaria.

Muito bem, senhoras e senhores, por favor, sigam por aqui para o deque de observação.

Eu tinha parado de correr vários minutos antes, porém continuava ofegante enquanto atravessava a praça. Empurrei as portas de vidro fumê e percebi com alívio que a fila da bilheteria estava pequena. Eu havia verificado em um aplicativo na noite anterior e fora alertada de que as filas poderiam ser longas, mas por algum motivo fui supersticiosa demais para comprar o ingresso com antecedência. Por isso, esperei a minha vez, dei uma conferida no visual no espelho do estojo de pó compacto, olhei discretamente ao redor por causa da remota possiblidade de ele ter chegado cedo, então comprei um ingresso que me dava acesso ao deque entre 18h50 e 19h10, segui a corda de veludo e esperei enquanto era guiada junto com um grupo de turistas em direção a um elevador.

Sessenta e sete andares, disseram. Tão alto que a subida fazia os ouvidos estalarem.

Ele vem. É claro que vem.

E se não vier?

Esse era o pensamento que permeava a minha mente desde que recebera a única linha de resposta de Sam ao meu e-mail. "Ok. Entendi." O que na verdade poderia significar qualquer coisa. Esperei para ver se ele iria fazer alguma pergunta sobre os meus planos ou dizer algo que desse uma pista da decisão que tomara. Reli meu e-mail, me questionando se talvez o tinha chocado, se tinha sido ousada demais, assertiva demais, se havia conseguido transmitir a força do meu sentimento. Eu amava Sam. Eu o queria comigo. Será que Sam havia compreendido isso? Mas, após dar aquele baita ultimato, seria estranho ficar checando se eu fora perfeitamente compreendida, por isso apenas esperei.

Eram 18h55. As portas do elevador se abriram. Mostrei meu ingresso e entrei. Sessenta e sete andares. Senti um nó no estômago.

O elevador começou a subir devagar e senti um súbito pânico. E se ele não aparecesse? E se tivesse entendido, mas mudara de ideia? Como eu ia reagir? Com certeza ele não faria isso comigo, não depois de tudo. Minha respiração estava audível e levei a mão ao peito, tentando me acalmar.

— É a altura, não é? — perguntou uma mulher gentil que estava ao meu lado e tocou meu braço com a mão. — Sessenta e sete andares é uma distância e tanto.

Tentei sorrir.

— Tipo isso — respondi.

Se não puder deixar seu trabalho e sua casa e todas as coisas que o fazem feliz, eu vou entender. Ficarei triste, mas vou entender.

Você sempre vai estar comigo, de um jeito ou de outro.

Eu menti. É claro que menti. *Ah, Sam, por favor, diga sim. Por favor, esteja à minha espera quando as portas voltarem a se abrir.* Então, o elevador parou.

— Ora, não foram sessenta e sete andares — comentou alguém, no que algumas pessoas deram risadinhas constrangidas.

Um bebê no carrinho me encarou com os olhos arregalados. Ficamos todos parados por um minuto, até que alguém saiu.

— Ah. Este não é o elevador principal — explicou a mulher ao meu lado, apontando. — *Aquele* é o elevador principal.

E lá estava o tal elevador. No fim de uma interminável e sinuosa fila. Olhei horrorizada para ela. Devia haver umas cem pessoas, talvez duzentas, se movendo lentamente, os olhos erguidos para uma exposição de painéis. Cheguei o relógio. Já eram 18h59. Mandei uma mensagem de texto para Sam e, horrorizada, vi que se recusava a ser enviada. Comecei a abrir caminho entre a multidão, murmurando "Desculpe, desculpe", enquanto as pessoas estalavam a língua, aborrecidas, e gritavam: "Ei, senhora, estamos todos esperando na fila aqui." De cabeça baixa, passei pelos painéis que contavam a história do Rockefeller e de suas árvores de Natal e pelo vídeo de apresentação da NBC. Segui desviando para os lados, me contorcendo, murmurando pedidos de desculpa. Poucas pessoas são mais mal-humoradas do que turistas morrendo de calor numa fila inesperada. Um deles me agarrou pela manga.

— Ei! Você! Estamos todos esperando na fila!

— Vou me encontrar com uma pessoa — expliquei. — Sinto muito mesmo. Sou inglesa. Normalmente somos *muito bons* em filas. Mas, se eu me atrasar um minuto que seja, vou me desencontrar dele.

— Você pode esperar na fila como o restante de nós!

— Solte-a, meu bem — disse a mulher ao lado dele, e eu lhe murmurei um agradecimento.

Continuei abrindo caminho através do mar de ombros queimados de sol, de corpos em movimento, de crianças choramingando e de camisetas "I LOVE NY", com as portas do elevador aos poucos se aproximando. Mas, quando eu estava a uns seis metros de distância, a fila estancou. Dei um pulo, tentando ver acima das cabeças, e encontrei diante de mim uma viga de ferro falsa, que estava apoiada na imensa fotografia em preto e branco da silhueta de prédios característica do horizonte de Nova York. Os visitantes se sentavam em grupos na estrutura, reproduzindo a icônica fotografia de trabalhadores almoçando durante a construção da torre, enquanto uma mulher jovem, atrás de uma câmera, gritava para eles.

— Levantem as mãos... pronto. Agora façam sinal de positivo para Nova York... isso. Agora finjam que estão se empurrando, agora beijo. Muito bem. As fotos estarão disponíveis na saída. Próximos!

A cada grupo, ela repetia as quatro frases, enquanto nos aproximávamos aos poucos. O único modo de passar seria estragar o que talvez fosse a única possibilidade na vida de ter uma fotografia diferente do arranha-céu. Já eram 19h04.

Abri caminho para ver se conseguia me esgueirar por trás da fotógrafa, mas fui bloqueada por um grupo de adolescentes com mochilas. Alguém me empurrou pelas costas e seguimos para a frente.

— Em cima da viga, por favor. Senhora?

O caminho estava bloqueado por um paredão instransponível de gente. A fotógrafa acenou, chamando. Eu faria o que fosse necessário para sair dali mais depressa. Obedientemente, subi na viga, resmungando baixinho:

— Rápido, rápido, preciso sair daqui.

— Levantem as mãos... pronto. Agora façam sinal de positivo para Nova York! — Levantei as mãos e me forcei a erguer os polegares. — Agora finjam que estão se empurrando, isso... Agora beijo.

Um adolescente de óculos se virou para mim, ficou surpreso e depois, encantado. Fiz que não com a cabeça.

— Eu não, cara. Sinto muito.

Desci da viga com um pulo, empurrei o garoto para conseguir passar e corri para a fila final, à espera diante do elevador.

Eram 19h09.

Foi nesse ponto que senti vontade de chorar. Eu estava de pé, apertada naquela fila quente, cheia de gente reclamando, transferindo o peso de um pé para o outro, observando pessoas saírem do outro elevador e me amaldiçoando por não ter me informado melhor. Esse é o problema com os grandes gestos: tendem a dar errado de um modo espetacular. Os guardas observavam a minha agitação com a indiferença de funcionários que já tinham visto todo tipo de comportamento humano. Então, finalmente, às 19h12 a porta do elevador se abriu e um guarda arrebanhou as pessoas em sua direção, contando as que entravam. Quando chegou a minha vez, ele bloqueou a entrada com a corda.

— Aguarde o próximo.

— Ah, *por favor*.

— São as regras, senhora.

— Por favor, preciso me encontrar com uma pessoa. Estou atrasadíssima. Eu me aperto num canto. Por favor. Eu te imploro.

— Não posso. O limite de passageiros é muito rigoroso.

No entanto, quando deixei escapar um gemido de angústia, uma mulher poucos metros à frente acenou para mim.

— Venha — disse ela, saindo do elevador. — Fique com o meu lugar. Eu pego o próximo.

— Sério?

— Adoro um encontro romântico.

— Ah, obrigada, obrigada! — falei, enquanto me espremia para passar.

Achei melhor não explicar que a chance de ser romântico — e até de ser um encontro — diminuía a cada segundo. Eu me espremi dentro do elevador, ciente dos olhares curiosos dos outros passageiros, e cerrei os punhos quando começamos a subir.

Dessa vez, o elevador disparou a uma velocidade enorme, fazendo as crianças rirem e apontarem para o teto de vidro, que denunciava como estávamos subindo depressa. As luzes pipocavam sobre a minha cabeça. Meu estômago ficou se revirando. Uma senhora ao meu lado, que usava um chapéu com estampa floral, me cutucou.

— Quer uma bala de hortelã? — perguntou e depois piscou para mim. — Para quando finalmente encontrá-lo?

Peguei uma e dei um sorrisinho nervoso.

— Quero saber como foi — disse ela, guardando o pacote de bala na bolsa. — Venha me contar depois.

Então, quando meus ouvidos estalaram, a velocidade do elevador começou a diminuir e paramos.

Era uma vez uma garota de uma cidade pequena que vivia em um mundo pequeno. Ela era feliz, ou pelo menos isso era o que dizia a si mesma. Como várias garotas, adorava experimentar looks diferentes, ser alguém que não era. Mas, como acontece com muitas garotas, a vida a enfraqueceu até que, em vez de descobrir o que de fato se adequava a ela, acabou se camuflando, escondendo o que a diferenciava. Por um tempo, ela deixou que o mundo a magoasse até que chegou à conclusão de que era mais seguro não ser ela mesma de jeito nenhum.

Há tantas versões de nós mesmos que podemos escolher ser. Em certo momento, minha vida estava destinada a ser levada da forma mais medíocre. Aprendi que não precisava ser assim com um homem que se recusou a aceitar a versão de si mesmo que lhe restara e com uma senhora que percebeu o contrário: que ela podia se transformar bem em um momento em que muitas pessoas lhe teriam dito que não havia mais nada a ser feito.

Eu tinha uma escolha: ou eu era a Louisa Clark de Nova York, ou a Louisa Clark de Stortfold. Ou talvez outra Louisa completamente diferente que eu ainda não conhecia. O segredo era garantir que qualquer um que eu permitisse caminhar ao meu lado não tivesse o poder de decidir quem eu era nem me prendesse como uma borboleta em uma redoma. O segredo era saber que sempre se poderia dar um jeito de se reinventar mais uma vez.

Garanti a mim mesma que eu sobreviveria se ele não estivesse lá. Afinal, já tinha sobrevivido a coisas piores. Só seria mais uma reinvenção. Disse isso a mim mesma várias vezes, enquanto esperava que as portas do elevador se abrissem. Eram 19h17.

Saí depressa pelas portas de vidro, dizendo a mim mesma que, se tivesse vindo tão longe, ele teria esperado vinte minutos. Então atravessei o deque correndo, girando o corpo e abrindo caminho entre as pessoas que estavam ali para apreciar a vista, entre os turistas tagarelando e entre as muitas pessoas tirando *selfies*, para ver se ele estava lá. Atravessei novamente as portas de vidro e cruzei o grande saguão interno até chegar a um segundo deque. Ele devia estar daquele lado. Andei rápido, entrei e saí, me virando para verificar o rosto de estranhos, os olhos treinados para reconhecer um homem um pouco mais alto do que todos ao redor dele, o cabelo escuro, os ombros largos. Fui de um lado ao outro do piso de cerâmica, o sol do fim de tarde aquecendo a minha cabeça, o suor começando a brotar nas costas enquanto eu incansavelmente procurava e analisava as pessoas com uma sensação nauseante de que ele não estava lá.

— Você o encontrou? — perguntou a senhora do elevador, agarrando o meu braço.

Fiz que não com a cabeça.

— Então vá para o andar de cima, querida.

Ela apontou na direção da lateral do prédio.

— Andar de cima? Tem mais um andar?

Corri, tentando não olhar para baixo, até chegar a uma pequena escada rolante que levava a outro deque de observação, ainda mais cheio de visitantes. Desesperada, tive uma súbita visão de Sam descendo a escada rolante do outro lado naquele exato instante. E eu não teria como saber.

— Sam! — gritei, com o coração disparado. — Sam!

Algumas pessoas me olharam de soslaio, porém a maioria continuou apreciando a vista, tirando *selfies* e posando no vidro.

Parei no meio do deque e gritei, com a voz rouca:

— Sam?!

Fiquei teclando no celular, tentando várias vezes mandar a mensagem para Sam, sem conseguir.

— Pois é, a cobertura aqui é péssima. Perdeu alguém? — perguntou um guarda uniformizado que surgiu ao meu lado. — Perdeu uma criança?

— Não. Um homem. Eu deveria encontrá-lo aqui. Eu não sabia que havia dois andares. Ou tantos deques. Ai, meu Deus. Ai, meu Deus. Acho que ele não está em nenhum deles.

— Vou passar um rádio para o meu colega e ver se ele pode chamá-lo. — O guarda levou o rádio ao ouvido. — Mas a senhora sabe que são três andares?

O guarda apontou para cima. Nesse instante, deixei escapar um soluço abafado. Eram 19h23. Eu nunca encontraria Sam. Àquela altura ele já teria ido embora — se é que havia chegado até ali.

— Tente lá.

O guarda me pegou pelo cotovelo e apontou para o outro lance de escadas. Então se virou para falar no rádio.

— É só isso, não é? — falei. — Não há mais deques.

Ele sorriu.

— Não há mais deques — repetiu.

Eram sessenta e sete passos entre as portas do segundo deque do número 30 do Rockefeller Plaza e o último deque panorâmico, o mais alto, e pareciam mais com sapatos de salto de cetim fúcsia presos com tiras elásticas, que com certeza não eram apropriados para correr, muito menos no calor. Fui devagar dessa vez. Subi o lance estreito de escada e, no meio do caminho, quando senti que algo em mim estava prestes a explodir de ansiedade, me virei e olhei para a vista logo atrás. Do outro lado de Manhattan, o sol cintilava cor de laranja, com o mar infinito de silhuetas de edifícios brilhantes refletindo a luz pêssego, o centro do mundo cuidando da própria vida. Um milhão de vidas abaixo de mim, um milhão de corações partidos em maior e menor grau, histórias de alegria, de perda e de sobrevivência, um milhão de pequenas vitórias todos os dias.

Há um grande consolo em simplesmente fazer algo que se ama.

Naqueles últimos passos, pensei em todos os modos pelos quais minha vida ainda seria maravilhosa. Regulei a respiração e pensei na minha loja, nos meus amigos, no meu inesperado cachorrinho com sua cara enrugada e alegre. Pensei em como em menos de doze meses eu havia sobrevivido à falta de moradia e ao desemprego em uma das cidades mais brutais do planeta. Pensei na biblioteca William Traynor.

E, quando me virei e levantei a cabeça de novo, lá estava ele, debruçado sobre o parapeito, olhando para a cidade, de costas para mim, o cabelo levemente bagunçado pela brisa. Por um instante, fiquei paralisada, enquanto os últimos turistas passavam por mim, e observei os ombros largos dele, o modo como a cabeça estava inclinada para a frente, os pelos escuros e macios acima do colarinho, e algo mudou em mim — uma espécie de recalibragem profunda em meu íntimo, que me fez ficar calma só de olhá-lo.

Fiquei ali parada, observando ele, e suspirei fundo.

E, talvez por estar ciente do meu olhar, nesse exato segundo ele se virou devagar e endireitou o corpo, e o sorriso que surgiu lentamente em seu rosto se igualou ao meu.

— Oi, Louisa Clark.

AGRADECIMENTOS

Meu grande obrigada a Nicole Baker Cooper e Noel Berk pela generosidade e pelo conhecimento sobre o Central Park e o Upper East Side, que me serviu de janela para esses dois mundos bem específicos. Todos os erros factuais são de minha total responsabilidade e se devem às necessidades da trama.

Também sou muito grata a Vianela Rivas, da Biblioteca Pública de Nova York, por ceder seu tempo para me mostrar a biblioteca de Washington Heights. A biblioteca da trama não é uma réplica exata, porém sua criação teve como base o inestimável serviço prestado pela sede verdadeira e seus funcionários. Que perdure por muito tempo.

Como sempre, agradeço a minha agente, Sheila Crowley, e minha editora nos Estados Unidos, Pamela Dorman. Também devo minha gratidão aos vários profissionais talentosos da Pamela Dorman Books e do Penguin Publishing Group, em especial a Jeramie Orton, Louise Braverman, Brian Tart, Kate Stark, Lindsay Prevette, Lydia Hirt, Kathryn Court, Kate Griggs e Brianna Linden, e, além deles, a todos os heróis anônimos nas livrarias e à mídia que ajuda a nós, autores, lá fora (algumas vezes literalmente!).

Meu enorme obrigada a todos que trabalham com Sheila na Curtis Brown por seu apoio contínuo, em especial a Claire Nozieres, Katie McGowan, Enrichetta Frezzato, Mairi Friesen-Escandell, Abbie Greaves, Felicity Blunt, Martha Cooke, Nick Marston, Raneet Ahuja, Alice Lutyens e, é claro, Jonny Geller. Nos Estados Unidos, agradeço mais uma vez a Bob Bookman.

Pela longa amizade, aconselhamento profissional, almoços, chá e bebidas inapropriadas, sou grata a Cathy Runciman, Monica Lewinsky, Maddy Wickham, Sarah Millican, Ol Parker, Polly Samson, David Gilmour, Damian Barr, Alex Heminsley, Wendy Byrne, Sue Maddix, Thea Sharrock, Jess Ruston, Lisa Jewell, Jenny Colgan e todos do Writersblock.

Já mais próximo de casa, devo minha gratidão a Jackie Tearne, Claire Roweth, Chris Luckley, Drew Hazell, à equipe da Bicycletta e a todos que me ajudam a fazer o que faço.

Meu amor e gratidão aos meus pais — Jim Moyes e Lizzie Sanders —, Guy, Bea, Clemmie e, acima de tudo, a Charles, Saskia, Harry, Lockie e BigDog (cuja inclusão como "família" não surpreenderá quem a conhece).

Meu agradecimento final a Jill Mansell e sua filha, Lydia, cuja doação generosa ao Authors for Grenfell imortalizou Lydia como a dona mascadora de chiclete e fumante de uma loja de roupas vintage.

- intrinseca.com.br
- @intrinseca
- editoraintrinseca
- @intrinseca

1ª edição	FEVEREIRO DE 2018
reimpressão	DEZEMBRO DE 2024
impressão	LIS GRÁFICA
papel de miolo	PÓLEN NATURAL 70 G/M²
papel de capa	CARTÃO SUPREMO ALTA ALVURA 250 G/M²
tipografia	ELECTRA LH